LES AILES DE LA VENGEANCE

DU MÊME AUTEUR

Pluie de flammes, l'Archipel, 2003.

JAMES W. HUSTON

LES AILES
DE LA VENGEANCE

traduit de l'américain
par Gerald Messadié

l'Archipel

Ce livre a été publié sous le titre
Flash Point
par William Morrow, 2000.

Si vous désirez recevoir notre catalogue et
être tenu au courant de nos publications,
envoyez vos nom et adresse, en citant ce
livre, aux Éditions de l'Archipel,
34, rue des Bourdonnais, 75001 Paris.
Et, pour le Canada,
à Édipresse Inc., 945, avenue Beaumont,
Montréal, Québec, H3N 1W3.

ISBN 2-84187-549-0

« Le Congrès disposera du pouvoir [...] de déclarer la guerre, d'accorder des lettres de créance, de décider de représailles et de dicter les règlements concernant les captures sur terre et sur mer. »

Constitution des États-Unis d'Amérique,
article 1, paragraphe 8

1

La fourgonnette blanc sale toussota et cala à courte distance du poste de contrôle de Gaza. Le conducteur semblait harassé. Il se pencha sur le volant et tenta de redémarrer. Le moteur vrombit, puis cala de nouveau.

L'un des gardes palestiniens laissa passer deux voitures et jeta un coup d'œil au véhicule. La camionnette risquait de bloquer le trafic matinal, celui des milliers de Palestiniens qui allaient effectuer en Israël les corvées dont les locaux ne voulaient pas s'occuper.

De l'autre côté de la frontière, leurs M-16 chargés en main, suant sous leur gilet pare-balles, les militaires israéliens de garde au poste frontière soupçonnaient toutes les voitures de transporter des armes. Pour eux, chaque véhicule transitant par Gaza était un cheval de Troie en puissance.

La fourgonnette avait distendu le trafic. Il ne restait plus, à une dizaine de mètres, qu'une Fiat fatiguée entre elle et le poste de contrôle. Le garde palestinien se dirigea vers la camionnette, qui crachota encore.

La Fiat cabossée avança en territoire israélien. La voie était à présent dégagée, mais la fourgonnette cala une fois de plus. Le chauffeur tourna la clef de contact. Le starter s'enclencha bruyamment, plusieurs fois de suite, en vain. Le garde s'approcha de la portière et demanda en arabe, avec humeur :

— Qu'est-ce qui se passe ?

— Problème d'allumage, répondit l'autre dans la même langue.

— Dégage ou bien on te pousse dans le fossé. Tu bloques la circulation !

Un bouchon s'était en effet formé derrière le véhicule. Le soleil bas, à l'est, aveuglait les militaires palestiniens.

— Ouais, j'essaie.

Le conducteur se pencha comme s'il essayait d'insuffler sa propre énergie au moteur. Il tourna la clef de la main droite et, de la gauche, tira une manette. Le moteur ressuscita. Le chauffeur sourit au garde d'un air contrit et la fourgonnette se traîna vers le poste de contrôle.

— Dégage ce tas de ferraille de la route ! cria le garde palestinien, excédé par l'incident.

Les Israéliens observaient la scène, tendus. Même une vétille, ne serait-ce que des éclats de voix, les inquiétait. Cela pouvait être une manœuvre destinée à détourner l'attention.

Contre toute attente, le conducteur entama un demi-tour et reprit le chemin de Gaza, ayant apparemment renoncé à gagner Tel Aviv. De nouveau, le moteur hoqueta, puis s'arrêta. Le garde vociféra des injures et se dirigea vers le véhicule. Arrivé à hauteur de la portière avant, le conducteur brandit un gros pistolet et tira. La balle traversa le gilet pare-balles et la victime fut projetée sur le côté, avant de s'écrouler lourdement, le corps secoué de spasmes.

Les portes arrière de la camionnette s'ouvrirent alors. Huit hommes armés de fusils-mitrailleurs en jaillirent et ouvrirent le feu. Chacun d'eux choisit sa cible. Les balles émirent un bruit métallique en laminant les gilets pare-balles des militaires des deux camps. La cahute des gardes israéliens fut criblée de balles, et ses occupants déchiquetés. Des deux côtés de la frontière, des appels aux renforts fusèrent.

Les tireurs regardèrent les corps des six gardes palestiniens qui gisaient, comme s'ils attendaient un signal. Un blindé israélien arriva en trombe. Une déflagration assourdissante retentit. Un missile TOW lancé depuis la fourgonnette frappa le flanc du blindé, tuant sur le coup tous ses occupants.

Des dizaines de militaires palestiniens et israéliens, jusqu'alors postés à près d'un kilomètre, accoururent vers le poste frontière. Mais les huit tireurs indemnes remontèrent à bord et le conducteur fonça vers Gaza.

Des balles de M-16 heurtèrent les portes arrière, mais le choc fut amorti par un revêtement intérieur en Kevlar. Rien n'arrêta le véhicule. Pas même un camion palestinien qui se lança à sa poursuite, et fut semé aux abords de Gaza. Dès les faubourgs, la fourgonnette effectua un virage abrupt et s'engagea dans une venelle. Un autre véhicule vint la masquer tandis que les huit tireurs et le conducteur en descendaient, avant de se perdre dans la foule. Ayant changé de tenue, ils se séparèrent, rejoignirent des voitures qui les attendaient et s'évanouirent dans la nature.

— Hé, Wink! appela le lieutenant Sean Woods dans son masque à oxygène.

— Quoi?

— C'est notre dernière mission d'interception de la soirée?

Sur le siège arrière du F-14, Wink consulta la petite horloge du tableau de bord.

— Probablement…

— Prêt pour s'amuser un peu? demanda Woods.

— À ta disposition.

Woods vérifia le niveau de carburant.

— OK, reprit Wink, et il transmit au contrôleur au sol: Deux-Zéro-Sept, prêt.

— *Roger,* répondit Tiger. *Victory Deux-Zéro-Sept, ton ennemi est Deux-Huit-Quatre, à 42 nautiques de distance.*

Cela signifiait que « l'ennemi », dont le contrôleur au sol Tiger ignorait l'altitude, serait joué par leur chef de mission.

Wink dirigea son radar à la gauche du Tomcat, tandis que Woods effectuait un virage raide à 3 G en direction de l'ouest. Wink repéra l'ennemi pendant ce changement de cap.

— Deux-Zéro-Sept, Deux-Huit-Quatre est à 40, énonça Wink, qui prenait la direction de l'exercice.

Le lieutenant Vialli, ainsi que Sedge, son OIR, Officier d'Interception Radar, se situaient donc à 40 milles nautiques du F-14 de Wink et Woods; les deux avions filaient à la même vitesse.

— Roger, j'y vais.

La radio se tut. Woods changea le mode de son HSD, l'imageur de situation horizontale, pour faire apparaître l'image radar que Wink avait obtenue sur son écran. Il comprit immédiatement quel genre d'interception son copilote avait en tête.

De nouveau, il vérifia le carburant : largement assez pour revenir au porte-avions.

— Quelle est son altitude ?

Wink capta la cible sur son PTID, l'imageur programmable d'information tactique, qui lui donna les informations radar.

— 23 000 pieds au-dessus de l'océan.

Woods poussa les manettes à fond, sollicitant toute la puissance des moteurs, mais sans post-combustion, et il redressa le nez du Tomcat à 10 degrés au-dessus de l'horizon.

La lueur verte des écrans se reflétait sur la visière transparente de leurs casques. Une nuit d'encre, que les nuages épaississaient encore, régnait au-dessus de la Méditerranée.

— On lui tombe dessus ? demanda Wink.

— Puisqu'on est en haut, profitons-en. Mais on va avoir besoin d'un peu plus d'angle.

Le F-14 s'éleva abruptement dans l'air glacial.

— Tu penses qu'ils nous ont vus ?

— C'est certain.

— Ils ont donc saisi ce qu'on mijote.

— Il est possible qu'ils ne fassent pas attention. Peut-être n'ont-ils pas relevé notre altitude. Tribord au 3-0-0 pour avoir une vue d'ensemble.

Wink voulait arriver de côté pour mieux suivre sa cible. Woods vira sur tribord en douceur au 3-0-0, tout en montant.

— OK, viens au 2-7-8 à bâbord.

Woods s'exécuta et atteignit 34 000 pieds, s'élevant toujours. Il regarda instinctivement derrière lui, pour voir s'ils laissaient des traînées, puis se rendit compte que, de toute façon, l'obscurité les rendrait invisibles. Interrompant leur dialogue, ils montèrent à 40 000 pieds.

— 10 nautiques, reprit alors Wink. Nous commençons l'interception à 7 nautiques. À 5, nous le prenons en chasse.

— Roger, répondit Woods, s'efforçant en vain de repérer leur chef de mission, qui devait se situer beaucoup plus bas. Où sont-ils ? Attends, je les ai ! Ils sont en bas, à 5 nautiques.

— Juste au-dessus des nuages… les idiots !

— Il nous faudra descendre plus vite et surveiller notre vitesse.

— Du gâteau, jugea Woods, prêt à dévaler 30 000 pieds dans le noir, la tête en bas.

— Tribord toute.

Avec prudence, Woods entama un rapide virage dans l'atmosphère raréfiée. Puis, Wink demanda « bâbord toute ». Woods inclina alors le manche à gauche jusqu'à ce que le Tomcat fût sur le dos, avant de laisser la gravité les entraîner vers la terre. Un coup d'œil à travers la vitre du cockpit lui révéla la lueur du feu rouge anti-collision de Vialli, qui perçait les ténèbres.

— Taïaut !

— Je l'ai, répondit Wink. Nous sommes presque sur sa trajectoire. Tout droit !

— Roger.

Woods équilibra les ailes et tira sur le manche jusqu'à ce qu'ils eussent atteint 4 G. Le Tomcat, le nez perpendiculaire à la mer, dépassa bientôt la vitesse de 600 nœuds. Alors Woods diminua les gaz, puisqu'il n'avait plus besoin de la poussée des moteurs.

— Tu crois qu'il nous a vus ?

— Ils doivent se demander ce qu'on fout là-haut.

— Pas sûr, répondit Woods, la voix déformée par l'accélération. À quelle distance allons-nous les poursuivre ?

— 1 nautique environ, si tu peux.

— Parfait.

— Surveille la vitesse, dit Wink alors qu'ils franchissaient les 625 nœuds.

Woods réduisit encore les gaz et tira sur le manche.

— Nous arrivons à 20 000, déclara calmement Wink.

— Tu l'as capté sur le radar ?

— Oui. Redresse à 15 000 pieds, qu'on puisse descendre à leur altitude.

— OK.

Woods regarda le nez du Tomcat remonter et virer à l'est. Sur le tableau de bord, l'horizon artificiel indiquait qu'ils repasseraient bientôt en vol normal. Il relâcha la pression arrière sur le manche et sentit se dégonfler sur son ventre et ses cuisses les poches d'air de sa combinaison anti-G.

— Droit devant, à 1 nautique, approche à 250 nœuds, annonça Wink. Puis, au contrôleur : *Fox Deux*.

Cette dernière transmission signalait qu'ils avaient terminé la première phase et allaient maintenant simuler le lancement d'un missile Sidewinder AIM-9 à tête thermosensible.

— On leur fout la trouille? demanda Woods, excité.

— Ça risque de nous valoir des ennuis, observa prudemment Wink.

— Les règles sont faites pour être bousculées... On y va?

— Non, arrête. Ça peut réellement avoir des conséquences. Et, sans ma tenue étanche, je préfère éviter un bain forcé.

— Vu, répondit Woods.

Il poussa les gaz. Depuis le porte-avions, le contrôleur d'interception aérienne Tiger annonça :

— *Victory Deux-Zéro-Sept, chef à 2-7-0.*

— C'est pour nous, dit Wink, qui s'adressa au contrôleur : Deux-Zéro-Sept se dirige vers le garage.

— *Roger. Bon travail. Je vous verrai là-bas.*

— À tout de suite, Tiger, répondit Wink. Puis il ajouta, à l'attention de Woods : approche à 300 nœuds.

Il s'inclina vers la gauche et fixa les lumières de l'avion, de plus en plus proches. Le copilote aussi les observait.

— Ils surfent sur la couche de nuages, fit remarquer Woods. Leur avion trempe dedans, sauf le cockpit et les dérives... Il nous faudra traverser les nuages si nous voulons passer au-dessous de lui, conclut-il après réflexion.

— Une autre fois... C'est trop risqué, tenta d'esquiver Wink.

Il savait son copilote prompt à passer les bornes.

— Non, on aura largement assez d'espace. Tu l'as bien capté sur le radar?

— Oui.

— Dis-moi quand on sera au-dessous de lui, ajouta Woods.

Ils plongèrent dans la masse sombre des nuages. Les feux de l'autre avion disparurent bientôt, pour ne réapparaître que par intermittence.

— 1/10e de nautique à 300 d'approche, dit Wink, le regard fixé sur l'image radar.

Ils fonçaient sur leur chef de mission à une vitesse de 300 nœuds supérieure à la sienne. Wink vit l'angle du radar s'ouvrir rapidement ; il entendit, à 65 degrés, le déclic indiquant que la cible avait été perdue. L'antenne, comme dépitée, revint à sa position initiale.

— Directement au-dessus de nous !

— Roger, répondit Woods, anxieux. Tu crois que ça ira ?

— Ça devrait aller.

— On va faire un test.

Woods compta jusqu'à trois et tira brusquement sur le manche. Dans un long hurlement, l'appareil surgit des nuages. Le ciel redevint pur, scintillant d'étoiles.

— Tu l'as ? cria-t-il à Wink.

Celui-ci agrippa la poignée sur la console du radar et se retourna pour jeter un bref coup d'œil entre les deux dérives de leur appareil.

— Je l'ai.

Telle une fusée, le F-14, lancé à 500 nœuds, fonça à la rencontre de son « ennemi ». Le lieutenant Tony Vialli, chef de mission, vit tout à coup apparaître, directement en face de lui, une masse sombre piquée de feux anti-collision. Mû par un réflexe désespéré, il fit plonger son appareil pour éviter une collision imminente.

— Nom de Dieu ! cria-t-il dans son masque à oxygène, si fort que Sedge put l'entendre du poste arrière, alors que le microphone était coupé.

Chassés de leurs sièges par les forces G négatives du piqué, ils traversèrent le sillage de Woods et entrèrent aussitôt dans les nuages. Vialli tenta de se ressaisir, se forçant à fixer l'horizon artificiel pour éviter le vertige, qui eût pu leur être fatal. Il vérifia rapidement les instruments afin de s'assurer que la traversée du sillage n'avait pas coupé les moteurs.

Dans l'autre F-14, Woods et Wink s'amusaient de cette équipée à la vitesse d'une fusée dans la nuit méditerranéenne.

— Ça a dû suffire. Tu crois qu'ils nous ont vus ? demanda-t-il à Wink.

La radio crépita :

— Si c'était toi, tu es mort.

Vialli n'avait même pas besoin de préciser à qui il s'adressait. Il se servait de la radio du siège avant, réservée à l'escadrille sur une fréquence spéciale. Et l'appareil de Woods était le seul autre aéronef de la formation à être encore en l'air à cette heure de la nuit.

Woods perçut la colère dans la voix de Vialli et s'avisa qu'il avait sans doute fait une erreur de calcul. Il brancha la radio sur la manette des gaz :

— Ouais, on t'a dépassé. Rien de bien grave. On se retrouve tout à l'heure.

— Tu nous as foncé dessus, répliqua Vialli avec fureur, montant au-dessus des nuages.

— On coupe, intervint Sedge. On vous verra au garage, les gars.

Woods ajusta les instruments pour que le Tomcat pût voler sur pilote automatique et régla l'altitude et la direction. Ensuite, il débrancha les feux anti-collision, qui se distinguaient à des kilomètres. À cette altitude, il n'y avait pas de risques. L'appareil se fondit dans la nuit, invisible.

Il reposa les bras sur les accoudoirs et considéra les étoiles. En pleine mer, par une nuit claire, la Voie lactée offrait un spectacle magnifique ; vu du toit du monde, à bord d'un avion plongé dans l'obscurité, c'était encore plus beau. Il s'adossa et ferma les yeux pour humidifier ses paupières, desséchées par la circulation de l'air dans son masque. Puis il les rouvrit et regarda vers l'est, où la lune apparaîtrait dans 45 minutes ; déjà, une lueur l'annonçait. Wink rompit le silence :

— Encore deux mois, Sean, et on sera de retour à Norfolk.

— Ouais. Mais avant, il y a quelques belles escales qui nous attendent. Comme Israël.

— Faut pas y compter. Ils ne nous laisseront jamais aller là-bas. Il s'y passe trop de choses graves.

— Je te parie le contraire. La dernière fois, quand j'étais à bord, on a fait escale à Haïfa. C'était fabuleux.

— Il y aura probablement un attentat et on ne pourra pas s'y arrêter. On va encore finir à Naples.

— Sur ça, je suis d'accord.

Woods respira de l'oxygène pendant une minute. Cela n'avait rien à voir avec l'air habituel, qui lui paraissait, par comparaison, insipide et frelaté ; quelques bouffées de l'oxygène pur du Tomcat lui donnaient invariablement l'impression de rajeunir. Il n'avait pas envie de descendre au garage et de subir l'attente routinière. Ils étaient censés mettre les gaz et arriver 10 secondes à l'avance au point de descente, mais Woods se débrouillait toujours pour être en retard et réussir quand même sa descente. Peut-être ne repoussait-il l'atterrissage que pour le plaisir de rester quelques minutes de plus en vol.

Cependant, l'idée d'atterrir sur le pont étroit d'un navire par une nuit sans lune lui laissait toujours les mains moites. Il savait comment procéder ; à ce petit jeu, il était même le meilleur de l'escadrille. Mais cela restait un acte contre nature.

Il ralluma les lumières des instruments de bord et les feux anti-collision. Puis, il fit rouler son F-14 sur le dos et se dirigea vers le garage.

— On y va.

2

Sami Haddad ralentit l'allure avant de pénétrer en voiture dans l'enceinte du siège de la CIA à Langley, Virginie. Il n'y travaillait que depuis trois ans, mais ses fonctions étaient déjà devenues pour lui une espèce de routine. Il jouissait d'un emploi stable, d'un appartement et d'une position sociale qui lui assuraient le respect de ses interlocuteurs, toujours impressionnés lorsqu'il leur révélait le nom de son employeur. C'était la nouvelle CIA, celle qui avait un site sur le Net, qui reconnaissait son existence et permettait à ses employés, du moins les analystes, d'avouer pour qui ils travaillaient. Seuls les agents secrets, ceux qui assumaient des besognes louches dans des endroits impossibles, n'étaient pas autorisés à parler de leurs activités.

Il gara sa vieille Nissan bon marché et claqua la portière aussi fort que possible, comme s'il voulait lui donner le coup de grâce. Une vibration plaintive s'échappa de la tôle fatiguée. Quand ce tacot allait-il enfin se décider à rendre l'âme? Il attendait impatiemment qu'elle l'abandonne pour pouvoir acheter quelque chose de neuf. Autrement, il ne pourrait pas justifier l'achat d'une nouvelle voiture; son père n'y consentirait pas. Selon lui, on ne remplaçait son véhicule que lorsque c'était nécessaire, et il était hors de question que Sami change de voiture pour une simple question de standing. C'était ce que soutenait son père, Monsieur le Pragmatique – ce qui ne l'empêchait pas de posséder une Mercedes classe S. Dans ces conditions, Sami ne faisait pas laver sa voiture ni la vidanger ni l'entretenir d'aucune façon. Il voulait qu'elle meure, mais elle s'obstinait à vivre.

Il gagna l'entrée d'un bâtiment et plaça sa carte magnétique devant une lumière rouge sur le côté de la porte; le détecteur l'identifia et le laissa passer. Un garde le dévisagea et lui désigna du menton le portique à rayons X et le détecteur de métaux. Tous les employés, sans exception, étaient contrôlés chaque jour. Trop de monde en avait après la Central Intelligence Agency pour qu'on s'autorisât la moindre négligence.

— Salut, dit Sami.

Il posa sa serviette sur le tapis roulant. L'idée le traversa que les rayons X pourraient abîmer son sandwich. Mais il se dit que c'était hautement improbable ; s'ils avaient un pouvoir quelconque, ce serait simplement de tuer les quelques bactéries qui s'y trouvaient. Il savait que les rayons étaient sans effet sur le reste de son contenu, les journaux arabes, le dictionnaire et l'*Histoire des Croisades* qu'il avait emportés chez lui.

L'ascenseur le mena au troisième étage. Et comme tous les ronds-de-cuir, Sami alla poser sa serviette dans son cubicule, puis rangea son sandwich dans le réfrigérateur de la salle des machines à café avant de revenir allumer son ordinateur. Il reprit le fil de ses idées où il l'avait laissé la veille, à 21 heures, avant qu'il se rende à la Bibliothèque du Congrès, comme son travail l'y autorisait, pour consulter un obscur ouvrage sur le Moyen-Orient au Moyen Âge, et un autre sur les Croisades. Il saisit le rapport qu'il avait laissé sur le bureau, un document de la NSA. Ils avaient intercepté des communications qu'ils jugeaient insolites et ils les soumettaient, comme ils en avaient l'habitude, à son analyse. Mais cette transcription-ci avait particulièrement retenu l'attention.

La communication utilisait un mode de transmission plutôt banal, fondé sur des codes vocaux ordinaires, dont seuls les profanes s'imaginaient qu'ils rendaient leurs échanges indéchiffrables. Mais elle contenait un nom qui avait semé le doute à la NSA, et ceux qui l'avaient interceptée voulaient alerter Sami ; il possédait, lui, une connaissance du monde arabe qu'ils n'avaient pas.

Diplômé d'arabe de l'université de Georgetown, Sami était le fils d'un diplomate syrien qui s'était retrouvé dans l'opposition au Président Hafez el-Assad et avait décidé de rester aux États-Unis avec son épouse américaine. Il était d'ailleurs né sur le sol américain et ne connaissait la Syrie que pour y avoir rendu visite à des cousins. Toutefois, il parlait arabe et était familier du mode de pensée arabe, ce qui le rendait précieux pour l'Agence, particulièrement à la section Moyen-Orient et au département en charge des organisations terroristes émergentes.

— Toujours à plancher sur ce rapport? lui demanda Terry Cunningham, un collègue analyste, docteur en Sciences politiques. Il n'est pourtant pas si long.

Cunningham connaissait toute l'histoire du Moyen-Orient au XXᵉ siècle, ses tenants et ses aboutissants. Il possédait une capacité de prévision singulière et savait assez bien l'arabe.

— Ce truc m'inquiète, répondit Sami.

— Pourquoi?

— Il y a quelque chose… mais je ne suis pas sûr.

— Quoi donc?

— Une nouvelle organisation. Qui plonge ses racines assez loin. Je ne peux rien te dire de précis pour l'instant.

— De quels faits disposes-tu?

— Ce n'est pas très clair. Je dois encore réfléchir avant de proposer une synthèse.

— Le patron va te demander un rapport…

— Pas tout de suite.

— Dis-moi déjà ce que tu as!

— Attends un peu. Laisse-moi un peu plus de temps pour y penser. Tu le sauras bientôt.

— Ne traîne pas, dit Cunningham en quittant le cubicule de Sami pour regagner le sien.

— T'inquiète pas.

— Mais qu'est-ce qui t'a pris, bon dieu? demanda Tony Vialli à Woods quand ils se retrouvèrent dans la cabine où les pilotes entreposaient leurs équipements de vol, leurs combinaisons anti-G et leurs vêtements étanches.

Il tira la fermeture Éclair de sa combinaison et s'en défit avec impatience.

— Alors? demanda-t-il, pressant Woods de répondre.

Ce dernier se déshabillait lentement et méthodiquement. Wink et Sedge, l'officier d'interception radar de Vialli, faisaient de même, se tenant à l'écart de la discussion. Wink savait qu'il allait être à son tour mis sur la sellette, Woods et lui ayant dans l'escadrille des grades virtuellement égaux.

— De quoi tu parles ? répondit finalement Woods.

— De ton numéro d'acrobatie ! reprit Vialli, devinant que Woods se dérobait.

— Calme-toi, y'a pas eu de mal.

Vialli le vrilla du regard et rétorqua :

— Tu m'as foutu une trouille d'enfer et ça, je ne peux pas l'encaisser !

— C'était l'occasion de te donner un peu d'exercice.

— Quand je rase les nuages ?

— Tu vois ? Tu étais en infraction vis-à-vis du règlement de vol à vue. Tu violais la règle de *clearance* dans les nuages, répondit Woods, en accrochant à une patère son harnais à mailles, celui que les pilotes portaient sur le torse et les jambes et qui les attachait au siège éjectable.

— Je suis sérieux, Sean. Tu es passé en interception radar et tu as foncé sur moi. C'est très risqué. On aurait pu avoir un accident.

— OK. Ça ne se reproduira pas. On n'en parle plus.

Vialli ne dit mot.

— Allons au mess. J'ai besoin de m'humecter le gosier. Wink vient avec nous.

— On ne va pas au rapport ?

— Qu'est-ce qu'il y a à rapporter ? Nous avons fait vingt interceptions et nous n'avons trouvé personne qui constitue une menace pour le navire. Laisse tomber. Wink a déjà fait un rapport au commandant d'interception.

Vialli accrocha aussi son harnais et, pour s'aérer un peu, souleva le T-shirt qu'il portait sous sa chemise verte d'uniforme, avant de remonter ses manches. Il était furieux mais ne savait quelle attitude prendre. Il ne voulait pas dénoncer pour violation du règlement un officier supérieur, camarade de chambrée, chef de section et de surcroît son meilleur copain.

— Je vais me pieuter, dit-il. Il est trop tard pour un pot.

Et il se dirigea vers la porte de la chambre des équipements.

21

— Tu veux toujours aller à Pompéi quand nous ferons escale à Naples ? lui lança Woods.

Mais Vialli ne ralentit même pas et il laissa la porte claquer derrière lui.

Sami examina les clichés de l'attaque de Gaza.

— Je ne sais pas... Que dire d'après de vagues photos de cadavres ?

— Y a-t-il quelque chose dans tes recherches qui laissait présager ce genre de massacre ? lui demanda Cunningham.

— Je n'ai pas fait de « recherches ». Je n'ai qu'un bout d'histoire qui pourrait un jour se révéler intéressant. Et qui pour l'instant me rend chèvre.

— Allons, vas-y, crache le morceau !

Sami ne se sentait pas prêt ; dès qu'il ouvrirait la bouche, ne risquait-il pas de voir les mots dépasser sa pensée ? Néanmoins, il avait besoin d'être éperonné.

— La plus vieille société secrète du monde. Mais c'est de l'histoire ancienne.

— À moins qu'elle n'ait pas totalement disparu, c'est ce que tu veux dire ? demanda Cunningham.

— Peut-être...

— Et tout ça, à partir d'une seule interception ?

— C'est ce que je me disais. Puis, soudain, je me suis rappelé d'autres détails que j'avais négligés.

Sami ne voulait pas exagérer l'intérêt de sa théorie ; il se sentait indécis. Cunningham s'assit sur le coin de son bureau.

— Tu veux que j'arrange une entrevue avec le chef de la division ? proposa-t-il.

— J'en parlerai lors de la réunion de cet après-midi.

Après avoir de nouveau regardé les photos, il ajouta :

— Qu'ont dit les Palestiniens, à propos des armes ?

— Des fusils-mitrailleurs américains M-60, des lanceurs américains de missiles TOW.

— Y avait-il des traces dessus ?

— Oui... Curieux que tu le demandes. Les fusils portaient encore leurs numéros de série.

— Pourquoi ont-ils fait ça ? demanda Sami, perplexe. Et ils ont tout laissé dans la fourgonnette. Comme s'ils se fichaient qu'on les retrouve.

— Non. Ils *voulaient* qu'on les retrouve.

— A-t-on pu remonter la piste ?

— Ouais. Facile. United States Marine Corps. Au Liban. Après l'attaque contre les casernes, on n'a jamais retrouvé ces armes. On les avait toujours soupçonnées d'avoir atterri chez les Druzes de Beyrouth.

— Les Druzes ? Tu es sûr ?

— Évidemment. Pourquoi ?

Haddad ne répondit pas. Il considéra la transcription de la NSA.

— Cette communication vient du Liban. Et les Druzes… Mais je ne veux pas tirer de conclusions trop rapides.

— Parles-en lors de la réunion.

Woods attendait Vialli à la gare de Naples ; il avait finalement réussi à le convaincre de l'accompagner à Pompéi. Tout en défaisant l'emballage d'une tablette de chocolat, il consulta l'horloge murale. Woods était déjà venu ici des douzaines de fois, et c'était sa quatrième croisière en Méditerranée : les deux premières avec sa première escadrille de F-14 et une autre déjà avec cette escadrille-ci, la VF-103, les Jolly Rogers, un nom ancien et fameux chez les chasseurs de la marine. Woods était fier de l'insigne au crâne et aux tibias croisés. Comme la fois précédente, il savait qu'il ferait escale à Naples, l'un des meilleurs ports de la Méditerranée, et le lieu d'attache de la VIᵉ Flotte.

Il sortit son portefeuille, en tira un autocollant, vérifia que personne ne le regardait et colla l'insigne des Jolly Rogers sur un pilier en laissant échapper un sourire de contentement. Puis, il aperçut Vialli qui arrivait à grandes enjambées.

— Pardon d'être en retard, dit-il, haletant. J'ai bien cru que je n'y arriverais pas ! Le bateau sur lequel je suis venu est tombé en panne et on a dû faire un transbordement en pleine mer. Tu as pris les billets ?

— Ouais. Et il est l'heure de monter, dit Woods, glissant le chocolat dans sa poche.

Ils trouvèrent un compartiment vide. Vialli referma la porte et ils s'installèrent l'un en face de l'autre. Deux sièges restaient inoccupés sur chaque banquette. Vialli posa la joue sur l'appuie-tête et ferma les yeux. Il était capable de dormir n'importe où. Woods tira la tablette de chocolat de sa poche et tourna la tête vers la porte, apercevant brièvement quelque chose qui retint son attention. Un regard féminin explora l'intérieur du compartiment, disparut puis réapparut.

Une femme entra et referma la porte derrière elle. Elle jeta un coup d'œil à Vialli, s'installa à l'extrémité de la banquette et posa son sac de voyage entre eux. Woods, bouche bée, fit un effort pour ne pas la dévisager. Elle était scandaleusement jolie. Elle fit un signe de la tête et sourit, sans dire un mot. Woods donna un coup discret à la chaussure de Vialli, qui se réveilla, interloqué, puis comprit aussitôt.

— *Hi !* dit Vialli à l'inconnue.

Vialli s'était avisé de la situation et il ne perdait pas de temps. Le regard de la jeune femme erra vers la fenêtre et la matinée napolitaine, encore grise. Elle était vêtue d'une ample robe bleu sombre ; ses cheveux bruns bouclés lui retombaient sur les épaules. Ses yeux marron clair se piquaient de miettes d'or et de jade. Un hâle uniforme soulignait son air sportif. Il trouva que c'était la plus belle femme qu'il eût jamais vue.

— Êtes-vous italienne ? demanda-t-il.

Elle lui répondit d'un simple regard qu'elle reporta ensuite vers la fenêtre. La porte s'ouvrit et le contrôleur entra. Il s'adossa à la paroi pour avoir les mains libres tout en conservant son équilibre. Il s'adressa en italien à la voyageuse, qui lui tendit son billet dans un sourire, accompagnant le geste d'une tirade rapide où Vialli ne reconnut aucun des dix mots d'italien qu'il connaissait. Mais tandis que l'inconnue plaisantait avec le contrôleur, il ne perdit rien de son sourire radieux ni de l'éclat des yeux. Le préposé vérifia les autres billets et s'en alla.

Vialli était visiblement sous le charme. Woods sentit qu'il était déjà prêt à faire preuve d'audace et il tenta de capter son regard pour l'en dissuader. En vain.

— Parlez-vous anglais ? demanda Vialli à l'inconnue.

Elle feignit de ne pas l'avoir entendu.

— *Sprechen Sie deutsch ?*

Woods se demanda ce que ferait Vialli si elle répondait par l'affirmative, puisqu'il ne savait pas parler l'allemand. Il se pencha vers Vialli et lui adressa un regard surpris, que son ami lui rendit.

— *Nein,* répondit avec froideur la jeune femme.

— Je ne parle pas italien, déclara-t-il, heureux d'avoir au moins obtenu une réponse.

Elle lui adressa un sourire automatique, tira de son sac un livre de poche et s'absorba bientôt dans la lecture. Vialli soupira bruyamment, regarda la fenêtre et posa de nouveau les yeux sur l'inconnue. Le livre qu'elle tenait était un roman d'Hemingway. En anglais.

— Mais vous parlez donc l'anglais ? dit-il avec un sourire.

— Un peu, répondit-elle sans lever les yeux.

— Pourquoi ne pas me l'avoir dit ?

— Parce que vous auriez engagé la conversation et que je n'aurais pas pu reprendre la lecture de ce livre, comme je me le promets depuis longtemps.

— Comment saviez-vous que j'allais engager la conversation ?

— Parce que vous êtes américain et que les Américains parlent toujours aux étrangers.

— Et comment savez-vous que je suis américain ?

— Votre coupe de cheveux, votre veste, vos chaussures, répondit-elle, comme énonçant des évidences. Vous n'avez pas détaché les yeux de moi depuis que je suis entrée dans ce compartiment.

— Pardon, dit Vialli avec une expression contrite.

Elle reprit sa lecture.

— Je ne pensais pas vous offenser, dit-il.

Il consulta sa montre : le voyage ne durait qu'une demi-heure et ils étaient partis depuis un quart d'heure. Il tenta de se concentrer sur le paysage, tandis que les roues battaient leur rythme. Dans le lointain apparut le Vésuve, dont les cendres avaient jadis enseveli Pompéi. Vialli n'y tint plus :

— De quel pays êtes-vous ?

Elle inséra un signet entre les pages et posa le livre sur ses genoux.

— La conversation américaine type, n'est-ce pas ? D'où venez-vous, qu'est-ce que vous faites, où avez-vous fait vos études, c'est ça ?

Il la fixa du regard et elle remarqua le regard brun intense sous les cheveux sombres.

— Ce n'est pas un crime que d'être sociable, dit-il.

— Non, ce n'est pas un crime, dit-elle, se détendant un peu. Elle soupira et reprit :

— Pardonnez-moi. Je vis dans une ville du Nord qui s'appelle Trente, juste au sud de l'Autriche.

— C'est joli ?

— C'est une très vieille et très belle ville.

— Qu'est-ce que vous faites ?

— Vous voyez ? Ça commence !

— Allons...

— Je suis professeur, mais en ce moment, je n'ai pas de poste. J'en attends un.

Il hocha la tête et regarda la fenêtre. En fait, il fixait le reflet de la jeune femme dans la vitre.

— Et vous, qu'est-ce que vous faites ? demanda-t-elle soudain.

— Je suis dans la marine.

— Marin, donc ?

— Je suis pilote sur un porte-avions.

— Vous appartenez au grand porte-avions ancré dans la baie, je suppose.

Il sourit et hocha la tête.

— Exact. Le *George Washington*. Le plus gros porte-avions de sa classe jamais construit. Classe quatre-vingt-dix. Il y a eu quelques cuirassés presque de même tonnage, mais aucun navire aussi grand.

— Qu'est-ce que vous pilotez ?

— Vous vous y connaissez en avions ?

— Pas vraiment.

— Des chasseurs. Des F-14 Tomcat. Vous savez, deux dérives, des ailes à géométrie variable...

26

— Il me semble que j'en ai déjà vu. Je crois même que nous en avons, ici.

— Non, objecta Vialli en secouant la tête. Il n'y a que les États-Unis et malheureusement l'Iran qui en aient.

— Et qu'avons-nous qui y ressemble ?

— Qui « nous » ? L'Italie ? Rien de vraiment comparable. Des Fiat et ce genre d'appareils. Des insectes qui font du bruit.

— Vous les méprisez.

— Non. Et je suis sûr que l'armée de l'air italienne est formidable.

Il essaya de la forcer à le regarder, bien qu'elle n'y parût pas disposée.

— Est-ce que je peux vous demander votre nom ?

— Irit, répondit-elle après une hésitation.

— C'est un nom peu commun. Il est italien ?

— Et vous, quel est votre nom ?

— Tony Vialli.

— C'est américain ?

— Il n'y a pas de noms américains, répondit-il en lui déco-chant un sourire. Non, mon nom est d'origine italienne. Je crois que mes grands-parents étaient originaires de Gênes, mais je n'en suis pas sûr. Où allez-vous ?

— Ce train ne va qu'à Pompéi, dit-elle, amusée.

— Et vous allez voir ce piège à touristes, l'endroit où tous les gens sont morts ?

— Oui, je vais voir l'endroit où les gens sont morts. Sinon, pourquoi serais-je venue ?

— Je ne sais pas, dit-il en haussant les épaules. Je pensais qu'il y aurait peut-être une ville près de là.

— Pas vraiment.

— Voulez-vous faire du tourisme avec nous ? Sean, et moi. Puisque nous allons tous voir cet endroit où les gens sont morts. D'accord ? demanda-t-il en se tournant vers Woods.

Celui-ci le dévisagea, déconcerté. L'inconnue détailla Vialli du regard :

— Je ne vous connais pas, répondit-elle, s'adossant à la ban-quette alors que le train s'engageait dans un virage. Mais pour-quoi pas ?

3

— À partir de cet instant, chacun de vous est membre du groupe de travail chargé de reconstituer l'attaque du poste de contrôle de Gaza et d'identifier les responsables. Cette mission sera suivie de près par le directeur lui-même.

Joe Kinkaid, directeur du contre-terrorisme à la CIA, tenait son monde en haleine : c'était là le genre de mission auquel ils aspiraient tous, parce qu'il pouvait faire décoller leur carrière. L'unité de Kinkaid comptait deux cents personnes. Leur tâche était de cerner toutes les menaces terroristes susceptibles de peser sur les intérêts nationaux américains dans le monde. Il était débordé, mais heureux ; il était l'un de ces hommes du Tout-Washington qui pouvaient rentrer chez eux chaque soir en se disant qu'ils avaient contribué à faire un monde meilleur pour leurs enfants. À cinquante-cinq ans, il n'était sans doute pas au mieux de sa forme physique, mais il s'en fichait. La seule chose qui lui importait, c'était que son esprit fonctionne à toute vapeur.

Il appuya sur la touche « espace » du PC portable posé sur son pupitre et l'écran qui occupait l'un des murs de la salle se ranima, laissant apparaître la première image de sa présentation. L'écran, de couleur bleue, était barré à l'angle supérieur droit de lettres blanches sur fond rouge : « ÉQUIPE SPÉCIALE GAZA ».

— Cette mission est classée ultra-secrète. J'espère qu'on lui attribuera très bientôt un code. Personne à l'extérieur de cette salle n'a besoin de savoir qu'elle existe, ni ce que nous faisons, sauf instructions expresses de ma part.

Kinkaid appuya de nouveau sur la touche « espace » et l'image suivante apparut, un schéma.

— L'attaque de Gaza a eu lieu vers 8 heures du matin, heure locale. Une fourgonnette apparemment en difficulté qui a fait demi-tour. Les portes se sont ouvertes. Une grosse fusillade.

L'image suivante était une photo en couleurs de bonne qualité du poste de contrôle, avec plusieurs corps gisant sur la route et une cahute en feu du côté israélien. En bas de l'image, ces mots : « SECRET, NOFORN », ce qui signifiait : « Non destiné aux autorités militaires ni aux services secrets étrangers », et enfin, « WNINTEL », ce qui voulait dire que des services secrets étaient responsables du cliché.

— Notez ce que nous avons tous entendu sur CNN, à savoir que des gardes palestiniens aussi bien qu'israéliens ont été tués. Ça ne ressemble à rien que je connaisse, parce que je ne me rappelle pas qu'on ait jamais attaqué à la fois des Israéliens *et* des Palestiniens.

Une autre photo portait les mêmes mentions.

— Voici la fourgonnette et les armes saisies.

Le véhicule avait été photographié dans une venelle, mais on distinguait les armes. Un homme très basané, que Sami ne connaissait pas, se leva à l'arrière de la salle.

— Ils *voulaient* que nous retrouvions ces preuves.

— C'est bien mon opinion, dit Kinkaid. Les armes sont rangées comme pour une exposition.

L'image suivante fut un gros plan de l'une des armes.

— On peut même voir le numéro de série sur ce M-60, dit Kinkaid.

Et, tandis que les membres de l'équipe détaillaient la photo, il ajouta :

— Non seulement les armes sont rangées, mais en plus elles le sont selon les numéros de série.

— Ils nous font entendre que leur fuite s'est déroulée comme prévu, sans hâte, dit l'homme basané.

— Que faut-il en conclure ? demanda Sami, qui se sentait incapable de se tenir coi.

— Vous avez raison, convint Kinkaid à l'adresse de l'homme basané. D'après vous, ça veut dire quoi ?

— C'est un message, répondit-il.

— À l'évidence, fit Kinkaid. Je vous présente M. Ricketts, du DO.

C'était la direction des opérations. Les interventions clandestines. Des espions.

— Comme quelques-uns d'entre vous, M. Ricketts n'est pas membre permanent de ma section de contre-terrorisme. Je lui ai demandé de se joindre à nous jusqu'à ce que des affaires plus pressantes l'appellent et il a accepté volontiers. Il nous apporte un point de vue différent, celui de quelqu'un qui possède la pratique des armes, contrairement à nous. Quel est donc ce message? demanda-t-il à Ricketts.

— Que l'opération était facile, répondit-il avec une infime trace d'accent.

Il aurait pu aussi bien passer pour un Égyptien, un Arménien, un Israélien qu'un homme des Balkans. Son expression mobile se modifiait pendant qu'il parlait. Sami ne pouvait le quitter du regard.

— C'est le genre de personnes qui sont capables de faire le ménage avant de partir accomplir leur mission, poursuivit Ricketts. Ils ont sans doute pris le temps de siroter un verre de thé et même regardé un film à la télé. Ils sont très efficaces et fort bien entraînés. Ils ont voulu nous le faire savoir.

— Qui peuvent-ils être? intervint Cunningham.

— C'est la grande question, n'est-ce pas? dit Kinkaid.

Et il passa à la diapositive suivante : un gros plan sur l'un des gardes palestiniens morts. La main droite d'un homme tenait ouvert le gilet pare-balles du garde, révélant la blessure dans la poitrine ; son autre main désignait le trou percé par la balle dans le gilet.

— Puisque nous parlons d'armes, reprit Kinkaid, je pense que nous devrions noter ceci : ils possédaient des balles conçues pour perforer des gilets en Kevlar. Des balles à chemise d'acier et charge de plomb. Ces munitions n'étaient encore tout récemment que des prototypes. Et voici le clou de l'affaire : ces balles ont un revêtement en Teflon. Même nos forces spéciales ne disposent pas de cet avantage. Ces gars-là ont une mesure d'avance sur nous.

— Où ont-ils pu se procurer ça? demanda l'une des femmes de l'équipe.

— On ne sait pas, répondit Kinkaid. C'est l'un des points que nous allons vérifier. Maintenant, regardez la fourgonnette :

aucun numéro de série. Et les parois sont garnies de Kevlar à l'intérieur. Aucune balle n'a pénétré. Quant aux pneus, ils étaient de caoutchouc plein. Ces types sont des pros. Reste à savoir qui ils sont. Nous avons demandé aux Israéliens toutes les informations dont ils disposaient et nous en avons même obtenu quelques-unes des Palestiniens, bien que l'idée de coopérer avec nous pour pister des terroristes islamistes soit pour eux une première. Ils ne nous donneront certainement pas leurs meilleurs tuyaux, je peux le garantir. Les Israéliens non plus, ajouta-t-il après un moment. Mais enfin, nous tirerons ce que nous pourrons de ces sources.

Kinkaid referma son portable et reprit, l'air perplexe :

— Vous avez vu les photos. Ces gars sont d'une espèce particulière. Je n'ai jamais vu d'opération de ce genre. Et vous ?

Personne ne s'aventura à répondre.

— Ils ont ensuite disparu dans Gaza, ce qui démontre deux choses : d'abord, qu'ils bénéficiaient de complicités ; ensuite, qu'ils peuvent passer pour des Palestiniens, ce qui signifie qu'ils sont peut-être palestiniens ou bien qu'ils disposent d'une couverture efficace. Peut-être un déguisement...

— Et les armes ?

— C'est très intrigant. Les fusils-mitrailleurs étaient probablement sur le marché depuis qu'ils ont été volés aux marines, il y a une vingtaine d'années. Ou bien ils étaient aux mains d'un Libanais, ce qui impliquerait soit que les tireurs étaient des Libanais, soit qu'ils ont été achetés. Nous allons essayer de remonter la filière.

— Quelqu'un a-t-il revendiqué l'attentat ? demanda Cunningham.

Il avait passé la liste des suspects en revue : elle n'était pas longue, parce qu'il n'existait pas beaucoup de groupes ennemis à la fois des Israéliens et des Palestiniens.

— Il y a eu quelques appels à des journaux arabes, mais sans informations sérieuses. Notez encore que ces gens n'ont attaqué que des militaires. Il n'y a pas eu un seul mort civil.

— Ça me rappelle le Hamas. Ou le Hezbollah. Ils ont déjà attaqué des Palestiniens, lorsqu'ils se sont déchaînés contre l'accord d'Arafat avec Israël, celui qui gênait leur politique.

— Les Palestiniens et Israël ont affirmé les uns et les autres qu'ils n'avaient rien à voir avec cette attaque. Qui pourrait aller aussi loin dans la violence contre eux ?

— Il existe quelques groupes dans ce cas, répondit Cunningham après un temps de réflexion, mais aucun ne me semble assez résolu pour accomplir un tel carnage.

— Il se peut que nous affrontions un problème d'un type nouveau. C'est pourquoi j'ai demandé à Sami de se joindre à nous. Vous avez sans doute tous lu son mémo.

Ils hochèrent la tête. Sami scruta le visage de Kinkaid ; il tenta de deviner ce que son nouveau chef pensait de ce résumé, rédigé en urgence avant la réunion. Kinkaid lui parut las. Mais comme il avait entendu bien des choses surprenantes sur son compte, à commencer par son intelligence légendaire, il se garda d'en tirer des conclusions.

— Vous vous demandez sans doute pourquoi nous intervenons si vite dans cette affaire. Après tout, il n'y a pas eu de victimes américaines, les intérêts américains ne sont pas menacés et les Israéliens peuvent bien se débrouiller tout seuls, n'est-ce pas ? En réalité, selon moi, tous les terroristes menacent les intérêts américains d'une manière ou de l'autre. Ce n'est qu'une question de temps. Nous avons souvent accusé du retard dans l'information, c'est pourquoi depuis deux ans, nous prenons les devants. Nous voulons tout savoir sur les potentialités terroristes. On n'est jamais trop informé sur des gens dont le métier est de détruire. Et si le mémo de Sami dit vrai, une rude surprise nous attend. Je vais recevoir des nouvelles d'un ami d'Israël qui m'a rendu service dans le passé. On verra ce qu'ils savent.

— C'est la plus belle femme que j'aie jamais vue, dit Vialli, s'asseyant au mess pour déguster une coupe de glace.

— Tu t'es jeté sur elle dès que tu l'as aperçue. Tu n'as pas perdu ton temps !

— N'est-ce pas toi qui m'as réveillé pour que je la voie ? rétorqua Vialli.

Il racla le fond de sa coupe, puis il alla la remplir à nouveau au distributeur automatique situé à l'arrière du carré des aviateurs.

Woods et lui étaient les seuls officiers présents dans la partie du carré la plus à l'avant du navire, au niveau 3, comme toutes les salles de réunion et la plupart des mess des aviateurs. Pour se nourrir, ils n'avaient qu'à franchir quelques pas. Le niveau 2 était réservé aux officiers. Vialli inclina sa coupe de façon à y faire tenir le maximum de glace au chocolat, puis il se versa une tasse de café fumant et revint s'asseoir.

— Tu me sous-estimes. Tu crois que je...

— Je t'observe simplement.

— Bon, elle n'est pas comme les autres, je te l'assure. Elle a de la classe. Quand tu es allé visiter cette cave, nous avons parlé.

— Tu as essayé de l'emballer ? demanda Sean, soucieux.

— J'ai juste posé mon bras sur son épaule pendant une seconde. Elle a aimé ça. Elle s'est blottie contre moi. C'était pas mal.

— Tu rêves. Elle vit en Italie du Nord. Tu ne la reverras pas.

— On sera à Venise dans dix jours, mon pote. La ville où elle vit n'est qu'à deux heures de train et elle m'a dit qu'elle avait déjà décidé d'aller à Venise, de toute façon, pour préparer une visite d'élèves dans un musée.

Woods ressentit une pointe de malaise.

— Tu lui as parlé de Venise ?

— Sûr. Pourquoi pas ?

— Tu la connais à peine.

— J'ai passé la journée avec elle. Après ton départ pour le navire, nous sommes allés nous promener à Naples.

— En vous tenant la main.

— Hé, tu me fais une scène ? Elle me plaît, fais-t'en une raison. Qu'y a-t-il de mal à ça ?

— Rien évidemment, répondit Woods.

Il trouvait bizarre que cette fille eût décidé d'aller à Venise justement à ce moment-là. Heureuse coïncidence.

— Quoi ? Tu crois qu'elle manœuvre pour mettre le grappin sur le commerce de légumes de mes parents à New York ? Tu rigoles.

Woods s'étira dans sa combinaison de vol et consulta sa montre.

— Mince, je dois prendre la navette dans un quart d'heure. Et moi qui voulais dormir.

— Mon vieux, t'en as de la veine! Fendre les vagues pendant trois ou quatre heures en compagnie de matelots qui vomissent partout! J'aurais bien voulu t'accompagner.

— Tu parles. Si ça tombe, il pleuvra, il fera un froid de gueux et la visibilité sera d'un demi-mille, et puis nous serons éperonnés par un cargo et nous finirons tous à la flotte.

— Ce serait chouette. Juste comme à Barcelone.

Woods consulta sa montre et dit:

— Bon, j'y vais. Tu vas te coucher?

— Ouais. Je dois me lever tôt demain pour les évaluations. Je n'ai pas commencé: je ne connais même pas les noms des matelots choisis, alors que je suis supposé les évaluer et dire quelles fameuses recrues ils font.

— Tu es censé les connaître à partir de maintenant, déclara Woods d'un ton faussement réprobateur.

Il ajouta, après un temps d'arrêt:

— Au fait, c'est un prénom de quelle origine, Irit? Ça ne se termine pas par une voyelle, comme Sophia, Stella…

— Elle est italienne, tu l'as entendue. De Tarante, je crois. Peut-être en partie allemande.

— Ouais. Sauf que Tarante se trouve dans le sud de l'Italie.

— J'ai peut-être mal compris. À quelle heure partez-vous, à 3 heures?

— Peut-être 4.

— Tu vas être fatigué, demain.

— Je me rattraperai dans la journée.

— Pas question. Revue à 8 heures sur le pont.

Woods râla.

— J'avais oublié. Tu crois qu'ils s'en apercevront, si je manque à l'appel?

— Le commandant te bottera le cul.

— La vie d'un officier de la marine n'est qu'une longue bataille pour le sommeil… Je te réveillerai quand je rentrerai.

— Si tu le fais, je laisse tomber le réveille-matin sur ta gueule, répliqua Vialli, qui dormait dans la couchette supérieure.

34

Ils sortirent ensemble du carré, enjambant les ouvertures des cloisons qui saillaient à 20 centimètres du pont, « pour casser les genoux », comme on disait. Woods dévala les échelles menant au pont du hangar, où une autre succession de barreaux descendait vers la vedette qu'il allait commander pendant les trois ou quatre heures suivantes. Une mission navale. Il franchit le pont de métal antidérapant, contournant les avions garés là pour l'entretien, puis parvint à la terrasse arrière où se tenait la file ondulante des recrues qui attendaient d'aller en permission à terre. Il réprima une grimace d'inquiétude à l'idée de voir ces garçons de dix-huit ans accoster à minuit dans une ville fourmillant de tentations. Les capitaines d'armes étaient présents et un adjudant se trouvait en poste.

Woods avait rabattu sa casquette de garnison sur ses sourcils et relevé le col de fausse fourrure de sa vareuse de cuir pour se protéger du vent glacé. L'adjudant l'aperçut et lui fit le salut. Les autres aussi. Woods leur rendit leurs saluts et dévisagea l'adjudant, qu'il ne reconnut pas.

— Pas de problème avec les vedettes ?

— Non, Monsieur.

— Et la mer ?

— Assez calme. Des creux d'un mètre, peut-être un mètre et demi.

Woods jeta l'œil sur une vedette qui revenait vers le *Washington*, luttant contre la houle. Les lumières de la ville scintillaient sur les collines, à 3 nautiques de là.

— Et la visibilité ?

— Très bonne, Monsieur. Nous n'avons perdu de vue les lumières de la ville qu'une ou deux fois.

— Beaucoup de trafic ?

— Comme d'habitude, des cargos et des contrebandiers. Voici votre vedette, Monsieur, ajouta-t-il tandis que le patron mettait bruyamment le diesel en marche arrière pour aligner son embarcation sur la plate-forme suspendue au flanc de l'immense porte-avions.

Woods observa les marins qui débarquaient, tandis qu'un homme ajustait l'amarre pour compenser les hauts et les bas de la houle. Le patron gardait le moteur en marche pour maintenir la vedette sur place. Tous les marins furent bientôt descendus et la vedette fut prête à en embarquer d'autres. Woods envoya l'échelle et sauta sur le bateau. Le poste de pilotage du patron dominait d'un mètre l'aire des passagers, qui était découverte. La capacité de la vedette était de 75 passagers.

Le lieutenant Phil Cobb, de la même escadrille que Woods, était l'officier dont il devait prendre la relève.

— Hé, Phil, ça a été?

— Quelques ivrognes, comme d'habitude.

Woods remarqua le reflet des lumières du *Washington* sur la vareuse de vol en nylon vert du jeune lieutenant.

— Tu es trempé?

— Les creux augmentent. On a encaissé deux vagues de plein fouet. Tu vas déguster : on ne doit pas être loin de zéro.

— Je peux emprunter tes gants? demanda Woods.

— T'as mis tes caleçons longs, j'espère?

— Tu parles! répondit Woods en frissonnant. J'aurais dû emporter ma vareuse de vol moi aussi.

— Prends la mienne.

Cobb était plus grand et plus large que Woods, qui était mince et qu'on croyait maigre, ce qui l'exaspérait. En dépit de ses exercices de musculation, il ne parvenait qu'à devenir plus fort sans prendre de poids. Ils échangèrent leurs vareuses. Les marins commencèrent à descendre l'échelle vers la vedette, pressés d'aller à terre.

— Bon, à toi maintenant, dit Cobb.

Ils échangèrent un salut, puis Cobb escalada l'échelle jusqu'à la plate-forme inondée de lumière. Woods regarda les marins en civil se serrer sur les bancs de la vedette. La perm' prenait fin à 4 heures, sauf pour ceux qui avaient le passe de permission spécial autorisant à rester toute la nuit à terre. Woods savait la suite : une fois sur le quai, les marins passeraient devant les marchands à la sauvette et les putes, qui les hèleraient en vain ; ils dédaigneraient les petits restaurants locaux et finiraient au club de la marine, à quelques pas du quai, où ils rencontreraient les mêmes gens et écouteraient la même musique que sur le bateau, mais où ils pourraient boire de l'alcool. Ils en boiraient plus que de raison, tituberaient jusqu'au

quai pour y prendre la vedette de retour, vomiraient sur quelqu'un de leur connaissance, ce qui entraînerait une bagarre,
une citation pour ivrognerie et mauvaise conduite sur la voie
publique, ainsi qu'une convocation devant le capitaine. Woods
serra le col de sa vareuse car le froid devenait plus âpre de
minute en minute, ce froid qui tombe sur Naples, la nuit, quand
souffle le vent.

— Prêt à partir, Monsieur ? demanda le patron.

Woods hocha la tête et scruta les parages, évaluant le trafic
qui risquait de modifier le trajet vers le port. 20 minutes pour y
arriver, puis une attente de 10 minutes sur le quai, puis un
autre aller et retour, et encore quelques autres.

— Allons-y.

Le patron mit le diesel en marche arrière, s'éloigna rapidement
du *George Washington* et prit la direction du port. Debout dans le
bateau, Woods se sentait comme Washington lors de sa fameuse
traversée du Delaware, à cette différence près que ce bateau-ci
avait un moteur et que Washington, lui, avait une mission.

4

Le souffle de Kinkaid s'accéléra imperceptiblement tandis qu'il comptait les sonneries à l'autre bout de la ligne. Il tenait en main le combiné de son téléphone STU-III, dont l'usage n'était autorisé que pour les conversations ultra-secrètes, et à la condition que le correspondant disposât aussi d'un téléphone codé, ce qui était certainement le cas ce matin-là.

— *Shalom*, répondit une voix.

— *Shalom*, dit gauchement Kinkaid. Comment vas-tu, Éphraïm ? Je suis content de te trouver là.

— Ça fait une paie...

— Oui, je sais. Nous avons fort à faire en ce moment.

— C'est sans doute la raison de ton appel, dit Éphraïm d'un ton entendu. Mais tout dépend de ce que vous cherchez.

— Je travaille sur l'incident de frontière à Gaza.

— Évidemment...

— Nous nous demandions si vous aviez des informations.

— Nous venons de commencer l'enquête.

— Qu'est-ce que vous en pensez ?

— Pourquoi cela vous intéresse-t-il tant ?

— C'est mon travail de m'intéresser à ces choses, tu le sais.

— Oui. Mais il me semble que c'est d'abord notre problème.

— Que comptez-vous faire ?

— Nous essayons d'abord de savoir qui est en cause, évidemment.

— Une piste ?

— Il y a tant de choses que nous ignorons, répondit Éphraïm après un temps.

— Il faut que je mette au net les éléments dont nous disposons. Si tu trouves quoi que ce soit, Éphraïm, fais-le-moi savoir. Quoi que ce soit.

— Sois sûr que j'y penserai. Excuse-moi, mais je vais devoir te quitter.

— Je compte sur toi. Tu n'as vraiment aucune idée ?

— Presque rien.

— Qui ?

— C'est trop tôt.

— N'attends pas trop. Pour vous aider, nous devons savoir contre qui nous luttons.

Woods entra dans la salle de préparation quinze minutes avant l'heure fixée pour le briefing. L'officier commandant l'escadrille de chasseurs VF-103, le commandant Mark Barnett, surnommé Bark, assis au premier rang, lisait les messages reçus. Il consulta sa montre. Comme tous les officiers du VF-103, Woods savait qu'on n'arrivait qu'une seule fois en retard au briefing. Le tarif consistait en une affectation aux corvées pendant une semaine. Terminé, les vols ; on ne faisait alors plus que regarder les avions.

— Bonjour, commandant, dit Woods d'un ton amène.

— Trey... Tu es prêt ?

— Je suis né prêt.

— C'est vrai. J'avais oublié. Rappelle-moi quel genre d'exercice on t'a assigné...

— Mitraillage du poteau.

— Tu ne le touches pas, bien sûr.

— Ne t'inquiète pas, chef.

— As-tu vu que nous avons reçu notre nouvel officier de renseignements ?

— Tu plaisantes ? Où est-il ?

— C'est une femme. Elle est au briefing.

— Comment s'appelle-t-elle ?

— Charlene Pritchard.

— Elle a de l'expérience ?

— Elle est diplômée de l'école de renseignements de Dam Neck. Et elle a un galon d'or au col.

Elle avait donc le grade d'enseigne, le plus bas dans la marine.

— C'est quand même formidable qu'ils ne nous délèguent que des enseignes pour ce poste. Dommage que Bruno soit parti. Il commençait à devenir productif.

— Allons, Trey. Tu sais très bien qu'une fois qu'on en a appris suffisamment, on ne reste pas ici…

Sean Woods sourit et s'enquit :

— Elle a déjà un surnom ?

— Non.

Woods était l'un des rares dans l'escadrille à pouvoir en distribuer.

— Elle est jolie ? demanda-t-il en jetant un regard à l'écran du moniteur.

— Restons sérieux, répondit Bark sans lever les yeux.

— C'était juste pour dire quelque chose. Je vais au briefing. À plus tard, commandant.

Woods repartit vers la salle de briefing. Les murs étaient couverts de cartes de la Méditerranée ; sur le tableau vert, les grades des pilotes figuraient bien en vue. La salle comptait une télévision supplémentaire pour les briefings en circuit fermé à partir du centre de renseignements du navire. Wink et Vialli étaient déjà présents, ainsi que l'officier OIR avec qui volait Vialli, le lieutenant Jack Sedgwick, dit Sedge. Wink cligna exagérément des yeux, un tic qui lui avait valu son surnom – son véritable nom était Kyle Martin. En tant qu'officier supérieur participant à sa deuxième croisière d'escadrille, tout comme Woods, il était très respecté ; on le considérait comme le meilleur OIR. Il était arrivé au briefing de bonne heure, et fin prêt. L'équipage de secours était également présent, au cas où l'appareil de Woods ou celui de Vialli aurait une avarie. Bark préférait s'étouffer plutôt que d'annuler une sortie.

L'écran s'alluma à 8 h 15 exactement. Le *Washington* avait levé l'ancre à l'aube et il se trouvait maintenant hors de vue des côtes italiennes. À l'écran, un enseigne, l'officier de renseignements de la VFA-81, une escadrille de F/A18, indiqua la position du navire sur la carte.

Woods aperçut la nouvelle enseigne qui se tenait à l'arrière, l'air perdu. Il longea la rangée de sièges massifs garnis de cuir pour se diriger vers la machine à café, puis saisit sa tasse personnelle et la remplit. Sur l'écran, le briefing se poursuivait. Woods observa l'enseigne du coin de l'œil.

— Vous êtes le nouvel arrivant, dit-il.

— Oui, Monsieur. Enseigne Charlene Pritchard, répondit-elle en lui tendant la main, tout en l'évaluant du regard.

Woods ressemblait au portrait qu'on lui avait tracé de lui : grand, les yeux gris sombre, intenses, les cheveux presque noirs. Il lui parut être du genre à cultiver le look décoiffé ; elle releva une cicatrice sur l'un de ses lobes d'oreille.

— Vous pouvez m'appeler Trey, dit-il.

— Très bien, Monsieur.

— Votre nom est Charlene ?

Elle était de taille moyenne, mince, le teint frais et, pour son malheur, elle paraissait cinq ans de moins que son âge. Bien que manquant de galon, elle semblait pleine d'assurance.

— Oui, Monsieur.

— Ça ne marchera pas.

— Quoi ?

— Ce nom. Dans une escadrille de chasseurs. Il vous faut un surnom.

Elle se demanda s'il ne se payait pas sa tête. Pour elle, seuls les pilotes avaient des surnoms.

— Pourquoi ça ne marchera pas ?

— Pas assez fort.

— Vous voulez dire pas assez *masculin* ?

Il fut pris de court.

— Ai-je dit masculin ?

— Pas explicitement…

— J'ai dit pas assez *fort*.

— Quel serait un nom de femme assez fort ?

— Je ne sais pas… dit-il, réfléchissant. Ethel. Ou Betty. Quelque chose comme ça. Pas Charlene. Ça ne marchera pas du tout.

Elle versa du café dans son gobelet de plastique.

— On m'a parfois appelée Charlie, dit-elle.

Il l'épia, l'œil aigu.

— Non, Charlie ne marchera pas non plus. Trop… – il chercha le mot – *masculin*. On vous appellera par votre nom.

— Charlene ? demanda-t-elle, ravie.

— Non, votre nom de famille. Pritchard. « Pritch » ira très bien. À propos, vous avez besoin d'une vraie tasse réglementaire. Le plastique pollue l'environnement.

— Oui, Monsieur, dit-elle, considérant l'oreille de Woods. Vous vous êtes fait percer l'oreille ?

— Quand j'étais jeune et impétueux.

— Croyez-vous que nous irons en Israël ?

— Vous pensez déjà aux escales ?

— J'ai toujours voulu voir Israël.

Il sirota le café dans la lourde tasse de faïence à l'insigne des Jolly Rogers, avec le crâne et les ailes dorées, et son surnom à l'opposé, Trey.

— J'y suis déjà allé, dit-il. Lors d'une précédente croisière. J'ignore s'ils nous laisseront y retourner. La dernière fois, il y a eu un attentat terroriste à Jérusalem. Ils ont retardé l'escale d'un mois. Pour Gaza, c'est vrai que c'est assez loin. Un incident de frontière a moins de conséquences pour nous. Et puis, ce n'est pas vraiment en Israël. Je pense que ça ira.

Il jeta un coup d'œil à la télé et à l'officier de renseignements qui terminait son laïus.

— Venez donc voir comment se déroule un briefing.

Tandis qu'ils avançaient entre les chaises, elle lui demanda qui était l'autre pilote.

— Vialli, dit « Boomer ».

— Pourquoi l'appelle-t-on comme ça ?

Woods, qui voulait écouter la météo, mit le doigt sur les lèvres. Puis, il se retourna vers Pritchard :

— Parce qu'un jour qu'il était en retard, il a cassé une fenêtre sur le pont. C'est le genre d'incident qu'on n'oublie pas.

— Et pourquoi on vous appelle Trey ?

— Parce que, lorsque j'ai obtenu mon CQ sur F-14, j'ai eu mes trois filins.

— Qu'est-ce qu'un CQ ?

— « *Carrier Qualification* »[1], répondit-il, réprimant une grimace.

_____

1. Qualification d'aptitude aux décollages et atterrissages sur porte-avions. *(N.d.T.)*

— Et les trois filins ?

— Je vous le dirai plus tard, dit-il tout en fixant le moniteur et en prenant des notes sur une carte.

— Quel genre de vol allez-vous faire ?

Il la dévisagea avec curiosité.

— Sais pas. C'est Wink qui s'en occupera. Moi, je pilote ; le chef de mission, c'est lui. Vous avez rempli votre formulaire d'enrôlement dans l'escadrille ?

— Je ne l'ai pas fini.

— N'oubliez pas de le faire signer par le lieutenant Curly Crumpacker.

— Qui est-ce ?

— Il porte plusieurs casquettes. Il est l'OIR du commandant de l'air, l'officier chargé du moral de l'escadrille, l'officier chargé de la simulation de vols sur F-14. Des tas de choses.

— Je l'aurai.

Woods hocha la tête. Il alla ensuite s'asseoir auprès de Vialli, à qui il demanda :

— Elle t'a donné signe de vie ?

— Un e-mail. Pour confirmer qu'elle sera à Venise.

— Je n'aurais pas dû te laisser avec elle un seul instant.

— Elle tient à moi.

— J'espère que tu sais ce que tu fais.

Vialli se leva pour aller se verser du café et salua Pritchard en passant près d'elle. Quand il revint, elle lui demanda où elle pouvait trouver le lieutenant Crumpacker.

— Qui ? dit-il. C'est Trey qui vous a recommandé de le voir ?

— Oui.

— Je ne sais pas vraiment où il est. C'est un type très occupé et difficile à joindre.

Il n'osait pas lui révéler que Crumpacker était une vieille invention de l'escadrille dont on se servait pour berner les bleus.

— Merci, dit-elle avec gratitude. Et les trois filins, qu'est-ce que c'est ?

— Les trois premiers des quatre filins qui arrêtent l'avion à l'atterrissage, répondit-il, surpris par cette question. Que vous a dit Trey ?

— Que lorsqu'il a obtenu son CQ, il a eu les trois filins.

— Ah ! Eh bien, il me semble plutôt qu'il n'en a eu aucun. Prenez tout ce qu'il dit avec des pincettes.

Le briefing était terminé ; l'écran était redevenu noir. Au pupitre, Wink déclara :

— Le nom de notre mission est Un Alpha…

Les hommes, vêtus de noir, avançaient entre les rochers. Le sentier était si étroit qu'ils frôlaient des épaules les parois abruptes, hérissées de grosses pierres. Personne ne s'y serait aventuré sans savoir où il allait ; et nul ne pouvait se faufiler ici sans être repéré du haut des falaises.

Au bout d'une demi-heure, le groupe toucha au but. Ils attendirent devant une anfractuosité, jusqu'à ce que quelqu'un surgisse et vienne leur parler en arabe, à voix basse.

— Dis-lui, je te prie, que nous sommes revenus, déclara le chef du groupe d'une voix fatiguée.

— Il a dit que vous deviez attendre au jardin. Il vous fera appeler.

Le chef hocha la tête et dit à ses hommes de le suivre, avec un geste de la main gauche, ce qui était inhabituel dans le monde arabe où cette main est moins noble que l'autre. Ils s'engouffrèrent dans une autre anfractuosité et longèrent un tunnel aux parois moites de condensation. Une rivière souterraine grondait sous leurs pieds. Une rivière inconnue du reste du monde depuis des siècles, celle qui arrosait les jardins secrets dans la montagne.

Ils débouchèrent dans un lieu verdoyant, orné de plantes, de cascades et de fontaines, puis s'assirent lourdement sur le rebord d'un bassin. Deux hommes allèrent boire au bec d'une fontaine. Un homme parut enfin et les voyageurs se levèrent, pour le suivre sous une porte si basse qu'ils durent s'incliner. Ils se retrouvèrent dans une pièce où des portes ouvraient sur une caverne ; c'était le seul accès à la forteresse invisible où ils étaient parvenus.

Une trentaine d'hommes, également vêtus de noir, se tenaient là contre les murs. L'un d'eux, assis devant une table, étudiait une carte. Il prit une dernière note et se leva. La quarantaine, de haute taille et costaud, il portait une barbe noire striée de brun, taillée de près. Son autorité était évidente.

— Bon retour, Farouk, dit-il dans un arabe châtié. Ta mission est un succès. Les nouvelles t'ont précédé.

— Merci, répondit Farouk, dardant un regard intense sur son interlocuteur. Cela a mieux marché que nous ne l'espérions. Nous n'avons perdu personne.

— Très bien, dit le barbu, jetant un regard aux autres. Maintenant, il faut vous reposer et reprendre des forces. Parce que, dans très peu de temps, je vais avoir une autre mission pour vous.

Farouk attendit la suite du discours.

— Nous avons retrouvé celui dont nous parlions. Nous devrons frapper les premiers.

— Quand? demanda Farouk.

— Bientôt. Et puis, il sera temps d'apprendre au monde qui nous sommes. Ils doivent savoir. S'ils ne nous craignent pas, nous n'atteindrons jamais nos buts.

— Nous pouvons partir maintenant, s'il le faut.

— Pas encore. Peut-être demain. Reposez-vous d'abord. Parce que ce sera la mission la plus difficile que je vous aie demandée. Le plan est prêt, ajouta-t-il en pointant le doigt vers la carte sur la table.

5

Woods et Wink débouchèrent sur le pont d'envol et abaissèrent leurs viseurs teintés pour se protéger de la réverbération du soleil sur la Méditerranée. Le *George Washington*, immatriculé CVN-73, mit cap à l'ouest. Woods tendit sa feuille de bord, sur la planchette qu'il gardait sur les genoux, au capitaine qui l'attendait au bas de l'échelle posée contre le Tomcat.

— Bonjour, Benson, dit Woods, passant sous l'aile pour commencer l'inspection préliminaire.

— Bonjour, Monsieur, répliqua Reece Benson.

Woods le connaissait bien. Jeune – dix-neuf ans –, il était cependant assez estimé au sein de l'escadrille. Il prenait un soin méticuleux de l'avion et de ceux qui le pilotaient. Il s'empara de la feuille de bord et du sac de casque de Wink, qui ne contenait d'ailleurs pas son casque, mais des cartes, des manuels de navigation et la feuille de bord, puis il gravit l'échelle pour les placer dans le cockpit.

Les roues du Tomcat étaient posées de part et d'autre de la bande centrale, sur la portion la plus reculée de l'aire de décollage, celle qui s'incurvait à l'arrière. Le tiers arrière de l'appareil dépassait la limite du pont et s'étendait au-dessus de la mer. Woods vérifia tous les panneaux, tous les trous, tout ce qui pourrait être le siège d'une avarie. Il poursuivit l'inspection vers l'arrière aussi loin qu'il pouvait sans risquer de tomber à l'eau. Il passa la main sur les missiles chargés et vérifia les sceaux de sécurité rouges, destinés à prévenir une mise à feu accidentelle sur le pont. Puis il escalada l'échelle et, juché sur l'avion, il reprit son examen soigneux. Il rampa jusqu'aux dérives jumelles qui se dressaient majestueusement dans le ciel clair, vérifia les panneaux externes et les aérofreins. Tout était en ordre. Le Tomcat pointait du nez vers le bas. Le navire avait porté sa vitesse à 25 nœuds pour accroître la vitesse du vent, en vue du décollage. Woods reprit l'inspection vers l'avant et s'arrêta au siège éjectable.

Il retira les six chevilles destinées à prévenir un déclenchement fortuit de l'éjection, que reliait une bande de nylon rouge, puis les remisa dans la boîte à cartes du cockpit. Il enjamba le rebord de l'ouverture de droite. Au centre du cockpit se dressait le manche, avec sa panoplie de boutons et de manettes. Puis il s'installa dans le siège et rajusta les pédales, car quelqu'un de plus petit s'était auparavant servi de l'appareil. Benson monta et plaça le harnais sur les épaules de Woods, qui les attacha aux crochets disposés sur le haut de sa combinaison, sur son torse ; il répéta l'opération avec les crochets sur ses hanches et les lanières qui maintiendraient ses jambes en cas d'éjection. Il tira fermement la ceinture sur son giron et vérifia les attaches sur ses épaules. Pendant ce temps, Benson aidait Wink, derrière, à ajuster ses attaches.

Le ciel était serein et ensoleillé. Woods donna le signal de branchement du moteur électrique. Benson fixa un câble rattaché à une sorte de générateur jaune qui servait aussi à injecter de l'air sous haute pression pour faire démarrer les moteurs.

— Je ferme ! cria Wink, en poussant le levier qui rabattait la double verrière.

La verrière descendit lentement et se verrouilla automatiquement. Woods mit en marche les deux moteurs « turbofan » et leva les pouces. Benson lui rendit son signal. Les chaînes et les blocs furent retirés. Le masque à oxygène ajusté sur son visage, Woods jeta un coup d'œil à Vialli dans le Tomcat voisin et lui adressa un signe de tête auquel ce dernier répondit. Wink brancha la radio sur la fréquence du Pacha qui, six étages plus haut, commandait le pont d'aviation à la façon d'un dictateur.

Woods roula vers la catapulte trois. Des hommes en vareuses de différentes couleurs couraient le long de l'avion, vérifiant du regard d'innombrables détails pour s'assurer que tout était en ordre. L'un d'eux leva une planchette sur laquelle était inscrit le chiffre 62 000. Woods approuva d'un geste du pouce. L'homme tourna la tablette vers l'officier de catapulte, installé dans une niche en contrebas et dont la tête dépassait, et ce dernier communiqua le poids de l'appareil à la catapulte. Woods ramena les ailes à leur position de décollage, à 20 degrés en arrière et, sur un signal d'un homme en vareuse jaune, fit baisser le nez de l'avion en freinant. La barre de la catapulte fut mise en place. Woods monta les gaz à pleine puissance militaire et bloqua les manettes pour les empêcher de revenir en arrière au moment du lancement.

— Contrôle, dit-il calmement. Et il récita par cœur : pression du carburant, flux du carburant, tours/minute, tout est normal. Pas de lumières d'alerte ou d'alarme. Manche entièrement en avant.

Wink jeta un coup d'œil sur les aérofreins.

— Prêt ? demanda Woods.

— Prêt.

Woods passa rapidement en revue les instruments, redressa la tête et fit un salut de la main droite. L'officier de la catapulte appuya sur le déclencheur. Woods ressentit une énorme secousse. L'avion fut projeté en avant et passa en deux secondes de 0 à 135 nœuds.

— Bonne vitesse, dit Woods, de la même voix calme qu'il avait quand il était certain de disposer de la vitesse nécessaire au décollage et de n'avoir pas à s'éjecter à la suite d'un lancement ramollo.

Il releva doucement le nez de l'appareil et décolla, virant fortement à gauche pour s'écarter du navire. Un autre F-18 avait été lancé avant eux et avait viré à droite pour la même raison. Woods rentra le train d'atterrissage et les ailerons d'extrados. Puis il monta à 250 nœuds et à 500 pieds. Il brancha la radio pour signaler qu'il était en l'air et s'efforça d'apercevoir Vialli, que la catapulte venait de propulser derrière eux.

Quand ils furent à 7 nautiques du navire, il tira sur le manche et l'appareil monta rapidement. Les ailes lâchaient des traînées de vapeur dans l'air humide. Il sélectionna le système de communication interne ou ICS.

— Où allons-nous ? demanda-t-il.

— Rendez-vous en haut à 12, puis descente à 6, et prise de l'axe de tir à 0845.

— Deux ou quatre avions ?

— Nous et Boomer seulement. Je pense que les F-18 nous suivront, mais je ne suis pas certain. De toute façon, nous tirerons jusqu'à l'épuisement des balles. Roger, on y va, dit-il, à la fois pour Woods et la radio.

Celui-ci monta à 12 000 pieds, s'inclina à gauche et aperçut le porte-avions, à 3 kilomètres au-dessous. Malgré sa taille considérable, le *Washington* semblait ridiculement petit, même pour l'atterrissage d'un hélicoptère, et à plus forte raison celui d'un jet de 30 tonnes. Woods effectuait un virage en douceur pour contourner le navire lorsqu'il aperçut Vialli. Ce dernier, un peu plus bas, réalisait un rendez-vous parfait, en douceur, sans risque. Il fit à son tour un bon virage pour se placer 50 pieds au-dessous de Woods.

— Il sait vraiment piloter, dit celui-ci à Wink.

— Il a encore beaucoup à apprendre.

— Comme nous tous, non ?

Woods posa sa main gauche sur le manche et de la droite fit signe à Vialli de le suivre à distance. Ensuite, il mit les gaz à plein régime, mais sans post-combustion. À 450 nœuds et l'accéléromètre à 6 G, Woods renversa l'appareil et plaça ses ailes à l'horizontale pour effectuer une figure connue sous le nom « d'Immelman ». Il tira immédiatement sur le manche pour continuer à monter.

— Direction 0-6-7 pour 6, dit Wink à Woods.

Il communiqua ensuite le plan à l'« *Air Boss* », sur le navire :

— 'jour, patron. Victory Deux-Zéro-Un, formation de deux à 6 nautiques direction poteau.

— *Roger, Deux-Zéro-Un. Poteau en position derrière. Dégagé. Refaites contact à 3 nautiques.*

— *Wilco.* La liste, ajouta Wink à l'intention de Woods.

Ils passèrent en revue la liste des exigences de feu, en préparation pour les tirs. Woods regarda le porte-avions, à 5 nautiques de là, et mit le cap dessus.

— Dans quelle direction va-t-il ?

— Sais pas. Attends… Patron, dites-nous la direction du navire.

— *Direction 3-5-5*, s'entendit-il répondre au bout de quelques instants.

Woods se mit à droite du navire, de façon à se retrouver à 3/4 de nautique derrière, juste la longueur du câble qui traînait le poteau, puis il descendit à 1 500 pieds. Il vérifia la mire et les détentes pendant que Wink consultait le radar, à la recherche d'avions qui se seraient trouvés dans les parages par hasard et dont le Boss n'aurait pas été avisé. Le ciel était dégagé.

— 1 000 pieds, commenta Wink. 450 nœuds.

Woods ne dit rien : il venait d'apercevoir le poteau, qui ressemblait à un périscope traçant son propre sillage derrière celui du *Washington*. Il fixa la mire dessus et descendit à 500 pieds, jetant un coup d'œil à Vialli. Celui-ci pilotait d'instinct. Woods n'avait jamais besoin de lui dire où se placer. Il était même meilleur que Woods lui-même à ses débuts.

— Le un est branché, dit-il.

Il se dirigeait droit vers le poteau, à 450 nœuds, avec la mire à 20 pieds seulement derrière, parce qu'ils étaient censés tirer juste à côté du poteau, et non dessus.

— 450, 2 000 pieds, annonça Wink, notant les canons que Woods avait choisis.

Woods descendait avec un angle de 20 degrés.

— Le deux est branché, transmit Vialli.

— 1 000 pieds, dit Wink.

Woods appuya sur le bouton de la détente, situé sur le manche. Il sentit la mitrailleuse Vulcan, à gauche du nez du Tomcat, cracher ses balles de 20 millimètres à la cadence de 6 000 par minute. Le bruit n'était pas vraiment celui d'une mitrailleuse ; plutôt celui d'une machine à coudre enrouée. L'équipage à l'arrière du navire regardait la fumée jaillir du nez de l'avion, puis les balles fouetter la mer en une furieuse écume. Elles allaient à la vitesse supersonique : elles atteignaient l'eau avant même qu'on les ait entendues.

À 500 pieds, Woods tira fort sur le manche et l'avion remonta à 5 G.

— Le un est parti, dit-il.

— Le piqué de Vialli est trop raide, dit Wink.

Woods regardait Vialli et son cœur fit un bond : Wink avait raison. Il espéra déceler le signe d'une prise de conscience chez Vialli, mais celui-ci semblait plonger dans le vide.

— Il va trop vite, dit Wink, saisi par la même anxiété.

Si Vialli descendait trop rapidement trop bas, il n'aurait plus d'issue : il serait mort. Il ne pourrait pas s'en sortir, parce qu'il aurait dépassé la limite possible d'éjection. Même s'il s'en rendait compte et qu'il tentait de s'éjecter, il mourrait dans son siège.

— Boomer ! Remonte ! Tu piques trop !

Le nez du F-14 remonta brusquement dès que Vialli eut entendu la voix de son chef. Sa remontée fut si abrupte que des nuages de vapeur se formèrent au bout de ses ailes, à cause de la pression. Il se redressa approximativement à la hauteur du pont du porte-avions, à 70 pieds, puis continua de monter à la suite de Woods. Celui-ci secoua la tête.

— Il l'a vraiment échappé belle.

— Il n'a jamais fait de tir au poteau ?

— Probablement pas. Mieux vaut garder un œil sur lui.

— Il faudra en parler au commandant.

— Non, je m'en occuperai.

Vialli suivit religieusement Woods pendant le reste de l'exercice. Ils refirent tour sur tour pour mitrailler les approches du poteau jusqu'à ce qu'ils eussent épuisé leurs munitions.

— Un épuisé, dit Woods, après sa dernière tournée.

— Deux épuisé, dit Vialli.

— Victory Deux-Zéro-Un. Formation de deux sort de l'aire de tir, patron, annonça Wink.

— *Roger, Deux-Zéro-Un. Bon exercice.*

— 15 minutes pour remonter, dit Wink.

Woods s'éloigna du porte-avions et monta à 15 000 pieds, suivi par Vialli.

— Secouons-lui un peu les puces ! lança Woods.

Et, soudain, il vira à gauche pour se mettre en post-combustion pendant que Vialli ne faisait pas attention à lui.

— On se bat, annonça-t-il sur la fréquence de l'escadrille, ce qui signifiait le commencement d'un combat simulé.

Woods était friand de ces combats aériens et content de prendre son ailier en traître. Quelques surprises de ce genre et Vialli apprendrait à se tenir sur ses gardes.

6

Sami balaya la salle de réunion du regard : il venait à peine de faire la connaissance de quelques-uns des membres de l'équipe. Tous étaient membres du CTC, le *Counter-Terrorism Center* de la CIA, fort de deux cents personnes et installé depuis toujours au rez-de-chaussée du quartier général de Langley. Les membres de ce service travaillaient dans des cubicules séparés par des « rues » dont les plaques pendaient au plafond. Des noms éloquents : « boulevard Abou Nidal », « square des Tigres Tamouls », « allée ben Laden »...

Il ne s'était jamais aventuré qu'occasionnellement au CTC, en quête d'une information spécifique. Sami n'était qu'un analyste de la section du Moyen-Orient qui, incidemment, s'intéressait aussi à des groupes terroristes. Mais Kinkaid, qui le connaissait, avait insisté pour que Cunningham et lui fissent partie de la nouvelle équipe. La salle de conférence se trouvait en plein milieu du domaine des « chasseurs de terroristes ».

L'analyse de Sami n'était qu'une spéculation ; elle risquait de passer pour ridicule, et la simple idée de l'exposer en public le mettait mal à l'aise. Pourtant, dès qu'il en avait eu connaissance, Kinkaid s'était brusquement assombri et il avait exigé que Sami en informe immédiatement l'équipe.

Comment s'y prendre ? Le travail de Sami consistait surtout en la rédaction de rapports ou de mémoires. Il n'avait jamais fait d'exposé à la direction des opérations. Ici, il y avait des gens qui risquaient leurs vies pour collecter des informations sur place. Parmi eux, il avait l'impression de n'être qu'un pauvre grouillot.

L'équipe s'était mise à pied d'œuvre de bonne heure : Kinkaid avait convoqué la réunion pour 6 h 30. Ils buvaient encore leur café, assis autour d'une table, lorsque Kinkaid fit signe à Sami de monter sur l'estrade.

— Comme le savent certains d'entre vous, commença-t-il, il y a longtemps que je guette de nouveaux groupes terroristes au Moyen-Orient. J'essaie de les dépister avant même qu'ils ne se soient constitués. Beaucoup de gamins nourrissent des rêves de gloire, d'autres veulent un État islamique, haïssent l'Occident ou Israël, d'autres encore sont en quête d'argent et se demandent que dire ou faire pour en avoir. Vous n'ignorez rien de tout cela. Et, ainsi qu'on vous l'a appris, j'ai trouvé l'autre jour une transcription de la NSA…

— De quel type? coupa quelqu'un.

— Communication de téléphone portable.

— Où?

— L'est du Liban.

— Que disait la transcription?

— Rien, à vrai dire…

Kinkaid, agacé par cet échange, demanda à Sami :

— Qu'est-ce qui vous a fait tiquer?

— Un nom. Un homme parlait d'une réunion pour discuter de Gaza. C'était à l'évidence lié à l'attaque, répondit Sami, jetant un regard à la ronde. L'homme a cité une heure et un lieu de rendez-vous qui n'avaient pas grand sens puis, au moment de conclure, comme s'il expliquait à quelqu'un d'autre l'objet de la conversation, et comme s'il mettait la main sur le combiné, il a dit ce nom, « cheikh el-Gabal ».

— Et alors? questionna Ricketts, affalé sur son siège.

— Ce nom est celui d'un chef légendaire du XIe siècle. Il a été repris par d'autres, pour perpétuer la tradition. Marco Polo a rencontré l'un de ses successeurs, qu'il appelait le Vieil Homme de la Montagne. Cheikh el-Gabal s'était constitué un empire à partir d'une forteresse appelée Alamout, en Iran oriental. Ses séides s'appelaient les Haschischins.

— Des fumeurs de hasch? Quand ça? demanda Ricketts, qui avait écouté d'une oreille distraite.

— Pour être exact, en 1090, répliqua Sami, consultant ses notes.

— Mais qu'est-ce que ça a…

Kinkaid le coupa :

— Vous croyez que je lui aurais demandé de faire un exposé si ça n'avait rien à voir avec notre boulot ?

Et il fit signe à Sami de reprendre.

— Bon, ce type recrutait des garçons de douze ans, les éduquait dans son domaine et, lorsqu'ils avaient atteint l'âge d'être ses tueurs, il les envoyait en mission et leur racontait qu'ils iraient au Paradis pour cela…

— Établissez le lien avec Gaza, lui dit Kinkaid.

Haddad considéra son auditoire ; un mélange d'intérêt et de scepticisme se lisait sur les visages.

— Les Haschischins se sont constitués durant les Croisades. Ils ont terrorisé les Croisés, tuant plusieurs d'entre eux sans participer aux grandes batailles. Ils s'infiltraient dans leurs camps et les égorgeaient. Ils étaient les précurseurs des terroristes modernes. Ils mouraient volontiers pour la cause proclamée par le cheikh el-Gabal. Puis, ils ont disparu, mais des rumeurs prétendent qu'ils étaient toujours actifs au Liban, en Égypte, en Iran, au Pakistan. Ils ont défendu les intérêts de Napoléon en Orient. Cependant, c'est la première fois depuis le XIXe siècle que quelqu'un se fait appeler cheikh el-Gabal. Si c'est là un phénomène nouveau et si c'est ce qu'il semble, cela augure de problèmes graves. Ces gens n'ont pas d'amis. Les musulmans les rejettent comme hérétiques et ils n'ont donc confiance en personne. À moins que vous ayez été élevé avec eux, ils vous considèrent comme un ennemi.

Kinkaid tenta lui aussi de déchiffrer les expressions de l'auditoire. Ils semblaient ne savoir qu'en penser. Il prit la parole :

— Si ce type est celui qui, pour une raison ou une autre, a déclenché l'incident de Gaza, il nous faut réunir des informations à partir de zéro. Ricketts, avons-nous des infos qui pourraient se rapporter à ces gens ?

Ricketts était plus à l'aise déguisé en mendiant dans un pays étranger qu'en costume dans cette salle de conférence, au milieu d'intellectuels. Et ça se voyait.

— Non. Rien en ce moment.

Un homme à la droite de Ricketts demanda :

— Et cette histoire de haschisch ? Pourquoi les appelle-t-on comme ça ?

— Mystère, répondit Sami. On a supposé qu'ils fumaient du hasch, mais la meilleure explication que j'aie trouvée est que le mot « *haschischin* » est une déformation d'un mot arabe qui signifie « gardiens ». Ils se considèrent non seulement comme les gardiens de l'islam, mais également comme ceux du Moyen-Orient, qu'ils entendent défendre contre les envahisseurs et les Infidèles. C'est leur nom qui a donné naissance au mot « assassin ». Ces gens ont inventé l'assassinat comme arme politique.

Les auditeurs restaient silencieux.

— Nous avons beaucoup de pain sur la planche, dit Kinkaid.

Vialli attendait devant la basilique Saint-Marc, à Venise. Il consulta sa montre : il avait annoncé à Irit par e-mail qu'il serait là à 11 heures, mais elle n'avait pas répondu et il n'était de toute façon que 9 h 30. La place était quasi déserte et le temps, humide et froid. Il releva le col de sa vareuse de cuir marron et regarda la vapeur s'exhaler de sa bouche : elle avait la même couleur que le ciel et l'eau.

— *Hi*, Tony !

Au son de la voix d'Irit, Vialli pivota.

— Irit ! s'écria-t-il. Comment avez-vous fait pour me surprendre ?

Timidement, il lui serra le bras. Elle se haussa sur la pointe des pieds et lui donna un bécot sur la joue.

— Dès que je suis arrivée sur la place, j'ai vu cet Américain qui regardait l'église les mains dans les poches.

— Suis-je si voyant ? Regardez cette église, tout en faïence... incroyable, non ?

— L'extérieur seul est en faïence.

— J'ai demandé à Sean de se joindre à nous ce matin. J'espère que vous n'y voyez pas d'inconvénient.

— Aucun. Il est charmant. À propos, il faudra que je retourne à Trente cet après-midi.

Et remarquant la déception qui se peignait sur le visage de Vialli, elle ajouta :

— Je suis navrée, mais il faut vraiment que j'y retourne.

— Pourquoi ?

— Je ne peux pas vraiment vous expliquer. Mais il faut que je sois de retour ce soir.

— Pas de problème, répondit-il.

Il se familiarisait de nouveau avec son visage. Elle était encore plus jolie qu'il se le rappelait, mais moins grande.

— J'aurais bien fait un tour un gondole, à condition qu'il ne fasse pas trop froid, dit-il.

— D'accord. On se serrera un peu.

— Voilà Sean, dit-il, allant à sa rencontre.

— Navré de vous avoir fait attendre, dit Woods en les rejoignant.

Il salua Irit et s'enquit de leurs projets. Informé de cette idée de promenade en gondole, il fut d'accord.

— Je voudrais bien que le temps s'adoucisse, dit Vialli. Il fait plutôt froid.

— Nous prendrons un cappuccino ou quelque chose de chaud.

Le ciel s'éclaircissait, la brume se dissipait et le vent se calmait.

— Celle-ci vous plaît ? demanda Irit, indiquant une grande gondole.

Elle échangea rapidement quelques mots en italien avec le gondolier et ils montèrent tous les trois. Ils se dirigèrent prudemment vers l'arrière de la gondole. Ils allaient s'asseoir quand une vague soulevée par le passage d'un canot à moteur secoua l'embarcation. Irit tomba sur le siège et, alors qu'elle prenait appui sur le bord de la gondole, Vialli aperçut la main droite de la jeune femme : il n'y restait plus que le pouce et le médius. Il eut un bref mouvement de surprise. Il lui fut difficile de se détourner de la main mutilée. Comment ne l'avait-il pas remarquée à Naples ? Son regard croisa celui de Sean ; lui aussi avait vu.

Irit retira rapidement sa main et observa Vialli : il détournait les yeux. Elle alla ensuite s'adresser au gondolier, qui s'écarta bientôt de l'embarcadère. La gondole glissa vers le canal perpendiculaire à la place. Les passagers regardaient en silence autour d'eux ; Vialli faisait semblant de s'intéresser aux façades.

— Cela fait-il tellement de différence ? demanda-t-elle à mi-voix après un silence pesant de plusieurs minutes.

— Quoi?

— Ma main, répondit-elle, les yeux baissés. Je suppose que vous ne l'aviez pas vue. Je suis très habile à la dissimuler. Certains de mes amis ne s'en doutent pas ou peut-être feignent-ils de l'ignorer. Mais la plupart des gens sont si choqués quand ils la découvrent qu'ils ne peuvent pas dissimuler leur réaction.

Elle regarda Vialli dans les yeux.

— … comme vous. Cela a-t-il de l'importance? Je suis tombée dans votre estime?

— Bien sûr que non.

Ils passaient devant une maison dont le perron descendait jusque dans l'eau.

— Ceux qui y habitent doivent-ils prendre une gondole pour aller au travail tous les matins? demanda Vialli.

— La plupart des maisons donnent sur des rues ou des venelles à l'arrière.

— Je suis navré de ma réaction, dit-il. Je me croyais plus fort que cela.

— Ne vous sentez pas coupable, c'est naturel. La plupart des gens pensent que j'ai eu un accident affreux et ils me prennent en pitié. Alors que je suis née comme ça. Je ne vous tiens pas rigueur de votre réaction, mais ne me tenez pas rigueur de ma main.

— Comment le pourrais-je?

— Certains des hommes que j'ai connus prenaient soudain leurs distances lorsqu'ils remarquaient ma main. Je suppose qu'ils me croyaient d'une certaine façon infirme, incomplète… C'était plus fort qu'eux.

Elle se tut. Vialli se reprocha d'avoir laissé paraître sa surprise. Sean guettait le moment où il devrait détourner les yeux.

— Il y a plus, dit-elle.

— Quoi?

Elle posa doucement sa tête sur l'épaule de Vialli et il l'enlaça.

— Je ne suis pas italienne, dit-elle à mi-voix.

— Qu'est-ce que vous dites? demanda-t-il en reculant légèrement la tête.

— Je ne suis pas de Trente. Je n'habite même pas en Italie. C'est ma cousine qui vit à Trente, et je lui rends parfois visite.

C'est pourquoi je suis ici. Et puis je me promène, parce que j'aime ce pays. Mais ce n'est pas le mien.

— Où vivez-vous ?

— À Nahariya.

Bouchée bée, Vialli semblait ne pas avoir compris.

— Où est-ce ?

— En Israël.

Il ne savait que dire.

— Êtes-vous...

— Juive ? Oui, bien sûr.

— Je suis catholique.

— Je le sais.

Ils glissèrent devant une petite place pleine de boutiques, dont les lumières se reflétaient sur la chaussée mouillée. Des gens y débarquaient de leurs gondoles.

— Est-ce important ? demanda-t-il.

— Pas pour moi. Et vous ?

— Je ne sais pas. Je ne crois pas. Je ne suis pas très pratiquant.

Elle sourit pour la première fois depuis qu'ils étaient montés dans la gondole.

— Je ne suis pas très pratiquante non plus. Ma famille n'est pas juive orthodoxe, ni rien de tel.

— Vos parents seraient contrariés de nous voir ensemble ?

— Probablement.

— Ça compte ?

— Un peu.

— Est-ce que nous nous reverrons ?

— Ça dépend de vous, dit-elle en haussant les épaules. Vous avez eu deux surprises aujourd'hui, et je doute qu'elles vous aient été agréables. C'est vous qui déciderez.

Vialli parut troublé et il se redressa.

— Pourquoi ne m'avez-vous pas dit tout cela au début ?

— Je ne sais pas. J'ai pensé que vous me trouveriez plus intéressante si j'étais italienne. Être israélienne peut parfois être encombrant.

— Je veux vous revoir, dit Vialli après réflexion.

— Êtes-vous sûr ?

— Sûr. Nous aimons l'Italie tous les deux, mais l'un comme l'autre, nous ne sommes pas de « vrais » Italiens... Nous allons bien ensemble.

Il regarda des gondoles qui allaient dans l'autre sens. Son regarda croisa celui de Woods, qui lui demanda si tout allait bien. Il répondit par l'affirmative et s'absorba de nouveau dans le spectacle environnant.

— Quand vous reverrai-je ? demanda Vialli.

— Je ne sais pas. Quelle est votre prochaine escale ?

— Je crois que ce sera Naples, mais pas pour longtemps.

— Je serai rentrée chez moi à ce moment-là.

Il poussa un soupir.

— Ça ne va pas être commode.

— Je sais.

— Nous serons en Israël dans un mois.

— Vous me l'avez dit.

— Ce sera notre prochaine occasion de nous revoir. Après ça, je ne vous reverrai plus avant mon retour aux États-Unis.

— J'aimerais vous revoir auparavant. Vous allez me manquer.

Il se pencha sur elle et posa ses lèvres sur les siennes avec douceur ; elle lui rendit son baiser.

— Il faut que je rentre, dit-elle.

— Mais vous venez à peine d'arriver ! Je voudrais que vous rencontriez mes collègues. Vous ne voulez pas qu'on aille à pied jusqu'à l'hôtel où ils sont descendus ?

— Je n'ai pas le temps.

— Si, vous l'avez.

La gondole les ramena à leur point de départ. Ils débarquèrent et se dirigèrent tous trois vers un café au fond de la place. Vialli demanda à Irit ce qu'elle voulait. Elle secoua la tête.

— Il faut que j'attrape le train pour Trente. Je n'avais pas vraiment le temps de venir vous voir, mais je suis contente de l'avoir fait.

Elle se leva et lissa son manteau de la main gauche.

— Envoyez-moi un e-mail pour me tenir au courant de vos déplacements. Nous verrons comment nous retrouver. Au revoir.

À l'idée de la perdre, il se sentit malheureux comme les pierres.

— Vous allez à pied à la gare ? Je vous accompagne. Tu n'y vois pas d'inconvénient ? demanda-t-il à Woods.

— Aucun. J'irai à l'administration. Et puis, je crois que je vais faire un somme. Je suis crevé.

Il but son café et dit à Irit :

— J'ai été content de vous revoir.

— Avez-vous entendu ce que j'ai dit à Tony ? dit-elle en évitant le regard de Woods. Comme il hochait la tête, elle ajouta : je regrette.

— Vous aviez vos raisons, je suppose, répondit-il pour l'excuser.

— Je suis impardonnable.

— N'y pensez plus. Prenez soin de lui, dit Woods, indiquant Vialli du menton.

Irit et Vialli sortirent, marchant l'un près de l'autre. Il lui prit la main alors qu'ils traversaient un petit pont en dos d'âne.

— À quelle heure est votre train ?

— 2 h 30.

— Vous vous êtes rendu compte de mon mouvement de surprise, dit-il. Je le regrette.

— Ça arrive. Mais je ne veux pas non plus que vous restiez avec moi parce que vous vous sentez lié par la pitié. Comme maintenant. Vous m'avez pris la main. Pourquoi ?

— Parce que vous me plaisez, répondit Vialli, blessé. Que croyez-vous ?

— Que vous voulez me prouver que vous avez fait table rase de l'incident et avoir bonne opinion de vous-même.

— Allons, Irit, dit-il, frustré de ne jamais trouver les mots justes. Je me sens vraiment attaché à vous. Je n'ai jamais éprouvé un sentiment pareil, marmonna-t-il.

— Que voulez-vous dire ?

— Vous êtes différente, dit-il, se tournant vers elle.

Il lui caressa le visage. Puis il se pencha vers elle et l'embrassa, hésitant. Il était sûr de ses propres sentiments, mais pas de la réaction qu'elle pouvait avoir. Intimidé, il mit fin à leur baiser avant qu'il devînt passionné. Toutefois, il posa les mains sur ses hanches ; elle l'imita. La rue était déserte. Deux gondoles passèrent sous le pont ; nul ne leur prêtait attention. Il l'embrassa de nouveau, sentant la chaleur de son corps tandis qu'elle le serrait contre lui. Elle ne lui en voulait plus. Il l'étreignit encore, son désir croissant à chaque instant.

— Il faut que nous allions à la gare, dit-elle.

— Restez cette nuit à Venise, plaida-t-il.

— Je ne peux pas.

— Pourquoi ? Vous avez dit que vous ne travailliez pas. Alors, pourquoi cette hâte ? Pourquoi ? répéta-t-il en la regardant dans les yeux.

— Je ne peux pas en parler.

— Pourquoi ? Qu'y aurait-il que vous ne puissiez pas me dire ?

— C'est personnel.

— Vous n'avez toujours pas confiance en moi…

— J'ai parfaitement confiance en vous.

— Alors, dites-moi.

— Je ne peux pas.

— Je veux rester avec vous. Nous avons tant de choses à nous dire. Tant de choses à faire.

Et il l'embrassa de nouveau.

— La prochaine fois. Je vous le promets. Il faut que j'y aille. Prenez le train avec moi, proposa-t-elle soudain.

— Comment ? Mais je ne peux pas aller à Trente.

— Vous n'en aurez pas besoin. Vous descendrez à la prochaine station, et vous reprendrez le train dans l'autre sens. Vous serez de retour dans deux heures. D'ici là, nous passerons encore un moment ensemble, installés dans un compartiment, bien au chaud. Peut-être seuls…

Ce fut elle qui lui prit la main en souriant.

— Bon, d'accord, convint-il, allons-y !

7

— Tu l'as ? demanda Woods sur la radio interne.

— Ouais. Il est à tribord au 0-0-5, à 450 nœuds, et il continue de descendre. Il vole à 150 pieds.

Woods poussa le manche du F-14 à droite, inclinant fortement l'appareil et entamant une descente pour compléter l'interception.

— Il ne peut pas être à 150 pieds, Wink.

— Pourquoi ?

— Parce qu'il est interdit de descendre à moins de 500 pieds.

— J'avais oublié... Bâbord au 3-5-5. Il vient de faire un virage raide à droite.

Avec sa peinture gris terne, le F-14 était difficile à distinguer. Woods consulta le diamant vert sur l'écran du radar ; c'était « l'ennemi ». Mais le symbole était trop petit, à peine un point.

— Quelle distance ?

— 12 nautiques.

— Tu crois qu'il nous a repérés ?

— Si c'est le cas, il n'en a pas l'air. Il ne monte pas à notre poursuite. Il continue à jouer les loups solitaires.

— Quel est ton plan ?

— Bâbord dans 2 nautiques.

— Roger.

— Itinéraire 3-5-7 pendant 10 nautiques, anges 0, légèrement à gauche. Il est à 10 à droite, 20 au-dessous, on le rejoint à 900 nœuds. Bâbord toute, dit Wink d'une voix égale.

Il scruta l'indice radar de Boomer jusqu'à ce qu'il fût suffisamment à droite et, tandis que Woods entamait un virage serré, il annonça :

— Tribord toute.

Woods aperçut Boomer droit devant, à 3 nautiques ; l'ombre de son avion courait sur la mer. Il le prit en chasse à 450 nœuds et 200 pieds.

— *Fox Deux, nous engageons à nouveau, Tiger,* transmit Wink.

— *On a fait tout ce qu'on était censé faire, Deux-Zéro-Sept,* répliqua Tiger. *Ton signal est RTB, Return To Base. Vérifie avec Strike.*

— *Merci pour ton aide. Je passe sur le bouton un,* répondit Wink.

— *À ton service,* ajouta Tiger, un gars de vingt et un ans dont la tâche consistait à suivre les manœuvres d'interception à partir du porte-avions.

Woods vérifia le niveau de carburant et, satisfait, il poussa les gaz jusqu'à enclencher la post-combustion, pour rattraper rapidement Boomer. Il monta à 500 nœuds et coupa la post-combustion dès qu'il eut son ailier en vue. Glissant à gauche, il fit signe à Vialli de le suivre. Celui-ci se toucha le front et indiqua à Woods de prendre la tête. Woods remonta rapidement ; l'accélération le fit grogner, comme d'habitude.

Wink scruta l'horizon, à la recherche du navire qu'indiquait l'aiguille du TACAN, *Tactical Aid to Navigation,* mais en raison de la brume et de la grisaille, il ne put l'apercevoir. Woods et Wink observèrent la procédure de descente, passant de 10 000 à 5 000 pieds. Cherchant de nouveau le *Washington,* Wink distingua cette fois le navire, leur bout de patrie flottant.

— *Strike, Victory Deux-Zéro-Sept, on vous voit.*

— *Roger, Deux-Zéro-Sept. Dégagé au-dessus. Appuyez sur bouton quatre.*

— *Deux-Zéro-Sept, j'appuie.*

Woods abaissa sa béquille arrière tandis qu'il orbitait à 2 000 pieds, attendant le lancement imminent qui se préparait sur le pont. D'autres avions orbitaient plus haut, à 1 000 pieds de distance les uns des autres. Dans quelques moments, ils descendraient en spirale et se poseraient à 45 secondes d'intervalle environ. Il se plaça à tribord du porte-avions et observa les lancements en cours.

— Qu'est-ce que tu en penses? demanda-t-il à Wink.

— Pas tout de suite. Boomer n'a pas encore descendu sa béquille.

— Quoi? Qu'est-ce qu'il fout?

— Comprends pas. J'ai fait signe à Sedge, mais il me regarde avec des yeux ronds.

Woods détacha son regard du pont et le dirigea vers Vialli.

— Mais qu'est-ce qu'il fabrique? On a l'air de deux cons d'hélicoptères qui tournent en rond.

Il brancha la radio.

— Descends la béquille.

Cette fois, Vialli s'exécuta. Les deux avions effectuèrent leur approche traditionnelle à bâbord et descendirent de 2 000 à 800 pieds. Au moment d'aborder le couloir d'atterrissage, Boomer et Vialli ramenèrent simultanément les ailes de leurs F-14 à l'arrière, à 68 degrés, et se fixèrent sur l'axe du navire. Woods et Wink jetèrent un dernier coup d'œil au pont; il était dégagé, il n'y restait que deux avions prêts pour le catapultage.

— Allons-y, dit Woods.

Ils dépassèrent le navire. Woods prit la tête, inclina fortement l'appareil vers la gauche et se plaça sous le vent, puis mit les ailes en automatique; elles reprirent immédiatement leur angle de 20 degrés. Trey et Wink vérifièrent la procédure d'atterrissage, puis Woods entama son virage contrôlé et sa descente. Ils se posèrent comme une fleur.

Woods était l'un des pilotes confirmés du navire; il obtenait toujours les premières ou secondes notes les plus élevées dans l'escadrille. Il ne considérait pourtant jamais l'exercice comme une routine: il avait vu trop de types se planter sur la rampe d'atterrissage, et même rater complètement l'approche.

Il emprunta le sillon, sans douceur excessive. La béquille accrocha deux des quatre filins de freinage et les tira sur le pont. Les deux moteurs rugirent furieusement contre leur emprise jusqu'à ce que le Tomcat s'immobilisât complètement. Vialli atterrit ensuite, mais il manqua les quatre filins et sa béquille lâcha des étincelles en grattant le pont d'acier. Il finit par se ranger maladroitement parmi les autres avions qui essayaient de décoller.

— Qu'est-ce qu'il a, aujourd'hui ? demanda Woods, agacé.

— Je crois qu'il a aussi raté son accrochage hier.

— Il me tape sur les nerfs, dit Woods en coupant les moteurs tandis que Wink ouvrait la verrière.

Ils se rendirent à la salle de réunion pour remplir les formulaires. Deux minutes plus tard, Vialli et Sedge les rejoignirent. Le chef Lucas, chargé du contrôle de la maintenance, entra dans la salle.

— Il faut les tenir en état pour la prochaine sortie. Des observations ?

— Les boutons sur le manche doivent être réglés, mais ce n'est pas un gros problème, répliqua Woods.

Lucas écouta les observations de Vialli et il quitta la pièce. Vialli s'assit près de Woods. Il se pencha vers lui et lui dit à mi-voix :

— Je dois te parler.

Woods leva les yeux des formulaires qu'il remplissait.

— Pour me baratiner sur ton atterrissage ?

— Non, autre chose.

— Quand ? s'enquit Woods, dévisageant Vialli.

— Maintenant si tu peux.

— Notre carré est en train de fermer. Allons casser la croûte, répondit Woods en consultant sa montre.

Woods tendit le formulaire jaune à Wink pour qu'il le portât au contrôle de maintenance, et il lui demanda s'il avait faim. Ils franchirent tous les quatre les 300 mètres qui les séparaient du carré d'avant. Des hamburgers graisseux sommeillaient dans les poêles sur des bacs d'eau chaude. Les quatre hommes se confectionnèrent des doubles cheeseburgers. Ils voulurent ensuite se servir du lait au distributeur automatique, mais il était hors service ; ils trouvèrent devant des boîtes en carton de forme bizarre.

— Encore du lait reconstitué ! grommela Woods.

Personne ne commenta. Il interrogea un serveur :

— C'est tout ce qui nous reste, du lait reconstitué ?

— Je le crains, Monsieur.

— Qu'est-ce que tu as contre le lait reconstitué ? s'exclama Vialli.

— Il a le goût du lait de chèvre.

— Tu en as goûté, du lait de chèvre ?

— Non. Mais j'imagine.

— On est en mer pour des semaines et tu voudrais qu'on te fournisse en lait de vache américain pasteurisé et homogénéisé, lui dit Wink en s'asseyant près de lui. Tu râles comme un pou parce qu'on te sert du lait reconstitué qui a coûté la peau des fesses à convoyer jusqu'au sud de l'Italie, rien que pour toi.

— T'as pas besoin de prendre ce ton accusateur, rétorqua Woods. Moi, j'aime les œufs, le beurre, toutes ces choses auxquelles on est habitué à la maison.

Il attaqua alors son cheeseburger et se tourna vers Vialli :

— Alors, qu'est-ce que tu racontes ?

— J'ai quelque chose à te demander. Je sais que tu es mon chef de section et mon aîné et tout ça. Mais tu es un peu un frère aussi. Tu es le meilleur ami que j'aie. Est-ce que je peux dire ça ?

— Ouais. Mais avant que tu te lances dans des confessions, dis-moi ce qui te travaille. Tu as failli te casser la gueule lors du tir au poteau. Et tout à l'heure, tu volais en formation comme si tu rêvais. Tu n'avais même pas descendu ta béquille. Qu'est-ce qu'il y a ?

— Je sais pas. Peut-être que j'ai envie d'être ailleurs.

— Comme tout le monde. Si tu veux quitter la marine, il faudra prendre ton mal en patience…

— Non. Ce n'est pas ça. C'est autre chose, dit Vialli en ravalant sa salive.

Il était sur le point de s'expliquer, puis son courage s'évapora.

— Autrefois, à New York, au collège, j'étais un dur. J'étais toujours en train de houspiller quelqu'un. Mais ici, je ne sais pas… c'est différent. Je n'ai rien à prouver à personne, sauf quand je suis en l'air. T'inquiète pas, je ne vais pas te demander de me prêter de l'argent, dit-il en souriant.

— Allez, crache le morceau. Pas la peine de faire du sentiment.

— Tu es lieutenant et c'est ta deuxième croisière ; moi, je ne suis qu'un bleu.

— Et alors ?

— Alors, ça signifie que tu y es pour de bon et que tu considères que tu feras carrière dans la marine. Moi, je ne dis pas
que ce serait chouette de piloter un 747, mais…

— Qu'est-ce que tu essaies de m'avouer ? demanda Woods,
intrigué.

— Avant que je te le dise, je veux ta parole que tu n'en par-
leras à personne.

Woods se sentit mal à l'aise. Ses responsabilités dans l'escadrille prenaient le pas sur l'amitié.

— D'accord, dit-il après un temps de silence.

— C'est Irit.

— Tu es donc amoureux, commenta-t-il, goguenard. Et
pourquoi veux-tu que ça ne se sache pas ?

— Ce n'est pas la question. Enfin, pas toute la question…
J'ai déjà été amoureux une fois. Es-tu déjà tombé amoureux
avant même de t'en rendre compte ?

— Une fois seulement.

— Comment l'as-tu su ?

— Comme tout le monde. Chaque heure sans elle me
paraissait une heure perdue.

— Exactement, dit Vialli. C'est exactement comme ça que je
le vis.

— Et tout ça, c'est à cause d'Irit ?

— Ouais. C'est le sentiment le plus fort que j'aie jamais
éprouvé. C'est presque effrayant.

— Et elle ?

— Je crois que c'est la même chose. Tu as vu sa main ?

Woods hocha la tête.

— Ça te dérange ? demanda-t-il.

— Oui. Et je n'arrive pas à le croire. Je m'étais toujours cru
plus fort que ça. J'ai été horrifié.

— Ça te passera, dit Woods.

Il écarta sa chaise pour se lever, mais Vialli le retint.

— Il faut que je la voie.

— Nous serons là-bas dans quelques semaines.

— Je ne peux pas attendre aussi longtemps.

— Un peu de patience !

— Je ne peux pas t'expliquer, je…

— Qu'as-tu en tête ?

— Il faut que je prenne une perm' et que j'y aille.

— Où ?

— À Nahariya.

— Boomer, arrête de déconner. Nous y serons dans quelques semaines.

— Je ne peux pas.

Vialli était impulsif, mais Woods le savait raisonnable aussi quand il le fallait.

— Tu sais très bien que tu ne peux pas prendre de décisions comme ça, simplement parce que t'es en rut…

— Ce n'est pas ça.

Woods ne paraissait pas convaincu.

— Qu'est-ce que tu as l'intention de faire exactement ?

— Dès qu'on touchera Naples, je demanderai une perm'.

— Et ?

— Je prendrai un avion pour Tel Aviv. Lignes régulières. Elle m'attendra. J'ai déjà fait les réservations.

Woods ravala sa salive.

— Le capitaine ne t'accordera jamais de partir là-bas.

— Ma demande ne mentionnera pas Israël.

— Tu veux dire que tu vas demander une perm' pour Naples ? Tu vas inscrire une fausse destination ?

— Pas la peine d'en faire un plat. Mais, ouais, ça sera ça, répondit Vialli en regardant Woods dans les yeux.

— Je ne peux pas faire ça.

— Je ne te demande pas d'intervenir. Je dirai au capitaine que j'ai besoin d'une pause et il acceptera. Je serai revenu bien avant que le bateau ne reparte.

— Et si nous repartions avant ?

— Je prendrais une vedette et je vous rattraperais dès que possible. C'est comme si j'étais resté à Naples et qu'à mon réveil j'avais vu le porte-avions au large.

— Elle sait tout ça ?

— Je le lui ai dit au téléphone le dernier jour que nous étions à Venise.

— Et elle a accepté ?

— C'est elle qui l'a suggéré.

Woods secoua la tête.

— Je n'aime pas ça, Boomer. Pourquoi me racontes-tu tout ça ?

— T'es un frère pour moi. Si tu me voyais faire quelque chose de vraiment stupide, tu me le dirais.

— Très bien. Là, tu fais quelque chose de vraiment stupide. Je ne sais même pas si en tant que militaires on a le droit, à titre personnel, d'aller en Israël. Je ne sais pas si le pays est sur la liste…

— Il ne l'est pas. J'ai demandé à Pritch.

— N'y va pas.

— Pourquoi ?

— C'est illégal. Israël n'est pas un pays sûr. Si on t'attrape, tu perdras tes ailes.

— Je serai de retour à temps.

— Et moi je te dis de ne pas y aller.

— C'est quoi, un ordre ? Tu vas me donner *l'ordre* de ne pas y aller ?

Woods avait espéré qu'ils n'en arriveraient pas là. C'était raté.

— C'est exactement le cas. Je te donne l'ordre de ne pas y aller.

— C'est ma peau à moi que je risque.

— C'est la mienne aussi, maintenant. S'il advenait quelque chose, ils me tomberaient dessus pour ne pas t'avoir empêché d'y aller.

— Tu peux toujours prétendre que tu n'en savais rien.

— Mentir, comme ça ?

— Oui. Quelle différence ?

— Moi, je verrais certainement la différence. Je te le dis : n'y va pas.

— J'ai bien entendu et j'y vais quand même.

— Je ne peux pas te laisser…

— T'es vraiment un cas, dit Vialli, dont les veines du cou s'étaient gonflées. Tu suis les règles quand elles te conviennent. Mais quand tu veux t'amuser un peu, comme me tomber dessus en surgissant des nuages au milieu de la nuit, ça c'est permis. Non ? Tu sais bien enfreindre quelques règlements quand c'est *toi* qui le fais et que tu peux montrer combien tu es drôle, malin, audacieux. Et moi, je suis censé fermer ma gueule et ne pas signaler une violation des règlements de vol, comme j'aurais dû le faire. Mais quand c'est quelqu'un d'autre qui veut enfreindre un règlement, simplement pour aller voir une petite amie, sans qu'il y ait aucun risque pour personne, alors là tu montes sur tes grands chevaux. Tu te fous de ma gueule, Trey ! s'écria Vialli, en colère.

Woods semblait interloqué.

— C'est totalement différent, objecta-t-il.

— Peut-être. Mais j'y vais. Si tu veux le rapporter au commandant et me causer des ennuis, fais-le donc. Dans ce cas, je te jure que moi, je déposerai une plainte pour violation des règlements de vol. Essaie voir.

Et avant que Woods eût pu le retenir, Vialli se leva, lui tourna le dos et quitta le carré.

8

Vialli descendit de l'Airbus 320 d'El Al à l'aéroport de Tel Aviv. Une fois dans le bâtiment, il contempla le paysage à travers les hautes baies vitrées. La lumière était belle : le soleil faisait penser à la Californie. Il était d'humeur à tout admirer. Son cœur battit plus fort lorsqu'il aperçut Irit. Elle se dirigea vers lui d'un pas lent, arborant un sourire parfait. Elle portait des jeans serrés et un maillot noir à longues manches qu'elle avait retroussées. On y lisait, en lettres blanches et en anglais *« Israeli Defense Force »*, avec quelques mots hébreux au-dessous et la silhouette d'un chasseur israélien.

— Hé, dit-il.

Elle l'embrassa sur les lèvres, gardant la main droite dans sa poche.

— *Shalom*, répondit-elle.

— Oh ! Je dois apprendre l'hébreu ?

— Certainement pas. La plupart des gens ici parlent anglais.

Il regarda autour de lui.

— Il y a beaucoup de soldats.

Tous les 50 mètres en effet, un soldat en uniforme était posté, un fusil-mitrailleur en main.

— On s'y habitue. Ils sont partout. Ils me rassurent.

— Merci pour ton invitation, dit-il, saisissant sa valise et faisant un effort pour dissimuler son allure militaire.

Il s'était tout de même laissé pousser un peu les cheveux et les avait soigneusement coiffés. Dans ses jeans, sa chemise ample et ses baskets, il se sentait en pleine forme.

— Je suis contente de te voir, répondit-elle. Tu as d'autres bagages ?

— Rien que ce sac.

Elle se plaça à sa droite et lui demanda :

— As-tu eu des difficultés à obtenir ta permission ?

— Oui et non, répondit-il après une hésitation.

— Ce qui veut dire ?

— La permission, non. L'officier des opérations, qui est en quelque sorte mon boss, trouvait normal que je veuille prendre une perm'. Trey m'a soutenu. Mais ils me croient à Naples.

— Je ne comprends pas.

Vialli avait espéré ne pas avoir à s'expliquer sur ce point, et surtout pas dès l'arrivée.

— Le capitaine ne m'aurait pas laissé venir. Il m'aurait répondu que je n'avais qu'à attendre que nous fassions escale ici. Mais je voulais venir tout de suite. Alors, je lui ai dit que je serais à Naples.

— Tu n'aurais pas dû lui mentir, dit-elle en s'arrêtant.

— C'est toi qui me dis ça ?

Elle baissa la tête.

— Pardon, reprit-il. Je ne devrais pas t'agresser comme ça.

— Nous avons fait tous les deux quelque chose que nous n'aurions pas dû faire, murmura-t-elle sur un ton de confidence. Mais c'était pour la bonne cause.

— C'est aussi mon avis. De toute façon, que peuvent-ils me faire, s'ils m'attrapent ? Ils ne vont pas me tondre et me mettre en prison !

Elle se mit à rire et ils reprirent leur chemin. Il changea son sac de main, pour tenir celle d'Irit.

— Comment va-t-on à Nahariya ?

— Par le train. Il longe la côte. Le paysage vaut la peine, le voyage est agréable. Mon père viendra nous chercher à la gare pour nous conduire à la maison.

— Que pense-t-il de la visite d'un officier de la marine américaine ?

— Il n'a rien contre ta nationalité, ni le fait que tu sois officier de marine. C'est le côté goy qui le contrarie.

— Le côté quoi ?

— Goy. Non-juif. Étranger. Il est un peu méfiant.

— C'est un gros problème ? Je pensais que ça n'avait pas d'importance pour toi.

— Ça n'a pas d'importance pour moi, mais ça en a beaucoup pour lui.

— Il fait partie de ces juifs orthodoxes qui portent de drôles de chapeaux et des nattes ?

— Tony, dit-elle d'une voix basse. Ce ne sont pas de « drôles de chapeaux ». Les juifs orthodoxes prennent leurs vêtements très au sérieux. Ils pensent que la Torah définit très exactement ce qu'ils doivent porter et ils s'y conforment. Ils pensent que tous les juifs devraient suivre leur exemple. Ils pensent que la façon dont je m'habille est un scandale.

— Mais c'est un scandale, dit-il, sur le ton de la plaisanterie. Tu devrais avoir honte de toi. Je ne me moquais pas d'eux. Je me demandais si ton père fait partie de ces…

— Non. Il n'est même pas très pratiquant.

— Et alors, quelle est la différence ? Je ne prends pas non plus très au sérieux le fait que je sois catholique. Et je pense que tu ne prends pas très au sérieux le fait que tu sois juive.

— Bien sûr que je le prends au sérieux. Qu'est-ce que tu dis là ? demanda-t-elle, légèrement offensée.

— Je ne comprends pas. Tu m'as dit que tu n'étais pas très pratiquante.

— Je ne le suis pas. Mais être juive signifie plus que cela.

— Par exemple ?

Elle lui adressa un regard blessé qu'il ne lui connaissait pas.

— Nous en parlerons plus tard. C'est compliqué. Viens par ici.

La gare était propre, nette, et là aussi, on voyait des soldats portant des fusils M-16 ou des Uzi. Pas un coin où l'on ne fût exposé à leurs regards. Une fois montés dans le train, ils purent trouver deux places côte à côte, à gauche. Deux soldats étaient assis en face d'eux. Leurs uniformes étaient froissés, leurs cheveux pas assez courts, et ils portaient une barbe de deux jours. Mais c'étaient les fusils-mitrailleurs pointés contre lui qui mettaient Vialli mal à l'aise.

Le train s'ébranla et Vialli détacha son regard des fusils ; cependant, il avait du mal à ne pas y penser : étaient-ils chargés ? Les crans de sûreté étaient-ils mis ?

L'un des soldats s'adressa à Irit en hébreu, langue à laquelle Vialli ne comprenait strictement rien. Elle se rendit compte que

73

les yeux de Vialli étaient braqués sur l'arme du soldat en face de lui.

— Laissez-moi vous présenter Moshe Levitz, dit-elle. Et au soldat : un ami, Tony Vialli.

Le soldat tendit la main et Vialli la serra avec fermeté.

— Vous êtes soldat ?

— Non, répondit l'homme armé, accompagnant sa réponse d'un rire et d'une réflexion à l'adresse d'Irit et de l'autre soldat. Je suis banquier.

— Pardonnez-moi, dit Vialli. Question stupide.

Le soldat leva sa main potelée et secoua la tête.

— La question n'était pas stupide. Je ne suis qu'un réserviste. En temps ordinaire, je suis bien banquier !

Et il éclata de nouveau de rire. Par la fenêtre, Vialli regarda la ville, qui ressemblait tantôt à un petit New York, tantôt à Athènes.

— Vous voulez l'examiner ? demanda Moshe à Vialli en soulevant le fusil. J'ai remarqué que vous le regardiez. Vous savez vous servir d'un fusil ?

— Ouais, j'ai une qualification en fusils et armes de poing.

— Où l'avez-vous obtenue ? demanda Moshe en fronçant légèrement les sourcils.

— U.S. Navy.

— Vous étiez dans la marine américaine ?

— J'y suis toujours, répondit Vialli, prenant le fusil des mains de Moshe. Quel type ?

— Un Galil.

— Il ressemble à un AK-47.

— C'est une sorte d'AK-47.

— Où est-il fabriqué ?

— En Israël. Jusqu'à la fin des années soixante, les Israéliens ne disposaient que de M-16 américains, qui n'étaient pas fameux dans le sable et la poussière. Tout le monde disait que les AK-47 soviétiques étaient les meilleurs. C'était d'ailleurs ceux qu'avaient les Arabes. Israël Galili, le chef de l'industrie militaire israélienne, a décidé de faire faire un fusil qui serait meilleur que ces deux-là.

— Il est un peu lourd, dit Vialli, soupesant l'arme.

— Plus lourd que le M-16, mais plus léger que l'AK-47. Et très fiable. Précis.

— Et il tire le calibre 7.62 de l'OTAN ?

— Vous connaissez vraiment les armes. La plupart sont équipés pour tirer du 5.56, mais certains tirent du 7.62. Surtout ceux que nous vendons à des pays amis.

— D'autres pays du Moyen-Orient en sont équipés ?

— Nous n'avons pas d'amis au Moyen-Orient.

Vialli examina de nouveau le fusil et posa une question à Moshe sur le chargeur rétractable, mais le réserviste ne l'écoutait pas ; il parlait avec Irit.

— Il ne croit pas que tu sois vraiment pilote. Il pense que je plaisante.

— Il a tort, dit Vialli en souriant. Et, se penchant à l'oreille d'Irit : Dis-lui en hébreu, discrètement, que je suis pilote de F-14 et que, si l'occasion s'en présentait, je battrais n'importe quel pilote israélien à plate couture. N'importe où, n'importe quand.

Surprise, elle traduisit rapidement cette phrase de défi. Le sourire de Moshe disparut. Le réserviste évalua la carrure et la musculature de Vialli, s'exprima en hébreu à l'intention de son camarade, qui semblait soucieux, puis il s'adressa à Vialli :

— Combien d'hommes avez-vous tués ?

— Ne vous inquiétez pas, répondit calmement Vialli, je ne vous tuerai pas.

Moshe éclata de rire, et dit à Irit en anglais :

— J'aime bien ton copain. Il est courageux. Je ne sais pas s'il a le courage du lion ou celui de l'âne, mais il en a. Quand il aura fini sa tournée de boy-scout et qu'il t'aura épousée, il pourra s'engager dans l'armée de l'air israélienne.

Vialli éclata de rire et Irit cligna des yeux, surprise.

— Pourquoi ris-tu ? demanda-t-elle.

— Parce que je ne pense pas que tu m'épouseras, dit-il d'un ton désinvolte.

Elle s'assombrit, le regard voilé par la déception.

— Alors, pourquoi es-tu ici ?

— Ce n'est pas ce que je voulais dire… Je ne sais pas. Je ne suis pas le gendre que ton père souhaiterait avoir. Nous faisons connaissance. Je ne voulais pas dire que ça ne peut pas se faire, mais simplement que ce n'est pas imminent.

Moshe la regarda, comme s'il attendait une explication.

— Ce ne sont pas vos affaires, lui lança-t-elle d'un ton sec.

— Tu l'as envoyé promener ? murmura Vialli, étonné.

— D'une certaine façon, oui. Il voulait que je lui explique ce qu'il ne comprend pas, parce qu'il ne parle pas couramment l'anglais. Ne te fais pas de souci. Je le connais depuis mon enfance. Il est bien banquier, à Nahariya. Il descendra avec nous.

Vialli rendit le Galil à Moshe et prit la main d'Irit.

Le cheikh arpentait la salle aux murs de pierre. Les chandelles qui l'éclairaient n'en chassaient pas vraiment les ténèbres ; mais il insistait pour que la forteresse fût éclairée aux chandelles, l'électricité étant réservée aux ordinateurs et aux appareils de communication. Ces derniers étaient alimentés par câble souterrain relié à un générateur Honda placé à 3 kilomètres de là ; le générateur était ventilé par une cheminée cachée sous un buisson ; il était indécelable, à moins de mettre le pied dessus. Et, en cas de panne, cinq autres générateurs pouvaient prendre le relais sur-le-champ.

Il regarda Farouk, son fidèle lieutenant.

— Tu comprends ?

— Oui. C'est très clair. Mais comment saurons-nous leur emploi du temps ?

— Il nous a été confirmé par des sources internes.

— Pourquoi ne me communique-t-on pas ces sources, puisque je sais tout de la mission ? Et s'il y avait un contretemps ?

Le cheikh parut contrarié et Farouk hésitait.

— On pourrait te capturer… dit le cheikh.

— Ils ne m'auront jamais.

— Tu ne parlerais pas, c'est sûr. Mais il y a des façons de forcer les gens à parler. Pourquoi tout remettre en cause, brusquement ?

— Je ne remets rien en question. Je veux savoir jusqu'où s'étend mon autorité. Je ne fais rien sans ta permission.

— Tu as mon entière autorisation. Cela a déjà été dit.

— Oui.

Farouk regarda la carte, dont il avait mémorisé tous les détails.

— Et puis, nous allons nous faire connaître au monde ; nous révélerons que nous étions à Gaza et les raisons de notre action. Maintenant, déclara le cheikh avec une profonde satisfaction, va. Assure-toi que les hommes sont prêts. Ils doivent se montrer forts et fidèles.

— J'en prends l'engagement.

— Qu'as-tu pensé de lui ? demanda Irit.

— Il est sérieux.

— Très sérieux. Et c'est un type bien.

— Comment se fait-il que tu vives encore chez tes parents ?

— Je n'y vis pas tout le temps, répondit-elle après une certaine hésitation. Mais j'ai parfois besoin de me retrouver en famille. Ça m'aide à trouver mes marques.

— Des frères ? Des sœurs ?

— Deux frères, plus âgés. L'un est dans l'armée et l'autre est professeur de biologie à l'université.

Vialli regarda le soleil se poser sur l'horizon et ils s'arrêtèrent sur la plage.

— Merci de m'avoir invité, dit-il, j'y suis sensible.

— Je ne croyais pas que tu viendrais.

— Pourquoi ?

— Je ne sais pas. C'était un peu fou. Mais je suis contente que tu sois venu.

Il l'enlaça, pencha la tête vers la sienne. Puis ils reprirent leur chemin.

— Dis-moi ce que nous allons faire demain.

— L'après-midi, nous prendrons le bus pour Tel Aviv. J'ai réservé une chambre dans un superbe hôtel au bord de la plage et nous pourrons aller dans le restaurant que je préfère au monde. Un grec. Juste au bord du rivage. Il sert des desserts exquis… Ensuite, nous irons dans un club où il y a plein de gens que je connais, et je te présenterai comme mon ami pilote américain en faisant plein de jalouses ! Nous danserons, nous

77

partirons trop tard et, le lendemain, j'irai à mon entretien avec cette compagnie aérienne. J'essaierai de cacher les poches sous mes yeux et de ne pas m'endormir. Après, nous prendrons le bus pour Jérusalem, je te montrerai le Mur, la Vieille Ville, la via Dolorosa, bien que tu sois catholique... Enfin, nous reviendrons à Nahariya.

Il hocha la tête à la perspective de ces moments de plaisir.

— Une vraie virée, dit-il. Mais le vrai bonheur sera d'être avec toi. Et qu'est-ce que nous ferons demain avant de partir ?

— Nous resterons à la maison. Nous ferons une promenade. Mes parents voudront probablement avoir une conversation avec toi.

— Je vais essayer de me montrer convenable.

— Tu seras bientôt de retour, et tout ça ne sera plus que de vieux souvenirs.

— J'aimerais rester avec toi.

— Moi aussi.

— Je voudrais t'avoir pour moi tout seul...

Elle s'arrêta et l'embrassa avec douceur. Il l'étreignit. C'était comme si, tout d'un coup, ils se sentaient plus proches l'un de l'autre qu'ils l'avaient cru.

9

— **P**ourquoi n'avons-nous pas pris le train ?

— Parce que nous aurions dû partir plus tôt. Est-ce qu'Israël ressemble à l'idée que tu t'en faisais ? demanda-t-elle, la voix presque entièrement couverte par le bruit du moteur du bus et le vacarme des trente gamins qui s'agitaient sur leurs sièges.

Deux professeurs tentaient à grand-peine de calmer les écoliers. Cela faisait une demi-heure qu'Irit et Vialli étaient sur la route de Tel Aviv, et ils commençaient à être agacés par tout ce boucan ; il n'était plus question de trajet tranquille ni de conversation intime. Outre les professeurs, les seuls adultes étaient le chauffeur et un soldat assis derrière lui.

Vialli contempla la plage et la mer où le soleil avait sombré depuis un quart d'heure.

— Ça me rappelle la Calif…

Il avait suivi le regard d'Irit et s'interrompit parce qu'elle avait vu quelque chose.

Il aperçut plusieurs hommes en uniformes sombres portant des fusils qui couraient sur la plage. Ils avaient débarqué d'un canot pneumatique sur le rivage.

— On dirait des plongeurs militaires, dit-il.

— Pourquoi débarqueraient-ils en Israël ?

— Ils ressemblent à des plongeurs militaires, et pourtant, je suis sûr qu'ils n'en sont pas. Avez-vous des commandos de marine ?

— Nous avons des commandos, mais je ne sais pas s'ils appartiennent à l'armée de terre ou à la marine…

— Attends… dit Vialli.

— Qu'est-ce qu'ils font ? demanda-t-elle d'une voix inquiète.

— Je ne sais pas ce qu'ils font, dit-il, se levant soudain de son siège pour courir vers l'avant.

Trois inconnus traversèrent la route à une centaine de mètres devant eux et braquèrent leurs fusils vers le chauffeur.

— Faites demi-tour! lui ordonna Vialli.

— Ils sont de la Sécurité...

— Non, ils n'en sont pas!

Le chauffeur fixa les inconnus et ralentit le bus jusqu'à s'approcher d'eux, puis il regarda Vialli et marmonna précipitamment quelque chose en hébreu. Le soldat, qui s'était placé à ses côtés, n'aimait pas non plus ce qu'il voyait.

— Foncez! Écrasez-les! hurla Vialli.

Le soldat, qui ne parlait pas anglais, cria en hébreu à l'adresse du chauffeur. Le bus venait de stopper. L'un des hommes armés pointa son fusil vers le chauffeur et ses deux compagnons coururent vers le véhicule.

— Y a-t-il d'autres armes à bord? cria Vialli.

Le soldat poussa un chargeur dans son M-16. Alors qu'il s'apprêtait à tirer une rafale, des balles firent voler le pare-brise en éclats sur la droite et l'abattirent. Vialli essaya de lui arracher son M-16, mais le soldat le portait en bandoulière. Vialli recula et s'accroupit dans le couloir central.

Les enfants se mirent à hurler de façon hystérique, tandis que leurs professeurs tentaient de les tenir couchés par terre. D'autres coups de feu éclatèrent, fracassant la vitre de la porte. Les hommes armés crièrent au chauffeur, qui leur ouvrit. Vialli s'accroupit près d'Irit, essayant de tenir sa tête au-dessous du dossier du siège devant.

— Ils parlent arabe, souffla Irit.

— Tu parles arabe?

— Oui.

Vialli chercha une issue du regard. Il n'y avait pas de porte arrière, donc aucune issue, sauf par une fenêtre ou la porte avant. Il passa un bras par-dessus la tête d'Irit et tourna les deux poignées de la moitié supérieure d'une fenêtre, qu'il rabattit. Cela lui offrait un espace suffisant pour s'enfuir s'il le fallait.

— S'ils montent, on sort par la fenêtre, souffla-t-il à Irit.

Elle hocha la tête. Quelques secondes plus tard, deux hommes grimpaient à bord. Vialli se redressa, s'apprêtant à aider Irit à passer par la fenêtre, lorsqu'il vit cinq hommes accourir de la plage, leurs fusils braqués sur le bus. Ils étaient tous vêtus de noir, avec des passe-montagne sur le visage, sans aucun insigne sur leurs tenues. Ils crièrent dans leur direction.

— Qu'est-ce qu'ils disent ?

— Je ne sais pas, répondit-elle d'une voix rauque.

Elle regardait droit devant elle, mortellement calme. Vialli se débattit dans l'espace exigu entre deux sièges pour dénouer le double nœud de ses lacets de baskets. À toute vitesse, il glissa sa carte d'identité de la marine dans sa chaussure et la renfila.

Les deux hommes à l'avant du bus criaient en vain au conducteur, car il ne parlait pas l'arabe ; il tremblait sous la menace des fusils pointés vers lui. Il actionna de nouveau l'ouverture de la porte tandis que, de l'extérieur, des mains passaient à travers la vitre cassée pour forcer la serrure. Soudain, le bus fut plein d'hommes en noir qui se ruèrent dans l'allée centrale, braquant leurs armes sur les enfants, qui criaient et s'accroupissaient. Les assaillants s'échangeaient des paroles d'un ton précipité. L'un d'eux s'obstinait à faire entendre l'arabe au chauffeur, mais un autre l'en dissuada et lui parla calmement en hébreu ; le chauffeur hocha la tête.

Irit haletait. Vialli s'efforça de cerner un point faible chez les terroristes.

L'un des hommes les plus grands, qui faisait bien un mètre quatre-vingt-dix, vint à la hauteur de Vialli et pointa son fusil sur lui. Vialli reconnut un Galil, le même que lui avait montré Moshe dans le train. Le bus s'ébranla, et le terroriste prit appui sur le dossier du siège de Vialli en détournant son arme. Vialli le dévisagea. Une détermination froide se peignait sur ses traits, comme celle des voyous qui se battent dans la rue. Dès qu'il eut repris son équilibre, l'homme s'intéressa à Irit. Il s'adressa à elle calmement, sans que son expression changeât.

— Que dit-il ? demanda Vialli.

Elle secoua la tête et l'homme continua de parler, dirigeant de nouveau le canon de son fusil vers le crâne de Vialli. Elle secoua la tête, les yeux emplis de terreur, et Vialli demanda de nouveau :

— Qu'est-ce qu'il dit?

Sans sommation, l'homme donna à Vialli un coup violent avec le canon de son arme. Celui qui semblait être le chef vint lui parler; l'homme massif indiqua Irit, l'air satisfait. Le chef hocha la tête et s'adressa à Irit en arabe; elle feignit de ne pas comprendre.

Le fusil-mitrailleur du chef pendait à son épaule par une lanière. Vialli reconnut un Uzi. Il guettait le moment où il pourrait s'en emparer, lorsque de la main gauche, le chef tira un pistolet de sa ceinture et, visant la tête de Vialli, lui dit:

— Lève-toi.

— Que voulez-vous? demanda Vialli, surpris qu'on s'adressât à lui en anglais.

— Lève-toi, répéta le chef, qui se balançait selon les mouvements du bus.

Le chauffeur accélérait; ils étaient maintenant sur l'autoroute. À l'intérieur du bus, les terroristes occupaient tous les emplacements stratégiques.

— Qu'est-ce que vous voulez? répéta Vialli.

Le chef donna un violent coup de son arme sur la bouche de Vialli, lui fendit la lèvre et lui fit sauter deux dents.

— Merde, grommela Vialli à travers ses dents brisées.

— Assieds-toi là! ordonna l'homme en indiquant le siège devant.

Vialli parvint à se mettre debout et se laissa tomber dans le fauteuil, s'efforçant de dominer la douleur du coup reçu. Puis, rengainant son pistolet, le chef reporta son attention sur Irit. La place où Vialli était assis se trouvait maculée de sang; l'homme passa le doigt dessus, pour en laisser une traînée sur la joue d'Irit. Il assaillit la jeune femme de questions en arabe, mais elle resta silencieuse, regardant l'homme.

À la fin, elle répondit, en arabe et sans effort, ce qui parut satisfaire l'inconnu. Celui-ci lui posa une autre question, répétant sans cesse le même mot. Vialli avait déjà entendu ce mot, mais il n'en connaissait pas le sens. Le bus ralentit et l'homme fixa la mer, avant de se tourner vers un complice. Ce dernier consulta un petit appareil électrique qu'il tenait à la main et hocha la tête. Vialli put distinguer quatre petites flèches blanches et un cadran; c'était un récepteur GPS, branché sur un système de repérage par satellite, qui permettait d'établir une position géographique à quelques mètres près. Apparemment, ils vérifiaient un lieu de rendez-vous.

Vialli jeta un coup d'œil vers le rivage, mais il ne vit rien. La nuit commençait à tomber.

Le chef se tourna de nouveau vers Irit et lui posa une autre question. Elle ne répondit pas. Il fit un signe à des hommes masqués qui s'emparèrent d'elle et la traînèrent dans l'allée, lui arrachant des cris. L'un d'eux lui tenait le bras et sa main mutilée fut visible de tous. Le chef, lorsqu'il la vit, hocha la tête, l'air satisfait. Il tira son pistolet et le pointa vers Irit. Vialli bondit de son siège et se jeta sur lui. Il lui tordit le bras de la main gauche et tenta d'arracher à l'autre son Uzi. L'Américain était plus grand que le terroriste, et plus rapide ; il essaya de s'emparer du fusil-mitrailleur, mais le chef lui assena un violent coup sur le crâne. Vialli perdit prise et le sang jaillit. Un autre coup, sur le front cette fois, le jeta au sol. Il perdit conscience au moment où sa tête touchait le tapis de caoutchouc. Le chef dirigea son pistolet vers le dos de Vialli et tira deux fois, le tuant net.

Irit, horrifiée, parvint à se dégager des deux hommes et monta sur le siège. Elle essaya de s'enfuir par la fenêtre. Le chef leva son pistolet et tira. Elle fut projetée en arrière. Au moment où elle s'écroulait, il tira de nouveau. Elle retomba sans vie sur le corps de Vialli.

Le chef consulta le récepteur GPS, puis fit signe à ses hommes. L'un d'eux alla donner l'ordre au chauffeur de s'arrêter. Quand le bus fut complètement stoppé, il abattit le chauffeur, qui tomba en avant sur le volant.

Les enfants et les professeurs s'attendaient à être exécutés. Le chef fit un autre signe à ses hommes. Ils se défirent de leurs combinaisons noires et les jetèrent par terre ; ils portaient dessous des uniformes de l'armée israélienne. Le chef s'adressa aux passagers en hébreu :

— Silence ! Ne quittez pas vos places. Restez tranquilles pendant une demi-heure. Nous serons sur la plage. Si l'un de vous bouge, nous reviendrons vous tuer tous !

Les terroristes se coiffèrent de bérets rouges, ceux des paras israéliens, et ils quittèrent le bus l'un après l'autre,

portant leurs armes, elles aussi israéliennes. Ils se dirigèrent en formation vers la plage, comme une patrouille de l'armée régulière. Un canot pneumatique noir apparut, frappé d'une étoile de David bleue sur le flanc, piloté par un homme coiffé lui aussi d'un béret rouge. Les meurtriers s'avancèrent dans l'eau peu profonde, montèrent dans le canot et disparurent dans la nuit.

Woods pénétra dans la salle de réunion et s'assit à son bureau d'officier en second chargé des opérations. Vialli était son adjoint et, chaque jour, ils établissaient le programme des vols. Parmi d'autres tâches, ils relevaient les temps de vol mensuels de chaque pilote et de son OIR, les atterrissages et les types d'exercices accomplis.

Ils avaient couvert plus de la moitié de leur temps de mission de six mois, depuis leur départ du port d'attache de Norfolk, en Virginie. Et l'essentiel de leur travail consistait en exercices et en paperasse administrative.

Woods examina le tableau vert derrière lui. Il détenait le second plus haut grade d'atterrissage de tous les pilotes de l'escadrille, au-dessus de Bark lui-même et de Big McMack, un autre lieutenant. Le seul qui le dépassait était Terry Blankenship, mais il ne comptait pas ; l'opinion générale, en effet, le qualifiait de « machine » ; il ne méritait donc pas d'admiration.

Woods projetait d'établir le programme de vols de Vialli qui devait suivre leur départ de Naples. De cette façon, Vialli trouverait son agenda prêt à son retour. Il n'aurait donc pas à y travailler de nuit, ni à subir l'inconvénient de l'annoncer le matin, à la dernière minute, ce qui exaspérait les pilotes.

Il but une longue gorgée de café et créa un nouveau dossier au nom de Vialli. La porte s'ouvrit sur Big McMack, deux mètres de haut et cent kilos, un visage rond et des cheveux rares. Le lieutenant se rapprocha de sa démarche habituelle, peu discrète, et regarda autour de lui. Outre Woods, il n'y avait dans la salle que Brillo, l'officier de permanence, assis à son bureau, et Sedge qui, installé dans un fauteuil, rédigeait les évaluations des hommes de la division de l'armement, dont les officiers d'ordonnance chargés des missiles et des munitions. Big McMack se dirigea vers Woods et déclara :

— Bon, je crois que notre escale à Haïfa tombe à l'eau.

— Et pourquoi ?

— T'es pas au courant ? demanda Big en remontant ses pantalons, content d'avoir trouvé quelqu'un qui ne fût pas informé de ce que presque tout le monde sur le navire savait déjà.

— Vas-y, dis-moi, demanda Woods d'un ton morne.

— Une attaque terroriste en Israël la nuit dernière. C'est sur le circuit de télévision interne.

Woods se retint de bondir pour allumer le poste ; il savait que Big le ferait de toute façon. Il avait deviné juste : Big actionna aussitôt la télécommande du moniteur accroché au plafond. Brillo, qui avait entendu les nouvelles, alluma le gros poste de la salle. Le lieutenant Randy Dennison, officier des renseignements pour l'escadrille, apparut sur les deux écrans. Sa voix emplit la salle :

— ... Mais nous ne savons pas encore combien de personnes ont été tuées, ni pourquoi. Personne n'a revendiqué l'attaque. Le Hamas et le Hezbollah ont déclaré officiellement qu'ils n'ont rien à voir avec cette action, laissant entendre que ce seraient les mêmes personnes qui ont perpétré l'attaque du poste frontière de Gaza.

Dennison montra une photo de presse représentant le bus avec son pare-brise brisé.

— Le bus allait d'une ville au nord de Haïfa à Tel Aviv, transportant de nombreux enfants et plusieurs adultes. Quatre adultes ont été tués, trois hommes et une femme. Aucun des enfants n'a été blessé. Pour ceux d'entre vous qui se demandent si cela affectera notre escale à Haïfa dans trois semaines, je ne le sais pas encore. Si vous avez des questions, faites le deux-deux-quatre-cinq sur vos téléphones.

— Brillo ! s'écria Woods. Appelle et demande-lui s'il y avait des Américains dans ce bus.

— Tu crois qu'il nous le dira ?

— Appelle.

Brillo interrogea Big du regard, comme pour dire : « Mais qu'est-ce qu'il lui prend ? » Il composa le numéro ; il tomba sur un spécialiste des renseignements du navire, avant que Dennison saisît le combiné.

— Oui, Monsieur, salle de réunion huit. Nous nous demandions s'il y avait des Américains, dans ce bus, en Israël.

— Pourquoi demandez-vous ça ?

— Nous nous soucions de nos compatriotes, répondit Brillo en lançant un regard à Woods.

— Nous ne savons pas. Je n'ai aucune autre information. Il semble que c'était un bus qui partait de Nahariya.

Au nom de Nahariya, Woods sursauta. Il tenta de maîtriser la panique qui lui tordait les entrailles, buvant une gorgée de café d'un air faussement désinvolte en déchiffrant le programme des vols. Soudain, il s'avisa qu'il n'avait rien écrit depuis cinq minutes et, levant les yeux, il se rendit compte que Big et Brillo l'observaient. Il ne parvint pas à dominer un mauvais pressentiment.

La porte se rouvrit et Bark entra, chargé d'une liasse de papiers. Il s'assit, ouvrit le tiroir d'un classeur et ajouta sa liasse aux autres documents. Il essaya de refermer le tiroir bourré. En vain. Il jura, se leva et donna un coup de pied, tentant de le refermer brutalement. Le tiroir se bloqua, des papiers étant tombés sur les glissières. Bark gagna ensuite la rangée de boîtes aux lettres personnelles que l'atelier du navire avait fabriquées à sa demande.

— Il y a eu du courrier, ce matin ?

— Oui, le quartier-maître Whaley a tout distribué.

Bark tira de sa boîte trois lettres sous enveloppes pastel, aux suscriptions rédigées de la même main.

— Ah, elle ne m'a pas oublié ! dit-il.

— Elle t'a peut-être oublié et elle t'écrit pour que tu ne le saches pas, suggéra Big, riant grassement de sa propre plaisanterie.

— Merci pour l'encouragement, rétorqua Bark en flairant les enveloppes. J'aime bien le courrier électronique, ajouta-t-il en ouvrant la première lettre, mais rien ne vaut une bonne lettre à l'ancienne. Puis, il leva les yeux : Hé, Brillo, où est Vialli ? Il faut que je lui parle de son programme de vols en mer. Il a esquivé un peu trop de vols nocturnes. De *vrais* vols nocturnes. Il se fout de la gueule de son commandant. J'ai besoin de bons roses.

C'était la couleur des bons de vols comportant un atterrissage juste après le coucher du soleil.

— Il est en perm', commandant.

— Ah oui, c'est vrai.

— Hé, Trey, s'écria Brillo, à l'autre bout de la salle, quand Vialli rentre-t-il?

— Demain soir minuit. Il arrivera certainement par la dernière navette, celle de 23 h 59.

Big buvait son café, une main dans la poche de son pantalon kaki, cherchant toujours quelqu'un qui ne fût pas au courant de l'attentat.

— Hé, commandant, tu as appris cette histoire de bus en Israël?

Bark reposa la lettre qu'il tenait et secoua la tête.

— Incroyable. Je ne comprends pas. Ils tuent quatre personnes dans un bus et se volatilisent. Ce n'est pas un attentat terroriste ordinaire. Ça a plutôt l'air d'un assassinat. Mais pourquoi tuer des professeurs d'école? Je me demande s'ils se feront connaître. Bande de lâches! conclut-il en secouant la tête avant de reprendre sa lecture.

Dès qu'il eut achevé de parcourir et de flairer une nouvelle fois chacune des lettres, il s'adressa à Woods:

— Trey, tu as réfléchi à la façon d'effectuer des interceptions de F-15E de l'armée de l'air?

— Pas vraiment, commandant. Peut-être en les décelant sur nos radars à des milliers de kilomètres, alors qu'ils s'imaginent qu'en arrivant aussi vite et aussi bas, nous ne pourrons pas les détecter. À ce moment-là, il ne nous reste plus qu'à les poursuivre et à tirer.

— J'ai appris qu'en puissance militaire à fond, ils peuvent atteindre une vitesse quasi supersonique.

Woods haussa les épaules.

— Ils peuvent monter en supersonique tant qu'ils veulent. Ça signifie qu'ils ne recourront pas à la post-combustion, pour économiser du carburant.

— Je serais bien content de pouvoir monter en supersonique sans post-combustion. C'est chouette.

— Je ne sais pas s'il y a d'autres avions qui le peuvent, observa Woods. Peut-être le vieux F111-F. Ça, c'était un avion rapide.

— On va déjeuner ? Je meurs de faim.

Ce n'était pas le cas de Woods. Il voulait être seul. Réfléchir. Rester devant l'écran vide pour dissimuler son anxiété, parce qu'il savait que, tôt ou tard, elle se lirait sur ses traits.

— Ouais, répondit-il néanmoins.

Ils quittèrent la pièce. Il fallait prévenir Bark que Vialli était en Israël. Mais pas tout de suite. Parce que, si Vialli était sain et sauf, il risquait la cour martiale à son retour. Mais Bark ne ferait pas ça ; il le ferait peut-être consigner à la prison du bord pendant les cinq mille prochaines escales, il le mettrait de corvée à vie, mais il n'inscrirait pas de cour martiale sur son dossier.

10

Les membres de l'équipe faisaient une drôle de tête. Leur excitation semblait évanouie. Kinkaid prit la parole :

— Que savons-nous ?

Une femme aux cheveux sombres coupés court, Nicole White, était assise près de lui dans la salle de conférence, une télécommande à la main. À côté se trouvaient Sami et Cunningham. White actionna la télécommande en direction de l'ordinateur portable, près du projecteur. On réduisit l'éclairage. Une carte d'Israël apparut sur l'écran ; une flèche indiquait la route de bord de mer entre Haïfa et Tel Aviv.

— Le bus a été attaqué ici, commença Nicole White. Les attaquants sont venus de la mer et n'ont pas été détectés. Les Israéliens en sont consternés. Ils croyaient leurs défenses côtières impénétrables. Les attaquants se sont servis de bateaux en caoutchouc, indécelables par les radars, et ils connaissaient apparemment les horaires des tournées de surveillance des garde-côtes. Les capteurs à infrarouges n'ont rien vu, ou bien alors les garde-côtes étaient distraits. Bref, ils ont investi et pris le commandement du bus, parcouru une trentaine de kilomètres, tué quatre adultes, dont le conducteur, épargnant deux professeurs et trente gosses.

— Continuez, dit Kinkaid.

Elle fit apparaître l'image suivante.

— Voici le bus après l'attaque.

La photo était prise de face ; on distinguait le chauffeur écroulé sur le volant. L'image numérique suivante montra l'intérieur du bus : le corps du soldat israélien et, plus loin, un homme et une femme tombés face contre terre. Le sang faisait une tache sombre sur le caoutchouc du sol.

— C'est le couple qui a été tué. Nous ne connaissons pas leur identité. S'ils la connaissent, les Israéliens n'en disent rien.

— Je téléphonerai, dit Kinkaid, le regard rivé sur l'image.

— Mossad ou Aman ? demanda Ricketts.

— Mossad, répondit Kinkaid, satisfait que Ricketts fasse la différence entre le service de renseignements généraux et son homologue militaire.

Il le savait depuis longtemps, il ne fallait pas sous-estimer Ricketts.

— Qui donc agirait de cette façon, Nicole ? reprit-il. Pourquoi n'ont-ils pas tué tout le monde ? Pourquoi n'ont-ils pas fait de revendications ? Quel est le sens de cette attaque surprise ? Montrer ce qu'ils peuvent faire, poursuivre un objectif qui nous resterait inconnu ? De toute façon, ce sont les mêmes qui ont fait le coup de Gaza.

Sami considérait la carte. Quelqu'un déclara :

— Ce n'est pas une attaque terroriste classique. Il y a une raison. L'identité des morts doit l'indiquer.

— C'est bien le groupe de Gaza, dit Sami. Mais ils sont montés d'un cran.

— Que voulez-vous dire ?

— Ce sont les premières victimes civiles.

— Il n'est pas sûr qu'elles étaient civiles.

— Le chauffeur, l'homme et la femme…

— Nous ne savons pas qui ils étaient, répéta Kinkaid.

— De toute façon, c'est une première.

— Et alors ?

— Les groupes terroristes classiques pratiquent l'attaque suicide. L'un des motifs de ces actions est leur caractère spectaculaire. Comme les terroristes savent qu'ils n'auront aucune chance de s'en sortir, ils choisissent de partir dans une bouffée de gloire. Tandis que là, il s'agit de types qui savent qu'ils peuvent s'en sortir. Ils sont plus malins. Et ils le montrent à tout le monde, répondit Sami.

— Que devons-nous en déduire ?

— Selon moi, nous allons entendre parler d'eux. Ils vont se faire connaître.

Farouk se laissa lourdement tomber sur une chaise, à la table où le cheikh avait déjà pris place. Il se sentait fier et satisfait, mais épuisé par l'expédition.

— Totale réussite.

— Tu nous honores. Tout a marché comme prévu ?

— Parfaitement.

— Les hommes ?

— Pas de problèmes, sauf un. Il a été pris d'une crise de nerfs. L'émotion était trop forte.

— Ne l'emmène plus avec toi.

— Bien entendu.

— Tu as trouvé ce que tu voulais ?

— Oui. Nous en sommes certains.

Le cheikh rejeta la tête en arrière et ferma les yeux. Il sembla réfléchir un long moment. Quand il les rouvrit, il dit à Farouk :

— L'heure a sonné. J'irai à Beyrouth et je me montrerai. Il faut qu'ils sachent qui nous sommes et pourquoi nous nous battons. Rien ne sera jamais plus comme avant.

Woods était assis dans le carré avec d'autres pilotes et leurs officiers de radio VF-103. Ils occupaient presque entièrement une table de vingt couverts. Vêtus de leurs vareuses de vol de cuir et de nylon, ils buvaient du café, plaisantaient, échangeaient des piques sur d'autres escadrilles, d'autres porte-avions, la flotte du Pacifique, l'armée de l'air ou eux-mêmes. Woods constata que le moral était au plus haut. Bark avait quitté la salle dix minutes plus tôt, ce qui permettait aux officiers de se détendre.

— Quelle sera notre prochaine escale, Trey ? demanda Brillo.

— Athènes.

— À quoi ça ressemble ? demanda Wink, dont les deux précédentes croisières avaient eu lieu dans le Pacifique Ouest, sur le *Nimitz*, et dont c'était la première croisière en Méditerranée.

— C'est vraiment beau… commença Woods.

— Ce n'est même pas un port, coupa Big.

— Quoi ? demanda Wink, interloqué.

— Ce n'est pas un port. Athènes n'est pas sur la mer, contrairement à ce que croit tout le monde. Le port est Le Pirée, à une vingtaine de kilomètres au sud. Mais c'est une belle ville.

— Qui s'occupera de l'intendance ? demanda Brillo, surnommé ainsi en raison de ses cheveux gominés.

— Bailey, répondit Big en fronçant le nez.

Bailey était l'adjudant, donc membre du mess des officiers, mais il se comportait plutôt en quartier-maître. Il ne comptait pas beaucoup d'amis dans l'escadrille en raison de son sérieux excessif, de son âge et de son manque de dispositions pour la rigolade.

— Il a un goût de chiottes, reprit Big. Il va nous trouver un motel sans eau courante et infesté de putes. Et puis, il se vantera de l'argent qu'il a économisé.

— Il a fait du bon boulot à Barcelone, objecta Woods.

— Ouais, mais nous avons été arrêtés par la Guardia Civil pour tapage nocturne.

— Non, Big, c'est *toi* qui as été arrêté, parce que tu avais pissé sur lui en prétendant qu'il était un réverbère.

La tablée éclata de rire. C'était l'une des histoires les plus célèbres de l'escadrille. Puis, le haut-parleur crépita :

— *Lieutenant Woods sur le pont amiral. Lieutenant Woods sur le pont amiral.*

Les rires s'évanouirent. Woods devint cramoisi. Tout le monde le regarda. Jamais, dans l'histoire de la marine, on n'avait vu un aviateur convoqué sur le pont, et encore moins le pont amiral. À sa tête, on pouvait penser qu'il savait ce qui l'attendait, mais personne ne posa de question.

Il quitta la salle par tribord. Depuis trois mois qu'il était en mer, il n'avait même pas *vu* l'amiral. Il ne savait pas à quoi il ressemblait et n'était même pas sûr de son nom. Il passa du sol gris au sol bleu, signalant qu'il était dans le territoire du haut commandement. Il traversa un carré aussi grand que ceux des officiers, qui pouvait accueillir cinquante hommes. Il se trouva devant une échelle astiquée et équipée, celle-là, d'une rambarde de corde, puis entama l'escalade jusqu'au niveau 8, huit étages au-dessus du pont principal, celui du hangar.

Au sommet, il reprit son souffle et poussa la porte ouvrant sur le pont. Il s'arrêta. L'amiral, le capitaine du navire, le commandant d'aviation et Bark, son commandant d'escadrille : ils étaient tous là. L'amiral tenait une feuille jaune, à l'évidence un message de la marine.

— Le voici, Monsieur, annonça Bark.

— Bonsoir, Monsieur, dit Woods.

— Lieutenant… commença l'amiral. Le lieu n'est pas propice à un entretien. Descendons.

Il passa devant Woods et s'engagea sur l'échelle que le lieutenant venait de gravir. Woods et les autres le suivirent dans le carré. L'amiral s'assit au bout d'une table et, du geste, invita les officiers à prendre place. Taille moyenne, la cinquantaine, les cheveux grisonnants soigneusement coiffés ; tout en lui respirait l'organisation et la discipline. Le serveur du mess disposa sur-le-champ des tasses et une cafetière. Woods se tenait gauchement au milieu de la pièce.

— Asseyez-vous, lieutenant, dit l'amiral en indiquant un siège à l'autre extrémité de la table.

L'amiral Joseph Sweat, ancien pilote d'A-6 et de F/A-18, avait fait plus de mille atterrissages et sa poitrine était chargée de décorations. Il avait dans la flotte la réputation d'un homme loyal et de bon sens, mais sans grand sens de l'humour. Sa vareuse de vol portait les insignes des escadrilles auxquelles il avait appartenu et les écussons « Centurion », représentant chacun cent atterrissages sur un porte-avions.

— Que savez-vous du lieutenant Vialli ? demanda-t-il en tendant la main vers sa tasse de café et en scrutant Woods de son regard intense.

Ça s'annonçait mal. Woods espéra que ce serait moins grave qu'il ne le craignait.

— Il est mon copilote et camarade de chambrée. Que désirez-vous savoir en particulier ?

— Où est-il ?

— En permission, répondit Woods, le cœur battant.

— Où ?

— À Naples, Monsieur.

— Est-il allé ailleurs ?

Les regards étaient braqués sur Woods.

— Je ne saurais le dire, répondit enfin Woods, esquivant les yeux bleus et perçants de l'amiral.

— Vous a-t-il dit qu'il pourrait se rendre ailleurs ?

Woods comprit qu'il était cerné.

— Il a mentionné une possibilité.

— Laquelle ? insista l'amiral, devinant que Woods était au fait.

— Il a rencontré une femme dont il pensait qu'elle était italienne, dit Woods en s'adossant au dossier de cuir noir. Il s'est révélé qu'elle était israélienne – ici, le visage de l'amiral se crispa... Elle a souhaité qu'il lui rende visite. Il a pris un congé pour Naples, pensant qu'il pourrait aller et revenir d'Israël avant la fin de sa permission.

— Et tu ne me l'as pas dit ? s'écria Bark, écarquillant les yeux.

Woods hocha imperceptiblement la tête. L'amiral saisit la feuille jaune.

— Nous venons de recevoir ce message. Vous devez en être informé. Il émane du secrétaire d'État à la Défense, et il nous a été transmis par notre ambassade à Tel Aviv. Apparemment, l'un de ceux qui ont été abattus sur le bus portait la carte d'identité du lieutenant Vialli.

Woods ferma les yeux et baissa la tête. Sa douleur fut évidente pour tous. Un silence absolu régna dans la salle. Ce fut l'amiral qui le rompit.

— Voyez-vous quelqu'un qui puisse détenir sa carte d'identité ?

— Ils ne peuvent pas l'identifier ? parvint à articuler Woods.

— Si, probablement, admit l'amiral. Mais ils se demandent ce que Vialli pouvait bien faire là-bas et ils nous ont posé la question. Maintenant, c'est nous qui nous demandons ce qu'il faisait là-bas et nous vous interrogeons.

— Que s'est-il passé ?

— Il est mort dans l'attentat.

La rage déferla dans le cœur de Woods. Son regard enflammé parcourut l'assistance. Personne ne semblait partager ses sentiments. Bark était mécontent parce que Woods ne l'avait pas informé de l'escapade de Vialli ; l'amiral était mécontent parce que l'un de ses officiers était allé en Israël sans que le Département d'État en soit informé ; quant aux autres, ils se contentaient d'enregistrer l'affaire.

— Quelle excuse as-tu ? demanda Bark.

Woods le regarda, incrédule ; il se sentait trahi.

— Pour ne pas t'avoir dit qu'il allait rendre visite à sa petite amie en Israël ? Je suis coupable. J'aurais dû te le dire et je ne l'ai pas fait, déclara-t-il, étouffant sa frustration. Je devrais probablement passer en cour martiale.

— Pas de cinéma, lieutenant, dit l'amiral. Nous voulons simplement savoir le fond de l'affaire. Nous voulons savoir comment l'un de nos officiers a pu aller en Israël sans qu'aucun de nous le sache. Nous voulons vous demander…

— Personne ne se soucie donc de ceux qui ont fait ça ? coupa Woods. Pourquoi est-ce que nous ne parlons pas de ce que *nous* allons leur faire ?

L'amiral lui lança un regard désapprobateur.

— Vous êtes bouleversé. Je le comprends.

Il ajouta, après un moment de silence :

— Je vous demande de rédiger d'ici ce soir un rapport sur la façon dont M. Vialli a pris une permission sans informer son commandant de sa véritable destination.

Woods laissa échapper un son indistinct, qui pouvait aussi bien passer pour un grognement de surprise que pour un petit rire sarcastique. Il regarda Bark.

— Oui, Monsieur. Je rédigerai sans faute ce rapport, Monsieur.

Et il s'apprêtait à reprendre la porte quand l'amiral lui cria :

— Lieutenant !

Woods se retourna.

— Je ne vous ai pas encore donné congé.

Woods se tint au garde-à-vous, l'œil fixé sur le portrait de George Washington accroché au mur derrière l'amiral. Il se jura qu'il irait, lui, à la recherche de ceux qui avaient fait ça à Vialli. Après quelques instants, l'amiral déclara :

— Vous pouvez disposer.

Woods exécuta un demi-tour parfait et quitta la salle. Un marin lui ouvrit la porte et la referma derrière lui.

— Mais qu'est-ce qu'il foutait en Israël ? demanda Sami à Cunningham alors qu'ils se rendaient à la salle de conférence pour une énième réunion.

— Une femme, répondit Cunningham, cherchant du regard Kinkaid, qu'il voulait voir sur-le-champ.

— Il avait l'autorisation ?

— Non. Il en a parlé à son copain de chambrée, mais à personne d'autre. Le copain ne l'a révélé que lorsque c'était trop tard.

— Il est dans de beaux draps.

— Tu parles !

Ils ouvrirent la porte de la salle de conférence et se dirigèrent vers la machine à café. Kinkaid entra au même moment.

— Si tout le monde veut bien prendre un siège, nous allons pouvoir commencer. Nous avons tous du travail et je vais être bref. Nous avons sur les bras deux attentats, visiblement bien préparés et bien menés. Pas de victimes parmi les terroristes, ce qui les classe à part. Ils ont fui de Gaza et d'Israël sans laisser de traces, ce que la plupart d'entre nous considéraient comme impossible. Quelqu'un a-t-il des infos ?

Faute de réponse, ce fut Nicole qui poursuivit :

— Je me suis mise en contact avec le Mossad. Ils jouent serré. Je crois que la partie est plus grosse qu'il n'y paraît. Leur position officielle est qu'ils n'ont aucune idée de l'identité des terroristes. On sait maintenant que l'homme non identifié est un pilote américain du porte-avions *George Washington* ; il rendait clandestinement visite à une femme habitant Nahariya, elle-même abattue dans ce bus. Comme lui, dans le dos et à bout portant.

— Lequel des deux était la cible ? demanda Sami.

— Difficile à dire d'après les éléments dont on dispose, mais le communiqué rend la réponse assez évidente. Sami ?

Celui-ci actionna le projecteur au-dessus de lui, y glissa le transparent du communiqué et alluma. Une élégante écriture arabe apparut sur l'écran au fond de la salle.

— Ceci a été reçu ce matin par plusieurs agences de presse et notre ambassade à Londres. La traduction est devant vous, sur les tables. Celle qui est faite par les agences de presse n'est pas mauvaise, mais il y a plus à dire. D'abord, c'est un message manuscrit, remarquablement écrit : aucune faute d'orthographe ni de grammaire. Ce qui signifie que nous avons affaire à quelqu'un d'instruit et de soigneux. Ensuite, cela prouve que l'auteur se moque d'être identifié – l'écriture arabe, comme les autres, rendant possible une personnalisation de la façon d'écrire, que l'on peut reconnaître assez aisément. Mon impression est que cet homme s'en fiche. Enfin, la teneur du communiqué est également intéressante. En résumé, ce sont bien les auteurs de l'attentat de Gaza. Ils précisent, en effet, que les armes américaines qu'ils ont abandonnées dans la fourgonnette étaient classées par numéros de série pour en faciliter l'identification. Ça, nous le savons par les photos du Mossad. Étant donné qu'elles n'ont pas été communiquées à la presse, personne d'autre que les auteurs ne pouvait connaître ce détail.

— Ils auraient pu obtenir ce renseignement par des fuites des services secrets israéliens, suggéra Nicole.

— Ou palestiniens, dit Cunningham.

— Et maintenant, la teneur du message, continua Sami, qui lut une feuille placée devant lui : « Nous sommes les Assassins. Israël est une plaie intolérable dans la région, qui doit être éliminée. Nous sommes partout et personne ne nous verra jamais. Nous ne connaîtrons pas de repos jusqu'à ce qu'Israël disparaisse. L'attaque du bus était nécessaire et importante. Demandez pourquoi à Israël. »

Ici, Sami releva les yeux :

— Franchement, je suis stupéfait. Pourquoi Israël connaîtrait-il l'explication de l'attaque du bus ? Et ils poursuivent : « L'Américain à bord du bus était un cadeau du ciel. Sa présence démontre qu'Israël est un pantin aux mains de l'Amérique, et l'Amérique est le nouveau Croisé qui veut s'emparer des terres d'islam. »

Sami marqua une pause et conclut :

— Le reste est prévisible. Ils condamnent l'Autorité palestinienne de Gaza, « une bande de traîtres », ainsi que l'Occident.

— Bon, observa Ricketts, au moins, ils se sont identifiés. Et c'est signé ?

Sami connaissait la réponse, mais il baissa les yeux et lut :

— Cheikh el-Gabal.

— C'est bien votre gars, non ? Celui de la transcription de la NSA ?

— C'est bien lui.

11

Woods prit place dans la première rangée de chaises pliantes, sur le gaillard d'avant. Le lieu était bondé d'aviateurs en uniformes kaki, assis ou debout devant les gigantesques chaînes d'ancre qui s'engouffraient dans le pont au-dessous d'eux. Toute l'aviation du navire était présente pour témoigner sa sympathie posthume à Tony Vialli et sa compassion à sa famille, ou du moins à ce qui, dans la marine, était considéré comme sa famille, c'est-à-dire son escadrille. En tant que compagnon de chambrée, chef de section et meilleur ami, Woods était censé représenter officieusement ses proches.

Mais Woods n'avait pas besoin de sympathie ni de phrases empruntées comme on en débite dans les services funèbres. Il essayait de se concentrer sur les dernières paroles du père Maloney, l'officier qui célébrait l'office funèbre catholique. Car Vialli était catholique. Woods, cependant, était à peu près sûr que Vialli n'avait jamais assisté à un office catholique sur le navire.

Il entendit confusément l'hymne de la marine et la prière à Dieu de veiller sur les hommes qui volaient et de les guider parmi les dangers du ciel. Il entendit à peine la prière finale, les mots d'adieu et le raclement des chaises sur le sol d'acier gris quand les officiers se levèrent. Ils se tenaient en groupes, parlant bas, errant de-ci de-là, mais personne ne partait encore. Qu'attendait-on ?

Quelque chose en tout cas allait de travers : chacun se comportait comme si Vialli avait été la victime d'un accident voulu par le destin.

Woods se mit à apostropher les pilotes qui se pressaient autour de lui.

— Hé, vous tous ! cria-t-il, captant leur attention. Vous ne comprenez donc pas ? Nous nous tenons tous ici comme si la mort de Tony était un accident. Mais ce n'est pas ça !

Des regards furent échangés. Woods perdait-il la tête ? Trop de pressions, trop de responsabilités. Des rumeurs circulaient déjà : il avait su où Tony allait et n'avait rien fait pour l'en empêcher. Le mouvement du navire sous leurs pieds sembla souligner le flou de la situation. Personne ne s'esquiva : ç'aurait été un affront pour Woods. Ses yeux gris lançaient des éclairs.

— Ce n'était pas un accident ! Il n'a pas été heurté par un autre appareil, il ne s'est pas trouvé à court de carburant. Il a été assassiné !

Il avait prononcé le mot comme s'il en était lui-même surpris. L'officier chargé des opérations répondit d'une voix calme :

— Nous le savons, Trey. Nous le savons.

Et regardant autour de lui, quêtant l'approbation des autres, il reprit :

— Mais nous ne pouvons pas faire grand-chose. Nous sommes tous vraiment très tristes. Boomer était un type bien. Et doué. Malheureusement, nous ne pouvons pas aller pourchasser nous-mêmes ceux qui ont fait ça.

— Je sais, dit Woods, la voix chargée d'émotion. Mais je dois faire quelque chose.

— On aimerait bien, nous aussi.

Et comme d'autres officiers opinaient, le chargé des opérations ajouta :

— Quand tu auras une idée de ce qu'on peut faire, dis-le-nous. On est avec toi.

Woods quitta le groupe. L'officier fit un signe de tête et les hommes s'engouffrèrent dans les portes situées près des énormes chaînes. Woods se dirigea vers l'avant. À travers l'écoutille, il aperçut la mer, d'un gris laiteux, et des vagues qui semblaient vouloir écumer, mais retombaient platement. Tout à coup, il se rendit compte qu'on l'appelait. Mais il en avait marre des condoléances.

— Lieutenant Woods ?

Il regarda par-dessus son épaule et vit le père Maloney. *« Juste ce dont j'avais besoin »*, songea-t-il ironiquement. Cependant, il ne dit rien.

— Lieutenant Woods, puis-je vous parler un instant ?

— Bien sûr, répondit Woods à contrecœur. À quel sujet ?

— Au sujet de Tony.

Woods se dit qu'il y avait peut-être des formalités à remplir ; en effet, il avait été chargé de réunir les effets personnels de Vialli et de veiller à leur expédition en bonne et due forme.

— Voudriez-vous me suivre dans mon bureau ?

Woods supportait mal les épanchements.

— Pourquoi ? demanda-t-il.

Désarçonné par la réponse, Maloney dit :

— Je pensais que cela aurait pu vous aider.

— Vous êtes psychothérapeute ou quelque chose de ce genre ?

— Non, j'avais pensé que…

— Vous voyez bien quel est mon état d'esprit, non ? Merci. Une autre fois, peut-être.

Il tourna les talons et grimpa prestement l'échelle qui menait au niveau 3, vers le territoire dallé de bleu. Il frappa à la porte du carré de l'amiral, attendit cinq secondes et frappa de nouveau. Une voix se fit entendre et la porte s'ouvrit.

— Oui, Monsieur ?

— Je voudrais voir l'amiral.

— Il vous attend ? demanda le matelot.

— Non.

— Votre nom, Monsieur ?

— Lieutenant Woods. Sean Woods. VF-103.

— Veuillez attendre ici, je vais aller voir.

Il attendit gauchement devant la porte. Des marins passèrent. Il savait ce qu'ils pensaient : un type qui a des ennuis.

— L'amiral voudrait savoir si c'est urgent, Monsieur, demanda le matelot en revenant.

— Oui.

— L'amiral voudrait savoir si vous avez suivi la voie hiérarchique.

— Non. Et je n'ai pas l'intention de le faire.

— Veuillez attendre, Monsieur.

Woods attendit encore, une minute, puis la porte se rouvrit et le matelot lui annonça que l'amiral le recevait.

— Amiral… commença Woods avant même d'avoir atteint la table à laquelle il s'était assis peu auparavant.

Il s'avisa qu'il déboulait en pleine conférence : le chef d'état-major, l'officier des opérations, le chef du service de renseignements et plusieurs autres étaient là.

— Y a-t-il une urgence ? demanda l'amiral Sweat.

— C'est à propos de Tony Vialli, amiral.

— Nous avons déjà eu cette conversation. Votre commandant sait-il que vous êtes ici ?

— Non, Monsieur. Et il ne s'agit pas de la même conversation que celle que nous avons eue.

— Vous avez trente secondes.

— Je pense que nous devrions faire quelque chose au sujet de Vialli.

— Comme quoi ? Nous ne sommes même pas en cause, lieutenant. Si ma mémoire est bonne, il a menti à son commandant – un mensonge dont vous avez été complice – et il s'est rendu de lui-même à l'endroit où il a été tué.

— Nous devons riposter, amiral, dit Woods, comme s'il ne l'avait pas entendu.

— Comment ? répliqua l'amiral, surpris. Et contre qui ?

— Contre ceux qui ont envoyé le communiqué, amiral, répondit Woods, soudain volubile, comme libéré. Je crois avoir entendu qu'il a été faxé de Beyrouth. Pritch a tiré la traduction. Ne l'avez-vous pas vue ? J'ai le sentiment que nos renseignements savent exactement qui est le cheikh et d'où il vient.

Il jeta un regard à l'officier des renseignements, qui ne pipait mot, et ajouta :

— Une fois que nous saurons où ils se cachent, nous les attaquerons.

— Ils pensaient tuer des citoyens israéliens, dit l'amiral en le fixant du regard.

— Personne n'aurait pris Vialli pour un Israélien.

— Nous ne pouvons pas entreprendre de rétorsion de notre propre initiative, lieutenant. Vous savez bien que c'est aux politiques de décider.

— Ne pourrions-nous pas au moins en demander l'autorisation, amiral ?

— Non.

— Ne pourrions-nous pas leur dire que nous sommes dans les parages et que, s'ils ont besoin de nous, nous sommes présents ?

— Ils savent que nous sommes ici, lieutenant. Le Président décidera de ce qu'il faut faire. Votre temps de parole est écoulé.

Sur quoi, l'amiral reprit en main le document qui se trouvait devant lui.

— Ne pouvons-nous pas au moins leur dire que c'est faisable et que nous pourrions le faire s'ils le décidaient ? Mettre cette idée dans leurs têtes ?

— Je ne crois pas, répliqua l'amiral en s'adossant et en enlevant ses lunettes. Écoutez, je sais quel est votre état d'esprit. J'ai perdu beaucoup d'amis dans mon métier. Je sais de quelle façon cela vous affecte. Je sais que vous voudriez vous être comporté différemment et avoir évité tout cela en montrant un peu plus d'autorité. Vous auriez pu lui donner l'ordre de ne pas y aller, dit-il en regardant Woods dans les yeux. Maintenant, il va falloir que vous appreniez à vivre avec ça. Rompez, dit-il en chaussant ses lunettes.

Woods tourna sur ses talons et se dirigea vers la porte. Puis, il s'arrêta et demanda :

— Combien ont été assassinés, parmi les amis que vous avez perdus, amiral ?

L'amiral ne répondit pas. Woods sortit.

Il se rendit à la salle de réunion 8 ; un briefing était en cours. Ils avaient glissé le service funèbre dans une tranche horaire qui leur permettait de ne pas changer leur agenda. Woods ne s'était jamais habitué à la froideur de la marine à l'égard de la mort. La première fois qu'il avait assisté à une mort sur le navire, à la suite d'un accident de catapulte, le programme était demeuré inchangé : un pilote de remplacement avait pris la succession de celui qui était tombé. On lui avait alors expliqué que, si l'on avait agi différemment, la mort eût occupé une trop grande place dans les esprits et affecté la disposition des pilotes à prendre des risques.

Il referma doucement la porte pour ne pas interrompre l'exposé, décrocha sa tasse de café du séchoir, la remplit et alla s'asseoir. Il commença à étudier l'agenda des vols du lendemain.

Les opérations auraient lieu au sud d'Athènes, dans la mer Égée, près d'une petite île appelée Avgo Nisi ; elle était réservée aux exercices militaires, c'est-à-dire aux mitraillages et aux bombardements ; elle n'était habitée que par des chèvres et des moutons épouvantés.

Bark avait vu Woods entrer ; il quitta son siège et se dirigea vers lui. L'expression de Bark était de celles que Woods avait appris à redouter.

— Salut, commandant, dit nonchalamment Woods.

Bark tira une chaise et la colla à celle de Woods. Il approcha son visage de celui de Woods. Puis il parla d'une voix basse, mais intense :

— Il n'y a pas de « Salut, commandant », dit-il en fusillant du regard son interlocuteur. Je viens de recevoir un appel du chef d'état-major de l'amiral. En fin d'après-midi, quand je serai revenu de mon vol, il faudra que j'explique à l'amiral comment il se fait qu'une grande gueule parmi mes lieutenants est monté, sans y être convoqué, dire à l'amiral que nous devrions lancer une attaque sur je ne sais qui, et que si nous ne le faisions pas, nous pourrions au moins informer le secrétaire d'État et le Congrès, sinon le Président des États-Unis, pour lui dire que le porte-avions *George Washington* est en Méditerranée orientale, prêt à attaquer qui ils voudront. C'est bien ça ? conclut-il en vrillant Woods du regard.

Woods reposa son stylo de service et répondit d'une voix intense :

— Je suis bouleversé, commandant. Tout le monde prend ça trop froidement.

— Faux ! répliqua Bark, sur un ton tel que chacun, dans la salle, tourna la tête – puis il baissa la voix de nouveau. Nous sommes tous bouleversés. Il n'y a rien que nous ne voudrions autant que de riposter. Mais tu connais le schéma. Les gens qui commettent ces actions, généralement, se font tuer. Et c'est là que ça devient épineux. Si les politiciens veulent faire la guerre aux salauds, ils ont le choix entre l'action militaire...

— Nous ne faisons pas la guerre aux salauds, commandant ! Nous nous baladons en Méditerranée en faisant des ronds au-dessus de l'eau et en discutant de notre prochaine escale. Nous ne visons jamais les terroristes. Même quand nous savons qui ils sont et où ils se terrent. Nous pourrions balancer un Tomahawk là-bas, mais tout ce que le pays le plus puissant de la terre sait faire, c'est se lamenter.

— On ne peut pas poursuivre des terroris…

— Pourquoi pas ? coupa Woods, saisissant enfin l'occasion d'en parler. Nous n'ignorons pas leur identité. Ils ont envoyé un communiqué à la presse pour dire combien ils avaient été heureux de tuer un Américain ! C'était un cadeau, pour eux. Nous devrions les prendre au mot et le leur faire payer.

— On ne peut pas se venger comme ça. Je suis certain que, si le gouvernement veut se venger, il en chargera la CIA. Il y a plein de choses dont ni toi ni moi n'avons jamais entendu parler. C'est à eux qu'il appartient de…

— La CIA ? La CIA ? Tu plaisantes, commandant, s'écria Woods, réfrénant un sourire sarcastique. Eux ? Envoyer un type avec un pistolet pour abattre un chef terroriste ? Il n'aurait pas une chance d'y parvenir. C'est à nous de leur assener un coup, et fort. Qu'ils apprennent ce que c'est que d'attaquer des Américains.

— Ils n'attaquaient pas des Américains, Trey. Ils ne pouvaient pas savoir qu'il y avait un Américain dans ce car.

Sur quoi Bark se leva.

— On arrête, Trey. J'en ai assez. Je suis venu te parler de la visite que tu as faite à l'amiral sans mon autorisation. Cela donne une mauvaise image de l'escadrille.

Maintenant, Bark parlait assez haut pour être entendu de tout le monde.

— J'étais prêt à admettre que l'on puisse pardonner cela comme une erreur de jugement. Mais je pense que ta tête est en ce moment pleine de trop d'erreurs de jugement.

Il pointa le doigt vers la poitrine de Woods :

— Tu es mis à pied. À partir de maintenant et jusqu'à ce que je décide du contraire, tu n'es plus inclus dans le programme des vols. Tu es SDO[1] à vie jusqu'à ce que je décide du contraire. Compris ?

Woods se leva, interdit, à court de mots.

---

1. *Squadron Duty Officer* : concrètement, chargé des corvées. *(N.d.T.)*

— Easy! cria Bark vers l'avant de la salle. Tu n'es plus SDO. Woods prend ta place. Inscris-toi dans le programme des vols.

Easy regarda Bark, les yeux écarquillés. Le lieutenant junior Craig Easley était un aspirant OIR et c'était sa première croisière ; il n'avait jamais vu un commandant monter sur ses grands chevaux.

— Oui, Monsieur, répondit-il calmement.

Bark s'éloigna de Woods, retourna vers la table, ramassa ses dossiers et gagna la sortie.

— Tu ne peux pas me faire ça ! cria Woods du fond de la salle.

Bark s'arrêta et se retourna pour répondre d'une voix posée :

— Tu crois peut-être que tu es exempté de fait de la cour martiale. Tu ne l'es pas. Tu as déjà passé les bornes. Ne pousse pas trop loin.

Et il sortit.

Woods alla s'installer dans le siège d'Easy. Il s'adossa et se laissa glisser jusqu'à ce qu'il eût la tête renversée et qu'il vît les câbles au plafond. Le téléphone sonna ; il le laissa sonner. À la sixième sonnerie, il souleva le combiné.

— Salle de réunion 8, lieutenant Woods au téléphone, Monsieur.

— Ici le capitaine Clark, chef d'état-major. Votre commandant est-il là, lieutenant ? demanda Clark comme si le mot « lieutenant » lui écorchait la bouche.

— Non, Monsieur, répondit Woods.

— Voulez-vous le localiser, lieutenant, et l'informer que sa convocation chez l'amiral est avancée à 13 heures. Est-ce clair ?

— Oui, Monsieur, tout à fait clair, je le lui dirai, répondit Woods d'un ton sarcastique.

L'autre raccrocha et Woods fit de même, brutalement, avant d'inscrire l'appel sur un bloc-notes.

— Je suis impressionné, déclara le lieutenant Big McMack, assis sur la chaise la plus proche du poste du SDO, les pieds sur le coffre. Je ne me rappelle pas avoir vu un aspirant officier contrarier autant d'officiers supérieurs. Joli travail, Trey.

— Je t'ai demandé un commentaire ? rétorqua Woods en lui lançant un regard peu amène. Alors, garde ça pour toi.

— Je ne peux pas, c'est comme la poésie. Elle coule. La vraie tragédie pour le reste du monde est que je ne suis pas escorté par des sycophantes qui notent chacune de mes paroles pour les transmettre aux générations suivantes.

Woods esquissa un sourire.

— Qu'est-ce qu'un sycophante ?

— Si je te le disais, tu ne te le rappellerais pas, et la prochaine fois que je me servirais de ce mot, tu ne le comprendrais pas non plus.

— Tu es diplômé en linguistique ?

— Nous nous connaissons depuis si longtemps et tu ne sais pas qui je suis… Non, je ne suis pas diplômé en linguistique, je suis un oiseau rare : un diplômé d'études dramatiques qui, maintenant, pilote les meilleurs chasseurs du monde pour le bien de l'humanité.

— Études dramatiques, hein ? dit Woods, incapable de penser à autre chose qu'à sa sentence de mort. As-tu entendu ce que m'a dit le commandant ?

— Je crois que tout le monde a entendu la dernière partie. Mais moi, vu ma curiosité, je connais l'affaire depuis le début.

— J'ai vraiment passé les bornes ?

— Et de loin. Tu as dit des choses que tu n'aurais pas dû dire. Tu l'as défié, lui, le navire et tout le système politique. Ce sont des choses que tu aurais pu me dire à moi, mais pas à lui, pas là-bas et pas comme ça.

— Tu n'es pas d'accord ? Tu ne penses pas que nous devrions faire quelque chose au lieu de rester assis sur notre cul ?

— Il n'y a rien au monde que j'aimerais davantage. Mais il y a plusieurs façons de considérer le problème. Aller voir l'amiral était stupide. As-tu vraiment cru que, parce que tu es allé récriminer, l'amiral allait te dire : « Bon, vous m'avez convaincu. Allons-y, on attaque » ?

Big leva les mains en signe d'exaspération.

— J'ai pensé que je le pousserais peut-être à réfléchir. Je voulais secouer la chaîne hiérarchique.

— Étonnant, commenta Big en se redressant. Tu m'as toujours paru l'un des types les plus froids que j'aie croisés dans l'aviation. Jamais pris de court. Plus la situation est risquée, plus tu es calme.

Et là, tu perds les pédales. Tu vas de but en blanc chez l'amiral, sans l'autorisation de ton commandant, tu l'attaques devant son état-major, tu le fais tourner en bourrique devant tout le monde, et quand il t'explique la situation, tu le contredis.

— Je pense à Boomer, dit Woods.

— Il est mort, Trey. Il est temps de revenir à la réalité. Ou bien tu finiras comme lui. Tu vas perdre ta capacité de concentration dans un exercice de tir et te bousiller.

— Je ne peux pas le laisser tomber, répondit Woods avec un soupir. J'aurai la peau de ce cheikh d'une manière ou de l'autre.

Le haut-parleur derrière Woods, qui était branché sur la fréquence utilisée par les pilotes lors de l'atterrissage sur le porte-avions, crépita soudainement. L'officier des signaux d'atterrissage ordonnait à un F-14 :

— *Les gaz ! Mettez les gaz !*

Woods et Big tournèrent soudain les yeux vers une télé noir et blanc, le PLAT, *Pilot Landing Assistance Television*. La caméra se trouvait sur le pont d'atterrissage, juste sous la surface. Le croisillon d'une mire indiquait l'angle d'approche nécessaire et l'avion qui approchait était nettement au-dessous.

— *Mettez les gaz !* cria l'officier dans le vacarme de l'avion qui approchait. Puis il hurla, tandis que l'appareil essayait vainement de corriger sa descente : *Passez ! Passez !*

Le F-14 finit par se redresser en accroissant la poussée, mais c'était à vingt pieds au-dessus des filins de freinage.

— Moins cinq. Qui foutre était-ce ? demanda Big.

— Le XO[1], répondit Woods en secouant la tête.

— *Deux-Zéro-Quatre, communiquez votre situation*, dit l'officier.

— *Trois virgule neuf,* répondit l'OIR du commandant, l'aspirant lieutenant Bill Parks, plus connu sous le surnom de Brillo.

— Fameux, commenta Big. Quel est le *bingo*, aujourd'hui ?

Le *bingo* était le niveau de carburant auquel le navire décidait d'envoyer l'appareil atterrir sur le terrain le plus proche au lieu du porte-avions.

— Trois virgule cinq, répondit Woods.

---

1. Commandant en second. *(N.d.T.)*

108

— Et le terrain ?

— En Crète.

— Comment le XO a-t-il pu tomber à un niveau de carburant aussi bas à sa première tentative d'atterrissage ?

— Je ne sais pas. Peut-être a-t-il fait auparavant une démonstration des finesses du combat aérien pour le bénéfice d'un aspirant.

— Ils ne sont pas tous instructeurs de Topgun comme toi, hein, grand chef.

— Épargne-moi tes sarcasmes, dit Woods, qui repensa brusquement à Vialli : son visage s'assombrit de nouveau. Nous devrions monter une opération comme celle des Israéliens à Entebbe, reprit-il.

— Navré de te l'annoncer, rétorqua Big, mais là, il n'y a pas d'otages. Quant à la riposte, tu peux penser que les Israéliens vont s'en donner à cœur joie. Si ce n'est déjà fait. À mon avis, tu devrais penser à autre chose pendant quelque temps. Si tu veux voler de nouveau et libérer ce bureau, tu ferais mieux de commencer à te comporter normalement.

— Tu comptes garder ta cabine ? demanda Woods, tout à trac.

— Qu'est-ce que ça veut dire ? Je vais être expulsé pour n'avoir pas payé ma note de mess en temps voulu ?

— Non, je me demandais…

— *Victory Deux-Zéro-Quatre, Tomcat reprend la tentative,* annonça Brillo.

Woods se tourna vers la télé. L'appareil effectuait cette fois une descente dans l'œil exact de la mire, et les ailerons de profondeur bougeaient rapidement pour corriger le tangage et le roulis. On distinguait à peine la fumée noire à l'arrière tandis que le commandant réduisait le régime pour poursuivre une descendre correcte en tenant compte des changements dans la direction et la force du vent. Il franchit la rampe à la bonne altitude et toucha le pont à 500 nœuds, puis la béquille de queue accrocha le deuxième filin. L'appareil baissa le nez, le filin gagna l'épreuve de force et le commandant réduisit les gaz. Le filin se relâcha et l'appareil replia les ailes, pour rouler vers son poste de garage.

— Décent, commenta Big.

— Pas mal. Je pensais que tu voudrais prendre la place de Vialli dans ma cabine. Sauf qu'il y a Bernie le Souffleur.

— Qui est-ce ? demanda Big, visiblement inquiet.

Il n'avait aucune envie d'avoir maille à partir avec quelqu'un qu'on surnommait le Souffleur. Woods rit sous cape.

— C'est le tuyau qui débouche à trois pieds sous le pont et passe dans la chambre, dit-il en indiquant du pouce et l'index le diamètre du tuyau, moins de 10 centimètres. Il y a une valve quelque part, à un mètre de la bouche, et elle fait « gouuuuush », et puis « gouuuush-couh-couh-couh », expliqua Woods avec un sourire malin. Je ne sais pas si elle pompe ou bien si elle injecte de l'air dans la cabine.

— Je crois que je peux m'en accommoder, dit Big. Pas le choix, non ?

12

Pritch se mit à chercher son bloc-notes sous son fauteuil. La voyant s'agiter, Bark lui demanda si elle avait besoin d'aide. Elle remercia, puis alla s'asseoir près de lui ; il scrutait de loin le tableau des messages.

— Monsieur, je peux vous demander quelque chose ?

— Vous allez me dire que vous n'aimez pas naviguer et que vous voudriez rentrer chez vous, non ? dit-il d'un air narquois.

— Non, rien de tel. J'ai une question. Mais dites-moi si je m'avance trop.

— De quoi s'agit-il ? interrogea-t-il en fronçant les sourcils.

— C'est à propos de Trey.

— Qu'est-ce qu'il y a ?

— Il… Je ne sais pas, il est si bouleversé… Je sais que tout le monde est chagriné par cette affaire, mais lui, il est vraiment à cran. En colère. Contre le gouvernement. Qu'est-ce qu'il a ?

— Vous vous avancez trop, en effet.

— Pardonnez-moi…

— Non, ça va. Nous sommes une grande famille, ici. Nous nous voyons tous les jours et, quand quelqu'un se comporte de façon bizarre, nous nous demandons ce qui se passe. Je suis au courant. J'ai pris des mesures pour le calmer. On verra.

— Mais qu'est-ce qu'il a ? C'est personnel ?

— Je suppose qu'il ne vous a jamais montré l'album, dit Bark en baissant la voix.

— Non… Quel album ?

— Sur le vol Pan Am 103. Il y a collé toutes les coupures de presse, les photos ; il y a même consigné ses propres spéculations.

— Pourquoi ?

— Il veut comprendre ce qui s'est passé et pour quelle raison le gouvernement n'a rien fait. Il n'en parle pas beaucoup. Il craint qu'on le prenne pour un illuminé, comme ceux qui ont des théories sur l'assassinat de Kennedy.

— C'est une obsession ?

— Probablement. Je me rappelle qu'il a dit que l'hypothèse libyenne était un leurre. Quelques heures après l'attentat, Israël avait répandu des rumeurs selon lesquelles la Libye était responsable. Par la voix d'un organisme appelé LAT ou quelque chose.

— LAP.

— Oui, c'est ça, je crois.

— C'est le département israélien de guerre psychologique.

— Comment savez-vous ça, vous ?

— Je le sais.

— Bon, après avoir téléphoné aux journalistes du monde entier pour diffuser cette rumeur, ils ont ensuite accusé la Syrie, puis l'Iran, qui aurait, selon eux, voulu se venger de la destruction en plein vol d'un de ses avions civils par le navire de guerre *USS Vincennes*, quelques mois plus tôt. Mais c'est ici que l'affaire se complique et que je n'arrive plus à suivre Woods. Selon lui, un groupe d'agents de la CIA faisait du trafic de drogue dans le Moyen-Orient, en liaison avec l'affaire Iran-Contra[1], pour le financement des Contras ; et ce groupe, baptisé COREA, était à bord de l'avion. Il y aurait également eu à bord un groupe de commandos de libération d'otages, qui revenait du Moyen-Orient ; la valise de l'un des commandos a été récupérée dans l'épave de l'avion et retrouvée vide, bizarrement. Le groupe COREA avait été informé par le contre-espionnage allemand qu'il y avait une bombe à bord de cet avion, mais il n'en avait pas tenu compte… Je ne parvenais pas à suivre tout ce que me disait Trey.

---

1. En 1987, le scandale de l'Irangate révéla l'implication de fonctionnaires de la CIA dans des activités illégales (vente d'armes à l'Iran, notamment, dans le but d'obtenir la libération des otages américains à Beyrouth) ; les bénéfices de ces opérations servaient au financement des Contras, les contre-révolutionnaires du Nicaragua. L'homme qui était à la tête de ces trafics, Oliver North, fut condamné à trois ans de prison avec sursis. Un trafic de drogue fut également mentionné. *(N.d.T.)*

— Il possède des informations sur tout ça ?

— Oui, il a des documents, fournis par l'avocat qui a défendu la Pan Am dans la série de procès ayant suivi l'accident. Trey lui a écrit. L'avocat avait mené une enquête sur la cause réelle de l'accident et il avait cité comme témoins la CIA, le FBI, la FAA, le NSC et la NSA. Mais le gouvernement lui a refusé leur comparution, alléguant qu'elle compromettrait la sécurité nationale.

— Vraiment ?

— Ouais. Tout ça est très mystérieux. Et puis, deux Libyens ont été déférés en Écosse pour y être jugés comme responsables de l'attentat. Ça fait rigoler Trey. Ce qui l'a vraiment excité, c'est quand il a appris dans un livre qu'Israël avait envoyé un agent spécial du Mossad sur le lieu de l'accident, à Lockerbie…

— Un Katsa ?

— Je ne sais pas comment on les appelle. De toute façon, ils l'ont envoyé à Lockerbie quelques heures à peine après l'accident. Pourquoi envoyer un agent spécial sur le lieu d'un accident ? Bref, Trey déborde de soupçons. Il se méfie des Israéliens, de la CIA et de la façon dont les États-Unis gèrent l'action contre le terrorisme. Il pense qu'ils traitent tout ça à la manière d'un jeu.

— Mais pourquoi s'intéresse-t-il tant à l'affaire du vol Pan Am 103 ?

— Son père y est mort.

Pritch retint une exclamation.

— Il était en voyage d'affaires à Londres et revenait aux États-Unis pour la Noël.

— Ça a dû être un choc pour Trey.

— Il avait seize ans.

— J'ignorais tout ça. Et tout le monde dans l'escadrille en est informé ?

— Quelques-uns.

— Je vous remercie de me l'avoir dit. Je voudrais l'aider un peu.

— Personne ne peut rien faire. C'est un grand garçon. À lui de gérer ça.

Woods alluma le plafonnier. Big McMack se roula sur sa couchette et tira la couverte grise sur sa grosse tête.

— Mais qu'est-ce que tu fais ? demanda-t-il d'un air offensé.

— Je m'habille, répliqua Woods. Que crois-tu ?

— Et tu dois le faire avec le plafonnier allumé ?

— Il est 6 h 30, mon grand. C'est l'heure pour tous les bons pilotes de la marine de sortir du lit. On ne t'a pas appris ça à l'école ?

— Je ne suis rentré qu'à 1 heure, quand tu étais dans les bras de Morphée.

— J'ai passé trois longues journées à faire des corvées et là, je suis revenu dans les bonnes grâces du commandant, déclara Woods, en laçant ses bottes noires d'aviateur. Je suis donc réinscrit dans les programmes de vol et le deuxième briefing, celui de 8 heures. Ce qui me laisse le temps, comme je me suis déjà douché, d'aller prendre tranquillement un bon petit déjeuner. Une omelette de cinq œufs, du bacon, du jambon, du fromage... Ensuite, je me rendrai à la salle de réunion pour me préparer à intercepter plusieurs F-15E de la « Farce aérienne » qui essaient de couler notre beau bateau et d'abîmer tout notre matériel. Et je vais leur botter le cul.

Il se leva.

— Hmm, mais qui donc a conçu cet incroyable programme ? demanda-t-il en fixant Big.

— Arrête, tu me fais de la peine, gémit celui-ci.

— Bon, j'y vais, dit Woods. Tu veux que j'éteigne la lumière ? Nan, tu vas te lever, n'est-ce pas ?

— Trey ! s'écria Big.

Mais avant de sortir, Woods éteignit quand même le plafonnier.

Il était 8 h 30 lorsque Woods et Wink se dirigèrent vers leur appareil. La matinée était aussi belle que possible : du bleu partout. Ils tendirent leurs casques et leurs genouillères à Benson. Woods se mit à contempler l'océan, avant de se rendre compte que Wink regardait, lui, le ciel.

— Qu'est-ce que c'est ?

— Interception d'un F-15, répondit Wink, qui pointa le doigt en l'air en souriant.

Woods les repéra tout de suite. Il reconnut le bruit caractéristique du moteur des Tomcat. Le F-15 se dirigeait droit vers le bateau, en descendant. Le F-14, à droite, allait tenter une interception.

— Qui est à bord du nôtre ?

— Le XO et Brillo, répondit Woods qui, la veille, avait inscrit leurs noms dans l'agenda des vols pour le premier exercice de la journée.

Ils observèrent le F-14 foncer sur le F-15 avant qu'il atteigne le navire.

— Ils font un yo-yo, dit Wink.

— Ils sont un peu bas pour ça.

Plusieurs autres hommes observaient la manœuvre depuis le pont : il était rare de voir un F-14 voler aussi vite à la poursuite d'un autre avion, et aussi près du navire. Il n'y avait dans le ciel que ces deux appareils.

Le F-14 continua de piquer du nez vers l'océan.

— Il doit être à 500 nœuds, dit Woods, qui s'inquiétait de plus en plus de la pente abrupte du chasseur.

— Au moins.

— Ça va aller mal s'il ne redresse pas, ajouta Woods, avec une inquiétude croissante.

Le F-15, lui, était à un nautique du navire et poursuivait son accélération en descente. Le Tomcat continuait de piquer du nez, à 1 000 pieds au-dessus du navire et devant celui-ci.

— Il a perdu la tête ! cria Woods.

Tout le monde sur le pont s'en rendait compte.

— Remonte ! cria Wink.

— Éjecte ! Éjecte ! cria Woods, impuissant.

D'autres hommes sur le pont se mirent aussi à hurler, vainement. Le F-14 plongea tout droit dans la mer à 600 nœuds et disparut. Woods et Wink coururent comme des fous à l'avant du navire, tandis que le capitaine tentait de ralentir le *Washington*.

Là-haut, le pilote du F-15 effectua un virage sur l'aile pour voir le point d'impact, puis il repartit vers l'Italie. L'air, le carburant et le choc faisaient bouillonner la mer là où le F-14 s'était englouti.

Les 95 000 tonnes du Léviathan vibrèrent sous l'effet de l'inversion des énormes hélices. Le porte-avions cessa d'avancer.

Woods et Wink scrutèrent la surface de la mer, à la recherche d'un signe de vie. Mais tout ce qu'ils aperçurent furent des débris de métal qui flottaient tranquillement.

— Foutu, dit Wink.

Woods hocha la tête, partagé entre la nausée, un besoin de hurler et l'envie de laisser tomber immédiatement l'aviation.

— Allons prévenir le commandant, dit-il.

Ils dévalèrent l'échelle qui menait au niveau 3 et parvinrent à la salle de réunion. La nouvelle s'était répandue dans le navire. À voir les expressions qui se peignaient sur le visage des hommes présents dans la salle 8, ils comprirent que la nouvelle les avait précédés. Woods et Bark, consternés, s'entre-regardèrent.

— Je veux que tu diriges l'enquête sur les lieux, dit Bark.

— Oui, Monsieur.

— Un hélicoptère est prêt à partir sur le pont. Il te conduira au contre-torpilleur *David Reynolds*, qui a déjà mis une chaloupe à la mer. On t'attend. Cherche des indices d'avarie ou d'incendie.

— Il n'y avait pas d'incendie, ils ont plongé droit dans l'eau. Je l'ai vu.

— Je sais. Mais il faut suivre le règlement… Comment vais-je annoncer ça à sa femme ? À ses trois filles ?

Woods posa son casque sur une chaise et se demanda où étaient ses genouillères. Il se rappela : il les avait laissées dans l'avion. Puis, avec un temps de décalage, il enregistra ce que Bark venait de dire. Il se rappela les filles du XO ; elles étaient venues à la fête sur le navire, avant le départ de leur père en croisière.

— Quel âge ? demanda-t-il.

— Huit, dix et douze.

L'absurdité de la situation assomma Woods.

— Tout ça n'a pas de sens. Qu'est-ce que nous faisons ici, commandant ?

Bark parut ruminer la réponse.

— Et Brillo… dit-il. Tout ce qu'il voulait, c'était se marier et fonder une famille. Il n'en a jamais eu l'occasion. Il n'avait même pas de copine…

Il fit un effort pour se ressaisir :

— Monte sur le pont.

Woods quitta la salle, fonça dans les coursives vers sa cabine, saisit sa vareuse de vol et l'enfila tout en poursuivant sa course vers le pont. Au bureau, il se mit en quête de l'officier des transports. Un quartier-maître de première classe apparut.

— C'est vous qui allez sur le *David Reynolds*, Monsieur ?

Woods ayant hoché la tête, il lui tendit un casque et une veste de flottaison, puis lui ouvrit la porte qui donnait sur le pont. Woods le suivit en direction du SH-60 qui se trouvait sur l'héliport avant, le rotor en marche.

Le *Washington*, stoppé, voulait rester aussi près que possible du site de l'accident, dans l'espoir de trouver au moins l'un des deux occupants de l'avion. Mais personne ne nourrissait d'illusions.

Woods franchit la grande porte cargo de l'hélicoptère et saisit le bras du chef de l'équipage, qui le hissa à bord et lui indiqua un siège. L'appareil s'éleva et se stabilisa, puis partit vers l'ouest à 200 pieds d'altitude. Quelques minutes plus tard, il survolait le pont d'atterrissage du navire. Le chef de l'équipage, dont le casque était relié à l'appareil par un fil, afin de pouvoir écouter les pilotes sur le système de communication interne, fit signe à Woods d'aller à la porte et de s'asseoir sur le seuil, puis de sauter sur le navire. Un saut d'un mètre et Woods fut accueilli par deux membres d'équipage. Il les suivit tandis que l'appareil retournait vers le porte-avions et que le vacarme s'éloignait.

Un commandant vint vers Woods et lui tendit la main.

— Bonjour, lieutenant, je suis le commandant Bill LaGrou, l'officier en charge. Bienvenue sur le *David Reynolds*.

Il lui présenta son second, Gary Carlton, et deux lieutenants. Woods dévisagea le commandant : plus petit que lui, les cheveux presque blancs, la bedaine retenue par la ceinture sur le pantalon kaki. LaGrou le fixait de ses yeux bruns.

— Vous ne perdrez pas de temps, dit LaGrou. Vous irez immédiatement sur le site de l'accident. La chaloupe est prête à partir. Je ne suis pas sûr de ce dont vous aurez besoin, mais vous aurez avec vous un excellent pilote, un infirmier et trois chefs d'équipage. Si vous avez besoin de plus, dites-le-moi.

— Merci. Y a-t-il une radio? Un moyen de communiquer avec vous?

— Oui, vous aurez un portable. On m'a dit que vous êtes censé ramener au navire tous les gros débris que vous pourrez récupérer, pour que les spécialistes puissent les examiner en Sicile.

— Oui, Monsieur

— Et si vous trouvez des restes des pilotes, l'infirmier a un sac…

— Très bien.

— Nous sommes supposés aller au point d'impact, dit LaGrou, qui est là-bas – il indiqua un point à quelques centaines de mètres à l'arrière du navire, à bâbord – et rester là. Quand nous sommes arrivés, nous avons vu quelques débris. Nous avons gardé notre position, mais les courants et les vagues ont emporté les débris à environ un nautique, et ils y sont probablement encore.

Il baissa la voix.

— C'étaient des gars de votre escadrille?

— Oui, Monsieur.

— Inexpérimentés?

— Non, Monsieur. Notre XO et un très bon OIR, bien que jeune.

LaGrou parut choqué, puis regarda le ciel.

— Qu'a-t-il pu se passer par une aussi belle journée?

— C'est ce que je vais essayer de savoir. J'y vais.

LaGrou secoua la tête.

— Je pense que, lorsque votre heure est venue, on n'y peut rien.

— Et moi je pense que, si ces gars avaient fait attention, ils ne seraient pas tombés, répondit Woods.

Un pilote en second fit signe à Woods de le suivre. Ils descendirent une échelle, puis une autre et parvinrent à la chaloupe à moteur.

— Bonjour, Monsieur, dit le pilote à l'arrière. Vous êtes prêt?

— Oui. Je suis le lieutenant Woods. Nous discuterons de ce qu'il y a à faire quand nous y serons.

Le pilote accéléra le diesel, pendant qu'un des maîtres d'équipage sautait dans la chaloupe. La moitié de l'équipage du contre-torpilleur les observait sur les rambardes. Woods s'adossa au flanc de l'embarcation.

— Où sont les restes ? demanda-t-il.

— Vers le 3-1-0, répondit le pilote en poussant la barre. Je pense que nous les verrons bientôt.

Woods était à court de mots. Il ignorait ce qu'il convenait de faire ; il savait seulement qu'il devait témoigner de son autorité. Il n'avait aucune expérience en enquêtes d'accidents. On ne lui avait même pas dit ce qu'il fallait chercher et il songea que c'était un de ces moments de l'existence où il faut faire quelque chose, sans quoi tout le monde se sentirait encore plus désarmé.

— Ici, Monsieur ! cria l'un des chefs d'équipage, penché à l'avant, le bras tendu à tribord, tel un harponneur.

Le pilote se dirigea dans la direction indiquée. Clignant des yeux, Woods aperçut deux formes sombres émergeant de la mer calme. Il fit signe au pilote de ralentir et la vitesse de la chaloupe tomba à 2 nœuds. Ce fut à une centaine de mètres que Woods reconnut les dérives du Tomcat, se dressant comme deux ailerons de requin. Le pilote avança lentement jusqu'à ce qu'ils fussent près de l'épave.

Woods alla à l'avant. De petits débris de structure en nid d'abeille flottaient autour des dérives. Woods fut surpris par leur état, plutôt bon encore. Les enseignes à tête de mort semblaient le narguer. Il plongea du regard dans l'eau bleue, cherchant le reste de l'avion ; mais les dérives n'étaient attachées à rien.

La dérive gauche comportait un détail bizarre, à l'endroit du feu rouge anti-collision. Woods plissa de nouveau les yeux pour mieux voir.

— Qu'est-ce que c'est que ce… dit-il à haute voix.

L'infirmier, debout près de lui, regarda aussi quelques secondes et dit :

— C'est un scalp.

— Quoi ? demanda Woods, s'efforçant de maîtriser sa nausée.

— Un scalp, Monsieur. C'est certain.

Woods examina de nouveau le feu anti-collision. C'était bien le scalp de Brillo, avec ses boucles rebelles. L'image horrible lui brûla le cerveau et il détourna le regard.

— Comment est-ce que son scalp a fini sur une dérive ?

— Il s'est arrêté avant la dérive, répondit l'infirmier. Elle l'a emporté net avec le casque. Triste fin. Mais ce fut rapide, au moins.

L'infirmier s'assit et tira un objet de sous la banquette. Un sac. Il ouvrit la fermeture Éclair et demanda au pilote de ralentir encore. Ils allaient à peine à 1 nœud. L'infirmier se pencha sur le bord de la chaloupe, à bâbord. Woods aperçut alors un grand morceau de chair qui flottait près de la chaloupe.

— Et ça ? demanda-t-il.

— Un dos, répondit placidement l'infirmier. Vous voyez les marques des vertèbres ?

Et cette deuxième image se grava au fer rouge dans l'esprit de Woods. L'infirmier se pencha, saisit ce débris de ses mains gantées et le rapporta dans la chaloupe, puis le glissa dans le sac et referma celui-ci à moitié.

— En voici encore, dit l'infirmier. Aidez-moi, s'il vous plaît.

Mais Woods feignit de ne pas l'entendre et détourna le regard jusqu'à ce que les restes humains eussent tous été récupérés.

Après quelques minutes d'efforts ardus, ponctués de jurons des quartiers-maîtres, ils attachèrent les dérives et retournèrent vers le contre-torpilleur en les traînant derrière eux.

Le commandant LaGrou attendait au sommet de l'échelle.

— Ça a été comment, lieutenant ? demanda-t-il à Woods.

Ce dernier était incapable de parler. Ce qu'il avait vu le hantait.

— Aucun indice de la cause ?

Woods secoua la tête, lèvres serrées, comme s'il n'avait jamais espéré trouver d'indice.

— Nous allons devoir nous détacher bientôt et aller en Sicile – ils vont constituer une commission d'enquête d'accident, à Sigonella.

Woods hocha la tête, comprenant à peine ce que disait le commandant.

— Mauvaise nouvelle pour vous, dit encore LaGrou, l'hélicoptère qui aurait dû vous ramener est parti il y a cinq minutes.

Il attendit une réaction et, n'en voyant pas, il poursuivit :

— Vous resterez donc avec nous jusqu'à demain matin 7 heures. Un hélicoptère viendra vous chercher. Vous pouvez dormir dans ma cabine d'escale. Elle est très confortable.

— Merci, dit Woods distraitement.

— Vous êtes le bienvenu. Je sais que vous serez très bien reçu au carré. Nous ferons tout notre possible pour faciliter votre séjour.

— Merci, j'y suis sensible.

En effet, au carré, on le traita bien, et même avec beaucoup d'égards. Ils ne savaient comment le consoler ; ils auraient voulu lui poser des questions pour sonder son désarroi, mais ils ne voulaient pas non plus réveiller des pensées morbides. Ils étaient tous au courant de la découverte du scalp ; c'était le genre de détail qui ne pouvait pas manquer de frapper l'imagination et qui ferait un bon début de récit : « As-tu entendu ce truc incroyable… ? »

Woods quitta le carré de bonne heure, esquivant la séance de cinéma avec pop-corn gratis, quoiqu'on l'eût assuré que la distraction lui ferait du bien. Il gagna la cabine d'escale et s'assit sur la couchette, épuisé. Il défit sa combinaison de vol jusqu'à la ceinture et se lava le visage dans le lavabo d'acier. Puis, il enleva ses bottes, ôta son pantalon, ses chaussettes et s'étendit en T-shirt et caleçons. Le navire tanguait trop pour qu'il pût dormir sur le côté. Son regard se noya dans l'obscurité. Il songea au XO et à ses jolies filles. Les avait-on déjà informées ?

Il crut avoir entendu un coup discret à la porte. Il referma l'oreille, mais on frappa de nouveau.

— Oui ?

— Commandant LaGrou.

Il enfila en hâte sa combinaison de vol et alla ouvrir, pieds nus.

— Oui, Monsieur ?

— Vous me permettez d'entrer ?

— Je vous en prie, répondit-il, se forçant à être courtois.

— Je ne voulais pas vous déranger, dit LaGrou, refermant la porte derrière lui. Je craignais que vous soyez déjà endormi.

— Non, je me reposais. C'est un peu difficile de dormir.

— J'imagine, dit LaGrou, gauche. Je… Je voulais simplement m'assurer que vous alliez bien. C'étaient… vos amis.

Mais Woods ne voulait pas en parler. Les mots ne servaient à rien.

— Ouais. Oui, Monsieur.

— Écoutez, ce sont des choses qui adviennent. Tous les jours, il y a des gens de la marine qui meurent en faisant leur boulot…

Woods avait assez entendu ce discours.

— Et pourquoi ? Pas pourquoi il s'est écrasé, ça, nous le découvrirons, mais pourquoi sommes-nous dans une situation où l'on peut s'écraser ? Pourquoi décollons-nous tous les jours d'un porte-avions ?

— C'est notre job…

— Nous le faisons pour être prêts quand nous aurons besoin de recourir à la force. Alors, nous restons en état d'alerte…

Woods s'interrompit :

— Avez-vous une carte qui montre notre position ?

LaGrou était décontenancé par la véhémence de Woods.

— Bien sûr, répondit-il. Dans la salle d'état-major…

— Je veux vous montrer quelque chose, dit Woods en s'asseyant sur l'unique chaise de la cabine pour enfiler ses chaussettes et ses bottes.

Il les laça à moitié, en hâte. LaGrou ouvrit la porte et s'engagea dans la coursive, suivi par Woods ; ils parvinrent au centre d'information de combat, le centre névralgique du navire. Trois grands écrans éclairaient la pièce, au-dessus de consoles devant lesquelles étaient assis des officiers et d'autres militaires ; ils contrôlaient l'immense volume d'informations qui affluaient d'innombrables sources.

— Par ici, dit LaGrou, indiquant une grande table sur laquelle une carte était étendue. J'ai donné l'ordre au navigateur de maintenir une position sur papier, pour le cas où toute notre électronique tomberait en panne au même moment, expliqua-t-il en souriant.

Woods examina rapidement la carte et repéra la position du navire. Il mesura de la main une distance sur une longitude et la rapporta sur la distance du navire à la côte libanaise.

— 200 nautiques jusqu'à Beyrouth, annonça-t-il à LaGrou, en le fixant du regard. 200.

— Je ne vous suis pas, lieutenant.

— Le cheikh qui a tué mon meilleur ami, Tony Vialli, est en train de manger des raisins à Beyrouth, pendant que nous sommes ici, à recueillir les restes de deux pilotes. Que faisaient-ils ? Ils se maintenaient en état d'alerte. Pour quoi ?

Il haussa la voix :

— Nous aiguisons notre épée et montrons à tout le monde comme elle est coupante. Nous nous en servons, parfois. Au Kosovo. En Irak. Mais pour un officier des forces navales assassiné par un terroriste ? Non. Là, nous nous coupons avec notre propre épée.

13

Cet appel téléphonique en pleine nuit alarmait Kinkaid. Il faisait entièrement confiance au jugement de Ricketts, celui-ci devait donc avoir une bonne raison pour le déranger à une heure aussi indue. Intelligent, brillant, polyglotte confirmé et maître en déguisements, Ricketts était le champion des missions périlleuses. Mais la médaille comportait son revers ; Ricketts n'avait aucun respect pour l'autorité. On le savait bien : pour lui, tous ceux qui n'appartenaient pas à la direction des opérations, la DO, étaient des parasites et des mollassons. Quant à la surveillance électronique, elle ne l'émerveillait pas et il ne mentionnait l'activité « analyse » que s'il ne pouvait l'éviter.

À 4 h 37, Kinkaid gara sa voiture à son emplacement réservé. Ses cheveux étaient encore mouillés ; il avait pris soin de s'habiller pour une journée qu'il devinait longue et frustrante. Cheminant vers les bâtiments, il faillit laisser choir son thermos à café et sa serviette lorsqu'il entendit quelqu'un l'appeler, à trois pas de lui.

— Tu essaies de me donner une attaque ? Qu'est-ce que tu fous ? demanda-t-il en se retournant.

Ricketts lui faisait face, les mains dans les poches, l'air grave.

— Entrons. Je me les gèle ici, dit Kinkaid.

— Ici, riposta Ricketts.

— Pourquoi ?

— Je ne veux pas que les parasites nous entendent.

Kinkaid posa sa serviette et se versa une bonne tasse de café chaud.

— Bon, de quoi s'agit-il ?

Ricketts vérifia les alentours : le parking était vide ; rien que de l'asphalte sur une centaine de mètres dans toutes les directions.

— Que comptes-tu faire avec ce cheikh ? demanda Ricketts.

— Je veux le trouver et ensuite je m'en occuperai.

— C'est-à-dire ?

— Je vais le faire mettre en taule pour quelques centaines d'années.

Ricketts contempla ses chaussures.

— J'ai peut-être des informations sur sa cachette.

— Tu charries ? Où est-il ?

— Je sais où il sera, répondit Ricketts en secouant la tête, pas là où il est.

— Où ? Et comment le sais-tu… ?

— Je ne peux pas te le dire.

— Je suis le chef de l'équipe, rétorqua Kinkaid avec raideur. Tu me diras ce que j'ai besoin de savoir…

— Non, répondit Ricketts d'un ton glacial. Pas si ça met mes agents en danger.

— Et comment le fait de me le dire mettrait-il en danger tes…

— J'ai obtenu l'accord du directeur lui-même quand j'ai commencé à engager des agents : je ne dirais rien à personne si je ne le juge pas utile. Seule compte mon appréciation.

— Foutaises. Nous devons partager les infos.

— C'est la raison de ma présence ici. Mais je ne te dirai qu'à toi seul ce qui est nécessaire. Et aux autres, rien. Ils peuvent faire leurs analyses tant qu'ils veulent, regarder leurs photos et boire leurs bières…

— Nous sommes dans la même équipe.

— Nous allons vers le même but, mais pas ensemble.

— Qu'as-tu en tête ?

— Je pense que nous ne devrions pas perdre notre temps à essayer de le capturer. Nous devrions le faire sortir de sa tanière.

— Pour ça, il faut commencer par savoir où il est. Et le directeur le veut ici. Il veut un beau grand procès auquel le monde entier puisse assister.

— Je peux l'attraper, dit Ricketts. Seulement, j'ai besoin de votre accord.

— Quel est ton plan ?

— Tu n'as pas besoin de le savoir. Tu demanderas au directeur.

Kinkaid domina sa frustration.

— Et c'est pour quand ?

— Bientôt.

— Tu penses que tu peux y parvenir ?

— J'en suis sûr.

— Quels sont les risques ?

Ricketts réfléchit, comme s'il effectuait un calcul :

— Élevés.

— Et tu veux quand même y aller ?

— Oui, répondit Ricketts dans les ténèbres.

— As-tu besoin de nous d'une façon ou d'une autre ?

— Non.

Kinkaid resta perplexe. Tout ceci était hors normes. Cependant, il travaillait depuis assez longtemps à la direction des opérations pour savoir que plusieurs des meilleurs agents étaient aussi les plus imprévisibles.

— Je n'aime pas ça, finit-il par répondre. Il faut que je sois informé.

Le halo d'un lampadaire distant éclairait la silhouette de Ricketts.

— Tu peux m'ordonner de ne pas le faire ; ou bien, tu peux me demander t'extirper cette épine de notre pied. Mais je ne peux te dire ni comment ni quand.

— Dis-moi au moins où.

— Navré...

— Tu as un plan sérieux ?

— Une ébauche.

Kinkaid, tourmenté, finit par laisser tomber. Il admit en son for intérieur que ce qu'il voulait, après tout, c'étaient des résultats. Or, Ricketts était efficace.

— OK, fais-le.

— On se prend un hot dog gratiné ? demanda Woods à Wink et Big, à l'arrière de la salle de réunion, tandis que l'officier chargé des corvées, le SDO, installait un projecteur vidéo dans l'allée entre les sièges, et l'orientait vers le grand écran accroché au plafond.

Les séances de cinéma étaient une grande tradition de la marine : tous les officiers y assistaient. Le SDO choisissait le film dans la vaste vidéothèque du navire et la projection avait lieu à heure précise, à la seconde près, sans quoi les sarcasmes pleuvaient.

— Sûr, répondirent-ils de concert, on a le temps d'ici le début de la séance. Combien d'étoiles, ce film ?

— Trois, je crois.

Le système des étoiles était légendaire dans l'escadrille. Tous les SDO essayaient de dégotter des films « cinq étoiles » car, si le commandant décidait que tel film les valait, le SDO qui avait fait le bon choix était dispensé de corvées de veille pour un mois entier. Mais les films cinq étoiles ne couraient pas les rues.

Au carré avant, plusieurs pilotes en combinaisons de vol étaient attablés. Woods, Wink et Big attendaient avec impatience au comptoir quand un serveur vint leur demander ce qu'ils souhaitaient.

— Un double hot dog au fromage, dit Woods.

— Un triple cheeseburger, dit Big.

— Un simple pour moi, dit Wink. Bon Dieu, Big, tu vas bientôt atteindre les 150 kilos.

— Je les fais déjà, répondit Big.

Wink le jaugea d'un œil émerveillé.

— Tu plaisantes ?

— Wink, tu m'épates. Si je faisais 150 kilos, je ne passerais pas la porte. Je fais un svelte 120.

— Un véritable athlète.

— Tu me cherches ?

Les trois commandes apparurent miraculeusement sur le comptoir et les hommes allèrent s'attabler. Après avoir avalé une énorme bouchée, Big considéra Woods et lui demanda :

— Comment tu te sens, maintenant ? Au sujet de Boomer et tout ça ?

Pritch vint s'asseoir près de Big. Woods lui lança un coup d'œil, contrarié qu'elle fût présente, et mécontent de sa propre réaction.

— Je ne sais pas, répondit Woods. Ça m'a vraiment atteint. J'essaie de me comporter comme d'habitude, de faire mon boulot, d'être moi-même, mais tout ça me semble se passer au ralenti... Et puis il y a eu le XO...

— Je sais ce que tu veux dire, opina Big.

— Vous permettez que je me joigne à vous ? dit le père Maloney, se tenant près de Woods, une tasse de thé à la main.

Woods leva les yeux au ciel à l'intention de Wink et de Big. Puis il fit signe à Maloney de s'asseoir près de Wink.

— Faut que je vous laisse, dit Big en se levant. Je dois aller au débriefing.

— Mais je viens de vous le faire, dit Pritch.

— La maintenance, dit Big. Il faut que je signale la FM à la maintenance.

— Vous avez la FM dans votre avion ? demanda Pritch.

— Il y a beaucoup de choses que vous ne savez pas, Pritch, répondit Big, sautillant pour défroisser sa combinaison et en faire retomber les bas de pantalon sur ses bottes.

— J'y vais aussi, dit Wink, se redressant à son tour.

Woods était coincé. Il aurait voulu assister au film, mais il était évident que l'aumônier était venu lui parler. Celui-ci sirota sa tasse de thé ; son visage aimable et rond était congestionné, comme si la vie à bord lui demandait un effort constant. L'uniforme ne lui allait pas non plus. Une feuille de chêne dorée, insigne de commandant, brillait sur un côté de son col, et il portait une croix sur l'autre, comme tous les aumôniers. Woods avait toujours trouvé que les croix étaient incongrues sur des uniformes, et la fonction d'aumônier le dérangeait presque. Ces gens-là s'efforçaient d'être amicaux avec tout le monde, comme si leur existence était vide. Et il était certain que la conversation serait stéréotypée ; il n'en avait jamais eu avec aucun aumônier et il n'était pas pressé de changer d'avis.

Il acheva son burger sans savoir que dire.

— Comment allez-vous, lieutenant Woods ? demanda à la fin le père Maloney.

— Très bien, merci, j'essaie de trouver un moyen de dépenser tout l'argent que je gagne.

Maloney adressa un sourire à Pritch.

— Hello, je suis le père Maloney, l'aumônier catholique du navire. Je ne crois pas que nous nous soyons rencontrés.

— Non. Je suis l'enseigne Charlene Pritchard.

Ils échangèrent des aménités.

— Est-ce que le lieutenant Woods plaisante avec tout le monde comme avec moi ? demanda Maloney.

— Il ne prend pas grand-chose au sérieux.

— C'est vrai ? demanda l'aumônier à Woods.

Woods haussa les épaules, guettant l'occasion de s'esquiver.

— Vous ai-je offensé de quelque manière ? demanda l'aumônier.

— Non, Monsieur.

— Il semble que ma présence vous dérange.

— Pas vraiment, répondit Woods, qui avait capté un regard de Pritch. Lorsque je vous vois, je pense à Vialli, et ça me rend triste.

— Pourquoi ?

— Est-ce inhérent au métier d'aumônier que de poser des questions aussi bêtes ? répondit Woods, qui s'empourprait. Pardonnez-moi, reprit-il après un temps de silence. C'était mon camarade de chambrée et mon ami. Il a été assassiné. Nous voguons ici sur l'arme la plus perfectionnée jamais fabriquée, les meurtriers sont à 200 nautiques et nous voici en train de manger des hamburgers. Ça me dépasse.

— Je comprends ce que vous voulez dire. Mais nous ignorons si l'on prend ou non des mesures à ce sujet.

— Vous savez quelque chose que j'ignore ?

— Non. Et s'il y avait quelque chose, je ne le saurais pas. Je veux dire que le gouvernement prend peut-être des mesures de rétorsion que nous ignorons.

— Comme quoi ? Envoyer un limier de la CIA lui planter un clou dans l'œil ? Allons !

— Tout ce que je veux dire, c'est que nous ne devrions pas prétendre tout savoir lorsque ce n'est pas le cas.

— Écoutez, c'est probablement nous qui en savons le plus, et personne ne réagit. La vérité est sans doute là.

— Vous avez peut-être raison, mais nous n'y pouvons pas grand-chose.

— Bon sang… Excusez-moi. Je suis certain que nous y pouvons quelque chose.

— Que suggérez-vous ? demanda Maloney en sirotant son thé.

— Je pense que nous devrions annoncer au monde que nous allons pourchasser les terroristes. Lancer une attaque sur leur quartier général. Ils ont bien revendiqué la responsabilité de l'attentat. Eh bien, prenons-les au mot !

— Nous ne le pouvons pas, non ?

— Pourquoi pas ?

— Ce serait une déclaration de guerre.

— Et alors ? Qu'est-ce qu'on fabrique ici, mon père ? Que faisons-nous en Méditerranée ?

— Nous défendons l'OTAN.

— Contre quoi ?

— Contre toute menace éventuelle.

— Le meurtre d'un officier de la marine n'est pas une menace ?

— Pas pour la paix. Pas vraiment.

— C'est une menace pour tout Américain. Le terrorisme vise à répandre la peur. À nous faire changer nos projets et nos attitudes. C'est une menace pour la paix. Je pense que nous devrions pourchasser ces types. Et cesser de nous croiser les doigts pendant que les politiciens attendent que le vent tourne. Il faut foncer tout de suite.

— Cela s'appellerait de la vengeance, objecta Maloney. « La vengeance m'appartient », dit le Seigneur. Ce n'est pas à nous de chercher la vengeance. C'est la décision de Dieu.

— Qu'est-ce que ça signifie ? s'écria Woods, se renfrognant. Avons-nous eu tort d'attaquer le Japon pour nous venger de Pearl Harbor ? Ou bien fallait-il laisser cette décision à Dieu ?

Maloney s'avisa que la conversation l'entraînait plus loin qu'il n'avait prévu.

— Bien sûr, un pays peut riposter. C'est la guerre légitime. Mais le navire ou le capitaine ne peut pas le faire de son propre chef. Cela, ce serait de la vengeance.

— Je ne vois pas la différence, dit Woods. Le pays agit par notre entremise.

— C'est une question d'autorité. Le pays peut agir, pas les individus.

— Si le pays peut attaquer, pourquoi pas nous ? Nous sommes les États-Unis.

— Nous pouvons agir sur ordre du gouvernement. Même vous, vous admettrez que nous ne pouvons pas agir de notre propre chef.

— Peu importe celui qui le fait, pourvu que quelqu'un le fasse ! s'écria Woods, dont la voix monta, attirant l'attention d'autres pilotes dans le carré. Est-ce que la police seule peut arrêter le type qui viole votre femme ? Et qu'est-on censé faire ? Appeler le 911[1] et assister au viol les bras croisés ? « Allô, il y a dans ma chambre à coucher un type qui est en train de violer ma femme, mais je ne suis pas certain de pouvoir agir de mon propre chef. Seul l'État a autorité pour me protéger... Je crois qu'il a fini. Dépêchez-vous ! » C'est comme ça que l'on doit fonctionner, selon vous ? C'est votre conception de l'autorité ?

Le père Maloney prit son temps pour répondre ; il inspira profondément, les yeux baissés.

— L'usage de la force par un individu dans une situation d'urgence est différent d'un acte de guerre.

Il sourit faiblement et dit :

— Je suis navré. Je n'envisageais pas une telle conversation. Je n'avais aucune intention de vous troubler.

Woods laissa percer son irritation.

— J'en ai assez des gens qui me répondent que l'on ne peut rien faire en cas de meurtre. Je ne le supporte pas. Je ne changerai pas d'avis jusqu'à ce que ces meurtriers se mordent les doigts d'avoir tué Vialli.

— Mais vous, que pouvez-vous faire ? demanda Maloney, haussant les épaules. Vous êtes bien obligé de vous en tenir là.

— Pourquoi devrais-je m'en tenir là ? Pourquoi tout le monde me répète-t-il ça ? s'écria Woods, élevant de nouveau la voix. Je n'oublierai jamais et je ne renoncerai jamais. Jamais, répéta-t-il avec détermination.

Pritch saisit l'occasion pour quitter la table.

---

1. Numéro d'urgence de la police aux États-Unis. (N.d.T.)

131

— Qu'avez-vous l'intention de faire ? demanda Maloney, en s'installant directement en face de Woods.

— Rien.

— Tony me manque beaucoup.

— Père Maloney, mais vous ne le connaissiez même pas. Tout ce que vous avez fait fut de présider l'office funèbre.

— Tony venait à la messe tous les mercredis matin. Il ne la manquait jamais.

Woods fut désarçonné.

— Je l'ignorais. Pardonnez-moi.

— Je n'ai pas dit ça pour vous embarrasser, mais vous devriez comprendre qu'il en est d'autres auxquels il manque autant qu'à vous.

— Je sais. J'ai été un peu troublé ces derniers temps, admit Woods en se levant. Je vais me coucher. Ç'a été une rude journée. À bientôt.

Il se dirigea vers sa cabine ; il avait manqué le début du film et, de toute façon, il n'avait plus envie de le voir.

Il referma la mince porte d'acier, s'assit pour délacer ses bottes et se releva pour se défaire de sa combinaison de vol, qu'il jeta sur la chaise. Puis, il enleva son T-shirt jaune et alluma la petite applique au-dessus du lavabo d'acier. Il sentit le froid du métal à travers ses caleçons. Il se regarda dans le miroir. Il était fatigué et cela se voyait ; il était debout depuis dix-neuf heures. Mais il savait que ce n'était pas de fatigue qu'il souffrait ; c'était de ne rien pouvoir faire au sujet de Vialli. Il secoua la tête et s'aspergea le visage d'eau froide.

Il éteignit la lampe et se brossa les dents dans le noir. Aucun bruit de respiration ne lui parvenait depuis la couchette du dessus ; Big était probablement au cinéma. Mais Bernie était là, avec son « gouuuush-couh-couh-couh ». Pas de bruit de catapultes non plus, le dernier lancement avait déjà eu lieu. Il souleva le drap et la couverture de sa couchette, se glissa dessous, ferma les yeux et écouta les bruits familiers du navire. Puis il respira profondément, s'apprêtant à glisser immédiatement dans l'inconscience.

Ses yeux s'ouvrirent soudain, le cœur battant la chamade. Comment n'y avait-il pas pensé ? Il se leva d'un bond, enfila sa combinaison de vol, ses chaussettes et ses bottes, tirant la fermeture Éclair pour cacher le fait qu'il ne portait pas de T-shirt. Il claqua la porte de la cabine, franchit une écoutille, saisit la rampe d'une échelle et se laissa glisser vers le bas. Puis une autre échelle, et encore une autre. Il se retrouva ainsi sur le pont du mess.

Il s'arrêta devant une porte et abaissa la poignée : verrouillée. Il la secoua et renonça. Il regarda à droite et à gauche dans la coursive ; personne. Il allait s'éloigner lorsqu'il s'avisa de l'inscription sur la porte : « En cas d'urgence, contactez le Lieutenant RAYBURN au 4765 ». Il gagna le poste téléphonique le plus proche et composa le numéro. Après plusieurs sonneries, une voix ensommeillée répondit.

— C'est le lieutenant Rayburn ? s'enquit Woods.

— Oui. Qui est-ce ?

— Le lieutenant Sean Woods, VF-103. Puis-je vous voir ?

— À quel sujet ? demanda Rayburn sans aménité. Ça ne peut pas attendre ?

— Non. Il faut que je vous voie maintenant.

— Dans cinq minutes à mon bureau, alors. Vous y serez ?

— J'y suis déjà.

Cinq minutes. Dix. Woods arpenta la coursive. Enfin, des chocs rythmés sur l'échelle : c'était Rayburn. Il lança un regard intrigué à Woods, ouvrit la porte de son bureau et alluma le plafonnier. Approchant la trentaine, Rayburn était plutôt petit, les cheveux coupés en brosse, le nez chaussé de lunettes à monture dorée. Il avait pris soin de mettre un uniforme propre.

— Merci d'être venu à cette heure-ci, dit Woods.

— Que se passe-t-il ?

L'impatience perçait dans le ton de Rayburn.

— Vous vous rappelez ce gars qui a été tué dans l'attentat en Israël ?

— Bien sûr. Il était là-bas illégalement. Il avait falsifié ses papiers de permission. J'ai dû analyser l'aspect juridique de l'affaire.

— Alors, vous savez ce qui s'est passé ?

— Probablement mieux que vous.

Fameux, pensa Woods, j'avais besoin d'aide et je tombe sur un avocat arrogant.

— Vous êtes l'officier JAG[1] du navire, n'est-ce pas ?

— À l'évidence.

— Alors vous connaissez parfaitement la loi.

— Partiellement, répondit Rayburn en haussant les épaules. Sinon je consulte les codes ; j'en ai quelques-uns à bord. Que voulez-vous savoir ?

— Vous permettez que je m'assoie ? demanda Woods sans attendre la réponse.

Rayburn s'installa derrière le bureau gris acier.

— Je réfléchissais à un mode de rétorsion, déclara Woods, une façon d'attaquer ces terroristes qui l'ont assassiné.

— Par exemple ? demanda Rayburn en mettant les pieds sur le bureau.

— J'ai déjà suggéré à l'amiral de les frapper directement, mais il ne le fera pas… Je pensais que nous devrions déclarer la guerre.

Rayburn comprit que c'était cela, l'objet de la visite de Woods.

— C'est tout ? demanda-t-il.

— Ouais. Qu'est-ce que vous en pensez ?

— Déclarer la guerre à qui ? fit Rayburn en plissant les yeux.

— Le type qui a organisé l'attentat. Le cheikh, expliqua Woods d'une voix intense. Nous devrions lui déclarer la guerre, à lui en tant qu'individu et peut-être à son groupe de terroristes. Nous ne serions pas dans cette situation insupportable où nous publions des communiqués sur l'horreur de l'attentat et où nous ne faisons rien. Ce que je propose, c'est de déclarer la guerre, de faire savoir au monde que toute la puissance militaire américaine va se déchaîner contre ces gens et passer à l'action. Que s'il y a un pays qui les abrite ou leur permet de s'entraîner, ça ne changera rien et que nous les pourchasserons partout où ils se trouvent. Que si quelqu'un les protège, il ferait bien de se ranger.

— Vous me réveillez au milieu de la nuit pour m'interroger sur une déclaration de guerre à des terroristes ? demanda Rayburn, incrédule.

---

1. *Judge Attorney General*, représentant du pouvoir législatif sur un navire de guerre. *(N.d.T.)*

— Exact. Qu'est-ce que vous en pensez ? demanda Woods, enthousiaste.

— C'est ridicule.

— Pourquoi ?

— L'amiral ne peut pas déclarer la guerre. Seul...

— Je sais. Je ne dis pas que c'est *nous* qui devrions déclarer la guerre, mais le pays.

— Seul le Congrès...

— C'est ce que je veux savoir. Où est-il dit que le Congrès peut déclarer la guerre ?

— C'est dans la Constitution, riposta sèchement Rayburn.

— Voici ma question : est-il dit dans la Constitution que nous ne pouvons pas déclarer la guerre à un homme ou un groupe de terroristes ?

— Vous déraisonnez, répondit Rayburn en secouant la tête. Ce n'est pas d'un juriste que vous avez besoin, c'est d'un psychiatre. Je prendrai rendez-vous pour vous demain matin, ajouta-t-il en s'apprêtant à se lever.

— Allons, pensez-y ! Qu'y a-t-il là de si déraisonnable ? Ce pourrait être l'argument que le Congrès recherche depuis des années pour combattre le terrorisme. Publier une déclaration de guerre contre tous les terroristes qui songeraient à nous attaquer. Nous pourrions alors lâcher sur eux toute notre puissance militaire et les réduire en miettes. Nous n'aurions pas besoin de nous soucier de les arrêter ni de jouer les gendarmes de la planète. Nous les traiterions comme n'importe quels soldats ennemis en guerre.

Rayburn posa les mains sur son bureau et se leva.

— Bonne nuit, dit-il.

— C'est-à-dire ? demanda Woods, déconcerté.

— Que je n'ai rien d'autre à vous dire. Et à l'avenir, épargnez-moi vos élucubrations nocturnes, voulez-vous.

Il fit signe à Woods de quitter le bureau et éteignit les lumières. Enfin, il verrouilla la porte et s'engagea dans la coursive.

— Mais pensez-y, au moins, hein ? lui lança Woods.

— Bonne nuit, répondit Rayburn sans se retourner.

14

Woods posa son plateau devant Big McMack, qui venait de consommer assez d'œufs, de toasts et de bacon pour survivre un jour entier. Big le dévisagea de ses yeux encore bouffis de sommeil.

— J'ai trouvé, déclara Woods.

— Tu as pris une douche ce matin ? demanda Big.

— Bien sûr, répondit Woods, déconcerté.

— Et hier aussi ?

— Ouais. Et alors ?

— Nous sommes censés ne prendre une douche que tous les deux jours.

— Je suppose que la Gestapo des Douches va m'arrêter, rétorqua Woods.

— Ils t'obligeront à te doucher à l'eau de mer, sous les bouches à incendie.

— Comme dans la marine d'autrefois.

— Ouais. Mais au moins, autrefois, les gens lisaient des livres et écrivaient des lettres. Les officiers de marine d'aujourd'hui sont réduits au plus petit commun dénominateur. C'est ainsi qu'on projette des films où on voit plein de nichons et que la bibliothèque est pleine de livres sur les bagnoles. Où est passé l'intellectuel en uniforme ? Bon, qu'est-ce que tu as trouvé ?

— Comment riposter.

— De quoi parles-tu ?

— De Vialli. Nous pouvons faire quelque chose.

Big reposa sa fourchette et s'adossa.

— Tu penses encore à ça ? Ta petite vendetta ? Laisse tomber, Trey. Ça va te rendre dingue.

136

— Non, dit Woods, passionné. Nous pouvons déclarer la guerre.

— À qui ?

— Ceux qui ont tué Vialli. Au cheikh.

— Et comment ? demanda Big, comprenant que Woods était sérieux.

— J'ai discuté de ça hier soir. J'étais allongé et l'idée a surgi dans ma tête, comme un éclair. Je suis allé voir l'officier JAG, je lui ai exposé mon idée et il a dit qu'il allait y penser. Je crois que ça l'a frappé comme un concept totalement nouveau.

— Si tu as trouvé un moyen de faire en sorte que le *Washington* puisse déclarer la guerre, tu as vraiment trouvé quelque chose.

— Pas le *Washington*, le Congrès. Je pense que, s'ils y réfléchissent vraiment, ils pourraient le faire. Et s'ils prennent la décision pendant que nous sommes ici, ce sera nous qui foncerons. Qu'est-ce que tu en penses ? demanda-t-il en regardant son compagnon de chambrée avec un enthousiasme évident.

— Je crois que tu es givré. Tu devrais manger quelque chose. Quand tu auras quelque chose dans l'estomac, tu seras en état de voler et tu verras les choses plus clairement.

— Tu verras, Big. Tu te moques de moi, mais tu verras.

— Qu'est-ce que je vais voir ? Que tu vas aller de nouveau chez l'amiral avec cette idée lumineuse ? Il va te foutre au trou pour insubordination ou bien il te fera exposer sur le pont en caleçons pour te dégriser.

L'idée fit sourire Big.

— Ce n'est pas cet amiral-là qui agira, dit Woods. Il n'a pas les couilles. Il est préoccupé par sa prostate ou quelque chose du genre, pas par ses pilotes.

— Bon, et alors, que comptes-tu faire ?

— Je vais écrire à mon député au Congrès.

— Ça c'est une idée ! s'écria Big, roulant des yeux et se gaussant. Vas-y. Je parie que ton député ne reçoit pas moins de dix ou vingt mille lettres par jour. Et il répond à toutes, personnellement. Il lira probablement la tienne au Congrès, en la présentant comme l'une des idées les plus brillantes de l'histoire des États-Unis.

— Fous-moi la paix, Big, ça pourrait être une de ces idées qui changeraient la politique étrangère des États-Unis.

Woods n'avait pas dormi de la nuit et carburait à l'adrénaline. Il reprit :

— Nous n'avons jamais eu une riposte appropriée au terrorisme. Nous réagissons toujours de manière clandestine, ou foireuse, ou bien encore sans esprit de suite. Mais il faut agir comme en guerre, se battre en plein jour jusqu'à la victoire. Voilà ce qu'il faut faire avec les terroristes.

— Qu'est-ce qu'il faut faire avec les terroristes ? s'informa le père Maloney, en s'asseyant près de Woods et en disposant sur la table les plats de son petit déjeuner.

— Bonjour, mon Père, dit Woods, se demandant s'il fallait expliquer son projet à l'aumônier. Faire en sorte que le Congrès déclare la guerre aux terroristes et puis les attaquer avec toute notre puissance militaire.

— Je ne savais pas que le Congrès pouvait faire ça.

— Moi non plus. Jusqu'à cette nuit.

— Hmmm, fit Maloney, examinant une fourchetée d'œufs brouillés qu'il venait de lever de son plat. Croyez-vous que ce serait une guerre juste ?

— Absolument, répondit Woods d'emblée.

— Connaissez-vous la théorie de la guerre juste selon saint Thomas d'Aquin ?

— Non.

Big se leva.

— Je crains que le sujet ne me dépasse. Et, à l'adresse de Woods : Je serai dans la salle de réunion.

Woods se leva aussi.

— Je dois aller à la réunion des officiers, dit-il à Maloney. Je vais écrire cette nuit une lettre à mon député au Congrès, pour lui dire que nous devrions déclarer la guerre aux terroristes qui attaquent le pays ou ses citoyens. Je la lui expédierai par le Net. Ce serait bien si vous pouviez y ajouter quelques mots, disant que vous estimez que ce serait une guerre juste. Peut-être que ça emporterait son adhésion.

Maloney braqua sur Woods son regard intense et clair.

— Il faudra que j'y pense, dit-il, sans s'engager.

La sonnerie du téléphone fit sursauter Woods. Il laissa passer le vacarme d'un lancement par catapulte, au-dessus de lui, et décrocha.

— Lieutenant Woods, dit-il.

— Trey ?

— Pritch ?

— Oui, Monsieur. Je viens de lire un rapport qui pourrait vous intéresser.

— Sur quoi ?

— La mort de Vialli. Il y a beaucoup de détails…

— Dites-moi l'essentiel.

— Je crois que vous devriez le lire.

— Bon, lisez-les-moi.

— D'accord, dit-elle, tournant des pages. Tony a reçu un coup de crosse de revolver à la bouche, puis à la tête, puis on lui a tiré dans le dos.

— Dans le dos ? murmura-t-il, fermant les yeux.

— Deux balles. Irit aussi a été tuée dans le dos.

Woods s'efforça de maîtriser sa respiration.

— Et le soldat et le chauffeur ?

— Le soldat a reçu une balle dans la poitrine, le chauffeur dans la nuque.

— Ils cherchaient quelqu'un, dit Woods.

— Je ne sais pas quoi penser.

Sami fit entrer sa voiture dans l'allée du jardin de la maison de ses parents à Woodbridge, Virginie, banlieue cossue au nord de Washington D.C. Son père, Abdel Rafik Haddad, s'était bien débrouillé ; averti que son nom figurait sur une liste de dissidents, en raison de désaccords avec Hafez el-Assad, le tyran syrien, il avait quitté le corps diplomatique.

La maison témoignait de sa réussite américaine. Sami éprouva la même irritation qu'à chaque visite à ses parents : son père critiquait volontiers les États-Unis, leur moralité décadente, leur manque de finesse, leur matérialisme et la froideur de leurs villes, mais il ne s'y trouvait pas si mal : il avait pu y acheter cette maison et ce grand jardin, il pouvait lire tous les matins un journal arabe et le *Washington Post*, et il était même libre de critiquer le pays où il avait trouvé refuge.

Sami poussa la porte d'entrée sans sonner ; c'était de cette maison-là qu'il était parti en bus tous les matins pour se rendre à la St. Albans Episcopal School, à Washington. Car on avait assuré à son père, musulman dévot, que c'était la meilleure école, et il n'y voyait aucune incompatibilité.

— Papa ! cria Sami en se dirigeant vers le porche du jardin, où il savait trouver son père. Je suis là !

M. Haddad père, en effet, détestait les surprises. Il lisait le journal dans son vaste jardin d'hiver.

— Sami ! s'écria-t-il en se levant pour ouvrir les bras à son fils. Comment vas-tu ?

Ils se donnèrent l'accolade.

— Veux-tu boire quelque chose ?

Un thermos de thé glacé s'embuait sur un plateau. Le père remplit un verre. Linda Haddad, une grande femme au visage doux et aux cheveux châtains, apparut à son tour.

— Je suis contente de te voir, dit-elle en étreignant son fils.

— Bon, dit le père en arabe, il faut qu'on discute de cet attentat à Gaza.

Sami redoutait les discussions sur le Moyen-Orient avec son père. Ce dernier ne concevait pas que son fils pût en savoir plus que lui sur la région et les discussions finissaient souvent par une prise de bec.

— Qu'est-ce que tu en penses ? demanda le père.

— Parle anglais.

— Pourquoi ? Ta mère parle arabe aussi bien que toi et il n'y a rien de mal à parler ma langue maternelle.

— Tu vis aux États-Unis. Il faudra quand même que tu l'admettes un jour. Pour Gaza, poursuivit Sami en arabe, c'est une tragédie. Juste au moment où la Syrie et Israël approchaient d'un accord et où le gouvernement palestinien semblait en état de fonctionner, voilà que quelqu'un vient tout bousiller.

— Je ne serais pas surpris que ce soit la Syrie. Pendant qu'ils parlent de la paix, ces gens-là paient des sbires pour la torpiller. Ils n'ont rien à gagner à la paix, leur puissance procède du conflit. Ils ne savent ni construire des routes ni bâtir une économie.

— Mais qui est ce cheikh ? demanda Sami, sans évoquer ce qu'il savait.

M. Haddad père fut content que son fils recourût à son savoir.

— Tu n'as jamais entendu parler du mythe de cheikh el-Gabal ? Il date de plusieurs siècles, de Hassan el Sabah, le premier à avoir pris ce titre, fondateur des Assassins, autoproclamé gardien de l'islam et de la région. Je trouve fascinant que quelqu'un relève ce titre aujourd'hui. Ça va en inspirer d'autres. Tu travailles là-dessus ?

— Papa, tu sais que je ne peux pas discuter de mon travail.

— Ouais. Tu parles arabe mieux que n'importe quel Américain. Étant donné que tu es employé dans les renseignements, dit le père avec une nuance de mépris, tu travailles donc sur la région où je suis né.

— Bien sûr puisque je travaille comme analyste sur le Moyen-Orient, tu le sais.

— Et sur quoi travailles-tu, en ce moment ?

— Papa…

— Bon, bon, admit le père avec un geste de résignation. Mais quand tu feras tes analyses, garde en tête qu'à la base de l'arbre, il y a les racines et que la racine du Mal en Orient, c'est Israël.

— Quoi ? Tu ne crois pas ce qu'a déclaré le cheikh ? Tu crois que ce serait Israël ?

— Ce n'est pas ce que je voulais dire. Mais eux aussi ont intérêt à freiner le processus de paix.

M. Haddad père leva un doigt vers le ciel.

— Tu verras un jour, ajouta-t-il.

La mère de Sami vint annoncer que le dîner était servi. Le père mit le bras sur l'épaule de son fils.

— Viens. Je vais te parler du livre que j'ai l'intention d'écrire.

15

— Est-ce que je peux t'emprunter ton ordinateur portable ? demanda Woods à Big.

Celui-ci leva les yeux ; il dépouillait la liste des candidats postulant au titre de Marin du mois.

— Tu plaisantes ? La machine qui contient tous les grands romans et les pièces que je vais écrire ?

— Bon, je peux l'emprunter ? J'ai prêté le mien à l'officier des opérations.

— Un instant… je sauvegarde. Et je suppose que tu veux l'imprimante avec ?

Big retira deux feuilles de l'imprimante et tendit le tout à Woods.

— C'est sans doute pour ta grande missive à ton député ?

— Ouais. Quelle formule emploie-t-on pour s'adresser à lui ? Votre Honneur ?

— Tu t'adresses à l'Honorable Blick-Block, à la Chambre des Représentants, dont je ne connais pas l'adresse. Tu commences la lettre par « Cher Monsieur Blick-Block » ou « Cher Monsieur le Député Blick-Block ». Ça n'a pas d'importance, étant donné que la seule personne qui la lira sera un stagiaire de vingt-deux ans qui n'a rien fait d'autre que son service militaire et espère être diplômé dans trois ans.

— T'es vraiment encourageant… Tout le monde raconte qu'il faut lutter contre l'Administration et, en même temps, qu'elle est impraticable. Où est la vérité ?

— C'est toi que je trouve cynique à l'égard du système.

— Parfois. Mais j'espère toujours que quelqu'un fera ce qu'il faut faire.

De petits coups énergiques résonnèrent contre la porte.

— Tu attends quelqu'un ? demanda Woods.

Big secoua la tête et ouvrit sans se lever. Le lieutenant Rayburn et le père Maloney entrèrent l'un après l'autre.

— Qu'est-ce qui me vaut l'honneur… commença Woods.

— Je suis venu vous parler de quelque chose que j'ai trouvé, répondit Rayburn, et j'ai rencontré le Père qui traînait devant votre porte.

Maloney lança à Rayburn un regard scandalisé.

— Je ne traînais pas, je réfléchissais à ce que j'allais dire.

— Bon, j'ai trouvé des choses intéressantes, dit Rayburn. Vous avez le temps ? Vous voulez qu'on en parle tout de suite ?

— Bien sûr, dit Woods, excité.

Les visiteurs cherchèrent où s'asseoir.

— Sur le lit, dit Woods.

Ils s'assirent, prenant soin de ne pas heurter de la tête la couchette supérieure.

— J'étais en train d'écrire au député Brown, de mon district de San Diego. Je suis sûr qu'il appréciera. C'est un vice-amiral à la retraite, ancien AIRPAC, c'est-à-dire commandant des Forces aériennes navales dans le Pacifique, donc responsable de tous les porte-avions, de tous les avions et de tout l'entraînement dans le Pacifique.

— Je dois vous dire que je vous ai cru givré, commença Rayburn. Mais vous étiez très affecté par la perte de votre ami. Et plus j'y pensais, plus je me disais que vous aviez peut-être levé un lièvre.

Il ajusta ses lunettes et ouvrit un gros livre relié de bleu qu'il avait posé sur ses genoux.

— Je voulais vous lire la Constitution pour vous montrer combien vous étiez borné, et puis je suis tombé sur ça… C'est mon manuel de droit, la Constitution est reproduite en annexe. Voici donc, article I, paragraphe 8 : « Le Congrès a le pouvoir de… – il tourna la page – déclarer la guerre. » Point.

— Cela veut-il dire que le Congrès ne peut pas déclarer la guerre à un individu ? demanda prudemment Woods.

— J'ai relu et relu la Constitution, chaque article, chaque paragraphe. Je n'ai rien trouvé qui dise que ce soit impossible.

143

— Vous êtes sérieux ?

Rayburn leva la main.

— Attention, la jurisprudence ne consiste pas à « lire » la Constitution. La Cour suprême a cessé de la lire depuis longtemps… La jurisprudence se fonde sur ce que la Cour suprême dit de la Constitution.

— Et que dit-elle ?

— J'ai cherché sur Internet. La question ne s'est jamais posée. Rien n'interdit au Congrès de déclarer la guerre au cheikh. En fait, j'ai trouvé que non seulement rien ne l'interdit, mais encore que c'était autrefois courant.

— Comment ? demanda Woods, dérouté.

— C'était autrefois courant de déclarer la guerre nommément, à une personne. Ainsi, l'Angleterre avait déclaré la guerre au roi d'Espagne lui-même, en personne. Il était bien sûr désigné en tant que roi, mais aussi en tant qu'individu. Votre idée me semble donc brillante. Elle pourrait influer sur notre politique étrangère…

Woods sourit comme un petit garçon récompensé.

— J'apprécie vraiment votre collaboration, dit-il à Rayburn. Je vous tiendrai au courant de la réponse de Brown, s'il y en a une. Mais peut-être apprendrons-nous avant ça que le Congrès a décidé d'attaquer les salauds qui ont tué Vialli. Monsieur l'aumônier allait m'aider à convaincre le Congrès que ce serait une guerre juste. N'est-ce pas, mon père ?

Maloney devint tout rouge.

— Je ne me voyais pas essayant de convaincre le Congrès que ce serait une guerre juste, déclara-t-il. J'essayais simplement d'analyser la situation comme vous l'avez décrite, en faisant des hypothèses, et en essayant de l'ajuster à la notion de la guerre juste…

— Ne soyez pas trop intellectuel avec nous. Qu'avez-vous trouvé ?

Visiblement mal à l'aise, Maloney n'avait pas d'autre choix que de s'expliquer :

— J'hésite à vous soumettre mes premières conclusions, parce que, si vous les exposez à votre député, elles pourraient servir à justifier un conflit auquel je ne souscris pas entièrement…

— Quelles sont vos conclusions, mon père? coupa Woods avec impatience. Ce serait une guerre juste ou pas?

— Je pense qu'elle pourrait l'être.

— Vous avez écrit cette conclusion?

— Oui. Ce n'est qu'une première analyse, très hâtive...

— Puis-je la voir?

Maloney feignit de ne pas l'avoir entendu.

— Il y a sept critères, poursuivit-il. Il faudrait d'abord, un, que ce soit le dernier recours. Deux, il faudrait que cette guerre vise à empêcher ou repousser l'agression. Trois, elle doit être décidée par l'autorité légitime, ce qui, je crois, est bien votre objectif. Quatre, elle doit être dictée par une intention juste, qui est de se défendre contre un grand mal, ce qui semble être le cas, puisque l'agresseur ne paraît pas renoncer à son but. Cinq, il faut qu'il y ait des chances de succès. Six, il faut que les moyens soient proportionnés au but, ce qui reste à voir...

— Et? demanda Woods. La conclusion?

— Il faut veiller à préserver l'immunité des non-combattants.

— Incroyable! s'écria Woods en se levant. Comment le Congrès pourrait-il ne pas souscrire à tout cela? Je vais écrire au représentant que vous avez approuvé le projet.

— Je n'ai rien approuvé, s'écria Maloney, saisi.

Woods lui lança un regard qui le cloua net.

— Vous ne voulez pas risquer vos fesses? lui dit Woods.

Et, après quelques secondes de silence:

— C'est pourtant la raison d'être d'un officier de marine.

Il regarda le papier que Maloney tenait en main.

— Me laisserez-vous adresser ce texte au député?

Maloney le lui tendit; mais des gouttes de sueur perlaient sur son front.

— J'espère qu'ils savent ce qu'ils font, dit-il.

— Puis-je l'envoyer? demanda sèchement Woods, qui ne voulait pas clore l'entretien sur une ambiguïté.

Maloney hésita encore, puis hocha la tête.

— Merci, mon père. Je vous communiquerai une copie de la lettre, dit Woods.

— C'est une démarche très insolite. J'espère que nous en tirerons un enseignement.

Se tournant vers Rayburn, Woods lui dit :

— Et vous, voudriez-vous rédiger un résumé de ce que vous m'avez dit ?

— Je ne pense pas que ça soit une très bonne idée. Je ne voudrais pas donner une leçon de droit au Congrès sans que mes supérieurs l'approuvent. Je ne crois pas qu'ils en seraient très contents.

— Qu'allez-vous faire, mon père, demanda Woods à Maloney, quand le représentant fera cette proposition au Congrès et vous citera en référence ?

— Espérons que ça n'adviendra pas, répondit l'aumônier.

— Merci pour votre aide, dit Woods aux deux hommes.

— On verra la suite. On ne sait jamais, dit Rayburn.

— Exactement, conclut Woods en fermant la porte derrière eux.

— Est-ce que ça compte vraiment pour toi ? lui demanda Big.

— Quoi ?

— Que ce soit juste d'attaquer ces terroristes. Que ce soit moral.

— Puisque tu me poses la question, répondit Woods, je veux bien aller en guerre, mais je veux que le pays me soutienne.

— Peut-être un jour quelqu'un finira-t-il par t'écouter.

— Je vais mettre au propre le mémoire de l'aumônier, mentionner Rayburn et expédier le tout à l'amiral Brown par le Net.

— L'amiral quoi ? demanda Big, inquiet que Woods veuille une fois de plus sauter les échelons hiérarchiques.

— Brown. Le vice-amiral à la retraite Brown, mon député au Congrès.

La sonnerie du téléphone au-dessus d'eux les fit sursauter. Big appuya sur le bouton qui interrompait la sonnerie et libérait le combiné.

— Lieutenant Big McMack, dit-il.

Il écouta, fronça les sourcils.

— Oh non, dit-il en fermant les yeux. Quand ?

Il leva les yeux vers la pendulette au mur.

— Ils ont retrouvé quelque chose ? reprit-il.

Puis il hocha la tête, dit « Merci » et raccrocha. Il se tourna vers Woods, inquiet :

— Gator vient de tomber dans l'eau, annonça-t-il.

— Le pilote du F-18 ?

— Ouais. À l'approche, à un demi-mille. Il continuait à descendre et ne redressait pas. Les LSO[1] lui gueulaient de redresser. Il est tombé dans l'eau comme un fer à repasser. Il n'a même pas essayé de s'éjecter.

Woods était sonné. Il y avait bien un ou deux accidents par croisière, parfois un mort. Mais là, c'était une croisière de pompes funèbres.

— Sa femme l'attend au Pirée, où nous faisons escale demain. Et personne ne sait comment la joindre.

---

1. *Landing Signal Officer*, officier chargé des signaux d'atterrissage sur les porte-avions. *(N.d.T.)*

16

Sami gara sa Nissan devant la maison de Cunningham, au milieu de l'un de ces ensembles résidentiels futuristes où il faudrait pouvoir disposer d'un système de guidage par satellite : tous les immeubles, toutes les entrées, tous les escaliers et toutes les plantes décoratives étaient identiques. Même les voitures garées au bas des immeubles étaient semblables.

Il consulta la pendulette de bord qui, à sa grande contrariété, était plus précise que sa montre-bracelet à 300 dollars. Puis Cunningham arriva, haletant, sa serviette en main.

— Navré du retard, dit-il en s'installant à côté de Sami.

Sami fit marche arrière dans la petite rue déserte et démarra prestement.

— Que penses-tu de Kinkaid ? demanda-t-il.

— Quoi ?

En général, quand l'un venait chercher l'autre pour le conduire au bureau, ils ne parlaient guère. Cunningham n'était pas porté aux efforts intellectuels en début de journée.

— Tu penses qu'il fait du bon travail ? demanda Sami.

— Bien sûr.

— Rien qui te dérange ?

— Mais toi, quelque chose te dérange.

— Je le crois cul et chemise avec Israël.

— Qu'est-ce que tu racontes ?

— À qui s'adresse-t-il quand il a besoin d'informations ? À Israël. Où est-ce qu'il compte un pote dans les milieux bien informés ? En Israël. Il y a trop de conflits d'intérêts. Je n'aime pas ça.

Cunningham leva les yeux au ciel, sans rien laisser voir à Sami.

— Tu dérailles. C'est le type le plus compétent que nous ayons. Il maîtrise très bien son boulot.

— Je ne le crois pas.

Sami fit rugit le quatre-cylindres et ils s'engagèrent sur l'autoroute.

— Tu as déjà entendu parler de Mega ?

— Non. Qu'est-ce que c'est ?

Mais Sami ne répondit pas.

17

Woods se tenait au côté de Big, impatient que leur vedette arrive au Pirée. L'escale aurait dû l'emplir d'enthousiasme. Mais l'image de Vialli, du XO et de Brillo, et maintenant celle de Gator, tout cela le rendait sombre.

— Et merde ! s'exclama Big. Regarde qui attend sur le quai.

Une femme observait la vedette à l'approche.

— Qui est-ce ?

— La femme de Gator, répondit Big. Elle était à la fête de l'aviation avant notre départ en croisière. Regarde-la… C'est évident, elle n'est pas au courant.

— Oh non ! s'écria Woods cherchant dans le bateau quelqu'un qui fût de l'escadrille de Gator. Ce n'est certainement pas moi qui vais lui annoncer la nouvelle.

— Moi non plus, dit Big.

Il repéra l'officier de la maintenance qui montait sur le pont.

— Greebs, dit-il, la femme de Gator est sur le quai. Il faut que quelqu'un lui annonce la nouvelle.

— Pas moi, rétorqua Greebs, je ne le connaissais même pas.

La vedette toucha le quai et le pilote inversa les moteurs. Woods et Big regardaient cette femme rayonnante, attendant impatiemment que les officiers débarquent. Elle avait pris l'avion depuis les États-Unis afin de retrouver son mari, qu'elle n'avait pas vu depuis trois mois. Et elle guettait, en blouse blanche et pantalons moulants, sous le soleil de Grèce, qui faisait briller sa chevelure.

— Un drame se prépare, dit Woods.

Un quartier-maître sauta sur le quai et amarra la vedette. Woods et Big espéraient que quelqu'un reconnaîtrait cette femme avant eux. Mais, sitôt débarqués, les officiers s'empressaient vers la file de taxis, à une cinquantaine de mètres. Finalement Woods et Big débarquèrent et se dirigèrent vers elle.

— Hello, dit Woods. Je suis Sean Woods. Vous connaissez Big, il était à la fête de l'aviation.

— Hello, répondit-elle, je suis Susan Gomez.

— La femme de Gator.

— Exact. L'avez-vous vu ? demanda-t-elle avec un grand sourire. Il avait promis d'être dans la première vedette. Il l'a manquée ?

— Non, dit Woods, indiquant le bout du quai, qui lui paraissait plus calme. Allons par là, voulez-vous ?

Elle les suivit, soudain angoissée. Après quelques pas, Woods s'arrêta et se retourna ; il vit que la jeune femme était en larmes. Elle ne pouvait plus parler. Il la prit par les épaules.

— Hier soir, au cours de l'approche finale, il a entamé une descente qu'il n'a pas redressée. Le F-18 a percuté l'eau et Gator ne s'est pas éjecté. Il est mort vers 10 heures du soir. Je suis navré de vous l'annoncer. Quelqu'un de l'escadrille aurait dû venir vous l'annoncer à ma place, mais ils n'ont probablement pas pu vous localiser avant.

Elle le regarda, incapable de comprendre.

— Gator est mort, dit-il.

Il l'entoura de son bras, et le corps mince de Susan Gomez commença à trembler, comme si elle luttait contre ce destin qui changeait sa vie à jamais. Les larmes jaillirent de ses yeux.

— Mais… vous êtes certain ? Il ne peut pas y avoir d'erreur ?

— Non. Ils sont certains.

— Ils ont retrouvé son corps ?

— Non. Ils le cherchent toujours. Une équipe recueille les débris, essayant de comprendre ce qui a pu se passer.

Elle se couvrit les yeux de ses mains, faisant scintiller son alliance.

— Je ne sais pas quoi faire, dit-elle. Il était…

Une autre vedette accosta et Woods envoya Big voir s'il n'y avait pas à bord quelqu'un de l'escadrille de Gator.

— Je suis navré, dit-il à Susan Gomez.

Elle appuya son visage contre l'épaule de Woods, étouffant ses sanglots. Big fut bientôt de retour, accompagné d'un officier.

— Susan, voici le XO, dit-il.

Le XO saisit la scène d'un coup d'œil et comprit qu'il avait raté le coche : c'était lui qui était censé annoncer la nouvelle, mais il avait été battu de vitesse par la première vedette.

— Vous n'avez plus besoin de nous ? lui demanda Woods.

— Non, je vous remercie, je prends votre succession.

Woods et Big le regardèrent emmener Susan Gomez.

— Tu as été très bien, déclara Big.

— Nous n'avions pas le choix.

— Oh si, répliqua Big, lissant son pantalon et rentrant sa chemise. Si j'avais été seul, je crois que j'aurais fait semblant de ne pas la voir.

— On va prendre un café ?

— Bonne idée.

Après quelques instants de silence, Big demanda :

— Ça t'est déjà arrivé d'être sur le point de t'écraser ?

— Une fois. J'en ai été malade de trouille.

Le député Lionel Brown se croyait toujours dans la marine : il convoquait son équipe tous les matins à « 0730 » – et non 7 h 30. Installé à Washington D.C. après avoir pris sa retraite, il avait pu observer de près le fonctionnement du gouvernement ; il avait relevé que la gestion des affaires militaires était confiée à des gens qui n'avaient jamais servi un seul jour dans l'armée de métier. Avant son élection, il n'y avait pas au Congrès un seul gradé. Mais quand il l'avait emporté, il s'était donné pour tâche de rendre la Chambre des Représentants consciente de ses choix sur le plan militaire. C'était tout ce qui comptait pour lui, et le *speaker*, c'est-à-dire le chef de la majorité, l'avait sagement nommé à la commission des forces armées. Brown en était désormais le doyen comme le président, et il était bien vu de l'opposition aussi bien que de la majorité.

Ce matin-là, il était de bonne humeur. La réunion avait été brève. Il lissa de la main sa crinière grisonnante, plia ses lunettes et les glissa dans sa poche.

— Rien d'autre pour le service de la bonne cause ? demanda-t-il.

— Nous avons reçu une lettre intéressante, déclara prudemment son assistant, Jaime Rodriguez.

— Qu'est-ce qu'elle dit?

— Elle est signée d'un lieutenant de marine.

— Où?

— Sur un porte-avions.

— Lequel?

— Je ne me le rappelle pas, pardonnez-moi.

— Qu'a-t-elle d'intéressant?

— C'est à propos de ce cheikh, le terroriste. Ce lieutenant soutient que nous devrions lui déclarer la guerre.

— Au cheikh? Et comment le ferions-nous?

— Cet homme a joint un mémoire d'un prêtre et d'un officier JAG. Il déclare que rien ne nous empêche de déclarer la guerre à un individu ou à l'organisation à laquelle il appartient, puis de lancer contre lui nos forces armées.

L'amiral aimait assez les idées neuves.

— Un lieutenant, hein? Un lieutenant vraiment intelligent. Qu'est-ce que vous en pensez, vous? demanda-t-il à son assistant parlementaire.

Aucun commentaire.

— Je trouve cela plutôt incroyable, observa Jaime Rodriguez.

L'amiral consulta sa montre: 8 heures. Il se leva.

— Où est Tim?

— En congé, Monsieur.

— Faites-lui faire des recherches sur la thèse de ce type. Et il faudra rédiger une réponse.

— Je l'ai déjà faite, Monsieur. Je lui ai envoyé notre lettre-modèle sur le terrorisme.

— Bon, passons aux affaires courantes, conclut l'amiral.

Mais une pensée lui vint après coup:

— Qu'est-ce qui a poussé ce lieutenant à m'écrire?

— Vous vous souvenez de cette attaque de bus, en Israël, où un officier de marine a été tué…

— Oui, et alors?

— La victime était son camarade de chambrée.

— Tu veux que je prenne aussi ton courrier ? demanda Woods à Big pendant que celui-ci se changeait.

Big hocha la tête, les yeux fermés, là-haut sur sa couchette. Vanné.

— Tu aurais dû me laisser t'aider à transporter ces tapis, dit Woods.

Il sortit et prit le chemin de la salle de réunion, qu'il trouva presque déserte, sauf un officier de garde. Il tira de sa boîte deux hebdomadaires, une carte postale, une revue de sports, deux lettres, dont une de sa mère et – son cœur bondit – une de la Chambre des Représentants. Il décida de l'ouvrir quelque part où on ne lirait pas par-dessus son épaule. Il courut jusqu'à sa cabine, claqua la porte derrière lui et cria :

— Big, regarde ! Une lettre du député Brown. Je venais à peine de lui envoyer la mienne !

— C'est pas long, d'expédier une lettre-type…

— Tu parles trop vite.

— Voyons voir.

Woods déchira l'enveloppe de l'index.

— Il l'a signée personnellement.

— Lis-la.

Lieutenant Sean Woods, USN
Escadrille de chasseurs Un-Zéro-Trois
FPO New York NY 10023

Cher Lieutenant Woods,

Merci pour votre récente lettre. Je partage vos préoccupations en ce qui concerne le terrorisme. C'est la plaie des sociétés civilisées. Je ne peux que partager le sentiment que le terrorisme n'est pas un moyen honorable d'aboutir à ses fins ; son mépris de la vie humaine démontre son inhumanité.

J'ai pris plusieurs mesures pour combattre le terrorisme, à la fois dans ce pays et à l'étranger. J'ai soutenu la proposition de loi récemment faite à la Chambre par le député Black, qui renforce les pouvoirs du FBI dans la traque des terroristes. Je suis l'un des deux promoteurs de la loi pour l'Éradication du terrorisme international. En premier lieu, cette loi accroîtra la capacité de nos agences de renseignements, y compris la CIA, dans la surveillance des activités terroristes à l'étranger ; en second lieu, elle facilitera la coopération avec Interpol et les autres organismes de répression et de renseignements internationaux, et elle permettra donc l'échange d'informations ainsi que l'organisation de plans antiterroristes.

J'espère que vous souscrivez à ces mesures. Il est important pour un député de connaître les opinions de ses électeurs. Merci, Lieutenant Woods, pour votre lettre et votre soutien.

Sincèrement vôtre,
Lionel Brown,
Vice-amiral de la marine américaine (en retraite),
Député de la 49ᵉ circonscription de Californie

— Il ne mentionne même pas ce que je lui ai dit. Comment peut-on écrire une réponse pareille ? s'écria Woods. Il ne parle ni du père Maloney, ni de notre analyse du droit constitutionnel. Rien.

— C'est une lettre-modèle, Trey. Je te l'avais dit.

— Mais ce n'est pas possible. Il y aura une autre lettre qui répondra à la mienne.

— Tu rêves.

— Mais c'est la solution parfaite !

— Ça n'a rien à voir. Tu es victime d'une illusion selon laquelle nous vivons dans une démocratie représentative qui permet effectivement aux citoyens de s'exprimer. C'est absurde. Les députés n'ont qu'un seul objectif : conserver leur place. C'est pour ça que, dès qu'ils sont élus, ils se remettent en campagne. Durant la guerre froide, il y avait plus de mouvement au Politburo qu'au Congrès.

Woods l'écoutait à peine.

— Tu crois qu'un député a vraiment lu ta lettre ? Tu as fumé la moquette ? C'est un sous-fifre qui trie le courrier selon les sujets et qui envoie la lettre-modèle plus ou moins adéquate. Puis il coche une case et le résultat, c'est simplement qu'un jeune universitaire plein d'avenir et dévoré d'ambition a enregistré une voix de plus pour le député de sa circonscription, en faveur d'une riposte plus ferme au terrorisme. Voilà tout.

— C'est déprimant.

— Ouais.

— Et ça va durer comme ça ?

— Tu ne comprends pas, dit Big en riant. Tu ne saisis pas la différence critique entre la capacité de faire quelque chose et la volonté de le faire. Or, ils n'ont pas la volonté politique de faire quelque chose. Ils ont peur de se tromper.

Woods déchira la lettre en miettes et la jeta à la poubelle. Big se retourna sur sa couchette.

— Rien d'autre dans le courrier ?

Woods examina la carte postale et se demanda qui la lui avait adressée, puis il reconnut l'écriture.

— Une carte postale de Boomer, dit-il.

— Tu te fous de moi ? dit Big, tout en balançant une jambe par-dessus le bord de la couchette. Qu'est-ce que ça raconte ?

Woods lut la carte comme s'il faisait quelque chose d'incongru.

— Il est à Nahariya. Il est amoureux. Irit est formidable. Ils vont demain à Tel Aviv où Irit passera un entretien pour être hôtesse à El Al. Ils prendront le bus et longeront la mer… Ça sera très beau… excitant…

— C'est lugubre, dit Big.

Woods songea à la dernière fois où il avait vu Vialli. Une grande tristesse l'envahit.

— Hé, dit Big. Je croyais qu'elle était institutrice. Quel rapport avec un entretien à El Al ?

— Je ne sais pas. Elle lui avait dit qu'elle était institutrice quand elle avait prétendu qu'elle était italienne.

— Mais quel était vraiment son job, alors ? demanda Big en plissant les yeux.

Woods et Wink tournaient à 20 nautiques du *Washington*. Finalement, le pacha de l'air leur transmit :

— *Victory Deux-Zéro-Zéro, c'est à vous.*

— Prêt, Wink ? demanda Woods.

156

— Vas-y. Et il ajouta, pour le pacha : *Roger*.

Woods abaissa le nez du Tomcat et poussa la manette des gaz à fond.

— On passe à 10.

— Roger.

Woods vérifia ses instruments et s'assura que l'aiguille du TACAN pointait exactement vers le *Washington*, à 16 nautiques de là. Il jeta un coup d'œil de côté et vit les ailes s'incliner vers l'arrière tandis que l'appareil atteignait Mach 0,7 – sept dixièmes de la vitesse du son.

— On passe 5.

— Roger, répondit Woods.

Il inclina le nez du Tomcat vers la mer et poussa les gaz jusqu'à la post-combustion. Il sentit le déclenchement des brûleurs et leva les manettes à fond.

— On passe 2.

L'indicateur de vitesse atteignit Mach 0,9.

— Direction base. Victory Deux-Zéro-Zéro, 6 nautiques du passage supersonique.

— *Roger, Deux-Zéro-Zéro, passage supersonique autorisé.*

— Je n'arrive pas à croire qu'ils nous paient pour faire ça. Passer le supersonique à 1 000 pieds... c'est OK, j'en redemande !

Woods, en effet, était étonné que Bark l'autorise à passer le supersonique. Ils avaient participé à des démonstrations aériennes en l'honneur de visiteurs de marque, mais le passage en supersonique, qui en était le clou, était réservé à des commandants ou de plus hauts gradés. Cette fois-ci, pour une raison inconnue, Bark avait autorisé Woods à le faire, en l'honneur d'officiels israéliens de haut rang ; visite qu'il avait acceptée avec empressement. Les invités se trouvaient sur le pont, admirant la démonstration des capacités d'un porte-avions et d'un système d'armes qu'ils n'obtiendraient jamais.

Le F-14 passa le mur du son les ailes repliées, comme un coursier qui fonce les oreilles rabattues.

— Altimètre radar à 50 pieds.

— Joli, dit Woods, se penchant pour apercevoir le porte-avions, parfaitement visible sur le radar.

La silhouette grise se profilait sur le bleu splendide de la mer. Woods accéléra jusqu'à Mach 1,1.

— Base, on vous voit, transmit Wink.

— *Pas de consigne... mais vous êtes affreusement bas*, dit la voix du pacha, soucieuse.

— *Roger,* répondit Woods avec un sourire.

L'instant suivant, ils étaient au-dessus du porte-avions, par bâbord, semblables à une image floue, sans aucun son. Big McMack, sur le pont, était comme toujours émerveillé par le franchissement supersonique. Il avait lui-même franchi le mur du son d'innombrables fois, mais vu d'en bas, c'était une tout autre expérience. Il scruta les visages des Israéliens et devina ce qu'ils se disaient : « C'est incroyablement silencieux. »

« Attendez un instant », murmura-t-il en se mettant les doigts dans les oreilles.

Woods et Wink regardèrent les silhouettes sur le pont tandis qu'ils parvenaient à 50 pieds au-dessus de la mer. Ils en franchirent toute la longueur en une seule seconde.

— Prêt ? demanda Woods à Wink.

— Vas-y.

Woods fixa l'accéléromètre à 6,5 G. Le Tomcat redressa le nez sans effort apparent. Big observa avec un sourire malin les Israéliens, ébahis. Juste quand ils croyaient que l'avion était passé, que c'était fini, « BOOM » ! Les genoux fléchirent et les mains se plaquèrent sur les oreilles.

Le Jolly Roger F-14 lâcha un nuage de vapeur blanche, dû à la pression des forces G sur les ailes et, toujours supersonique, il s'éloigna dans l'atmosphère. Cinq secondes plus tard, il était à 10 000 pieds et continuait de monter.

Woods inclina le manche sur sa cuisse gauche et le Tomcat effectua un tour complet sur son axe, puis un autre et un autre, le nez exactement à la verticale, tandis que la terre tournoyait au-dessous, comme un jouet suspendu à un fil.

— On passe 15, dit Wink.

— Roger. Au fait, qui était donc sur le pont ?

— On passe 20. Pas sûr. Je crois que c'était le ministre israélien de la Défense et deux ou trois autres hommes politiques.

— Le Premier ministre ?

— On passe 25. On l'attendait, mais je ne crois pas qu'il soit venu.

— On stabilise à 30.

— OK.

À 30 000 pieds, ils n'étaient plus supersoniques, et Woods remit le Tomcat à l'horizontale, puis réduisit encore la vitesse à 450 nœuds.

— Victory Deux-Zéro-Zéro, RTB[1], transmit Wink.

— *Roger Deux-Zéro-Zéro. Pont libre. Fenêtre libre.*

— Roger, répondit Wink. Allons-y !

Woods entama sa descente et arriva à 20 000 pieds.

— *Victory Deux-Zéro-Zéro, 5 de la fenêtre, on vous voit.*

— *Roger Deux-Zéro-Zéro, dites la vitesse.*

— *500*, répliqua Wink après un regard à l'indicateur.

Woods inclina légèrement l'appareil pour voir le pont.

— Les visiteurs sont juste devant la plage avant, dit-il.

— On devrait leur foncer dessus, pour leur laisser un souvenir.

— Pas aujourd'hui. J'ai faim.

Ils passèrent devant la proue, puis Woods vira à gauche et tira fort sur le manche. À 800 pieds, il descendit dans le vent, prenant la direction opposée à celle du navire. Il redressa, puis ils passèrent le protocole de contrôle et le pilote entama son approche.

Woods maîtrisa exactement sa descente.

— *Victory Deux-Zéro-Zéro, boule sept point zéro.*

— *Roger*, répondit le LSO. *Boule.*

Woods fixa du regard la boule, point de référence à bâbord, et vérifia sa vitesse et son angle de descente, ainsi que sa position : il était parfaitement centré. Le pont déferla sous ses roues etn le filin capta la béquille de queue. Woods poussa les gaz et après quelques instants, le Tomcat stoppa. Un atterrissage sans faute.

Les observateurs israéliens étaient admiratifs. Ils connaissaient bien les équipements militaires, mais ça, c'était le top.

---

1. *Return To Base. (N.d.T.)*

18

Huit chasseurs F-16 israéliens surgirent de nulle part et survolèrent le *Washington* tandis qu'il entrait majestueusement dans la baie de Haïfa. Toujours en formation, ils virèrent à l'est et regagnèrent l'intérieur du pays. C'était toujours un beau spectacle que des chasseurs volant en formation. Woods ajusta sa ceinture ; il était impeccable. Il comptait parmi les rares officiers de l'escadrille qui eussent accepté d'endosser l'uniforme blanc pour le privilège d'être présents sur le pont au moment où le porte-avions approchait du port. Des marins s'alignaient sur le pont d'envol et, à tous les niveaux jusqu'au douzième, des uniformes blancs palpitaient sous l'effet du vent froid.

De petits patrouilleurs d'escorte de la marine israélienne sillonnaient la mer alentour, tels des chiots autour des deux monstres, dont le *Ticonderoga*, le croiseur escortant le *Washington*.

Pendant les jours précédents, l'escale de Haïfa avait excité les esprits. Se ferait-elle ? Ne se ferait-elle pas ? Sans doute pas, avaient conclu certains. Trop d'incertitudes. Les escales en Israël dépendaient de la situation politique et risquaient toujours d'être annulées à la dernière minute. Mais quelqu'un de haut placé avait, semblait-il, décidé que ce serait donner l'avantage aux terroristes que d'annuler l'escale à cause de l'attentat contre le bus.

L'excitation n'avait toujours pas décru. L'une des causes en était que les équipages avaient reçu l'instruction inusitée de porter leurs uniformes lorsqu'ils seraient à terre, alors que d'habitude, on leur recommandait de s'habiller en civils et d'éviter d'avoir l'air trop américain. Ici, c'était différent : l'on racontait déjà que certains officiers avaient été invités par des Israéliens justement parce qu'ils étaient américains. Et que certaines femmes mouraient d'envie de faire la connaissance de marins américains. Résultat, plusieurs d'entre eux en avaient perdu le sommeil.

Comme toujours en Méditerranée, le *Washington* ancra au large, son tirant d'eau étant trop important pour le port. Woods se présenta pour monter dans la première vedette, suivi par Big, moins enthousiaste.

Woods était impatient ; il avait déjà mis pied en Israël, mais jamais assez longtemps pour visiter le pays. Et cette fois, ce serait différent ; en effet, il s'était mis d'accord avec ses collègues pour échanger ses heures de garde et il jouirait de quatre jours pleins. Il aurait tout le loisir d'en apprendre davantage sur la mort de Vialli.

— Comment irons-nous à Tel Aviv ? demanda Big, placide.

— Je ne sais pas encore.

— Tu sais au moins où nous allons ?

— Vaguement. C'est au nord de Tel Aviv, sur la côte.

Big le regarda du coin de l'œil.

— Quelle est la raison de cette expédition ?

— Il faut que j'y aille.

— Ça ne changera rien.

— Je sais, admit Woods.

— Alors, pourquoi le fais-tu ? Tu dois continuer à vivre. La mort de Vialli…

— L'assassinat de Vialli.

— Soit, l'assassinat… Mais tu ne vas pas traîner cette obsession le reste de ta vie ?

— Je ne suis pas obsédé. Je veux que justice se fasse.

La file des officiers se mit en mouvement.

— Il faudrait lire un peu Shakespeare, mon vieux. Tu apprendrais alors que la justice n'existe pas.

Big sauta dans la vedette et se dirigea vers la proue, suivi par Woods, puis il reprit :

— Ils ne retrouveront jamais ces types et, s'ils les retrouvent, ils n'y pourront rien.

— C'est ce que j'essaie de changer. C'est pourquoi j'ai écrit à mon député.

— Et tout ce que tu en as tiré, c'est de la frustration et une obsession pour Vialli depuis des semaines.

La vedette se détacha du *Washington* et se dirigea vers Haïfa. Les bâtiments blancs de la ville se découpaient nettement sur les collines. Le panorama rappela à Woods les Açores. Il se cala sur sa banquette et regarda le navire s'éloigner. Quand l'embarcation arriva à destination, des marins sautèrent sur le quai pour l'amarrer et les officiers attendirent que leur chef eût mis pied à terre ; il était toujours le premier à débarquer et le dernier à embarquer.

Une fois sur le quai, Woods et Big clignèrent des yeux dans le soleil aveuglant, ne sachant de quel côté aller. Les Israéliens qui passaient en bus ou en auto observaient ces marins en uniformes blancs et le grand navire dans la baie. Un petit homme aux cheveux frisés s'approcha de Woods et de Big.

— Taxi ?

— Vous parlez anglais ?

— Sûr. J'ai passé ma jeunesse à New York. Où voulez-vous aller ? répondit le chauffeur en souriant.

— À la guerre, dit Woods, en riant. Nous voulons aller à Tel Aviv.

— Pas de problème. Allons-y.

— Combien ? demanda Big.

— Vous avez de l'argent israélien ?

— Non, rien que des dollars.

— Ça va. Cinq dollars.

Ils furent à la gare en cinq minutes. Les gens regardaient leurs uniformes, plutôt curieux qu'hostiles. Woods paya le chauffeur et entra dans le bâtiment, son sac de gymnastique au poing, suivi de Big. Le lieu rappela à Woods les petites gares de la Californie du Sud.

Au guichet, on l'informa que le train pour Tel Aviv venait de partir et que le prochain quitterait la gare dans deux heures.

— Alors on attend, dit Big. À moins que tu ne changes d'avis et que nous retournions au bateau.

— Non. Je ne changerai pas d'avis. Nous pouvons... Attends : pourquoi n'irions-nous pas plutôt à Nahariya ?

— Pour quoi faire ? demanda Big, qui connaissait déjà la réponse, cependant.

— Pour rendre visite à sa famille.

— Quelle famille ?

— Celle d'Irit. La femme qui l'accompagnait quand il a été tué.

— Assassiné.

— *Touché*[1]. Qu'est-ce que tu en dis ?

Big n'aimait pas du tout cette idée.

— Connais-tu au moins son nom ? demanda-t-il.

— Je suis sûr que je me le rappellerai lorsque nous serons là-bas. Et je suppose que tout le monde à Nahariya la connaissait.

Woods se balança sur ses pieds. Ses chaussures lui faisaient affreusement mal et il se refusait à en acheter une autre paire, puisqu'il portait rarement l'uniforme.

— Mais tu ne sais même pas où descendre quand nous serons là-bas, objecta encore Big.

— Il doit bien y avoir un hôtel. Sinon, nous prendrons le train pour Tel Aviv et nous dormirons en route.

— Je crois que t'es un peu givré. Mais c'est ton affaire, après tout je ne suis là que pour m'assurer qu'il ne t'arrive rien…

Woods retourna au guichet : on l'informa qu'un train partait pour Nahariya une demi-heure plus tard. Il acheta deux billets.

Du fond de son lit, Sami était terrifié. Prisonnier de son sommeil, il avait envie de hurler de peur. C'était comme s'il voulait se réveiller et ne le pouvait pas…

Il avait quelque chose de rouge dans les yeux. Il remua, parvenant enfin à s'éveiller, lentement, les paupières toujours baissées. Et toujours ce rouge. Son cœur s'affola. Il ouvrit les yeux. La chambre était plongée dans l'obscurité. Il s'assit dans le lit et distingua vaguement ses vêtements jetés par terre. Puis une petite tache rouge dansa de nouveau sur son visage. Que se passait-il ? La lumière rouge venait de l'interstice du store sur la fenêtre.

Pieds nus, il alla soulever un peu le store. Le spot rouge dansa de nouveau. L'énervement s'empara de Sami. Un gamin du voisinage avait trouvé drôle de grimper dans un arbre et de braquer son rayon laser sur lui…

— Sami, murmura une voix rauque.

---

1. En français dans le texte.

La voix l'effraya. Ce n'était pas celle d'un gamin.

— Qui est là ? Qu'est-ce que vous voulez ?

— Descends.

Le rayon laser s'éteignit et Sami entendit l'homme sauter à bas de l'arbre. Il fut déconcerté : c'était quelqu'un qui connaissait son nom et savait où il vivait. Toujours pieds nus, il descendit au rez-de-chaussée et regarda par l'œilleton. Rien. Un coup discret retentit à la porte.

— Merde ! s'écria-t-il, faisant un bond.

Il mit la main sur la poignée et la tourna lentement, entrouvrant à peine la porte. Quelqu'un la poussa, lui mit la main sur la poitrine et le rejeta dans le couloir.

— Mais qu'est-ce que…

— Hé, Sami, dit Ricketts en arabe, fermant la porte derrière lui.

— Qu'est-ce que tu fous ici ?

— Je dois te parler.

— À… répliqua Sami, regardant son poignet et s'avisant qu'il ne portait pas sa montre-bracelet.

— 3 heures du matin, précisa Ricketts en arabe.

— Tu es malade ou quoi ? dit Sami en anglais.

— Parle arabe.

— Tu trouves marrant de grimper dans un arbre et de diriger un rayon laser sur moi ? Tu sais que ça peut rendre aveugle ?

— Ce n'était pas un rayon laser. C'était une mire laser.

— Une quoi ?

— Une mire laser. Celle de mon pistolet.

— Tu pointais une arme sur moi dans mon lit ? Et une arme chargée ?

— Une arme non chargée ne sert à rien.

— Mais tu aurais pu me tuer !

— Seulement si je l'avais voulu. Je me servais de la mire pour voir si je pouvais te localiser dans ta chambre. Et puis j'ai pensé que la mire pouvait te réveiller.

— T'es pas un peu tordu, non ?

— Je voulais te poser des questions.

— Et pourquoi pas à l'Agence ? Pourquoi tout ce cinéma ?

— Je n'ai pas le temps. Je compte les minutes.

— Qu'y a-t-il ?

164

— Une mission ?

— Laquelle ?

— Je ne peux pas le dire. Ça a un rapport avec notre ami.

Sami s'avisa alors que Ricketts parlait le meilleur arabe qu'il eût entendu depuis longtemps, aussi bon que celui de son propre père. Sans aucune trace d'accent, si ce n'est d'Arabie Séoudite.

— Que veux-tu savoir ? demanda Sami.

— Absolument tout ce que tu sais de lui ou que tu soupçonnes sur lui. Je veux que tu me dises les choses telles qu'elles te viennent en tête.

— Quand ?

— Maintenant.

Sami soupira et répondit :

— Café ?

— Ça n'a vraiment pas été très long pour arriver ici, dit Woods en s'emparant de l'annuaire téléphonique.

— C'est parce que ce n'était pas très loin, releva Big, en promenant son regard sur la gare de Nahariya.

— T'es un vrai boute-en-train, toi.

— Tu ne te rappelles toujours pas le nom de cette fille ? Vialli ne te l'a pas dit ?

— Il me l'a dit, répondit Woods, esquivant le regard de Big. Effectivement, je ne me le rappelle pas.

— Et comment sais-tu qu'elle ne mentait pas aussi sur son nom ?

— J'en sais rien.

— Écoute, rentrons au bateau. Nous perdons notre temps.

— Hirschman ! C'est ça ! s'écria Woods.

Il tourna les pages de l'annuaire.

— C'est de l'hébreu ! Je croyais que ça serait en anglais, se lamenta Woods en replaçant l'annuaire dans sa niche.

— T'es parfois plus con qu'il n'y paraît, Trey. Pourquoi l'annuaire israélien du téléphone serait-il en anglais ?

— Pardonnez-moi, dit Woods en s'adressant à l'un des nombreux soldats qui patrouillaient dans la gare, un M-16 ou un Uzi en main.

Le soldat s'arrêta.

— Vous parlez anglais ?

— Un peu.

— Pouvez-vous me trouver le numéro des Hirschman dans l'annuaire ?

Le soldat était un grand gaillard aux cheveux noirs coupés en brosse sous son béret. Il dévisagea Woods.

— Bien sûr. Pourquoi voulez-vous ce numéro ?

— Je dois leur parler. Leur fille Irit était l'amie d'un ami.

Le soldat mit son arme en bandoulière et prit l'annuaire. Il le feuilleta et demanda :

— Vous êtes du porte-avions ancré à Haïfa ?

— Oui.

Le regard du soldat brilla.

— J'aimerais bien que nous ayons au moins un navire comme celui-là. Vous, les Américains, vous en avez douze et vous ne savez pas quoi en faire. Il est à propulsion nucléaire ?

— Oui.

— C'est comment ?

— Exactement comme s'il n'était pas à propulsion nucléaire, répondit Big. Sauf qu'il n'y a pas de cheminée.

Le soldat fixa Woods du regard.

— Votre copain, c'était l'officier de marine qui était dans le bus ? demanda-t-il.

— Oui.

Le soldat referma l'annuaire en gardant un doigt entre les pages.

— Nous la connaissions tous. Elle avait deux ans de plus que moi, dit-il d'un ton grave. C'était l'une des merveilles de Nahariya. Une fille épatante. Très courageuse. Je ne sais pas comment on dit ça en anglais. Elle était… spéciale.

— C'est ce que pensait Tony. C'était mon camarade de chambrée. Il est venu ici lui rendre visite et il a été assassiné avec elle.

— Voici le numéro, dit le soldat, le doigt dessus. Vous voulez que je le compose ? Je ne suis pas sûr que son père parle anglais.

— Ce serait vraiment aimable à vous.

Le soldat s'exécuta, s'entretint avec le correspondant et raccrocha.

— Son père dit qu'il serait honoré que vous lui rendiez visite. Il a proposé de venir vous chercher, mais je lui ai répondu que je vous y conduirais à pied. Ce n'est pas loin d'ici.

— Merci.

— Je ne me suis pas présenté, pardonnez-moi. Mon nom est Jessé Sabin.

— Je suis Sean Woods et mon ami est Big McMack.

— On vous a donné le nom d'un sandwich ? demanda le soldat en souriant, alors qu'ils sortaient de la gare et débouchaient en plein soleil.

— Exact. Mes parents m'ont donné ce surnom pour que je puisse entendre ce genre de réflexions toute ma vie. En fait, mon vrai prénom est Joseph.

— Ah, le « fils préféré[1] », dit Sabin. Je devrais vous prévenir que le père d'Irit a été très affecté par la mort de sa fille.

Il décrocha le fusil-mitrailleur de son épaule et le tint sur sa hanche, utilisant la prise située sur le canon. Woods nota qu'il était chargé.

— Soyez discrets, reprit le soldat. Et quand vous pensez qu'il est temps de partir…

— Nous ne resterons pas trop longtemps. Merci pour le conseil.

Sabin, Woods et Big marchèrent un moment sous les regards de gens impressionnés par les uniformes blancs. Ils pénétrèrent enfin dans une ruelle et s'arrêtèrent devant un portail qui s'ouvrait dans un mur bas.

— Vous y êtes, dit Sabin.

Ils échangèrent des poignées de mains et le soldat s'en fut après leur avoir dit « *Shalom* ». Woods et Big entrèrent et se trouvèrent face à un immeuble banal, de couleur sable. Ils frappèrent à une porte. Elle s'ouvrit lentement. Un homme de petite taille, la soixantaine, le cheveu rare, voûté, les sourcils en broussaille et les yeux tristes, apparut.

— Hello, dit Woods.

Il ne savait plus pourquoi il était venu. Il s'était laissé emporter par une impulsion et il se trouvait devant un vieil

---

1. Joseph, le fils préféré de Jacob, contraint à l'exil en Égypte par ses frères, y sera finalement rejoint par sa famille, et leurs descendants formeront le peuple d'Israël. (Genèse, XXXVII-L)

homme auquel il venait rappeler la mort de sa fille. Il éprouva une soudaine compassion pour lui. Il se présenta et présenta Big.

— Entrez, dit M. Hirschman, qui s'écarta en les précédant à l'intérieur de la maison.

Ils le suivirent et parvinrent à un petit living, près de la cuisine ; à l'extrémité de la pièce, une porte-fenêtre coulissante ouvrait sur un patio bordé d'une balustrade. Une odeur étrange régnait dans le logis. Woods glissa un regard vers la cuisine, mais n'y vit rien qui l'expliquât.

Le vieil homme leur indiqua un canapé et se laissa choir dans un fauteuil de cuir fatigué, puis il soupira et les regarda. Woods ne savait par où commencer. Les quelques phrases qu'il avait préparées lui parurent hors de propos.

— Ainsi, dit M. Hirschman, vous avez connu ma fille ?

— Nous nous sommes vus en compagnie de Tony Vialli. Vous l'avez rencontré ?

— Oui.

— Il était mon camarade de chambrée sur le *Washington*. Nous avons passé quelques moments en compagnie d'Irit, en Italie.

— Tony, dit le vieil homme. Un beau garçon. Mais pas l'un d'entre nous.

Woods espéra que Big viendrait à son secours ; en vain.

— Tony était un type formidable. Je suis content que vous l'ayez connu. Il est resté longtemps ici ?

— Deux jours. Irit et lui ne se quittaient pas.

Il regarda le sol carrelé. Une femme entra. Woods et Big se levèrent.

— Hello, dit-elle d'un ton amène, avec une pointe d'accent anglais. Je suis Miriam Hirschman.

Et quand ils se furent présentés, elle demanda à son mari :

— Tu ne leur as rien offert à boire ? Puis : Que puis-je vous offrir ?

— Ce qu'il vous plaît.

— De la limonade ?

— Ce sera très bien.

— Vous la connaissiez donc, reprit Jacob Hirschman.

— Je ne l'ai vue qu'une fois, dit Big.

168

— La voici, dit Hirschman, indiquant d'un doigt déformé par l'arthrite une photo sur un guéridon près du canapé.

— Elle était très belle, dit Woods, s'emparant du cadre.

Soudain, il s'avisa que la main droite sur la photo était parfaitement normale.

— Sa main...

— Oui. Ce fut une tragédie.

— Mais que s'est-il passé? J'avais cru que c'était de naissance.

Hirschman parut surpris.

— Oh non. Ça ne datait que de dix-huit mois. Depuis l'accident.

— Quel accident? demanda Woods, interrogeant Big du regard, qui semblait confondu.

Il eut le sentiment d'ouvrir une porte sur le mystère.

— Je ne sais pas vraiment. Elle n'en parlait pas.

— Elle travaillait?

— Bien sûr.

— Mais je ne vois pas ce qu'une institutrice...?

— Une quoi?

— Institutrice.

— Qu'est-ce qu'une institutrice vient faire là-dedans? demanda Jacob Hirschman, levant ses sourcils en bataille.

— C'est ce qu'elle avait dit.

— Elle n'a jamais été institutrice. Elle travaillait pour le gouvernement.

— Dans quel ministère?

— Je n'en suis pas sûr. Tout ce qu'elle m'a dit était qu'elle travaillait pour la Défense.

— Et c'est quand elle travaillait pour le gouvernement que l'accident a eu lieu?

— Bien sûr. Vous êtes pilotes tous les deux?

— Oui, Monsieur, répondit Big. Sur le *Washington*. Nous avons fait escale ce matin à Haïfa.

Miriam Hirschman revint et tendit à chacun des hommes un grand verre de limonade, puis elle s'assit dans le seul siège disponible, un fauteuil luisant d'usure.

— C'est vraiment obligeant d'être venus nous voir, dit-elle. Nous ne recevons pas souvent d'officiers de marine américains en uniforme blanc.

169

— Merci de votre accueil, répondit Woods après un compliment sur la limonade. Je disais à votre mari que Tony Vialli était mon camarade de chambrée. Je voulais voir ce qu'il avait vu et aller où il avait été. En fait, j'ai reçu une carte postale de Tony, l'autre jour. Elle a mis du temps à me parvenir. Elle était postée de Nahariya.

Les Hirschman semblèrent perdus dans les souvenirs.

— Elle a été postée la veille du jour où Irit devait aller à Tel Aviv pour son entretien...

— Quel entretien? demanda Miriam Hirschman, consultant son mari du regard.

— Avec la compagnie aérienne, El Al.

— Il n'a jamais été question d'entretien, affirma-t-elle. Et à son mari : Tu étais au courant?

— Non. Un entretien pour quoi faire?

— Elle postulait à un poste d'hôtesse, répondit Woods.

Les Hirschman parurent stupéfaits.

— Non, il n'y a jamais eu d'entretien de cette sorte.

— Mais alors, pourquoi a-t-elle été à Tel Aviv?

— Elle ne l'a pas dit. Je pense qu'elle avait voulu faire visiter la ville à Tony et qu'elle y avait à faire.

— Peut-être Tony a-t-il mal compris, dit Woods en sirotant sa limonade.

— Sans doute.

— Nous ne voudrions pas vous déranger plus longtemps. Nous allions nous rendre à l'endroit où Tony et Irit ont été assassinés.

Ces derniers mots figèrent les Hirschman.

— Pour quoi faire? demanda Miriam, les yeux humides.

— Je le lui dois.

— Il n'y a pas grand-chose à voir, dit Jacob Hirschman.

Et, après un temps de silence :

— Vous avez des enfants?

— Moi, j'en ai, répondit Big alors que Woods secouait la tête.

— Elle était tout pour moi. Je ne sais pas comment le dire.

Jacob Hirschman but sa limonade d'une main tremblante.

— Elle était la famille, reprit-il. La seule chose qu'on quitte. Quand on quitte le monde, on ne quitte que sa famille.

À court de mots, Woods lui demanda :

— Voulez-vous nous accompagner?

Big écarquilla les yeux.

— Là où c'est arrivé ? s'enquit Hirschman.

— Si vous connaissez les lieux, cela ira plus vite.

Hirschman regarda sa femme ; elle sourit et dit :

— C'est trop dur pour moi, Jacob. Mais vas-y si tu veux.

— Bien, décida-t-il, vous resterez ici cette nuit. Je vous conduirai là-bas demain matin. Et ce soir, je vous parlerai de ma petite Irit. Notre seul enfant.

— Alors ? demanda Ricketts, contrarié d'avoir à relancer son interlocuteur.

— Alors quoi ? rétorqua Kinkaid.

Kinkaid s'était auparavant rendu chez le directeur des opérations pour le consulter sur la mission de Ricketts, qui l'inquiétait. Peut-être était-ce parce qu'il ignorait comment cette mission serait menée. Et sans doute, aussi, en raison d'un aspect de la mission qui le contrariait. En effet, ayant demandé au directeur de l'informer sur cette mission, Kinkaid avait essuyé un refus. Le directeur, qui était le chef non seulement de la CIA mais aussi de tout le service de renseignements, lui avait répondu que, selon l'accord qu'il avait personnellement conclu avec Ricketts, personne d'autre n'en serait informé. Pis : Ricketts serait dûment prévenu que Kinkaid avait tenté de connaître les modalités de cette mission.

Kinkaid en avait été si vexé qu'il avait failli démissionner sur-le-champ. Il était excédé de cette méfiance et du culte du secret dans un secteur qui était censé être le sien. Il avait néanmoins réussi à arracher au directeur une promesse, dont il espérait qu'elle ferait enrager Ricketts : il aurait le droit de décider si ce dernier partirait pour cette mission. Et le directeur avait également prévenu Ricketts que la décision était entre les mains de Kinkaid. Tout le cinéma qu'avait joué Ricketts chez Sami en le tirant du lit au petit matin n'avait été qu'une sorte de provocation, destinée à laisser croire à Kinkaid qu'il avait le pouvoir de décision. Eh bien, maintenant, les cartes avaient changé de main.

Kinkaid avait retrouvé Ricketts devant les machines à café.

— Expliquez-moi pourquoi cette mission doit avoir lieu maintenant.

— Et pourquoi le devrais-je ?

— Parce que, si vous ne le faites pas, je n'approuverai pas cette mission.

— Cette décision revient au directeur.

— Il m'en a délégué la responsabilité.

— Il peut vous la retirer.

— Peut-être.

Ces manigances irritaient Ricketts au plus haut point.

— Les renseignements sur le lieu où se trouvera notre ami ne sont valables que pour une heure ou deux. Ce n'est pas moi qui décide de mon intervention, elle dépend de lui. J'ignore où il sera avant et après. Je ne dispose que de cette fenêtre-là. Si je ne saisis pas cette chance, je n'en aurai probablement pas d'autre.

— Êtes-vous sûr de ça ?

Ricketts eut un sourire ironique.

— Allons, Kinkaid, vous savez bien que nous ne sommes jamais sûrs de rien. Je pourrais tomber dans un piège. Mais je suis prêt à parier ma tête que ce n'en est pas un, et que notre ami se trouvera bien là où on m'a dit.

— Je sais que je suis exigeant, dit Kinkaid en soupirant. Mais je n'aime pas que des missions dont je suis responsable échappent à mon contrôle.

— Vous ne serez pas tenu pour responsable.

— Tiens donc ! Le plafond s'écroulera sur ma tête si vous échouez.

— Je n'échouerai pas.

— Et quand vous le ramènerez ici, c'est vous qui l'interrogerez ?

— Personnellement. Et j'aimerais le concours de Sami.

— Vraiment ? demanda Kinkaid surpris.

— Vraiment. Il comprend.

— J'y penserai.

— Je n'ai pas besoin de le ramener, d'ailleurs.

— Ça, nous ne le pouvons pas, rétorqua Kinkaid alarmé, comprenant ce que voulait dire Ricketts.

— Je peux charger quelqu'un d'autre de le faire.

— Non, ramenez-le. Une petite conversation serait utile.

Ricketts hocha la tête et s'éloigna.

19

Woods s'était vaguement attendu à trouver des traces de sang, des douilles vides, quelque chose. Mais il n'y avait rien qu'une route très ordinaire devant une plage baptisée Jacob.

— C'est ici? demanda Woods.

— C'est ici qu'ils ont tué Irit, répondit Hirschman d'une voix dure, les bras croisés.

— Ils sont venus de la mer?

— Dans des canots pneumatiques.

— Mais pourquoi? murmura Woods.

— Parce qu'ils nous détestent. Parce qu'ils détestent les juifs, comme les Allemands avant eux, et comme d'autres avant. Parce qu'ils veulent tuer tous les juifs. C'est difficile pour les autres de comprendre, dit Hirschman, dont le regard croisa celui des deux officiers de marine américains.

— Mais pourquoi?

— Demandez-leur. Tout ce que nous voulons, c'est qu'on nous laisse en paix. Ceci est la terre que Dieu nous a donnée. La Terre Promise. Mais ils pensent qu'elle est à eux et que nous la leur avons volée quand nous sommes devenus un État en 1948. Ils ont toujours essayé de nous tuer depuis lors. Ils viennent tuer nos fils et nos filles…

— J'en ai assez vu, dit Woods. Nous ne pouvons pas oublier ça. Nous le devons à Vialli.

Ils retournèrent vers la voiture de Hirschman.

— À quoi songes-tu? Une autre lettre à ton député? demanda Big.

— Je ne sais pas.

— Nous ne pouvons rien faire, Trey.

— Tout le monde s'en fout. Tout le monde. Le Congrès, le Président, le département de la Défense. Tout le monde. Une grande puissance et aucune volonté de s'en servir. Voilà ce que nous sommes.

— Ouais, admit Big en regardant Woods dans les yeux. C'est à peu près ça.

Ricketts franchit le hall de l'aéroport d'Athènes. Il portait un costume griffé de couleur grise, une chemise bleu sombre, une cravate et des mocassins de prix. Sa moustache était parfaitement taillée et ses cheveux lustrés coiffés en arrière. On apercevait sous ses manchettes une montre de plongée coûteuse. Bref, il ressemblait en tous points à l'homme d'affaires fortuné et raffiné qu'il s'efforçait de camper.

La guichetière de la Middle East Airlines prit son passeport et son billet, lui sourit et lui demanda en arabe :

— Vous rentrez chez vous ?

— Oui, enfin !

Elle vérifia le nom et la photo sur le passeport.

— Beyrouth ?

— Oui.

— C'est votre ville ?

— Toute ma vie.

— Moi aussi. Quel quartier ?

— La côte. Mes parents dirigeaient le Sheraton jusqu'à la guerre. Puis nous avons dû fermer et j'ai travaillé dans d'autres hôtels. Maintenant, je possède le mien.

— Où ?

— En Espagne, répondit-il avec un sourire avantageux. C'est plus sûr.

— Beyrouth est tout à fait sûr, maintenant.

— C'est ce que disent mes parents, admit-il sans conviction. Je n'y vais que pour un court séjour. Mais un jour, je retournerai construire un hôtel sur la plage.

Elle lui tendit son passeport et son billet, et il rejoignit les passagers qui attendaient d'embarquer.

174

— Qu'est-ce que tu fais ici? lança Big du haut de sa couchette en reposant le *Guerre et Paix* de Tolstoï.

— Taylor a demandé une permission en urgence. J'ai dû revenir pour la signer.

— Je réfléchissais à la photo d'Irit. Qu'est-ce que tu en penses?

— Je ne sais pas. Je suis certain qu'elle avait dit que c'était une tare de naissance. Je suppose qu'elle n'avait pas envie de parler à tout le monde de son accident. Peut-être qu'elle a eu la main coincée dans un ascenseur ou quelque chose de ce genre.

— Peut-être. Ou peut-être que ça va plus loin.

— Plus loin que quoi?

— Que penses-tu de ce mensonge sur l'entrevue avec El Al?

— Ça, ça me dépasse. C'est pourtant bien ce qu'avait écrit Boomer.

— Qu'est-ce que ça cache?

— Je l'ignore. Nous n'en savons pas assez.

— Tu vas à la réception, ce soir?

— Quelle réception? demanda Woods, interloqué.

— À la base des Forces aériennes.

— Où?

— Ramat David.

— Qui est-ce?

— C'est le nom de la base israélienne. Des pilotes de F-15 et de F-16. Des types comme nous.

Woods se défit de son T-shirt et le jeta au bas de son placard.

— Je n'ai aucune idée de ce dont tu parles.

— Pendant que tu jouais les touristes, l'armée de l'air israélienne a informé le chef des escadrilles qu'elle souhaitait donner une réception pour tous les pilotes à Ramat David. Le bus part dans deux heures. Tu viens avec nous?

— J'aimerais beaucoup rencontrer ces types, répondit Woods. C'est une chouette idée. Quel est l'uniforme? Y a-t-il d'autres pilotes de l'escadrille qui y vont?

— L'uniforme est le blanc et tout le monde y va.

Woods réfléchit à l'état dans lequel se trouvait son uniforme.

— Peut-être que je rencontrerai quelqu'un qui m'en dira plus sur ce cheikh.

— N'y compte pas trop.

— Ça ne coûte rien de demander.

Les Américains étaient donc en blanc ; les Israéliens portaient, eux, du vert olive. Ils étaient tous jeunes et vigoureux et tentaient de s'impressionner les uns les autres. Les Israéliens parlaient de leurs victoires aériennes et des Mig qu'ils avaient abattus, et les Américains s'en tenaient à leurs histoires d'appareils embarqués, sachant que leurs interlocuteurs n'avaient pas de porte-avions.

Woods et Big s'entretenaient avec trois capitaines israéliens, pilotes de F-15 et fiers de l'être. Pritch orbitait près du groupe, ne sachant si elle pouvait participer à la fraternité tacite des pilotes de chasseurs. Elle avait insisté pour venir, bien qu'elle ne fît pas vraiment partie des équipages, mais comme elle était officier, Bark avait jugé qu'il serait amusant de l'emmener avec eux.

Woods était soucieux ; il devait rédiger le programme des vols du lendemain matin, tout de suite après que le *Washington* aurait levé l'ancre, et il ne l'avait même pas commencé.

— Pardon ? dit-il, s'avisant que l'un des Israéliens s'adressait à lui.

— Vous avez été à Topgun ?

— Non seulement il y a été, intervint Big, mais il y était instructeur.

— Merci, Big, dit Woods d'un sarcastique, je ne sais pas ce que je ferais sans toi.

— Vous étiez vraiment instructeur ?

— Deux ans et demi, sur F-5 et F-16N.

— Ça doit être formidable à piloter.

— C'est le top.

— Topgun ne dépend que de la marine ?

— Oui. L'armée de l'air a Red Flag, mais rien ne vaut l'original, dit Woods avec un sourire. On l'a bien vu au Viêt-nam.

Notre taux de victoires aériennes était de deux à un jusqu'à ce que Topgun entre en jeu, et là, il est passé à plus de douze à un. Les Nord-Vietnamiens ont conseillé à leurs pilotes de ne pas s'attaquer aux Phantom gris.

— Je ne comprends pas, murmura le capitaine.

— Les Phantom gris étaient les F-4 de la marine. Les Phantom camouflés étaient ceux de l'armée de l'air.

Le capitaine traduisit l'explication en hébreu pour ses collègues ; ils rirent poliment.

— Et vous pensez que vous pilotez toujours aussi bien ? demanda le capitaine.

— C'est ce que nous nous plaisons à croire. Nous serions ravis de nous mesurer à vous.

— Ça, ça serait quelque chose ! intervint Big. Étant donné que vous êtes à l'évidence les meilleurs au monde, en raison de votre expérience au combat, ce serait un honneur que de croiser le fer.

— L'honneur serait pour nous, répliqua le capitaine.

Au fond de la salle, quelqu'un fit tinter un verre.

— Puis-je avoir votre attention ? déclara un colonel israélien.

Woods n'était pas familier des insignes de ses hôtes, mais il supposa que c'était un gradé.

— Je suis le colonel Yitzhak Bersham, déclara l'orateur. Je veux souhaiter la bienvenue aux pilotes américains du *George Washington* et les remercier d'être venus à Ramat David, notre porte-avions de terre ferme.

Les pilotes israéliens applaudirent, puis le colonel leva son verre et s'éloigna du micro. Un capitaine de marine américain lui succéda.

— Je suis le capitaine Dave Anderson, commandant la force aérienne du *Washington*. Nous voulons vous remercier pour votre hospitalité et pour nous avoir invités sur votre base. Certains d'entre vous ont eu l'occasion de nous rendre visite sur le *Washington* et peut-être, la prochaine fois, les autres se joindront-ils à eux...

Mais Woods n'écoutait plus ; les discours l'assommaient et il songeait à son programme des vols.

— ... Et laissez-moi dire simplement que c'est un honneur de se retrouver avec les seconds meilleurs pilotes du monde ! conclut le capitaine Anderson.

Les Israéliens répondirent par des rires et des sifflements, même si la moitié d'entre eux n'avaient pas très bien compris la pointe. Woods envisagea d'aller attendre dans le bus.

— Lieutenant Woods, lui dit le capitaine israélien, permettez-moi de vous présenter le commandant de notre escadrille, le major Mike Chermak.

Ce dernier tendit la main à Woods.

— Vous vous appelez Mike ? demanda Woods.

— C'est l'abréviation de Michée, un vieux nom hébreu et l'un de nos prophètes, expliqua Chermak. Alors, c'est vous l'instructeur de Topgun ?

— Ancien instructeur. Je suis maintenant dans une escadrille.

— 103 ?

— Vous êtes bien informé, observa Woods.

— Le crâne et les tibias croisés.

— Effectivement.

— Je suis un ancien de votre école. Je suis diplômé de Topgun, dit Chermak.

Woods dévisagea son interlocuteur plus attentivement.

— Quand était-ce ? demanda-t-il.

— Oh, avant vous ! La classe 04/97, sur F-16.

— Voilà donc pourquoi vous êtes si bons ! s'écria Woods. Vous avez été entraînés par la marine.

— Que pensez-vous du F-14 ?

— Le meilleur chasseur au monde, répondit d'emblée Woods.

— Vous le jugez vraiment supérieur à nos F-15 ?

— Cela dépend pour quelle mission. Vous pouvez descendre six avions simultanément ?

— Non, mais combien de fois avez-vous l'occasion d'un tel exploit ?

— Pas assez souvent.

— Et dans un duel ?

— Nous pouvons battre n'importe qui, sauf un F-15 ou un F-16 bien pilotés. Mais *vraiment* bien pilotés. Et nous gagnerons une fois sur deux.

— Vous êtes content de votre séjour en Israël ? demanda Chermak pour changer de sujet.

— Pas vraiment.

— Ah bon, pourquoi?

Woods attendit un moment avant de répondre.

— Parce que je suis allé sur les lieux où mon camarade a été assassiné.

— Comment cela est-il arrivé? demanda le major après une hésitation.

— Il était venu voir une amie à Nahariya et il a été tué par ce cheikh.

— C'était lui qui était dans ce bus? s'enquit le major avec un soupir.

— Oui, Monsieur, répliqua Woods, dont le regard s'enflamma. On lui a tiré dans le dos.

— Je suis navré… dit le major. Mais, vous savez, on tue des Israéliens sans cesse, ici. Si ç'avait été un Israélien, vous ne le sauriez même pas.

— Vous n'avez pas le monopole de la douleur, répondit Woods avec irritation. Nous pouvons aussi souffrir.

— Bien sûr. Mais comprenez qu'il y a eu plus de mille cinq cents attentats en Israël depuis que nous sommes devenus une nation indépendante. Nous sommes en état de guerre permanent. Ils tirent par-dessus les frontières des fusées sur les écoles et les hôpitaux. Ils viennent en canots pneumatiques et massacrent des familles. Ils font sauter des bus et tuent des femmes et des enfants. Et après cela, ils veulent de la reconnaissance et du respect. Mais nous avons appris la leçon : les juifs ne se laissent plus tuer tranquillement. Nous ripostons.

— Et moi, je ne peux rien faire pour mon camarade Vialli? dit Woods avec amertume.

— Que voulez-vous dire?

— Je voulais une riposte. Mais je ne sais que faire. Savez-vous où se trouvent ces assassins, ce cheikh? Parce que j'ai le sentiment qu'il y a des gens qui le savent.

— Le cheikh est au Liban.

— Comment le savez-vous?

— C'est notre travail de localiser les terroristes qui tuent des Israéliens. Il n'est pas toujours au Liban, mais il y est en ce moment. Son quartier général est ailleurs.

— Mais comment savez-vous qu'il est au Liban ?

— Nos services de renseignements sont efficaces.

— Où, au Liban ?

— Au Liban oriental.

— Quand il avait envoyé son communiqué, il l'a fait de Beyrouth.

— Peut-être. Mais il est maintenant au Liban oriental.

— Quelle ville ?

— Dar el Ahmar.

— Où est-ce ?

— Si j'avais une carte, je vous le montrerais.

— Et pourquoi me dites-vous ça ?

— Nous sommes dans le même camp, non ? Il a tué votre camarade et trois de mes compatriotes.

Woods se demanda où Chermak voulait en venir, et il éprouvait le vague sentiment que ce dernier le mettait à l'épreuve.

— Si vous savez où il se trouve, pourquoi ne faites-vous rien ?

— Qu'est-ce qui vous dit que nous ne faisons rien ?

— Nous l'aurions su.

— Vous l'auriez su si nous avions voulu que vous le sachiez. Mais nous aurions aussi bien pu agir sans que vous le sachiez.

— J'espère que vous le pulvériserez.

— Et vous, pourquoi ne l'avez-vous pas fait ? Vous disiez que vous auriez voulu riposter.

— Cela ne dépend pas de moi. J'ai pris des risques, stupides d'un certain point de vue. J'aurais pu passer en cour martiale. J'avais cru que l'on me portait de la bienveillance parce que j'avais été le camarade de chambrée de Vialli. Et puis, j'ai écrit à mon député, espérant que le Congrès prendrait des mesures. Mais j'étais naïf. On vous asperge de bonnes paroles et on ne fait rien. Je suppose que nous sommes censés rester passifs.

La conversation étant devenue sérieuse, les autres officiers s'étaient éloignés, à l'exception de Big. Le major jeta un coup d'œil tout autour de lui, puis il se pencha vers Woods et lui dit d'une voix feutrée :

— Puis-je vous voir à l'extérieur ?

— Pour quoi faire ? demanda Woods, s'efforçant de demeu-
rer courtois.

Chermak éluda la réponse.

— Oui ? dit-il.

— Eh bien, si vous y tenez... dit Woods.

Et, s'adressant à Big :

— Je reviens.

Big le fixa, d'un air de mise en garde.

À l'extérieur, la nuit étoilée et le silence accueillirent Woods
et le major Chermak. Le froid, aussi, était présent. Woods fris-
sonna dans son costume de polyester blanc et il coiffa sa casquette.

— Venez, dit le major, s'engageant sur la route.

Woods le suivit le long du terrain qui flanquait le club.

— De quoi s'agit-il ? demanda-t-il, impatienté.

— Un instant. Je veux être certain que nous sommes hors
de portée de voix du bâtiment. On ne sait jamais. Quelqu'un
pourrait nous écouter.

Au bout de quelques minutes, le major s'arrêta. Un projecteur isolé sur un bâtiment à quelque distance dispensait une
vague clarté ; Woods ne distinguait même plus le visage de son
interlocuteur. Les grillons chantaient.

— Que faites-vous demain matin ? demanda le major, d'un
ton de confidence.

— Nous lèverons l'ancre tôt, répondit Woods, surpris, et
nous procéderons à des opérations en vol à l'ouest.

— Pouvez-vous prendre l'air le matin ?

— Quoi ?

Le major répéta sa question.

— Je vous l'ai dit. Nous décollerons le matin.

— À quelle heure ?

— Je ne peux pas vous le dire. C'est secret.

— À quelle heure est votre premier vol ?

— Mais quelle importance ?

— Quelle heure ?

— Je crois que notre premier lancement est à 7 heures.

— Pouvez-vous en être ?

— Pourquoi ?

— Oui ou non ?

— Bien sûr. C'est moi qui établis le programme des vols. Je peux m'inscrire où je veux. Mais pourquoi ?

Le major scruta les environs.

— Pouvez-vous nous rejoindre juste ici à 7 h 30 ? demanda le major en indiquant le ciel.

— Mais de quoi parlez-vous ? demanda Woods, bouleversé par ce qu'impliquait la question.

— Eh bien ?

— Je pense que je le peux, mais pourquoi ?

— Demain, nous irons au nord. Au Liban. Nos cibles seront des repaires de terroristes au Liban Sud, des endroits d'où ils lancent leurs attaques, y compris les opérations en canots pneumatiques, comme celle dont votre ami a été victime…

— Où est-ce ? coupa Woods.

— Nous irons aussi au Liban oriental. C'est moi qui dirigerai cette attaque. Nous irons à Dar el Ahmar.

— Vous allez attaquer le cheikh lui-même ? Celui qui a revendiqué Gaza et le bus ?

— Lui-même.

Woods eut la chair de poule.

— Que devrais-je faire ?

— Me couvrir. Nous nous attendons à ce que les Syriens nous donnent la chasse. Nous les provoquerons. Juste un peu.

— Ils vont vous envoyer des chasseurs ?

— Oui. Vous pourrez les tenir en respect. Je compte expédier à notre ami une bombe à guidage laser.

— Pourquoi ne voulez-vous pas que vos propres chasseurs vous escortent ?

— Ils seront là, eux aussi. Vous pourriez effectuer une protection en haute altitude, au-delà de la portée des AAA et des SAM.

Woods maîtrisa sa voix.

— Je n'obtiendrai jamais l'autorisation.

Chermak éclata de rire.

— Je ne m'attendais pas à ce que vous la demandiez.

— Vous êtes sérieux ? demanda Woods, en proie au vertige.

— Tout à fait sérieux.

— Mais je ne pourrais pas vous être d'un grand secours. Je ne pourrais pas tirer mes missiles. Et je ne peux pas retourner au navire sans eux.

— On peut arranger ça aussi.

— Tu as perdu la tête ? demanda Big, surveillant du coin de l'œil les autres officiers. C'est le genre de plaisanterie qu'ils ne trouveront pas drôle du tout.

— De quoi parlez-vous ? demanda Pritch en se dirigeant vers les deux officiers dont elle appréciait le plus la compagnie. Vous avez l'air de quelqu'un qui a croisé un fantôme… dit-elle à Big.

Big ne lui répondit pas et il se tourna vers Woods :

— Tu vas en parler à Wink ?

— Non. Je voulais t'en parler d'abord. Si tu es d'accord, nous en parlerons à Wink et à Sedge.

Big secoua la tête. Pritch fut intriguée.

— On n'y parviendra jamais, dit Big à la fin.

— Ça marchera. Ce n'est pas compliqué. Il suffit de les accompagner. Ce qui sera plus délicat, ce sera de dissimuler ça aux gens du navire. Mais ça aussi peut se régler, je le sais.

— Tu n'es peut-être pas le plus indiqué pour en juger.

— Allons voir Wink et Sedge. Je leur expliquerai. Ensuite, nous déciderons.

— Venez, dit Big à Pritch.

Ils se dirigèrent vers l'arrière de la salle, où la plus grande partie de l'escadrille s'était groupée, attendant de retourner au navire.

— Dissimuler quoi ? demanda Pritch.

Mais ils ne l'écoutaient pas.

20

Big se défit de son uniforme et l'accrocha dans le placard.
— Nous nous passons la corde au cou ! dit-il. Ils n'ont pas besoin de notre aide. Si nous n'y allons pas, ça ne fera aucune différence !

— Sauf que nous avons promis que nous irions.

— Je doute qu'ils y attachent beaucoup d'importance, répliqua Big, se laissant tomber sur le seul siège de la cabine.

— Tu reviens sur ta décision ?

— Revenir ? Je l'ai parcourue de long en large plusieurs fois, dit-il, s'adossant et fermant les yeux. J'ai fait pas mal de choses dans ma vie que je n'aurais pas dû faire, dont certaines étaient même illégales. J'ai enfreint des règlements de la marine, quand ça m'arrangeait. J'ai porté ma ceinture à l'envers, contrairement au règlement des uniformes. Mais je n'ai jamais rien fait qui puisse être qualifié de « forfaiture », conclut-il en rouvrant les yeux et en fixant Woods du regard.

Celui-ci se déshabillait ; il s'interrompit.

— Tu n'es pas obligé de venir si tu ne le veux pas. Je n'essaierai pas de te convaincre de quoi que ce soit. Tu me le reprocherais.

— Bien sûr que je te le reprocherais. Même si tu n'essayais pas de me convaincre. Ce que nous faisons, est-ce licite ?

Woods claqua la porte du placard.

— Dis-moi un peu ce qui est licite, Big. Tu trouves licite qu'un cheikh assassin tue l'un de nos camarades et reste impuni ? C'est licite, ça ?

— Question stupide. C'est de nous dont je parlais, pas d'eux. Ce qui est juste pour nous ne dépend pas de ce qu'ils font. Ils nous compliquent l'existence, oui, mais ils ne définissent pas ce qui est juste.

— Ce sont des gens qui ne respectent rien ! La vie humaine n'a pas de valeur pour eux, si ce n'est celle de leurs chefs. Et ce ne sont d'ailleurs pas leurs chefs qui exécutent ces attentats. Mais pour moi, la vie humaine a de la valeur. Beaucoup de valeur. Voilà mon point de vue.

— Je ne sais pas, Trey, dit Big, tambourinant sur le bureau pliant. Qu'en dirait le père Maloney, à ton avis ?

La question désarçonna Woods.

— Depuis quand te soucies-tu de ce que le père Maloney pense ? Chaque fois qu'il vient s'asseoir avec nous, tu te lèves comme s'il avait la lèpre.

— C'est que je me sens mal à l'aise de parler de religion, répondit Big en se mordillant la lèvre. Je n'aime pas qu'on me mette sur la sellette. Et puis, je ne sais pas moi-même en quoi je crois, et cela se voit vite. Tu n'as jamais pensé à la mort ?

— Mais qu'est-ce qui te prend, monsieur le Grand Cynique ? Tout d'un coup, tu t'inquiètes du sens de l'existence ?

— Quand je pense à demain, je me mets à y réfléchir, oui.

Woods s'assit.

— Bien sûr que je pense à la mort. Pour moi, je suis invincible… jusqu'à ce que Dieu décide que je dois m'en aller. Là, je ne peux plus rien. Bon, tu viens ou pas ?

— Tu risquerais de t'égarer ou de faire une connerie, dit Big en soupirant. Il faut que j'en sois, pour veiller sur toi.

— Merci, dit Woods, rassuré.

— Ne me remercie pas. Nous pourrions bien finir tous les deux à Leavenworth[1].

— Je déclarerais alors en cour martiale que personne ne s'est soucié de Vialli. Si nous finissons au trou, ça en vaudra la peine.

Big grimpa sur sa couchette pour prendre les quelques heures de sommeil qui lui restaient.

— J'espère que tu as raison, dit-il. Il faut que quelqu'un s'occupe de ces terroristes et prenne des risques. Comme disait

---

1. Fort Leavenworth : siège de l'une des cours martiales des forces américaines et d'une prison militaire. (N.d.T.)

185

Bogart dans *Le Faucon maltais* – et il imita la voix d'Humphrey Bogart : « Faut que tu t'en occupes. Si tu ne le fais pas, c'est mauvais pour les affaires, c'est mauvais pour tout. »

Woods crut avoir entendu un bruit ; il écouta ; c'était bien cela, quelqu'un frappait très discrètement à la porte. Il l'ouvrit ; Wink poussa la porte et entra.

— Wink, qu'est-ce qu'il y a ?

— On ne peut pas faire ça, déclara Wink, nerveux, après avoir jeté un coup d'œil à Big, assis sur sa couchette.

— Faire quoi ?

— Arrête tes salades, dit-il en se frottant les genoux comme un écolier coupable dans le bureau du proviseur. On ne s'en sortira jamais.

— Si.

— Il y a trop de choses qui peuvent foirer…

— Certainement. Mais nous nous en sortirons, Wink, et tu le sais.

— Ce n'est pas de les escorter qui m'inquiète, insista Wink, visiblement torturé. Mais Trey, je ne veux pas aller en prison à cause d'une vengeance impulsive qui servirait à nous donner bonne conscience.

— Nous n'irons pas en prison.

— Nous ne nous en tirerons jamais ! s'écria Wink, élevant involontairement la voix.

— Si ! Qu'est-ce qui te prend ? demanda Woods. Tu as dit que tu étais partant…

— Je l'étais. Mais quand je me suis allongé sur mon lit, je n'arrivais même plus à déglutir. Tu te rends compte des conséquences si nous nous faisons choper ?

— Bien sûr. Ça n'arrivera pas.

— Ouais. Tiger n'aura qu'à inscrire de faux signaux sur le radar…

— Tu lui en as parlé ?

— Oui.

— Il a dit que c'était possible ?

— Ouais, mais si quelqu'un regarde de près, il verra la différence.

— Personne ne regardera. Personne ne contrôle Tiger.

— Et s'ils le font ?

— Ils ne le feront pas.

— Et nous sommes censés aller là-bas et revenir en un seul cycle ? 1 heure et 45 minutes ? Tu plaisantes ?

— Wink, je t'ai montré la carte. Tu connais la musique. Il y a 111 nautiques jusqu'à Ramat David. Combien de temps ça représente à 500 nœuds ? 13 minutes 19 secondes, Wink. Tu as fait le calcul toi-même. Et de Ramat David à la vallée de la Bekaa, au Liban ? 64 minables nautiques. Combien ça représente à 600 nœuds ? 6 minutes 24 secondes, Wink. Soit jusqu'ici près de 20 minutes. Et pour revenir ? 15 ou 20 minutes de plus, ça dépend. Soit 40 minutes au total, auxquelles s'ajoute un peu plus de temps pour un combat aérien, c'est-à-dire, quoi, une dizaine de minutes ? À ton avis, on peut fourrer tout ça dans un laps d'1 heure 45 ? Il y aura certainement quelques écarts, mais le programme tient.

— Je pense tout simplement que nous n'y arriverons pas.

— Allons, Wink, un peu de cran ! C'est pour Tony, ce n'est pas pour nous. C'est une question de courage et de fidélité au souvenir. Il s'agit de savoir prendre des risques quand il le faut et de ne pas rester assis, comme des gros idiots contents de l'être, alors que ces enfoirés ont assassiné un camarade d'escadrille.

Wink se leva et fit face à Woods.

— Non, Trey, il s'agit de ne pas aller en taule. Il s'agit de ne pas faire une connerie.

— Si tu ne veux pas y aller, dit Woods, je peux trouver quelqu'un pour te remplacer. Easy le fera.

Wink regarda Big, qui suivait attentivement la discussion.

— Et toi, tu y vas ?

— Des deux jambes.

— Pourquoi ?

— Pour Boomer, répondit Big en sautant à terre. Pour les gosses qu'il n'a pas eus. Si quelqu'un me descendait de la même manière, je voudrais qu'on me venge. Je me fous de savoir qui, mais quelqu'un. Or, personne n'est prêt à le faire. Alors, à nous de nous y coller.

— Nous ne pouvons même pas tirer de missiles… objecta encore Wink.

— Si, nous le pouvons. Le major se chargera de ça. Je t'ai expliqué le plan.

— Comment sais-tu qu'il le fera vraiment ? Et s'il nous tendait un piège pour nous foutre dans la merde ? Et ici, sur le navire ? Tu crois qu'ils ne le sauront pas ?

— Gunner, le chargé des missiles, est de mèche.

— Merde alors ! Tout le monde sur le bateau est au courant ?

— Juste ceux qui doivent l'être. Gunner se chargera des missiles.

— Comment ?

— Il a accès à l'ordinateur et aux dossiers des missiles.

— C'est limite, Trey.

— Bon, tu viens ?

Wink resta silencieux. On entendait les bruits du navire.

— Ouais.

Woods toqua doucement à la porte d'une cabine, se penchant pour pouvoir entendre le moindre bruit venant de l'intérieur. Puis il toqua de nouveau, à peine plus fort. Il consulta sa montre, qui étincelait sous la lampe rouge de la coursive : 2 heures. Il toqua une troisième fois et perçut un vague remous. Pritch ouvrit la porte, décoiffée, enveloppée dans une vaste chemise de nuit.

— Qu'y a-t-il ? demanda-t-elle, irritée.

— Habillez-vous, s'il vous plaît.

— Pour quoi faire ? Savez-vous l'heure qu'il est ?

— J'ai besoin de votre aide.

— Mon aide ? De quoi parlez-vous ?

— Habillez-vous, je vous en prie, répéta Woods.

Pritch pesta et retourna vers son lit ; elle aurait bien voulu continuer à dormir, mais elle savait Woods tenace. Elle ouvrit son placard et en tira l'uniforme tout frais qu'elle avait préparé pour le matin et le briefing de 5 h 15 avant le lancement de 7 heures. Elle ferma la porte et s'habilla.

Adossé à un pilier de la coursive, Woods réfléchissait. Il commençait à douter de lui-même. La perspective d'une riposte était irrésistible. Et il devait la saisir, pour Vialli. Mais, pour la

188

première fois, il hésitait. À trois portes de là, un marin cirait le pont, et la coursive était barrée en son milieu pour que nul ne mette le pied sur la cire fraîche. Le manche de la cireuse faisait trembler le gros ventre mou du marin sous sa vareuse de toile. Woods secoua la tête ; il avait autrefois ciré les ponts, quand il était enseigne de troisième classe. Non, il ne cirerait plus jamais les ponts, à moins de passer en cour martiale et d'être rétrogradé pour avoir violé tous les règlements de la marine, enfreint toutes les lois internationales, et bafoué le sens commun. La porte de Pritch s'ouvrit ; il sursauta.

— Voilà, dit-elle d'un ton énervé.

— Allons-y.

— Où allons-nous ? demanda-t-elle, essayant de suivre l'allure de Woods.

— Au CIC[1].

— Pour quoi faire ?

— Vous verrez.

Ils y arrivèrent et regardèrent la glace sans tain derrière laquelle se trouvait l'officier de service. Ayant reconnu Pritch, celui-ci actionna l'ouverture électronique de la porte et les visiteurs entrèrent. Un matelot astiquait le sol de carrelage dans un coin de la salle et un autre promenait un testeur électronique.

— Qu'est-ce qu'on fait ici, Trey ? Je dois faire mon briefing dans trois heures et j'ai besoin de dormir.

— Non, vous n'avez pas besoin de dormir. Le sommeil, c'est pour les loirs. J'ai besoin de cartes, d'Israël, du Liban et de Syrie. Et j'ai besoin que vous tiriez l'ordre électronique de combat pour le Liban et que vous me trouviez tout ce que vous avez sur les visées des SAM et des AAA.

Elle ne dissimula pas son étonnement.

— Pour quoi faire ?

— Ça n'a pas d'importance.

— Ça en a pour moi.

— Alors ne posez pas de questions.

Elle baissa le ton, pour que le matelot ne les entende pas.

---

1. *Carrier Intelligence Center* : centre de renseignements du porte-avions. (N.d.T.)

— La seule raison pour laquelle vous pourriez en avoir besoin serait un survol de ces territoires. Mais nous ne les survolerons pas.

— C'est l'un de ces moments dans la vie où il vaut mieux ne pas être officiellement informé, Pritch. Faites simplement ce que je vous dis.

Elle se dirigea vers une armoire métallique comportant de longs tiroirs plats et un lutrin orientable. Elle ouvrit un tiroir du bas et en tira une carte du Liban, puis la posa sur le lutrin. Woods et elle l'examinèrent.

— C'est là que vous allez? demanda-t-elle.

— Je n'ai pas dit que j'allais quelque part, répondit Woods sans hésitation. Mais si j'avais eu l'intention de me rendre au Liban, c'est ici que je serais allé, dit-il en indiquant un point précis.

21

Ricketts jeta l'œil dans les rétroviseurs. Son camion tractait une remorque contenant cinq scooters Honda neufs : deux de couleur bordeaux, un blanc, un rouge et un noir, à quoi s'ajoutaient des outils et des pièces de rechange. Tandis qu'il empruntait l'artère principale de la ville, il se mit à scruter les fenêtres, les toits et les venelles, à la recherche de gardes armés. Dar el Ahmar était un peu trop loin de la côte à son goût.

Il avait caressé l'idée d'une petite explication avec le cheikh, histoire de lui faire connaître l'opinion des Américains sur le meurtre de l'un de leurs compatriotes, mais la direction des opérations l'avait calmé ; elle voulait ramener le cheikh vivant aux États-Unis, lui donner des avocats payés par le contribuable américain, et même laisser un jobard prendre sa défense et prétendre qu'il avait été capturé illégalement, mais en tout cas le faire comparaître devant la justice.

Il s'efforça de penser à autre chose. Son job : il avait en tête le plan idéal, à la condition que ses hommes de main ne l'aient pas vendu à l'ennemi. Ces agents, qui devaient l'aider à transférer le cheikh aux États-Unis, étaient déjà en place ; il leur avait rendu visite durant la nuit. Les pièges, les hélicoptères et les tireurs étaient prêts. Ça passerait ou ça casserait.

Il contourna trois moutons qui traînaient en pleine ville et engagea camion et remorque dans une rue étroite bordée de maisons à deux étages. Le magasin de deux-roues se trouvait au prochain angle. La rue était encombrée et il n'était donc pas possible de se garer devant la boutique. Un grand camion lanternait là ; quand il vit dans son rétroviseur le véhicule de

191

Ricketts, son chauffeur libéra les lieux. Tout marchait comme prévu. Ricketts se gara à sa place et consulta sa montre.

La boutique n'ouvrait qu'à 10 heures. Ricketts jeta un regard à la panoplie de motocyclettes, de scooters et de vélomoteurs ; la plupart étaient d'occasion, mais il y en avait quelques-uns de neufs. Il savait que le magasin avait été prié de commander quelques scooters neufs, parce que Assam, personnage mystérieux originaire de Dar el Ahmar, et dont la fortune comme l'influence étaient apparemment illimitées, voulait en offrir un à sa nièce pour son anniversaire. Le riche client se présenterait en personne avec elle pour en prendre livraison avant l'ouverture de la boutique, c'est-à-dire entre 8 et 10 heures.

Ricketts descendit du camion, s'étira et marcha péniblement, comme s'il avait vingt ans de plus. Il portait des vêtements fatigués et ses joues étaient couvertes d'une barbe de huit jours, grisonnante de surcroît, ce qui n'était pourtant pas le cas de sa pilosité naturelle. En se dirigeant vers la porte de la boutique, il remarqua quatre hommes armés sur les toits avoisinants, déjà postés pour protéger leur chef, la cible même de Ricketts. Joli travail, se dit-il ; ils se trouvaient exactement là où ils devaient être. Les six autres gardes du corps qu'amènerait Assam entreraient à coup sûr avec lui dans la boutique. Sans quoi tout était raté.

Il n'était même pas 7 heures. Ricketts colla son visage contre la porte vitrée et frappa, criant en arabe :

— Ouvre ! Les Honda sont là !

Pas de réponse.

— Hé, tu m'as dit de venir tôt ! Où es-tu ? Ouvre !

Il y eut du mouvement dans la boutique. La porte s'ouvrit.

— Ah, tu as tenu parole.

— Bien sûr. Je t'ai apporté les scooters. Où veux-tu que je les mette ?

— Juste en face du magasin. Notre ami les examinera là, pour que sa nièce choisisse celui qu'elle veut. Nous discuterons affaires à l'intérieur.

— Tu m'offres un café ? demanda Ricketts.

— Sois le bienvenu. Entre, répliqua l'homme, indiquant l'intérieur de la boutique.

Ils laissèrent la porte ouverte. L'homme saisit une aiguière de cuivre gravé et versa le breuvage crémeux dans une tasse bleue. Ricketts parcourut la pièce du regard en sirotant son *kawa*. Il vérifia que tout était en place. La ligne mince sur le sol était presque invisible, comme tracée au doigt dans la poussière, mais ceux qui avaient besoin de la voir la verraient. Tout ce qu'ils auraient alors à faire serait de pousser le cheikh au-delà de cette ligne, vers l'arrière de la boutique. Ce serait là que l'affaire se traiterait.

— Tout est prêt pour cette vente? demanda Ricketts, sondant le regard de son agent.

— Oui, répondit l'autre, accompagnant sa réponse d'un battement de cils.

— Tu es sûr que notre ami viendra?

— Je ne suis jamais sûr de rien.

Ricketts se versa encore du café.

— J'ai fait un long voyage avec ces Honda, je ne voudrais pas avoir perdu mon temps.

— Il agit à sa guise. S'il décidait de ne pas acheter le scooter, eh bien, il faudrait se faire une raison. Nous avons déjà eu de la chance d'apprendre qu'il voulait faire ce cadeau à sa nièce.

— Il a bien dit qu'il viendrait avant l'ouverture de la boutique?

— Il peut aussi bien venir à une autre heure ou bien un autre jour. On verra.

— Bon, nous n'avons qu'à attendre.

— Et nous attendons.

— On y va, dit Woods, tandis que son appareil roulait vers la catapulte.

Les deux Tomcat étaient les premiers à être lancés. Wink étudiait la carte qu'il avait reçue une heure avant le décollage. L'anxiété commençait à le ronger.

À l'ouest d'Israël, le soleil se levait sur une journée splendide. La mer calme, d'un bleu violacé étrange, s'ouvrait sous l'étrave du *Washington,* moussant çà et là.

Woods avait mentalement préparé sa mission depuis qu'il avait réveillé Pritch ; il avait maintenant bien en tête les temps, les fréquences, tout cela.

— Tiger sait-il bien ce qu'il doit faire? demanda Woods, appuyant sur la pédale pour atteindre la catapulte.

— Il espère simplement que personne n'y regardera de trop près.

— Comme nous tous, dit Woods, avec une certaine tension.

Ils levèrent la main; les hommes du service d'artillerie vinrent retirer les goupilles des six missiles que les pilotes emportaient dans presque tous les vols, deux Phoenix, deux Sparrow et deux Sidewinder. Leur chef leva le pouce et leur montra les petits drapeaux rouges attachés aux goupilles. Woods hocha la tête et jeta un coup d'œil à la piste numéro 2 : Big et Sedge étaient prêts, les ailes dépliées à l'avant et les moteurs à pleine puissance. La catapulte se déclencha, l'avion pointa le nez vers le bas et courut vers la proue. Big vira à droite en décollant, rétracta son train d'atterrissage et prit de l'altitude.

Une fois de plus, Woods sentit la tension de la catapulte s'exercer sur la barre de lancement et passa rapidement en revue les consignes avec Wink. Les radios étaient muettes.

— Prêt? demanda-t-il.

— Prêt.

Woods fit un signe et le Tomcat bondit.

— Bonne vitesse, dit calmement Wink.

Woods rétracta le train d'atterrissage et vira à gauche. Il monta à 500 pieds et se détendit. Temps parfait, avion aussi. Il faisait enfin ce qu'il voulait faire et se sentait totalement alerte. Il accéléra et rejoignit Big. Celui-ci toqua du doigt sur son casque, puis pointa vers Woods, à qui il donnait ainsi la tête. À 7 nautiques du navire, Woods tira sur le manche et ils gagnèrent de l'altitude à taux constant.

À 6 000 pieds, Woods orbita 5 minutes au-dessus du navire, attendant que l'avion-citerne S-3 parvienne à son poste ; ce laps de temps lui parut une éternité. Son pouls et sa respiration lui semblèrent plus rapides que d'habitude.

— Où est ce crétin de S-3? demanda-t-il, exaspéré.

— Il était encore sur le pont quand nous avons décollé, répondit Wink. Tu croyais qu'il allait arriver ici avant nous?

Woods scruta le ciel avec impatience.

— Je le vois. Il arrive à 40, 4 000 pieds, et il monte.

— On y va, dit-il, virant à gauche pour se diriger vers le S-3.

— Laisse-le atteindre d'abord son altitude, pour qu'il ne gueule pas.

— On n'a pas de temps à perdre, Wink.

— Je sais, mais décrispe-toi.

Woods fronça les sourcils sous sa visière et son masque à oxygène. Il fit signe au pilote de déployer le panier. Lorsque les deux Tomcat eurent fait le plein, ils se détachèrent du tanker volant et se lancèrent dans leurs exercices d'interception.

Wink, à l'arrière, abaissa la manette 8 de la radio et Woods celle de la fréquence dont Big et lui étaient convenus ; c'était celle de l'escadrille, mais augmentée d'une décimale au cas où quelqu'un aurait eu la fantaisie de les écouter.

— Prêt, Big ?

— Prêt.

Woods consulta sa feuille de vol pour voir quels noms de code le *Washington* et l'escadrille portaient ce jour-là.

— Gulf November, ici Épée de Feu Deux-Un-Un.

— *Épée de Feu Deux-Un-Un, Gulf November, votre situation est 0-2-0 à 30. Qui part le premier ?* demanda la voix familière de Tiger, le contrôleur.

Woods consulta la pendulette de bord : il était temps de foncer.

— *Deux-Un-Un sera le premier et Deux-Zéro-Sept l'ennemi*, répondit Wink à Tiger.

— *Roger Deux-Un-Un. Prenez position 0-2-0 à 60. Deux-Zéro-Sept, prenez position 0-2-0 à 30.*

— *Deux-Un-Un*, dit Wink.

— *Deux-Zéro-Sept*, dit Sedge.

Ils s'élancèrent sur la radiale 0-2-0, Big toujours à tribord de Woods, attendant le signal. Ils approchèrent du point fixé à 30 nautiques et Woods stabilisa son altitude à 15 000 pieds.

— *30 nautiques*, transmit Woods.

— *Roger, Deux-Zéro-Sept, orbitez là et Deux-Un-Un continue à l'extérieur.*

Woods hocha la tête et les deux appareils piquèrent vers l'océan. Wink et Sedge commutèrent de la fréquence IFF, *Identification Friend or Foe*, qui leur assurait la communication automatique de données à partir du *Washington*, à la fréquence du E-2C Hawkeye, l'avion-radar de l'armée de l'air israélienne, que Woods leur avait communiquée. Cet aéronef-là orbitait quelque part au-dessus d'Israël.

— On ne devrait pas tarder à les capter, dit Wink, branchant son radar tandis que Woods connectait également le sien.

Mais les écrans ne montraient ni bateaux ni avions à moins de 12 nautiques. Woods vira à l'est, sur la radiale 0-8-6 ; il était 7 h 15. Ils étaient de 2 minutes en retard sur le planning strict qu'il avait établi.

— Je vais accélérer un peu, dit-il.

— Mais ne passe pas en super, prévint Wink.

Woods poussa les gaz à la puissance militaire et rétablit son altitude à 50 pieds de la mer. Big se maintenait au-dessus, sachant que, lorsque l'on vole très bas, l'ailier doit rester au-dessus pour ne pas finir dans un pylône ou un arbre.

— Direction 0-8-0, dit Wink.

— Comment sais-tu ça ? demanda Woods, en se concentrant pour ne pas piquer dans la mer.

S'il éternuait seulement, en effet, ils tombaient.

— Nous avons de bonnes données : on voit Ramat David et tous les avions qui en ont décollé.

Il se pencha sur l'écran vert sur noir et mit sa main en pare-soleil pour éviter la réflexion :

— À partir d'ici, on vole à vue. Plus de radar.

— Ne le déclenche surtout plus, même par mégarde, dit Woods. C'était en effet le meilleur moyen de se faire repérer.

— *Deux-Un-Un, venez sud au 2-0-0, ennemi 2-0-0 à 30, anges à 15,* transmit Tiger.

— *Roger, Deux-Un-Un vers 2-0-0,* répondit Wink.

— Tu crois qu'il va réussir à inscrire de fausses données ?

— C'est ce qu'il pense. On le verra bientôt.

— Tu ne lui as pas dit où nous allions, non ?

— Non. Je ne voudrais pas qu'on occupe toutes les cellules, à Leavenworth. Moins il en sait, mieux ça vaut pour lui.

— Et s'il ne s'en tire pas ?

— Nous sommes cuits. Nous prétendrons que nous faisions des exercices de duels, mais en douce, pour que l'amiral Sweat ne fasse pas dans ses culottes.

— Altimètre radar ?

— 40 pieds.

— On est en sécurité.

— À quelle distance est la côte ? Je crois que je l'aperçois.

— Sans radar, je ne peux pas dire, mais à vue de nez, 15 nautiques environ.

— Big va bien ?

— Ouais. Sedge a mis le bras sur le rebord. Peut-être qu'il veut attraper des oiseaux. Il a l'air relax.

Woods accéléra à 500 nœuds. Les deux Tomcat rugissants, portant l'insigne au crâne et aux tibias entrecroisés, foncèrent vers Israël à 50 pieds au-dessus de l'eau, les ailes repliées à 68 degrés sur commande de l'ordinateur de bord ; volant telles deux épées parallèles, ils approchaient maintenant de la vitesse supersonique.

— *Deux-Un-Un, ennemi 1-9-9 à 20 nautiques, anges à 15.*

— *Roger,* répondit Wink, continuant la parodie d'interception.

Le cœur de Woods battait aussi fort que lorsqu'il avait décollé. Lorsqu'il volait à cette vitesse, il avait d'habitude la gorge sèche ; aujourd'hui, c'était pis : il arrivait à peine à avaler sa salive. Ses paumes nues étaient moites sur le manche et les manettes des gaz ; il aurait dû porter les gants Nomex réglementaires.

— Je vois la côte, dit-il.

— Passe au 0-8-4, répondit Wink.

Woods effectua aussitôt la correction. L'affichage vert des données de bord sur le pare-brise lui fournissait l'état de ses armements et son altitude, sans qu'il eût à détacher les yeux de l'horizon.

Soudain, la côte défila sous les appareils, leur donnant un sens de la vitesse bien plus aigu que sur l'eau. Des palmiers se succédèrent. La plage était déserte. Passant au-dessus de la route sur laquelle Vialli avait été tué, ils croisèrent une voiture. Woods respira à fond l'oxygène pur. Il tira un peu sur le manche et monta à 500 pieds, puis sur les manettes des gaz, et réduisit la vitesse à 300 nœuds.

— Quelle distance de Ramat David ?

— 30 nautiques environ, 6 minutes, répondit Wink. *Fox Deux, laisse tomber, on reprend une autre,* transmit-il.

— Roger Deux-Un-Un, Deux-Zéro-Sept, direction nord comme chasseur. Deux-Un-Un, sud, en tant qu'ennemi, annonça calmement Tiger.

— Deux-Un-Un, Roger.

— Deux-Zéro-Sept, Roger.

Un nouveau coup d'œil à la pendulette : 7 h 30.

— Nous sommes en retard, dit Woods.

— Je doute que ça ait de l'importance. Personne n'est précis à ce point.

Woods distinguait tous les détails des maisons et des fermes. Il voyait la vapeur condensée sortir des naseaux du bétail qui s'agitait au bruit des avions. Des gens regardaient en l'air, bien qu'ils fussent habitués au passage d'avions à basse altitude à toutes les heures du jour et de la nuit.

Woods se sentait invincible. Il contrôlait tout. Son pouls reprit un rythme plus paisible ; mais au moment où il commençait à se détendre, son cœur fit un bond dans sa poitrine.

— Tu vois ce que je vois ?

Wink se pencha.

— Nom de nom, Trey. Il doit y avoir au moins 75 appareils !

— Il y en a partout, dit Woods, réduisant sa vitesse à 250 nœuds. Bon, nous ne sommes pas si en retard que ça.

— On monte directement à 500 ? C'est là que le major a dit qu'on aurait rendez-vous.

— Ouais, mais il y a encore des avions qui décollent. Ils devront nous éviter. Il y a un véritable embouteillage sur la piste au milieu du champ. Une vingtaine de zincs.

Il effectua un léger virage pour rejoindre le groupe d'appareils qui orbitaient au-dessus de la base de Ramat David.

— On accélère et on les rejoint, pour que l'un de ceux qui décollent ne nous rentre pas dedans.

Woods poussa légèrement les gaz et, regardant en bas à gauche, vit deux F-15 en post-combustion, décollant en formation.

— Ce doivent être les derniers, je n'en vois pas d'autres, dit-il.

— Deux-Un-Un, montez au nord, Deux-Zéro-Sept, votre ennemi est à 1-9-7 pour 32, anges 25.

— Deux-Un-Un, Roger.

— Deux-Zéro-Sept, Roger.

— *Deux-Zéro-Sept, ennemi à 1-9-6 pour 30 nautiques, anges 25.*

— Tu as une bonne vue d'ensemble ? demanda Woods à Wink, incapable de détacher son regard des F-15 et des F-16 avec leur étoile de David bleue sur cercle blanc.

— Nom d'un chien, mais c'est incroyable ! s'écria Wink, penché sur son écran comme s'il suivait un match de foot.

L'écran radar, mis en ouverture maximale, recevait les images du Hawkeye ; ainsi, Wink n'avait même pas besoin d'ouvrir son propre radar. Il distingua les F-14 au milieu et le Hawkeye filant au nord de Ramat David et au sud de la frontière libanaise. Les symboles étaient clairs : des demi-cercles pour les appareils israéliens et pour les autres, considérés comme hostiles, des chevrons renversés.

— Regarde-moi cette meute ! s'écria Woods, examinant le ciel au-dessus de Ramat David.

Des douzaines de chasseurs israéliens orbitaient là, des F-15, des F-16, des F-4, tous impatients d'aller au combat. Soudain, le groupe des F-4 se détacha et fila vers le nord-ouest. C'était le deuxième groupe de Phantom ; les premiers traversaient la frontière libanaise, tandis que les autres se regroupaient pour l'attaque. Des douzaines de missiles anti-radiations Ze'ev, qui n'avaient été utilisés qu'une fois et dont l'existence n'avait jamais été confirmée, rayèrent le ciel en direction du nord. Grâce à l'Arava, l'avion de surveillance électronique au-dessus, les artilleurs au sol savaient exactement ce qu'ils devaient viser ; les missiles se dirigeaient avidement vers les radars qui tentaient de repérer les drones israéliens sans pilotes. Les Phantom Wild Weasel F-4, en formation au-dessus du Liban Sud, lancèrent des missiles anti-radiations HARM, de fabrication américaine ceux-là, vers les cibles au nord, hors de portée des missiles Ze'ev. Les drones pouvaient alors pénétrer, avec leurs typiques allures pataudes, dans les dômes radar où gîtaient les lanceurs de SAM et d'AAA syriens. Détectant leur proie, les opérateurs au sol se pourléchaient les babines et visaient ce qui semblait être des appareils israéliens : en effet, tandis que leurs SAM et AAA jaillissaient de leurs rails, les Phantom en détruisaient les sites de tir avec leurs missiles anti-radiations et leurs bombes. Sur tout le Liban, dans la vallée de la Bekaa, autour des bases et des camps et le long des frontières, les mêmes missiles anti-radiations pulvérisaient aussi les bases radar et les unités mobiles de la défense antiaérienne des Syriens, qui contrôlaient depuis des années l'espace aérien libanais. Même les opérateurs qui étaient assez malins pour éteindre leurs radars avant que les Ze'ev ne leur tombent dessus découvraient que ces missiles savaient se rappeler la localisation des derniers centres d'émission.

Les Phantom F-4 chargés d'annihiler les bases de lancement des SAM rugirent au-dessus des frontières libanaises, chargés de bombes à guidage laser et secondés par le repérage laser des cibles par les drones, désormais protégés.

À ce moment-là, le major Michée Chermak, à la tête de la formation la plus avancée de F-15 au-dessus de Ramat David, fonça vers le nord. Devant Woods, huit chasseurs formèrent deux groupes de quatre à 500 pieds au-dessus du sol. Woods les laissa accélérer et communiqua ses instructions à Big : ils se posteraient à un nautique et demi à droite et à un nautique derrière le dernier des F-15.

— On y va, dit Woods à Wink, en mettant les gaz à 450 nœuds, pour tenir l'allure des F-15.

Wink analysait l'image radar transmise par le E-2C israélien.

— Trey, j'ai six ou huit ennemis sur l'écran, se dirigeant au sud, vers la frontière. Ça annonce de la castagne.

— Ils viennent vers nous ?

— Non, les F-14 qui sont allés tout arroser se dirigent de l'est vers l'ouest et maintenant, ils vont vers la frontière. Les ennemis sont à leurs trousses. Je pense que les Phantom les attirent dans un piège. Tout ça, c'est une mise en scène. Ils devraient être devant nous, à une cinquantaine de nautiques et 20 degrés à droite, allant vers la gauche à environ 450 nœuds.

— Protocole de combat, dit Woods, excité.

— Roger, répondit Wink, tendant la main vers les cartons fixés au tableau à hauteur de son genou.

— Ailes.

— Auto.

— Prép missiles.

— Branché.

— Sidewinder.

— Branché.

— *Deux-Zéro-Sept, ennemi au 1-9-5 pour 25, anges 25.*

— *Roger,* répondit Wink, poursuivant la comédie d'exercice d'interception, pour le cas, où quelqu'un sur le *Washington* aurait été à l'écoute. Il aurait bien voulu débrancher Tiger, pour se concentrer sur ce qui se passait dans la réalité, mais il savait que c'était risqué.

— Sélection armes.

— Sidewinder.

— Déclencheur.

— Abaissé.

— Relève-le, qu'on ne l'oublie pas.

— Roger, dit Wink, s'exécutant. Déclencheur relevé.

— Prêt?

— Prêt. Tu es sûr que tu veux y aller?

— Ouais.

— Moi aussi.

Les chasseurs s'écartèrent légèrement les uns des autres tandis que les Mig accouraient de Syrie. Woods détacha les yeux de l'écran radar et balaya le ciel du regard. Il distingua un groupe d'une vingtaine de chasseurs à l'est des Mig et un autre à l'ouest. Il n'avait jamais vu autant d'avions en vol et ne parvenait pas à croire qu'il se préparait à combattre aux côtés de l'armée de l'air israélienne.

Les chasseurs à l'ouest obliquèrent nord-ouest pour affronter les Mig. Les F-4 auxquels en avaient les Mig étaient en supersonique au-dessus du Liban occidental, s'apprêtant à regagner l'espace aérien israélien, dans ce qui ressemblait à une tentative d'échapper aux avions syriens. L'EC-135 avait activé son système de brouillage, noyant les radars du système syrien d'interception au sol aussi bien que ceux des SAM et des AAA.

— Il doit y avoir trente ou même quarante Mig qui arrivent, dit Wink, et il y en a probablement d'autres en train de décoller. L'E-2C les détecte dès qu'ils sont en l'air. Il faut surveiller le nord-est.

Woods accéléra un peu pour rejoindre les F-15 et les F-16.

— Ils accélèrent devant, nota-t-il. Quelle est la vitesse des Mig ?

— 550 à 600 nœuds. Nous sommes maintenant dans l'espace aérien du Liban.

Woods jeta un regard au sol, toujours à 500 pieds au-dessous.

— Ça ne me paraît pas différent.

— Si on nous descend, tu changeras d'avis.

Ils suivirent les Israéliens plus avant dans le Liban. Plus question de faire demi-tour, songea Woods.

— 0-0-5 sur 10 nautiques pour le premier, les autres sont à l'est et à l'ouest, dit Wink. Ils sont partout au-dessus de nous. L'E-2C a capté 30 ennemis.

— Je vois des points, mais rien de clair, répondit Woods, mi-frustré, mi-impatient.

— 5 nautiques, on y va, annonça Wink, observant les F-15 devant qui prenaient de l'altitude.

Les Tomcat américains leur emboîtèrent le pas. Aucun signe de repérage par les Syriens. Ils montèrent à 10 000 pieds.

— Vérifie derrière, dit Woods.

Wink s'agrippa à la poignée devant lui et se retourna pour regarder entre les dérives.

— Rien. Vérifions dessous.

Woods s'inclina pour voir s'il n'y avait pas sous eux de Mig qui seraient en train de leur faire ce qu'ils faisaient eux-mêmes aux Mig : se faufiler par-dessous. Rien. Soudain, Wink se rappela Tiger.

— *Fox Deux, Tiger. Une autre tournée.*

— *Roger Deux-Un-Un. Nouvelle direction, 0-0-5, Deux-Zéro-Sept, allez au 1-7-5.*

— *Deux-Un-Un, Roger.*

— *Deux-Zéro-Sept, Roger.*

Soudain le ciel s'emplit de fumées blanches : les Israéliens tiraient leurs AIM-9M Sidewinder à tête thermo-sensible vers les Mig qui arrivaient en face. Des douzaines de missiles filèrent vers leurs cibles en suivant la trajectoire vrillée qui leur valait leur nom.

— Putain ! cria Wink. Tu vois ça ?

— On se bat, répondit Woods, serrant davantage sa ceinture.

Quelques pilotes de Mig aperçurent les missiles dès qu'ils furent tirés, les autres seulement quand ils eurent atteint leur but. Deux d'entre eux se détachèrent et lâchèrent des leurres au magnésium. Mais les Sidewinder étaient obstinés : ils cherchaient la cible la plus chaude, des moteurs à réaction bien brûlants.

Les missiles atteignirent leurs cibles, aussi loin que Woods pût en juger. Partout, des Mig explosaient et tombaient du ciel. Les F-15 et les F-16 passèrent au travers des formations syriennes qui se disloquaient et se lancèrent à la poursuite des Mig paniqués. Chermak fut le premier à tirer un deuxième missile. Woods, fasciné, suivit du regard le projectile supersonique qui quittait l'aile du F-15 et filait vers un Mig-23, à 2 nautiques devant. Le missile percuta le ventre de l'appareil, devant le réservoir largable plein de carburant. Le Mig perdit immédiatement de la vitesse, roula sur lui-même enveloppé de flammes et tomba vers le sol, à 10 000 pieds au-dessous.

— J'ai deux Mig à droite et à gauche, dit Wink, surexcité, s'efforçant de porter les yeux derrière lui.

— Et je vois des chasseurs israéliens partout, répondit Woods, en regardant prudemment la mêlée alentour.

Il vérifia que les Sidewinder étaient armés et mit les gaz.

— Le major s'en va ! cria-t-il. Il se dirige vers la cible.

Trois autres F-15 se détachèrent en direction de l'est. Woods et Big se rangèrent derrière eux, mais un peu plus haut, en position de couverture et d'escorte de chasseurs.

— À quelle distance est cette ville ?

Wink consulta la carte et leur position en latitude et longitude, fournie en continu sur leur tableau.

— 30 nautiques.

— Pas de problème. Tant qu'une bande de Mig ne nous prend pas en chasse, on est tranquilles.

— Les F-15 descendent. Je pense qu'ils vont remettre le cadeau à domicile.

— Où veulent-ils que nous volions ? demanda Woods, anxieux. Ils vont essayer de passer au-dessous des radars, et si nous restons au-dessus, nous allons les donner ! Bon, on va les suivre à leur altitude.

Il n'avait pas plus tôt parlé qu'ils furent au-dessus du Liban oriental, fonçant à 500 nœuds vers un village dont il ne connaissait même pas l'existence deux jours auparavant. Les F-15 avançaient en deux formations de deux, en V, avec Chermak en tête et son ailier à droite

À quelques kilomètres d'intervalle, Woods voyait les positions d'artillerie des AAA, qui tentaient de les atteindre, mais qui visaient trop mal. Dar el Ahmar serait-il protégé de la même façon ?

— Des ennemis ! cria Wink. À onze heures !

Woods vira à gauche et en haut pour les affronter face à face. Big gardait sa position de combat, à droite, un peu plus haut et à un nautique de distance. Les deux F-15 derrière Chermak et son ailier s'élancèrent vers les Mig, soutenus par Woods et Big.

Tiger, là-bas sur le *Washington*, les interrompit par des instructions pour une interception imaginaire.

— *Deux-Un-Un, venez sud à 1-9-5, votre ennemi à 1-9-3 pour 40 nautiques, anges inconnus.*

— *Roger, Deux-Un-Un, sud.*

— Et merde ! s'écria Wink. J'aurais préféré l'oublier. Bâbord plus, Trey, dit-il, essayant d'effectuer la véritable interception d'après les symboles de l'E-2C.

— *Ennemi Deux-Zéro-Sept, venez au nord sur 0-1-4.*

— *Deux-Zéro-Sept, Roger,* répondit Sedge, aussi exaspéré que Wink.

— Bâbord toute ! cria soudain Wink. Ennemi à dix heures, un peu plus haut, descendant à gauche. Il y en a deux qui nous poursuivent et deux après les F-15 !

Woods inclina le manche à gauche et pointa son avion vers le Mig-23 Flogger. Il aspira goulûment de l'oxygène dans son masque en caoutchouc, tandis que son corps s'apprêtait à subir les forces G d'une seconde à l'autre. Il vérifia la vitesse des Mig. 450. Ils ne le voyaient toujours pas arriver. Il monta à 7 G pour attraper le Mig à 3 nautiques.

— Vire à droite ! hurla Big dans la radio d'avant.

Woods s'exécuta sur-le-champ et vit le Mig 23 qu'avait signalé Big. Il accélérait vers eux. Soudain, un missile se détacha du Mig dans leur direction. Woods tourna l'appareil sur le dos et piqua vers la terre, espérant que le missile perdrait leur trace et qu'il était à guidage radar.

En se dirigeant vers Woods, le Mig s'était retrouvé en face de Big. Celui-ci braqua ses batteries sur lui ; il écouta le grondement du missile qui devenait de plus en plus fort au fur et à mesure que le Sidewinder captait la chaleur du Mig. Celui-ci lui facilita la tâche en se mettant en post-combustion à la poursuite de Woods.

Big releva le déclencheur et le Sidewinder s'élança. Quelques secondes plus tard, il atteignit le Mig par l'arrière. L'empennage coupé, le Mig tomba raide. Big guetta d'autres ennemis et ne vit pas le pilote du Mig s'éjecter.

Le missile destiné à Woods décrivit, lui, un arc de cercle et s'écrasa à terre.

Woods redressa son appareil et balaya les alentours du regard. Pas d'avions devant ni à droite.

— Où sont-ils tous passés ? demanda-t-il à Wink.

— *Deux-Un-Un, votre ennemi est 1-9-0 pour 39, anges 19.*

— *Roger,* répondit précipitamment Wink. Merde. Ils sont tous derrière nous. Nous avons traversé le champ de bataille. Ils sont presque à 3 nautiques derrière nous.

Woods entama un virage à droite et Big, comme lisant dans ses pensées, en entama un à gauche ; ils se croisèrent presque à se toucher et repartirent dans la direction opposée.

— J'aurais bien voulu brancher notre radar, dit Woods, plissant les yeux.

— Pas question. On peut se contenter des images de l'E-2C.

— J'espère que les Israéliens ne vont pas nous prendre pour des Mig.

— Ça serait la galère ! *Fox Deux, on lance une autre,* ajouta-t-il pour Tiger.

— *Roger Deux-Un-Un, allez au nord comme ennemi, Deux-Zéro-Sept allez au sud comme intercepteur.*

— Incroyable, dit Woods, tandis qu'ils filaient vers le sud.

Des traînées blanches de missiles enrubannaient le ciel dans tous les sens.

— Wink ! Je vois six ennemis ! Nous sommes débordés.

— Retournons vers les F-15, dit Wink, cherchant du regard les appareils qui devaient expédier son cadeau au cheikh.

— Roger, mais je les ai perdus, répondit Woods, scrutant le ciel.

Il chercha désespérément les Syriens, inquiet du tour des événements.

— Des Mig ! cria Wink. À gauche neuf heures en bas. Bâbord toute.

— Non ! Le combat est à droite ! Nous devons protéger Chermak !

Woods vira raide à droite à la poursuite du major qui s'élevait au-dessus du sol désertique, gagnant toujours de l'altitude. Woods aperçut la ville. Les F-15 se dressèrent en position quasi verticale tandis que les bombes à guidage laser les quittaient pour décrire un grand arc. Les F-15 poursuivirent leur ascension et les bombes, leurs trajectoires en direction de Dar el Ahmar, qui se trouvait à l'intersection de deux visées simultanées des lasers de F-15.

— Le cheikh n'aura même pas le temps de se retourner, dit Woods, suivant du regard les trajectoires des bombes.

22

Ricketts sursauta quand un inconnu se précipita dans la boutique, affolé et criant quelque chose d'incompréhensible.

— Qu'est-ce qu'il y a ? demanda Ricketts.

— Des avions qui se battent dans le ciel ! Ils arrivent par ici ! Viens voir !

Le patron de la boutique consulta Ricketts du regard pour savoir s'ils devaient sortir.

— Non, nous devons rester ici, répondit Ricketts, contrarié que le boutiquier pût même envisager de sortir de sa boutique à un moment aussi critique de l'opération ; il lui lança un regard sévère.

Le boutiquier comprit et s'affaira en attendant la visite du cheikh, qui était imminente.

Les 500 kilos de la bombe à guidage laser de Chermak explosèrent sur la remorque des Honda. Les explosifs C4 que Ricketts avait disposés dans la remorque détonèrent aussi. Ils étaient destinés à faire diversion tandis qu'il aurait emmené le cheikh dans une autre partie de la bâtisse. Ensuite, ses agents leur auraient fait quitter Dar el Ahmar selon un plan brillamment conçu ; du moins l'avait-il paru. Les gardes et les hommes de main du cheikh auraient fouillé dans les décombres pendant des jours, tandis que le cheikh aurait été expédié hors du pays, vers la justice américaine.

Trois millièmes de seconde suffirent à Ricketts pour comprendre que les explosifs avaient pris feu au pire moment. Une autre bombe à guidage laser, également de fabrication américaine, atterrit exactement sur le toit de la boutique d'un étage et s'enfonça dans le sol entre Ricketts et le boutiquier. Puis elle explosa.

— Ouais ! cria Woods dans son masque en voyant les explosions à Dar el Ahmar, à 6 nautiques de là.

Tout ce qu'il avait vu était qu'elles avaient eu lieu presque au même endroit, ce qui signifiait qu'elles avaient atteint leur but ; cela lui suffisait.

— Ils ont eu le cheikh ! dit-il à Wink, réprimant l'envie d'effectuer une cabriole de victoire.

— Oui, et c'est nous que les Syriens vont avoir dans une minute, et nous ne pouvons même pas communiquer avec les avions autour de nous. Le major nous a dit de ne pas nous servir de la radio, mais nous ne savons même pas ce qui se passe !

— Du calme. On va rentrer en Israël, c'est tout.

— C'est au navire, Trey, qu'on doit rentrer ! Nous devons être de retour dans 45 minutes et nous sommes à deux foutus pays de distance, au milieu du pire cirque que j'aie jamais vu !

Woods parcourut du regard l'espace devant lui. Il fut stupéfait : une vingtaine d'avions au moins étaient aux prises les uns avec les autres. Des Mig, des F-15 et des F-16, les uns en postcombustion, les autres non, les uns essayant de se tirer de cette galère, et les autres à leur poursuite. Ce n'étaient pas les Mig qui étaient aux trousses des Israéliens, mais le contraire.

— Il faut qu'on les aide, dit-il, fonçant brusquement vers les combats.

En se rapprochant, il découvrit deux autres groupes d'avions, à l'ouest, et là-bas au sud. Il réorganisa l'écran devant lui, de sorte que son avion fût au centre. Les symboles indiquaient bien les amis et les ennemis, mais à vue, il ne parvenait pas à les distinguer.

Soudain, un F-15 surgit au-dessous d'eux, poursuivi par un Mig-23 à un nautique d'écart. Woods fut certain que le pilote du premier ignorait qu'il était filé. Il jeta un coup d'œil à Big, poussa les gaz en puissance militaire et se lança à la chasse du Mig. Il le rattrapa facilement et passa en post-combustion. Le Sidewinder gronda et Woods appuya sur le bouton-gâchette. Il ressentit une secousse, puis écouta le souffle caractéristique du missile qui se détachait de son rail et courait vers la tuyère d'échappement du Mig. Son cœur battit fort : c'était le premier missile qu'il eût jamais lancé contre un avion. Sans merci, ne recherchant que la chaleur, le missile suivait sa course avec une obstination aveugle.

Woods se demanda si le Syrien connaissait les caractéristiques du Sidewinder : une fois que celui-ci avait capté votre signature, il ne la lâchait plus, et la seule issue était de s'éjecter. Le missile s'engouffra comme un pal dans la flamboyante tuyère de post-combustion et le pilote s'éjecta, abandonnant son épave d'avion.

— Chouuuu-ette ! cria Woods.

— Joli coup, commenta Wink.

Toujours en post-combustion, Woods monta en vrille, regardant autour de lui. Rien.

— Dégagé !

Il se remit en vol horizontal et vérifia ses instruments, puis coupa la post-combustion.

— Deux visuels à gauche, à neuf et onze, annonça Wink. Des F-16.

— Je les vois.

De plus, il y avait quatre F-15 pourchassant des Mig-21 qui essayaient de fuir vers le nord.

— Ils décampent.

— Mais il en reste quand même beaucoup, dit Wink, consultant son écran.

La sueur brillait sur son front, bien que la cabine fût fraîche. Ses mains tremblaient un peu sur la poignée de contrôle du radar.

— Il me semble qu'il y a quatre Syriens à l'ouest. Ils viennent dans notre direction, reprit Wink, d'une voix inquiète. Tribord toute vers 2-7-5.

Woods vira sec à droite. Big le vit et fit de même. Ils redressèrent leurs trajectoires vers l'ouest et Big reprit sa place au-dessus, à 5 000 pieds, à un nautique et demi de Woods. Celui-ci plissa les yeux, cherchant les Mig.

— Je ne vois rien, Wink. Tu es sûr ?

— Ouais. Ils arrivent sur nous à quatre. 5 nautiques devant, légèrement à droite.

— Au-dessous de nous ! cria la voix de Big.

Woods les vit enfin et piqua en G négatif. La poussière monta du plancher et se colla à la verrière. Woods et Wink flottèrent dans leur harnais.

— *Deux-Un-Un, venez au nord. Ennemi 0-2-0 pour 45 nautiques, anges 12.*

— *Deux-Un-Un, Roger,* cria précipitamment Wink, et il coupa la communication.

Les véritables ennemis étaient deux Mig-21 Fishbed et deux Mig-23 Flogger, pas vraiment des avions formidables, mais parfaitement capables de vous descendre. Le visage de Woods ruisselait ; il pointa le nez de son Tomcat vers l'un des Mig ; c'étaient les Mig-21 qui menaient. Woods ne savait pas s'ils volaient en formation carrée, difficile à attaquer, ou bien s'ils s'étaient simplement rencontrés là. Un point était sûr : c'était après lui qu'ils en avaient. Le Mig de gauche, à 2 nautiques devant, se dirigeait droit sur lui, en post-combustion. Bon, ces gars-là n'avaient pas froid aux yeux.

Il s'assura qu'un Sidewinder était sélectionné. Il écouta son grondement et tira. Le Mig Fishbed le vit arriver, effectua un virage raide, piqua vers le sol et lâcha des leurres. Le Sidewinder corrigea sa trajectoire et arracha une aile du Mig. Celui-ci tomba pile. Woods reporta son regard vers le Flogger qui l'avait pris en chasse. Le sourire qu'il avait esquissé se figea quand il réalisa que les Flogger portaient des missiles à guidage radar et qu'il n'avait plus, lui, de Sidewinder. Pis : il était entré tout droit dans la zone radar des Flogger sans capacité de riposte. Il distingua le gros nez du Mig-23, pareil à celui d'un F-4 Phantom, avec le radar probablement braqué sur lui. Il ne restait plus qu'à fuir ou bien...

— Branche le radar, Wink !

— Ils vont nous repérer.

— C'est un Flogger ! cria Woods, s'attendant à ce que, d'une seconde à l'autre, un missile arrivât vers eux. Tout de suite !

— Non ! Fais un demi-tour et on file !

— Pas possible ! Nous sommes trop près et trop bas. Branche le radar, Wink !

— Rapprochons-nous et finissons-le à la mitrailleuse, objecta Wink, cherchant n'importe quelle solution pour ne pas brancher le radar et scrutant le ciel à la recherche d'autres avions.

— Branche-le !

— Laisse-moi le tirer, moi ! grommela Wink. Sélectionne Sparrow.

Woods s'exécuta. Wink brancha son radar, mais sur une fréquence indétectable, et aperçut immédiatement les deux Flogger qui approchaient.

— Mazette, ils mettent les bouts ! s'écria-t-il en lisant leur vitesse. 2 à droite, un peu bas.

— J'ai une fenêtre ! cria Woods. Tire !

— Vire un peu à tribord. Mollo.

Wink posa son pouce sur le bouton rouge de la console à gauche, près de son genou. Il attendit que le Flogger fût au cœur exact de la mire, ce qui ne lui permettrait plus aucune échappatoire. Il asservit la mire au radar et appuya sur le bouton. Lui et Woods ressentirent le choc de l'éjection au moment où les 250 kilos du missile Sparrow se détachèrent du Tomcat et où le moteur qui les propulsait se déclencha. Le Sparrow fila vers sa cible au moment même où le Flogger lâchait son propre missile.

Woods réduisit les gaz pour se tenir aussi loin que possible du missile syrien. Il regarda Big : le Flogger lui avait aussi décoché un missile ; Big effectua une spirale et piqua du nez vers le sol.

Le Sparrow de Woods aspira l'énergie radar émise par le Flogger, et il continuerait à le faire jusqu'à l'impact. Il toucha à peine le Flogger, explosa et lui arracha les deux ailes. Le reste tomba vers le sol.

Le missile lancé par l'autre Flogger poursuivit Big dans sa descente, et le Flogger lui-même suivait son missile. Big se redressa à 1 000 pieds et remonta en direction de l'avion ennemi. Voyant Big lancé contre lui, le Flogger effectua un virage raide et s'élança vers le nord, son gros moteur en post-combustion et ses ailes repliées. Big le poursuivit et Woods poursuivit Big. Deux F-16, à 20 000 pieds au-dessus, pourchassaient les deux Mig-21 Fishbed. À l'ouest, on ne comptait plus les traînées de missiles et les parachutes.

Non, Big, se dit Woods, ne te laisse pas entraîner au nord.

En fait, Big non plus n'en avait pas l'intention : il comptait laisser son Sparrow se charger de la mission. Le missile quitta son aile gauche en direction du Flogger en fuite supersonique, les ailes repliées.

— Fox Deux, une autre tournée, transmit machinalement Wink, en regardant le Sparrow de Big foncer sur le Flogger.

Le Sparrow n'était pas aussi véloce qu'espéré, mais rapide quand même ; il parvint à 3 mètres de sa cible et explosa. L'explosion coupa l'appareil ennemi en deux et les flammes enveloppèrent toute la moitié avant. Big fit alors un virage vers le sud pour rejoindre Woods. Ils montèrent à 10 000 pieds et vérifièrent le niveau de carburant.

— Ça va, Wink ? demanda Woods.

— Le carburant va, mais il faut penser à retourner au sud.

— On contourne la bagarre au nord et on ramasse le suivant qui essaie de se défiler.

— Roger.

Woods vira à gauche en douceur et monta à gauche, à 15 000 pieds, à distance de la mêlée.

— À deux heures ! Tout en bas ! cria Wink. Tribord toute !

Woods vira à droite, sur 6 G, et vit les ennemis, au-dessous de Big : deux Mig-21 qui fuyaient le combat. Big remonta, pour laisser Woods passer, exécuta un tonneau et se mit à sa suite. Les Mig n'allaient qu'à 300 nœuds, mais en post-combustion ; à l'évidence, ils étaient à court d'idées. Ils volaient bizarrement, de façon irrégulière. L'agressivité monta à la gorge de Woods. Il se dirigea vers le Fishbed à sa droite ; la peinture de camouflage en était tout écorchée et les ailes delta paraissaient incomplètes. Soudain Woods comprit : elles avaient été touchées par la mitrailleuse d'un avion israélien, probablement la même Gatling de 20 mm dont il était lui-même équipé, à gauche. Il mit les gaz pour le rattraper.

— On se dépêche, Trey, ou bien on sera à 10 nautiques du groupe du major, dit Wink.

Woods hocha la tête et se mit en post-combustion.

— Ils sont dans la mire ?

— À peine. On peut essayer de les tirer, mais on risque fort de les rater.

Quand il se fut assez rapproché du Mig, Wink lâcha le Spar-row et Woods coupa la post-combustion.

— Si on descend l'avion de tête, on se fera peut-être l'autre du même coup, dit-il, excité. Ils sont tellement proches l'un de l'autre…

Il repéra un autre Flogger à 3 nautiques à l'ouest, mais l'autre ne les avait peut-être pas vus. Sa gorge était comme du carton.

Il poussa un cri de rage.

— Qu'est-ce qu'il y a ?

— Le Sparrow a raté son coup ! Il est passé sous l'appareil de tête !

— Vaut mieux revenir vers le sud, dit Wink. Tribord à…

— Pas encore. On peut l'avoir au canon.

— Il va nous dépasser.

— Non. Il est amoché, répliqua Woods en passant à la puis-sance militaire.

— Le problème est qu'il vole si bas qu'il faudra le viser par l'arrière. Personne derrière nous ?

Wink s'avisa tout d'un coup, affolé, qu'il ne l'avait pas vérifié depuis une minute.

— Non.

— Nous sommes à moins d'un nautique. Bloque ton radar sur lui, on verra si ça le panique.

— Sélectionné, je le tiens, répondit Wink.

Soudain le Mig s'éloigna du sol et se dirigea vers Woods.

— C'est ça, grommela Woods.

Il tira profit du changement d'altitude pour réduire la dis-tance et sélectionna le bouton « mitrailleuse » sur le manche. Le Mig exécutait un virage ascendant et brutal à gauche. Woods lui emboîta le pas. Le second Mig, lui, continuait droit vers l'écurie. Woods fixait du regard la mire informatisée sur son tableau. Il passa le doigt dans la gâchette et crispa les muscles de son estomac pour aider la combinaison anti-G à maintenir le flux sanguin vers son cerveau. Les forces G continuaient de croître, en effet – 6 et bientôt 7 G – tandis que le Mig essayait désespé-rément de se retourner contre lui. Mais le match était inégal et Woods allait tirer, quand le Mig amorça brusquement un virage descendant à droite. Woods regarda par-dessus son épaule, pour voir si le Mig avait trouvé un appui inattendu. Mais non, rien ; personne d'autre que Big, qui veillait sur lui.

Il avait été trop vite. Il convertit une partie de sa vitesse en altitude et regarda le Mig au-dessous de lui, puis le reprit en chasse.

— Il faut retourner au sud, Trey. Laisse ce gars s'en aller, dit Wink.

— Non, grogna Woods.

— Nous ne pourrons pas retourner dans les temps !

Le radar perdit soudain sa prise sur le Mig.

— Je sais !

Woods haleta, complètement polarisé par sa proie.

— VSL haut ! cria-t-il, et le radar se mit en balayage vertical, accrochant tout ce qui passait dans son axe.

Wink donna un coup au radar, pour le pousser à chercher au-dessus du nez de l'appareil. Deux points verts apparurent sur l'écran.

— Bloque ! râla Woods en dépit des forces G.

— Bingo ! cria Big dans la radio, pour signaler qu'ils n'avaient plus de carburant de réserve.

Ils devraient rentrer d'urgence au navire, avec des réservoirs au plus bas.

Woods appuya sur la gâchette. La mitrailleuse cracha des balles de 20 mm à la cadence de 6 000 par minute. La première volée passa devant le Mig. Woods retira son doigt. Puis il tira de nouveau et, cette fois, les balles fracassèrent le Plexiglas de la verrière.

— Tu ne l'achèves pas ? demanda Wink, tandis qu'ils reprenaient de l'altitude pour rejoindre Big.

— C'est fait.

— Ça n'en a pas l'air.

Mais Wink vit l'appareil continuer tout droit, puis heurter le sol et finir en boule de feu.

Big examina le Tomcat de Woods d'un côté, effectua un tonneau et l'examina de l'autre, puis fit un signe du pouce à Woods. Celui-ci lui retourna le service. Les deux avions étaient intacts.

— Quelle direction, maintenant ? demanda Woods.

— 2-0-0 sur 60, répondit Wink.

— Il me semble que nous sommes un peu à l'est, remarqua Woods surpris. On est dans les temps ?

— Limite-limite. Tu te rends compte de ce que ça va être que d'expliquer pourquoi nous sommes en retard ?

— Ouais.

Ils filèrent à 300 nœuds vers Ramat David, sans plus voir de Mig. Ils furent bientôt au-delà de la frontière d'Israël. Soudain, Wink leva le nez de son écran radar, inquiet, ayant senti que Woods effectuait un tangage, signe de reconnaissance entre alliés.

— Qu'est-ce qui se passe ?

— Gauche, dix heures, en bas.

C'était un F-15 qui se préparait à les intercepter et qui ne semblait pas les avoir reconnus. Woods recommença son tangage encore plus fort et Big l'imita. Cette fois, un autre F-15, qui se rapprochait d'eux, fit de même.

Le premier F-15 arriva à la gauche de Woods et le pilote examina l'appareil américain, puis fit un salut à Woods. Woods le dévisagea et le lui rendit. Le pilote toqua du doigt sur sa tête, puis sur sa poitrine.

— C'est Chermak, annonça Woods.

Il dressa le poing : « Tiens bon. » Il se détacha du F-15 et effectua un bond de dauphin. Big comprit le signal et se rangea près de Woods. Celui-ci à son tour se rangea près de Chermak, se tapa sur le casque de l'index et pointa son doigt vers lui. Le major comprit le message et prit la tête de la formation de quatre en direction de Ramat David.

Ils y furent en un rien de temps. Chermak quitta Woods au-dessus du terrain d'atterrissage et s'éloigna après un virage abrupt. Woods et Big se posèrent sans incident, mais ils furent horrifiés quand ils consultèrent leurs montres tandis qu'ils roulaient vers l'extrémité de la piste.

— Qu'est-ce qu'on fait ? demanda Wink.

— Je ne sais pas, répondit Woods. Tout ce que je sais est que nous sommes visibles comme une mouche sur le nez. Un seul gars avec une caméra et nous sommes morts.

Un camion s'arrêta devant eux ; ils le suivirent à l'extrémité du terrain. Le prochain lancement sur le *Washington* devait avoir lieu dans 10 minutes et ils étaient censés être déjà là-bas, à guetter une fenêtre pour atterrir après le catapultage du dernier avion. Nous n'y arriverons jamais, songea Woods, que la panique gagnait.

Un homme leur fit signe des bras, devant les hangars ; plusieurs autres, en combinaisons blanches, avec de grands V orange sur la poitrine, les attendaient près de deux remorques. Woods et Big suivirent le camion dans un cul-de-sac derrière les hangars. Là, un soldat leva les bras et Woods freina sec, puis tira le frein de garage. Le soldat fit un autre signe, au chef des hommes en blanc ; ils coururent vers les Tomcat et examinèrent les rails des missiles et les pylônes des ailes, puis repartirent vers les remorques. Le soldat fit encore un signe à Woods et Big ; ils comprirent et posèrent les bras sur les bords du cockpit, pour qu'on pût voir leurs mains. Les bâches à l'arrière des remorques furent soulevées ; elles cachaient deux rangées de missiles, des Sidewinder et des Sparrow.

Cela aurait dû tranquilliser Woods. Mais il était obsédé par le temps.

— J'espère que ces gars savent ce qu'ils font, dit-il à Wink. Je ne sais pas comment je pourrais expliquer que j'ai un missile dans l'entrée d'air.

Il enleva son casque et se gratta la tête.

— Tu es sûr que ce sont les mêmes missiles que les nôtres ?

— Ouais. Des Sidewinder et des AIM-7M Sparrow. Exactement les mêmes.

— Aucune différence ?

— J'espère que non.

— J'espère aussi que nous ne portons pas de traces de brûlures de ceux que nous avons lancés.

Ce détail attisa l'anxiété de Woods ; il examina l'appareil de Big, et distingua des traces noirâtres laissées par les Sidewinder lancés.

— Ça se voit, mais ça pourrait passer pour de la saleté, dit-il. Les Sparrow, eux, n'ont laissé aucune trace. Leur moteur ne se déclenche qu'après le lancement.

— Filons, dit Wink, ils ont fini.

C'est ce que leur signifiait le soldat avec d'autres gestes des bras. Le chef de la maintenance lui fit le salut ; Woods le lui rendit, desserra le frein et courut vers la piste de décollage. Il fallait rentrer tout de suite.

— Tu sais que le prochain lancement aura lieu dans cinq minutes, alors que nous sommes au milieu du territoire d'Israël, dit Wink.

— On y arrivera.

— Nous n'avons même pas décollé et nous n'avons même pas assez de carburant pour aller vite, tu te rends compte ?

— On atterrira avec moins de carburant que d'habitude, Wink.

— Moins de carburant ? Mais nous n'en avons presque plus, déclara Wink, considérant avec effroi le niveau des réservoirs.

Wink regarda Sedge et lui demanda combien de carburant il lui restait. 4 500 litres, 500 de plus que Woods et Wink.

— Ça va être pittoresque, marmonna Wink.

Woods vit la lumière verte du contrôleur et roula vers la piste d'envol, après un coup d'œil rapide sur ses instruments. Il porta deux doigts à son oreille et, tout comme Big qui le suivait, il poussa les gaz à la puissance militaire.

Ils décollèrent et à 900 pieds, se mirent en formation, puis descendirent à 500 et s'élancèrent vers la mer. Woods consulta sa montre : 8 h 45. Exactement l'heure à laquelle le premier des avions du second lancement arrivait devant la catapulte. Le patron devait se demander où étaient passés les deux Jolly Rogers et les guetter à la fenêtre.

— Quelle direction ? demanda Woods.

— Sais pas. Nous sommes trop bas pour capter l'aide à la navigation. Tout ce que je peux dire est que le bateau ne doit pas être loin de là où on l'a quitté. Mais va sur 2-6-5. Nous devrions aller au nord-est de l'avion, au moins nous arriverions d'une direction vraisemblable.

— On n'a pas le temps pour ça, dit Woods.

Wink regarda l'aiguille de l'indicateur de vitesse monter à 400 nœuds.

— Tu peux pas aller aussi vite, Trey ! On risque la panne !

— Tu as une meilleure solution ?

— Non. Mais je ne veux pas rentrer à la nage. Tu sais combien on brûle à 400 nœuds ?

— On y arrivera, t'inquiète.

Wink renonça à discuter, sachant que ce serait inutile. Il regarda sans mot dire l'aiguille atteindre 450 nœuds. Ils furent rapidement au-dessus de la mer. Dès qu'il jugea le moment propice, il appela le *Washington*, à quelque 50 nautiques de distance.

— *Gulf November, ici Épée de Feu Deux-Un-Un, vol de deux, 0-2-0 sur 20 pour le retour.*

— *Roger Deux-Un-Un, je ne vous vois pas. Continuez retour et signalez dès que vous me voyez.*

— *Wilco.*

— Pourquoi tu ne montes pas à 2 000 ? Ça nous permettra de capter plus vite le TACAN, demanda Wink.

Woods tira sur le manche et le Tomcat monta à 2 000 pieds et 600 nœuds. L'aiguille du TACAN, le système de repérage par satellite, revint lentement à la vie, indiquant en gros le navire ; elle se stabilisa et localisa le navire par 5 degrés à gauche. Le système de mesure des distances ou DME, *Distance Measuring Equipment,* s'agita lui aussi : ils étaient à 33 nautiques. Woods vira à gauche pour se mettre directement dans l'axe. Il était 8 h 50 ; le lancement était à moitié fait. Le patron devait commencer à se poser des questions et on allait aussi en poser aux retardataires. L'officier de garde du VF-103, second du patron dans les cas d'urgence, serait mis sur la sellette, eu égard au comportement de ses camarades d'escadrille et l'affaire serait transmise au commandant des Jolly Rogers.

— *Roger Deux-Un-Un, on vous voit.*

— *Roger Deux-Un-Un, on ne vous voit toujours pas. Changez de fréquence.*

— Tu vois vraiment le navire ? demanda Woods, étonné.

— Non, mais je ne veux pas qu'on nous cherche trop.

— Je le vois maintenant, dit Woods. On y est dans deux minutes.

Wink brancha l'IFF. La tour de contrôle resta silencieuse, comme c'était le cas dans les retours de jour.

— Je vois le navire, dit-il. Il va au 3-0-0 ou presque.

Le porte-avions était à 5 nautiques devant.

La radio resta silencieuse tandis que Woods et Big descendaient en formation vers l'*USS George Washington*. Woods passa de 600 à 350 nœuds. Il jeta un coup d'œil sur le pont : le dernier avion du second lancement, un S-3 Viking anti-sous-marins, avançait vers la catapulte. Le pont était dégagé.

Woods tourna la tête vers Big et mima un baiser sur le bout des doigts, comme un chef-cuisinier italien, avant de descendre face au navire. Il tira fort sur le manche, 5 G, et mit le Tomcat dans le vent. Simultanément, il déplia ses ailes, descendit le train d'atterrissage, ouvrit les volets d'intrados et passa le proto-cole d'atterrissage en revue avec Wink. Au même moment, le S-3 décolla et des hommes détalèrent pour dégager le pont. Les LSO en chemise blanche étaient à leurs places pour les aider si l'approche demandait correction.

Woods entama un virage, vérifia sa vitesse, son alignement et l'angle d'attaque. Ils atterrirent juste derrière les trois filins. La béquille accrocha le premier filin et le souleva tandis que Woods mettait la puissance militaire. L'avion fit comme s'il voulait décol-ler de nouveau, mais les filins le retinrent à 50 pieds du bord.

Un marin en vareuse jaune s'élança pour faire signe à Woods de retirer ses pieds des freins et de baisser les gaz. Les trois filins ramenèrent doucement l'appareil en arrière, jusqu'à ce qu'ils eussent libéré le crochet de béquille. Puis, Woods releva la béquille et roula prestement hors de la piste, pour permettre à Big d'atterrir à son tour. Quelques secondes plus tard, Big se posa, en effet, accrocha le deuxième filin et s'arrêta à la gauche de Woods.

Des vareuses jaunes accoururent vers le Tomcat de Woods à la plage avant et se glissèrent sous les ailes pour verrouiller les missiles. L'artilleur Bailey, dans son col roulé écarlate, supervi-sait l'opération. Les goupilles à drapeau rouge furent remises sur les missiles, pour éviter un lancement accidentel. Bref, la routine. À cette différence près que les vareuses jaunes ne ver-rouillaient pas d'ordinaire des missiles israéliens. Woods ferma les yeux, espérant qu'on ne remarquerait rien d'insolite.

Les vareuses jaunes resurgirent de sous les ailes, pouces en l'air. Bailey aussi leva les siens. Une fois débarqués, Woods, Wink, Big et Sedge se rendirent à la salle de réunion. Woods se donna l'air dégagé et embrassa la salle du regard. Comme chaque fois après une escale, il y avait de l'animation.

— Alors, ce vol ? demanda Meat.

Le lieutenant Mark Mora, qui le cédait à peine à Big en corpulence, en était à sa première croisière.

— Nous avons défié la mort une fois de plus, répondit Woods.

Meat dévisagea les quatre hommes.

— Vous avez l'air de sortir de la piscine, les gars, observat-il, relevant les chemises et les cheveux trempés. Vous ne vous seriez pas par hasard livrés à des combats non autorisés, non ?

Un jeune marin de la maintenance, en col roulé vert, entra dans la salle.

— Hé, chef, vous pourriez venir voir une seconde ?

— Pas un moment de répit, dit le chef Lucas en levant les yeux au ciel.

Puis, il passa la porte du contrôle de maintenance. Il fut de retour cinq secondes plus tard et se dirigea vers Woods, l'air furibard.

— L'officier de service Wynn déclare que l'accéléromètre a enregistré 8 G. Vous avez passé 8 G durant cet exercice, lieutenant ? demanda-t-il.

Woods se serait flagellé : il avait oublié de remettre le compteur de l'accéléromètre à zéro.

— On s'est un peu laissé aller, dit-il, désinvolte. On s'est un peu pourchassés.

— Monsieur, vous savez que nous devons passer l'avion en revue si quelqu'un passe 8 G ! Et vous avez dit aux mécaniciens sur le pont que l'avion était en parfait état, Monsieur !

— Je suis navré, chef, dit Woods d'un ton contrit. J'ai dû oublier.

— Excusez-moi, Monsieur, comment pouvez-vous avoir oublié que vous avez passé 8 G ? Nous avons assuré les équipages du troisième lancement qu'ils pourraient voler sur vos jets. Maintenant, il va falloir qu'ils partent sur l'appareil de secours, dit le chef, les mains sur les hanches. Ils vont être furieux.

— Navré, chef, navré, répéta Woods.

Bark arriva, en combinaison de vol, s'apprêtant à donner les instructions pour le quatrième lancement.

— Hé les gars, contents de reprendre l'air après cinq jours de repos ?

— Formidable, commandant, répondit Big, surveillant Lucas du coin de l'œil, pour voir si celui-ci allait partager sa mauvaise humeur avec le commandant.

Mais Lucas sortit sans rien ajouter.

— Pourquoi faisait-il cette tête ? s'enquit Bark.

— Qu'est-ce qu'on a à déjeuner, Meat ? demanda Big.

— Des spaghettis et du lait israélien.

— Encore du lait reconstitué ? gémit Woods.

— Vous pensez au lait allemand, dit Bark. Mais l'israélien est encore pire : on dirait du brie dilué. On le sert froid pour en cacher le goût.

— C'est quoi, du brie ? demanda Wink, embêté.

Un groupe d'officiers en cols roulés blancs et vestes de flottaison déboula dans la salle. Woods reconnut parmi eux le LSO chargé de l'atterrissage des avions du premier lancement.

— Hé Bolt, on est ici, dit-il, levant le bras.

Woods et Big se levèrent et les LSO qui suivaient un entraînement vinrent les saluer.

— Deux-Un-Un ? lança Bolt.

— C'est moi, dit Woods.

Bolt ouvrit son livre de bord et déclara :

— Bon, trois filins, un peu haut au début, arrêté au-dessus de la rampe.

Il leva les yeux sur Woods, sans attendre de lui une réaction : il venait de lui décerner la note presque la plus haute, un « O.K. » souligné ; elle était très rare.

— Merci, dit simplement Woods.

— Deux-Zéro-Sept ?

— Présent, dit Big.

— Deux filins, un peu à gauche du sillon, le nez un peu incliné à la rampe.

— Merci.

Bolt referma son livre. Ses cheveux blonds s'étaient changés en tignasse sous l'effet du vent et des souffles de tuyères.

— À quelle vitesse êtes-vous arrivés ? Un moment on ne vous voit pas, et le moment d'après vous êtes là comme si vous aviez le feu au cul, et vous atterrissez.

Woods se tourna vers Big et haussa les épaules.

— Qu'est-ce que tu crois ? 250 ? 275 ?

Pritch arriva et Woods la fixa du regard, mais elle détourna les yeux.

— Les équipages du premier lancement n'ont pas été débriefés, dit-elle à Sedge.

Celui-ci se détourna du tableau des vols, où il cherchait sa prochaine mission.

— Ça a de l'importance ? Nous avons fait quatre millions d'interceptions, nous avons atterri et nous sommes allés aux douches.

— Ce n'est pas moi qui ai rédigé le règlement, répondit Pritch. Par qui vais-je commencer ? demanda-t-elle en regardant les quatre hommes.

— Allons, Sedge, dit Wink, racontons notre excursion à notre charmant officier de renseignements.

Ils se levèrent et suivirent Pritch dans la coursive qui menait au centre de renseignements.

— Comment cela a-t-il été ? demanda-t-elle à Wink en allant vers le centre.

— Un vol de routine, répondit-il.

Elle dévisagea les quatre hommes et demanda encore à Wink :

— Vous croyez que vous aurez des problèmes ?

Ils secouèrent la tête en pénétrant au centre.

23

Les membres de la mission constituée par Kinkaid entrèrent dans la salle de réunion pour attendre leur chef. Des agents examinaient sur leurs ordinateurs des photos et des données transmises par satellite et une émission CNN passait sur une télévision au fond de la salle, montrant les effets d'un raid israélien sur le Liban. Sami la regarda d'un œil distrait ; tous ces reportages se ressemblaient.

Joe Kinkaid entra, l'air encore plus chiffonné que d'habitude. Pour Sami, il était évident que ni les nouvelles ni le reportage de CNN ne l'intéressaient ; et il paraissait très contrarié.

— Je ne vous ai pas dit ce que faisait Ricketts, déclara-t-il tout à trac, sans préliminaires.

Sami se demanda ce que ça annonçait.

— Il participait à une opération de kidnapping du cheikh.

Sami balaya l'assistance du regard, curieux de voir les réactions sur les visages. Mais Kinkaid ne s'en souciait guère.

— Il disposait d'excellentes informations sur les allées et venues du cheikh et il avait monté l'une des opérations secrètes les mieux conçues. Pendant que vous dormiez tous, ce matin, le cheikh allait tomber dans notre piège. Mais les Israéliens disposaient apparemment des mêmes informations et ils ont bombardé exactement le lieu où le cheikh devait se trouver... et où était Ricketts. Deux bombes de 500 kilos à guidage laser ont réduit la maison en miettes. On a émis l'hypothèse que les explosifs que Ricketts a tenté d'utiliser auraient pris feu accidentellement, mais nous ne le croyons pas.

Sami fit la grimace. Il avait apprécié sa conversation nocturne avec Ricketts et leurs échanges de vues sur la duplicité des Israéliens et la stupidité des Syriens et des terroristes, sur les trois grandes religions, sur le rôle des États-Unis et de la CIA dans la région... Sami avait même demandé à son interlocuteur ce qui le guidait dans la confusion générale ; Ricketts avait évoqué la loyauté à l'égard de son pays. Et voilà le résultat de cette loyauté, songea Sami.

L'un des membres de l'équipe demanda d'un ton irrité :

— Quand les Israéliens consentiront-ils à nous informer de ce genre d'opérations, pour que nous n'en payions pas les pots cassés ?

— C'est la première question qui m'est venue à l'esprit, répondit Kinkaid. Je suppose qu'ils nous répondraient par une demande symétrique : quand les Américains consentiront-ils à les informer de leurs opérations secrètes ? Non, je ne crois pas qu'on puisse blâmer les Israéliens pour cette coïncidence extraordinaire.

— Et maintenant ? demanda Sami.

— Maintenant, ça va être plus dur que jamais d'atteindre le cheikh et pis encore, nous avons mis ce nid de vipères en état d'alerte. Espérons que le cheikh ne sera pas informé de l'opération que projetait Ricketts, sans quoi il va rejeter toutes les fautes sur les États-Unis. Il croira même que l'attaque israélienne a été menée sur nos ordres. À propos, le cheikh n'était pas encore arrivé et les bombes l'ont donc manqué. Mais dorénavant, il saura qu'il compte un traître dans ses rangs. C'est le pire résultat qu'on puisse imaginer.

— Vous croyez qu'il pourrait remonter jusqu'à Ricketts ?

— Je ne crois vraiment pas que Ricketts ait laissé des traces. Mais il nous faudra à l'avenir être deux fois plus malins, parce que ce type sera deux fois plus parano.

Une idée piqua Sami :

— Quelqu'un a-t-il parlé de tout cela avec les Israéliens, ces derniers temps ? Car il semble qu'ils en avaient autant après Ricketts que le cheikh en avait après cette femme présente dans le bus.

— Qu'est-ce qui vous fait dire ça ? demanda Kinkaid, sceptique.

— Ce n'était évidemment pas le chauffeur du bus qu'ils visaient... – tout le monde hocha la tête –, ce n'était pas non plus le soldat israélien...

— Ça aurait pu l'être… coupa Kinkaid.

— Non, coupa Sami à son tour.

Il ouvrit un gros dossier, y chercha une feuille et reprit :

— Il avait dix-neuf ans. À moins qu'il ait été le fils d'une personnalité, un homme de la stature du cheikh ne s'en serait pas soucié. Et ce ne pouvait pas être non plus ce lieutenant de la marine…

— Le lieutenant Vialli, précisa Kinkaid.

— C'est cela. Ça ne pouvait pas être lui que visaient les terroristes. Personne, pas même son commandant, ne savait qu'il se trouvait là-bas. Reste cette femme. Ce que nous savons sur elle… – il jeta un coup d'œil sur sa feuille – est qu'elle avait une main mutilée. Le rapport sur l'enquête de la marine dit qu'elle avait déclaré à Vialli et au lieutenant Woods que sa main était malformée de naissance. Nous avons appris depuis qu'elle avait été victime d'un accident il y a un an et demi. Quel genre d'accident ? Je l'ignore. Je dis simplement qu'elle était peut-être la vraie cible des terroristes.

— Et où cela nous mène-t-il ? demanda Kinkaid.

— Si c'était elle qu'ils visaient, les Israéliens doivent savoir pourquoi. Et s'ils le savent, c'est qu'ils en savent plus sur le cheikh qu'ils ne nous le disent. J'ai lu leurs informations – il regarda Kinkaid –, c'est un tas de banalités. Ils nous cachent quelque chose.

Kinkaid n'écoutait plus. Il était incapable de penser à autre chose qu'à Ricketts depuis qu'il avait appris la nouvelle. Il avait accepté d'organiser un office funèbre confidentiel et de prononcer l'éloge du défunt : la tâche la plus pénible qu'il eût jamais affrontée. Ricketts avait toujours été celui que Kinkaid aurait voulu être. Parmi les gens de la CIA, il incarnait même ce que tous les agents secrets sont censés être : exceptionnel. Kinkaid aurait pu en parler des heures, mais il ne le ferait pas, parce que la plupart des personnes qui assisteraient à l'office n'auraient même pas été informées de la mission. Après tant d'années, Ricketts était devenu un ami, sans doute pas commode, mais c'était la façon que Ricketts avait de se faire des amis. Pour lui, toute action était inspirée par l'espoir de faire un bénéfice, même l'amitié… S'avisant soudain qu'il n'avait pas écouté ce que disait Sami, Kinkaid reprit :

— Pardonnez-moi : que disiez-vous ?

— Que les Israéliens nous cachent quelque chose.

— Peut-être, admit Kinkaid.

Il pria qu'on l'excusât et se dirigea vers la porte.

24

Meat effaça au tableau noir les données du vol qui venait d'atterrir et inscrivit celles du briefing auquel il allait procéder. Ce tableau était l'image même de la nature changeante des programmes des vols. Woods, assis au premier rang de la salle de réunion, regardait la télé. La plupart des officiers présents avaient également les yeux braqués sur CNN, mais aucun ne fixait la télé avec la même intensité que lui. Une femme reporter se tenait devant des ruines au Liban Sud, par une belle journée. Derrière elle, des gens fouillaient les gravats. Au bas de l'écran on pouvait lire « Dar el Ahmar, Liban ».

Les officiers ne paraissaient pas convaincus par le reportage ; chaque fois que les médias évoquaient une question militaire, ils s'armaient de méfiance.

— ... et là, comme vous pouvez le voir, les dommages causés par les bombes israéliennes ont été importants. Nous avons interrogé plusieurs habitants, et tous ont répondu qu'il n'y avait aucune raison de bombarder Dar el Ahmar. Le village ne présente aucun intérêt militaire et n'est défendu par aucune batterie anti-aérienne, ni de missiles. Ils sont bouleversés que les Israéliens n'aient pas mieux choisi leurs cibles et qu'ils aient tué des innocents. Selon eux, deux bombes sont tombées presque en même temps sur ce bâtiment. C'était un atelier de vente et de réparation de deux-roues, scooters et vélomoteurs. Au moment de l'attaque, six personnes s'y trouvaient, y compris un homme venu livrer des scooters Honda. L'attaque s'est produite à environ 8 heures, heure locale, et elle a été très courte. Plusieurs autres sites ont été bombardés, des avions ont été abattus, mais les détails des combats aériens sont encore incomplets, d'après les renseignements que j'ai pu recueillir. À vous, Washington.

Woods fit de son mieux pour paraître indifférent. Il avait été tellement content de l'initiative israélienne. Il était encore galvanisé par son premier vrai combat. Il aurait voulu crier, du sommet du porte-avions : « On vous a eus ! » Il aurait voulu faire savoir au monde entier que les Américains protégeaient leurs citoyens. Mais son enthousiasme était tempéré par la perspective de finir en taule à Fort Leavenworth. Il savait qu'il courait désormais beaucoup moins de chances d'être dénoncé : ils étaient revenus presque dans les temps et Gunner prendrait soin du reste ; celui-ci lui avait, en effet, assuré qu'il saurait rectifier les enregistrements informatiques de telle sorte que personne ne se rendrait compte que les missiles avaient été remplacés.

La fin de la journée se passa sans incident. Mais Woods eut de la peine à s'endormir. Il revoyait s'écraser au sol le Mig qu'il avait abattu et dont il avait sans doute tué le pilote. Puis le pilote du Flogger qu'il avait descendu avec le Sparrow. Et celui qu'il avait eu avec le Sidewinder. Trois. Il avait abattu trois hommes. Peut-être plus. C'était à la fois obscur et obsédant. Il n'avait jamais tué personne auparavant.

Bernie le Souffleur faisait toujours son bruit absurde, « gouuuch, couh-couh-couh », qui évoquait le son des missiles quittant leurs rails.

— Tu dors ? demanda Big.

— Non.

— À quoi penses-tu ?

— L'attaque. Tout. Le lancement. La côte. Le rendez-vous. Le vol vers le nord à basse altitude, le combat, le retour en catastrophe. La réussite. Parce qu'on a réussi, Big.

Big ne répondit pas tout de suite.

— Jusqu'ici.

— Que veux-tu dire ?

— Il y a des tas de gens qui sont au courant. Ou du moins qui ont des informations. Il y aura fatalement une fuite.

— Non. Ils avaient autant envie que nous de riposter.

— Il suffit d'une indiscrétion.

— T'inquiète.

Mais Big restait anxieux.

— Qu'est-ce que ça te fait, d'avoir tué un homme ?

— Et toi ?

— Ça me laisse plutôt indifférent. Je m'étais attendu à de la pitié ou de la culpabilité, mais je n'ai rien ressenti de tel.

— Celui auquel je pense est le Fishbed que j'ai mitraillé. Les balles ont traversé la verrière. Il est mort sur le coup. Difficile de ne pas y songer.

Bernie le Souffleur recommença à hoqueter. Des avions roulaient sur le pont au-dessus et des catapultes les lançaient dans la nuit.

Comme il l'avait fait des centaines de fois, Woods s'installa sur un siège de la salle de réunion, dans les dernières rangées. Wink était assis près de lui et les quatre autres officiers du briefing se trouvaient dispersés çà et là. L'écran de télévision s'alluma à l'heure dite, mais au lieu de l'enseigne aux renseignements, ce fut le commandant de la force aérienne du navire qui apparut sur l'écran, l'air particulièrement sombre.

— Au lieu du résumé habituel précédant le premier lancement, déclara-t-il, je voudrais discuter avec vous de développements sérieux et récents. Veuillez convoquer tous vos officiers, parce que je veux m'adresser au plus grand nombre possible. Vous avez cinq minutes pour réunir vos escadrilles et je commencerai mon exposé dans cinq minutes exactement.

— Qu'est-ce qui se passe ? demanda Woods à la cantonade.

— Est-ce qu'on les convoque par le bas de la liste ? s'informa Easy, en s'emparant du téléphone sur l'un des bureaux de la salle.

Woods se redressa, adressa un regard inquiet à Big et s'élança vers la porte. En cinq minutes, il avait trouvé tous ses hommes, à l'exception d'un officier ; ils étaient en train de prendre leur petit déjeuner ou bien ils étaient encore couchés. Ils accoururent en combinaison de vol, curieux de savoir ce que le commandant avait de si important à leur dire. L'information s'était répandue à la vitesse de l'éclair.

— Ça s'est déjà produit, capitaine ? demanda Sedge à Bark.

— Jamais, répondit Bark, vexé que le commandant n'eût pas prévenu d'abord le chef de l'escadrille, c'est-à-dire lui-même.

— Aucune idée ? demanda Easy.

Bark secoua la tête, sirotant son café. L'écran de télé se ralluma à l'heure dite. Le commandant réapparut : quarante-cinq ans, grand, pâle, maigre, les cheveux gris soigneusement plaqués sur les tempes.

— Navré de bouleverser le cycle des opérations, dit-il, mais j'ai des nouvelles dont je voulais vous informer dès que possible. Comme vous le savez, Israël a attaqué hier des bases terroristes dans le Liban Sud. Cette fois-ci, ils ont attaqué en force. Ils ont lancé des missiles anti-radiations pour détruire le réseau de la défense anti-aérienne, ils ont envoyé des Wild Weasel pour neutraliser les batteries de SAM et des forces spéciales pour attaquer le système de communications. Ils ont déployé leurs armes de brouillage et leurs E-2C. Ils ont bombardé des camps et une ville. Ils ont aussi dépêché des chasseurs en force, et la Syrie a apparemment réagi de la même manière et lancé des douzaines de chasseurs...

Woods lança un regard à Big, qui s'humectait les lèvres.

— Tout ça a déclenché une énorme bataille aérienne, poursuivit le commandant. Israël a, semble-t-il, remporté de grands succès contre la défense anti-aérienne. Selon les premiers rapports du gouvernement israélien, plus de 20 Mig syriens ont été abattus et les Israéliens n'ont subi aucune perte. Tout cela est très intéressant, et j'aimerais voir les films des combats. Mais il y a d'autres implications. Comme vous vous le rappelez, ce navire faisait escale à Haïfa avant-hier. Nous sommes allés *en masse* – il usa des mots français, qu'il prononça « inn mess » – à une réception de la base de l'armée de l'air Ramat David. Selon toute probabilité, nous y avons croisé les acteurs mêmes du raid. Ils ne nous en ont évidemment pas parlé, et il était probablement préparé depuis des semaines. Notre visite s'est faite au plus mauvais moment, parce qu'il est vraisemblable qu'on va essayer de nous impliquer dans ce raid et prétendre que nous avons contribué à sa préparation. Nous devons faire tout notre possible pour éviter tout soupçon de complicité. C'est pourquoi les deux premiers lancements de la matinée ont été annulés...

Des rumeurs de déception fusèrent.

— Et ce navire va se diriger à l'ouest pour nous éloigner des Syriens et des Israéliens. Nous ne voulons pas qu'on nous accuse d'avoir contribué à cette *mêlée* – il prononça « meulay ». Quand vous prendrez l'air, restez donc à l'ouest du porte-avions et assurez-vous qu'aucun appareil ne nous approche, ni d'un côté ni de l'autre. Nous ne voulons pas d'un autre incident comme celui du *Liberty*. Si vous avez des questions à poser, veuillez suivre la voie hiérarchique. C'est tout.

L'écran s'éteignit. Bark se leva.

— Hé, Trey, pendant que tu râlais parce que personne ne faisait rien, les Israéliens préparaient leur expédition. Je parie que tu aurais donné ta couille gauche pour participer à cette offensive.

Woods éclata de rire.

— Je ne suis pas sûr, capitaine, c'est un prix vraiment élevé. Mais j'aurais donné celle de Wink.

— Bon, reprit Bark, quelqu'un a-t-il des questions ?

— Qu'est-ce que l'incident du *Liberty* ?

— Vous êtes vraiment des ignorants. Le *Liberty* était un navire américain qui naviguait au large de Suez, en Méditerranée orientale, en 1967, quand la guerre entre Israël et les pays arabes a éclaté. Les Israéliens l'ont attaqué et ont tué beaucoup d'Américains. Plus de trente. Et cela, en dépit du fait que le *Liberty* se trouvait sans doute possible dans les eaux internationales et qu'il battait pavillon américain.

— Une erreur ? demanda l'un des officiers.

— En plein jour ? s'écria Bark. Un navire battant pavillon américain ? Avec son nom en lettres de quatre mètres ? Dans les eaux internationales ? Attaqué par des avions et des torpilleurs qui étaient tous assez proches pour se servir de leurs mitrailleuses ? Et alors que ni l'Égypte ni la Syrie ne possédaient de navire de ce genre ?

Il s'interrompit.

— Vous trouvez ça crédible ? Non, beaucoup de gens pensent qu'Israël a attaqué parce qu'il imaginait que ce navire convoyait des secours vers l'Égypte.

— Incroyable, dit Big.

231

— Il y a des livres dessus, dit Bark. Israël a prétendu ensuite que c'était une erreur et qu'ils la regrettaient sincèrement.

— Et vous, que pensez-vous, capitaine ? demanda Big, indigné.

— Je pense que la politique américaine a été d'accepter officiellement les arguments israéliens. Bon, au boulot, maintenant. Les rapports sur l'aptitude des lieutenants doivent être remis vendredi au chef du département, avant d'être communiqués à l'officier des opérations, notre XO, le vendredi suivant. Vos chefs de division vous remettront vos évaluations de première classe à la fin du mois. Et j'ai toujours besoin de la liste des candidatures au Marin du trimestre. De plus, demain matin, il y aura une inspection surprise sur l'hygiène et la sécurité. Des questions ?

Il n'y en avait pas.

Kinkaid glissa les diapos dans le projecteur et réduisit les lumières dans la salle. C'étaient trois vues d'un bâtiment, prises sous trois angles différents. Des flèches blanches y indiquaient deux personnages, flous comme le reste de l'image.

— Nous venons de les recevoir, déclara-t-il d'une voix lasse. Elles nous ont été communiquées par notre ambassade à Rabat, au Maroc. Ces gens sont peut-être des voleurs. Peut-être autre chose. Ils se tenaient devant notre ambassade à 2 heures du matin. On les distingue mal, parce qu'ils semblent habiles à se dissimuler.

— Des voleurs, peut-être, dit quelqu'un.

— C'est ce que je disais ; si vous voulez bien m'écouter… répliqua-t-il, agacé. Mais nos agents là-bas estiment qu'elles sont insolites. Parce que les voleurs n'attaquent pas les ambassades, en général. Ce sont des cibles dangereuses, à cause des gardes et de la protection. Vous voyez bien le problème. Si quelqu'un observe une ambassade, on se demande pourquoi, et la réponse fuse : pour préparer une attaque contre le bâtiment.

Kinkaid projeta ensuite un plan de l'ambassade et du quartier.

— Comme vous le voyez, il existe plusieurs voies d'accès pour un camion chargé d'explosifs. On a bien amélioré la sécurité du parking près du bâtiment, mais celui-ci reste vulnérable.

— Il n'attaquerait pas avec un camion d'explosifs, dit Sami.

— Comment le sauriez-vous ? demanda Kinkaid, surpris par le ton catégorique de Sami.

— Ce n'est pas son style.

— Ça se résume à ça, votre analyse, une question de style ? Piqué par le dédain de la remarque, Sami rétorqua :

— Les assassins du cheikh opèrent selon des critères originaux. Ils ne semblent pas intéressés par les attentats classiques faisant des dizaines de victimes. Je crois qu'il y a là une stratégie. Lorsqu'un attentat tue des dizaines de personnes, tout ce que l'on voit, ce sont des dizaines de cadavres. Or, cela a quelque chose « d'anonyme ». C'est du moins ce qu'il me semble.

— Nous allons donc répondre à notre ambassade à Rabat : ne vous inquiétez pas, il n'y aura pas d'attaque au camion d'explosifs simplement parce que vous le dites, Sami ?

— Non, Monsieur. Il faut certainement prendre des précautions. Tout ce que j'affirme est que ce genre d'attaque n'est pas très vraisemblable.

— Je vais en tout cas envoyer notre équipe de repéreurs, déclara Kinkaid d'un ton ferme. Quelqu'un a des observations à faire ?

Cunningham intervint, d'un ton dubitatif :

— Pourquoi le cheikh en aurait-il après nous ? À moins qu'il ne soit informé que Ricketts était à Dar el Ahmar, le seul Américain auquel il a eu affaire était cet officier de marine. Alors, quel serait l'objet de sa vindicte ?

— Peut-être en a-t-il après nous depuis le commencement ?

Cunningham hocha la tête. Il savait qu'il valait mieux ne pas discuter avec son chef quand celui-ci avait pris une décision. De toute façon, il fallait prendre des précautions, même si on ne trouvait rien.

Woods, assis devant l'ordinateur, examina son courrier électronique. C'était sa principale distraction. Il restait ainsi en contact avec sa mère, son frère, des amis de collège et d'autres qu'il s'était faits durant ses années dans la marine. Il examina l'adresse des expéditeurs et en trouva une qui ne lui était pas familière : « jaime.rodriguez@mail.house.gov ». Bizarre, se dit-il en cliquant sur le message pour l'ouvrir.

Cher Lieutenant Woods,

Nous ne nous sommes jamais rencontrés. Je suis l'assistant parlementaire de l'amiral Brown. C'est moi qui ai reçu votre lettre recommandant de déclarer la guerre au cheikh el-Gabal. Je suis également celui qui vous a adressé la lettre-type disant en substance que nous partageons votre souci du terrorisme international et que l'amiral a pris telle et telle mesure.

J'ai regretté cette lettre après coup. Je voudrais vous dire l'intérêt que votre initiative a suscité dans ce bureau.

Vous ne connaissez probablement pas l'amiral Brown. C'est un homme énergique et brillant, et surtout ouvert à toutes les suggestions de ses subordonnés. Ce qui, croyez-moi, le différencie de plusieurs de ses collègues au Congrès. Il souhaitait aussi vous écouter, et c'est ce que je veux que vous sachiez. Je lui ai personnellement parlé de votre idée, et elle l'a vivement intéressé. Nous avons longuement débattu de ses possibilités juridiques, et l'équipe continue d'en discuter. L'amiral a chargé plusieurs personnes, dont moi, d'approfondir votre suggestion. Il m'a donc paru injuste de vous laisser dans le sentiment que personne ne s'y était intéressé. Certains cyniques ici pensent que l'opinion d'un électeur n'a aucun poids ; c'est parfois vrai, mais en ce qui touche à votre lettre, elle a engendré beaucoup de réflexion et je voulais que vous le sachiez.

Dites-moi si je puis vous être utile. J'ai le sentiment que je vous le dois.

Bien à vous,
Jaime Rodriguez

Woods n'en crut pas ses yeux. Il relut la lettre, puis redressa le dos et considéra l'écran. Soudain, il s'écria :

— Big !

Bark avait choisi Woods et Wink comme première équipe d'alerte cinq. Pendant que le *Washington* gagnait les eaux occidentales, en effet, il fallait le protéger contre une attaque inattendue. C'était une obsession que, depuis Pearl Harbor, partageaient tous les capitaines et commandants des forces aériennes sur tous les porte-avions : l'attaque surprise. S'il y en avait la moindre menace, les pilotes restaient assis aux commandes de leurs avions, prêts à décoller d'une minute à l'autre. Étant donné qu'Israël et la Syrie étaient en train d'en découdre, il avait donc été décidé de tenir les chasseurs en état d'alerte jusqu'à la reprise du programme ordinaire des vols, dans l'après-midi.

L'alerte cinq équivalait à la capacité de décoller en cinq minutes avec des missiles actifs pour défendre le porte-avions. Les pilotes étaient donc dans leurs avions, n'attendant que de mettre leurs moteurs en route et de se faire lancer par les catapultes.

Woods et Wink étaient installés dans leur Tomcat, à l'arrière de la catapulte 3. La verrière était relevée pour laisser passer la brise d'une journée splendide.

Abandonnant la partie de football électronique à laquelle il se livrait, Woods actionna plusieurs commandes avec son pouce, comme il l'avait fait d'innombrables fois. Il savait le temps qui lui était imparti pour cela en cas d'urgence : trente secondes. Il effectuait toujours cet exercice avec une concentration furieuse. L'antenne radar du navire effectua un tour complet.

— 14 points, dit-il à Wink en lui donnant la Gameboy.

Wink jeta un coup d'œil à l'antenne. Trente secondes. Il joua frénétiquement et gagna plusieurs coups. Il vit l'antenne qui se rapprochait. Il accéléra. L'antenne passa.

— 17 points ! annonça-t-il triomphalement.

— Tu as triché, dit Woods. Tu ne peux pas avoir joué si vite en un tour de radar.

— Toi, tu ne supportes pas de perdre, mon vieux !

Woods était si absorbé qu'il ne vit pas la relève arriver. Chaque nouvelle équipe en alerte contrôlait elle-même l'état de l'avion. Nul ne devait s'en remettre aux compétences des autres, ni aux siennes propres : il fallait chaque fois tout contrôler. Dès que les deux officiers en eurent fini, ils appelèrent Woods et Wink :

— Ça y est, vous pouvez descendre.

Les deux pilotes se munirent de leurs informations de navigation et de leurs sacs de vol et descendirent. Le lieutenant Paulson leur annonça :

— Il y a une réunion d'officiers dans cinq minutes. C'est pourquoi nous avons décidé de prendre la relève un peu plus tôt, pour vous permettre d'y assister.

— Encore une réunion ? À quel sujet ?

— Oh, le commandant de la force aérienne est sur le sentier de la guerre. Il parcourt le navire de haut en bas comme s'il y avait le feu. Il se passe quelque chose.

Woods lança un regard à Wink.

— Vous voulez la Gameboy ?

— Merci, j'ai apporté un livre.

— Vous n'êtes pas censé lire.

— Je sais. Je ferai attention, sans quoi on va venir me menotter et me renvoyer chez moi...

Woods et Wink gagnèrent l'échelle qui menait au niveau 3. Lorsqu'ils furent arrivés, Wink demanda :

— Tu es inquiet ?

— Je me sens comme un criminel qui a peur que la police trouve les traces de son crime.

— Je ne parviens pas à croire qu'on a fait ce coup, dit Wink en franchissant la porte. Mais si c'était à refaire, je le referais.

— Refaire quoi ? demanda Bark, qui se trouvait juste derrière la porte.

— Lui botter le cul au football sur la Gameboy, répondit Wink avec à-propos.

— C'est tout ce que vous savez faire, bande de gamins, quand vous êtes en alerte cinq ? Jouer à ce jeu stupide ? Au lieu de réfléchir aux opérations et à la sécurité et de réviser les systèmes de l'avion ?

Les systèmes étaient longuement détaillés dans les manuels d'entraînement et de procédure opérationnelle, donnant lieu à des examens réguliers ; il valait mieux ne pas être recalé.

— Je plaide coupable, chef, dit Woods. Paulson nous a dit qu'il y a une autre réunion. C'est à quel sujet ?

— J'en sais rien. C'est le domaine du commandant. Je ne suis qu'un spectateur, comme vous. Et ça commence tout de suite, dit-il, consultant sa montre.

Woods et Wink le suivirent dans la salle de réunion. Woods s'assit au deuxième rang et Wink, derrière lui. Les officiers échangeaient quelques mots, sans quitter des yeux le commandant de la force aérienne, présent pour une fois en chair et en os, qui paraissait attendre quelque chose devant eux. Tous étaient tendus, sans savoir pourquoi.

— Tout le monde est là ? demanda le commandant en regardant Bark.

— Oui, Monsieur, sauf l'équipe d'alerte.

— Vous avez entendu ce que j'ai dit ce matin sur le circuit interne, dit le commandant. Il y a eu une bataille entre Israël et la Syrie, et nous ne voulons pas y être mêlés le moins du monde. C'était déjà inopportun de nous trouver en Israël la veille. Ils auraient dû nous prévenir d'annuler notre visite, eu égard à ce qui s'est passé le jour de notre départ ; mais ce qui est fait est fait. La raison pour laquelle je m'adresse à vous, notre seule escadrille de F-14, est que la situation a empiré : Israël a procédé toute la journée à des raids. Ils ne lâchent pas le morceau.

Les officiers échangèrent des regards ; ils se sentaient soulagés : il ne s'agissait pas d'eux.

— La situation a aussi évolué d'une manière qui me contrarie beaucoup, dit-il, parcourant l'assistance du regard. Et cela concerne VF-103. J'espère ardemment qu'il y a eu une erreur.

La main de Woods se crispa sur l'accoudoir ; il fit effort pour continuer à respirer par le nez. Il sentait le regard de Wink lui brûler la nuque.

— J'ai été convoqué par l'amiral Sweat, reprit le commandant. La Syrie a formellement porté plainte contre les États-Unis. Plus exactement, contre nous, contre le porte-avions. Leur ambassadeur s'est rendu ce matin chez notre ministre des Affaires étrangères, à Washington, pour nous accuser d'avoir aidé Israël lors de l'attaque contre l'armée de l'air syrienne et, même, d'avoir *participé* à cette attaque.

Des murmures parcoururent l'audience : l'accusation était ridicule.

— Selon la Syrie, leurs pilotes ont déclaré avoir vu des Tomcat des forces navales américaines pendant le combat.

Quelques rires fusèrent. Woods fit de son mieux pour s'y joindre. Il regarda Pritch, qui semblait sur le point de défaillir, debout derrière son bureau.

— Ils affirment non seulement qu'ils ont vu des F-14 dans la bataille, mais encore, que ces appareils portaient l'insigne des Jolly Rogers, le crâne et les tibias entrecroisés. Mieux : certains de leurs pilotes prétendent que leurs camarades ont été abattus par les F-14 et que des missiles Sidewinder et Sparrow ont été tirés. Deux pilotes affirment avoir été abattus par des Tomcat.

Un murmure de désapprobation rejeta de nouveau ces accusations comme absurdes.

— Et ce n'est pas fini, poursuivit le commandant, avançant d'un pas. Leurs pilotes affirment être certains de ce fait : les spécialistes de leurs équipements électroniques ont identifié les radars des F-14.

Woods eut peine à maîtriser sa respiration. Mais pouvait-il cesser de transpirer ? Il se sentait incapable d'échanger le moindre regard avec Big, Wink ou Sedge, sous peine d'éveiller les soupçons du commandant.

— Si quelqu'un a quelque chose à dire, je l'écoute, dit ce dernier.

Woods admit en lui-même qu'il n'avait pas assez songé aux détails. Ainsi, ils n'auraient jamais dû brancher leur radar. Mais il y avait été contraint au moment où le Flogger l'avait pris en chasse. Sur le coup, il s'était dit que, si l'on découvrait la vérité, il la reconnaîtrait crânement. Mais à cet instant, toute fierté semblait l'avoir abandonné ; il avait simplement peur.

Bark se leva pour se ranger aux côtés du commandant.

— Nul d'entre vous n'a rien à dire ? Qui tenait le programme des vols hier ?

Woods eut l'impression que le capitaine le regardait, lui plus que les autres.

— Commandant, reprit Bark, à quel moment ces faits sont-ils censés avoir eu lieu ?

— Ils n'ont pas précisé d'heure. Ils ont parlé d'un moment indéterminé de la journée.

— Mais selon les rapports que j'ai lus, il y a eu plusieurs batailles ?

— C'est exact. Nous ne savons pas à quel horaire se réfèrent les Syriens.

— Selon eux, reprit Bark, avec un sourire, les Tomcat Jolly Rogers auraient-ils été présents toute la journée ?

L'énormité d'une telle hypothèse fit sourire jusqu'aux officiers.

— Je ne crois pas. Il semble qu'ils aient parlé d'une tranche horaire.

— Et ils prétendent que ces Tomcat auraient descendu plusieurs Mig ?

— C'est exact.

— Combien ?

— Entre quatre et huit.

Bark émit un sifflement.

— Joli travail.

— Avec des missiles ?

— Exact, répondit le commandant après réflexion.

— Faisons donc l'inventaire des missiles.

— Excellente idée. Allez-y.

— Oui, Monsieur. Comptez-y.

— Mais je voudrais entendre de la bouche même de mes officiers qu'ils n'y étaient pas, reprit le commandant.

Il arpenta le petit espace devant l'audience, ajoutant :

— Comment les Syriens auraient-ils pu commettre pareille erreur ?

— Je voudrais bien voir le pilote syrien qui, dans le feu de l'action, serait capable de faire la différence entre un F-14 et un F-15, dit Bark. Les deux appareils ont deux dérives, deux moteurs, des nez pourvus d'un radôme, et la même couleur. À moins qu'on ne les voie l'un à côté de l'autre, on peut se tromper ; j'ai moi-même fait l'erreur dans des exercices contre des F-15. Voyez la Seconde Guerre mondiale : des pilotes américains ont tiré sur des avions américains qu'ils prenaient pour des japonais. Ça arrive tout le temps.

— Alors pourquoi les Syriens disent-ils avoir repéré l'insigne du crâne et des tibias sur les dérives ?

— Parce que nous sommes la plus fameuse escadrille de marine au monde ! répliqua Bark.

Les officiers lui firent une petite ovation.

— Nous avons figuré dans des films, des publicités, que sais-je ! Tous les livres sur les F-14 et tous les modèles réduits font figurer l'insigne du crâne et des tibias. Il est partout. De plus, tout le monde le sait, commandant, c'est la raison pour laquelle le VF-103 a pris le nom de Jolly Rogers quand la marine a mis fin au VF-84.

Le commandant fut visiblement pris de doute ; sa confiance vacillait.

— Et le radar ? Ils ont détecté des radars de F-14.

— Je parie qu'ils ont détecté le radar des F-18 et celui de l'E-2C également, répondit Bark. Ce sont des radars puissants. Leurs électrons voyagent loin et je ne serais pas surpris qu'on les perçoive sur la Lune.

Bark scruta l'audience.

— Qui est notre OIR pour les opérations de l'OTAN ?

Wink leva la main.

— À quelle distance croyez-vous qu'un radar de F-14 puisse être capté par un ESM ? 100 nautiques ?

— Plus de 200, répondit Wink, hochant la tête. Et probablement même sur la Lune. Littéralement.

— Voilà, déclara Bark. Nous avons volé toute la journée et nos radars étaient donc en fonctionnement sans arrêt. Nous n'avions aucune raison de les débrancher, puisque nous n'étions pas même informés de cette bataille. Tout cela me paraît être une mauvaise querelle. Les Syriens savent que nous faisions escale à Haïfa la veille. Ils essaient de nous coller le mauvais rôle. De nous faire paraître coupables. Comme si les Israéliens avaient besoin de notre aide !

Le commandant scruta derechef les visages des officiers, s'efforçant d'y déceler un signe qui les trahirait.

— Bon, dit-il à Bark, nous saurons avec certitude s'il y a un problème quand l'inventaire des missiles aura été achevé. Je veux que ce soit le capitaine des opérations qui le fasse.

— Oui, Monsieur.

Sur une imperceptible hésitation, le commandant quitta la pièce. Aussitôt, les officiers respirèrent plus librement.

25

Woods s'attabla au carré avec les autres officiers de l'escadrille.

— Tu en penses quoi ? demanda Easy, tenant sa fourchette en l'air. Moi, je dis que nous avons maintenant la preuve que le commandant a perdu la boule. On se mutine ?

— Comment a-t-il pu prêter foi à ce que racontent les Syriens ? De toute façon, ont-ils jamais dit quoi que ce soit de vrai ? s'étonna Big.

— Tu crois qu'il y a vraiment cru ?

— Tu as vu sa tête ? rétorqua Big. Il allait manger quelqu'un ! Et tout ça parce que les Syriens ont dit qu'ils avaient capté un radar de F-14.

— Tout dépendra de l'inventaire, je suppose, intervint Terry Blankenship, dit La Machine, de son ton mécanique habituel.

Il jeta un regard à Gunner Bailey, le chargé des munitions, assis à l'autre bout de la table :

— J'espère pour vous que vos ordonnances n'ont pas perdu sept ou huit missiles.

Bailey but lentement son verre de soda trop rouge, du « jus de coccinelles », comme on l'appelait, et prit son temps pour répondre :

— Nous refaisons l'inventaire sans arrêt. Il ne manque aucun missile. J'aurais déjà pu lui affirmer.

Et il lança un regard à Woods, qui se reprenait à respirer librement, pour la première fois depuis une heure.

Sami lut rapidement le papier qu'on venait de lui remettre ; une coupure de journal en arabe tout juste faxée, parfaitement lisible. Dans la salle, les autres attendaient qu'il eût fini. Dès qu'il leva la tête, Kinkaid lui demanda :

— Alors ?

— Nous sommes dans un joli pétrin…

— À moins que ce ne soit lui qui s'y trouve. Qu'est-ce que ça dit ?

— D'abord, l'article est tiré de *Al Quods al Arabi*, qui est le journal en langue arabe le plus influent en Europe. Il est imprimé à Londres. Le communiqué est complet. Très bien écrit.

— Mais qu'est-ce qu'il raconte ? demanda Kinkaid avec impatience.

— Le titre est « Déclaration de guerre sainte, *Jihâd*, des Gardiens du monde islamique aux juifs et aux Croisés ». Selon le journal, ce texte leur a été faxé sous la signature du cheikh el-Gabal. La langue est superbe. Il commence par des citations du Coran et des paroles du prophète Mahomet, puis il poursuit : « Depuis que Dieu a créé la péninsule Arabique et les Arabes pour les terres à l'est de l'Europe, aucune catastrophe plus grande n'est advenue à cette terre que les Croisades, déclenchées par les Européens il y a mille ans et poursuivies jusqu'à ce jour par leurs valets, les juifs. L'alliance des Croisés et des juifs a ruiné cette terre, décimé sa végétation, mangé ses fruits et détruit ses peuples. Et cela alors que les nations dévorent les musulmans comme des dîneurs autour d'une table chargée de vivres… »

Sami fit un geste signifiant qu'il omettait certains passages.

— « Les faits sont connus de tous », dit le texte… Puis il énumère ses trois principales doléances : « D'abord, les États-Unis occupent les territoires les plus saints de l'islam et pillent ses richesses, réduisent leurs dirigeants en sujétion, humilient leurs peuples, menacent leurs voisins et se servent de leurs bases pour menacer les populations islamiques voisines. La véritable nature de cette occupation a été rendue évidente par l'agression continuelle des Américains contre le Liban, la Syrie et l'Iran. Ensuite, en dépit des immenses ravages infligés aux populations irakiennes par l'alliance des Croisés et des juifs, et en dépit du nombre immense de morts, qui maintenant dépasse un million, les Américains insatiables poursuivent leurs affreux massacres contre les Irakiens et menacent de les propager dans d'autres pays de la région. Enfin, alors que les buts des Américains dans ces guerres sont religieux et économiques, ils servent néanmoins le dérisoire État des juifs, parce qu'ils détournent l'attention de l'occupation de Jérusalem et des meurtres de musulmans... Ces crimes équivalent à une déclaration de guerre par les Américains contre Dieu, le Prophète et les musulmans. Cette situation, selon les oulémas et la *charia*, appelle le *jihâd*... »

Sami leva les yeux vers son auditoire et expliqua :

— Voici la *fatwa*, c'est-à-dire le jugement : « C'est le devoir pour tout musulman que de tuer les Américains et leurs alliés, civils et militaires. Un devoir personnel pour tout musulman valide et dans tout pays où c'est possible, jusqu'à ce que la mosquée El Aqsa – elle est à Jérusalem, précisa Sami, s'avisant de l'expression horrifiée de ses auditeurs – et la mosquée El Haram – à La Mecque – soient libérées de leur emprise, et jusqu'à ce que leurs armées, défaites et brisées, quittent toutes les terres d'islam et soient mises hors d'état de menacer un musulman. »

Bien que révulsé par la violence du texte qu'il lisait, Sami se força à poursuivre la traduction :

— Après avoir cité des versets du Coran, le signataire déclare : « Avec la permission de Dieu, nous appelons tout musulman croyant à obéir au commandement divin de tuer des Américains et de piller leurs possessions partout où il le peut et à tout moment. Nous appelons pareillement les oulémas, les chefs, la jeunesse et les soldats à lancer des attaques contre les démons américains et contre les suppôts de Satan qui les soutiennent... » Suivent encore d'autres citations du Coran. Voilà l'essentiel. Je peux vous expliquer la plupart des références au Coran, si vous le désirez. Cet homme est un extrémiste, mais je dois dire que ses idées ne sont pas exceptionnelles dans une grande partie du monde arabe.

— Mais pour qui se prend-il ? déclara Kinkaid avec colère. Comment diable pourrait-il déclarer la guerre aux États-Unis ?

— Il a dû prendre pour argent comptant les protestations syriennes à propos d'une participation de la marine américaine à l'offensive d'Israël au Liban. Elles ont entraîné plus de répercussions que nous l'avions prévu.

— Comment a-t-il pu croire ça ? Comme si nous allions envoyer deux ou trois avions aux Israéliens ! Nous n'avons *jamais* mené d'attaque militaire avec eux ! À quoi ça mènerait ? Il y a vraiment des gens qui gobent n'importe quoi. Bon, Sami, quelle est votre conclusion ?

— Simple : il veut faire la guerre aux États-Unis.

— Il serait peut-être bon de la lui faire, grommela Kinkaid.

Bark s'installa à une console dans une petite cabine du *Washington* où l'on contrôlait les caméras du pont supérieur. Elle était également équipée pour repasser les enregistrements des atterrissages, ce que les LSO faisaient, à l'occasion. De temps en temps, le commandant aussi descendait repasser un enregistrement et, quand il y avait un accident, la cabine était bondée. Mais c'était la première fois que les quartiers-maîtres voyaient un commandant d'escadrille repasser plusieurs fois de suite le film d'un atterrissage normal, surtout d'un atterrissage à trois filins. Ils échangèrent des regards et haussèrent les épaules.

Bark repassa le film à l'endroit et à l'envers, à la vitesse régulière, au ralenti, sur images fixes. L'appareil de Woods revenait de sa première mission après que le navire eut quitté Haïfa. Bark se pencha sur l'écran. L'inventaire des missiles avait été concluant : il n'en manquait pas un. Mais Bark voulait tout vérifier. Il avait une intuition. Car Woods et Big étaient revenus en nage.

Soudain, il bloqua une image et l'examina. Il y avait une ombre, peut-être du carbone, sur le rail du missile Sidewinder du côté gauche. Pourtant, le missile était toujours en place. Donc, il n'avait pas été tiré. Même si Gunner avait falsifié les inventaires, ça ne pouvait pas expliquer que les missiles fussent toujours sur l'avion à l'atterrissage. On ne pouvait pas recharger en vol et les missiles n'avaient certainement pas été rechargés sur le pont. Bark se demanda s'il n'allait pas inspecter l'avion. Il devait le faire.

— Merci, dit-il aux quartiers-maîtres en quittant la cabine.

Le commandant Whip Sawyer était très content de son premier mois comme attaché naval de l'ambassade des États-Unis à Paris, l'un des meilleurs postes de la carrière. Il n'y avait pas trop de renseignements à traiter, mais il y goûtait le plaisir de vivre à Paris. Sawyer y avait fait venir toute sa famille. Les enfants, sept, neuf et onze ans, n'avaient pas apprécié le changement ; ils avaient passé les cinq dernières années à Coronado, en Californie, où Sawyer était officier de renseignements au sein d'une équipe d'un département de la marine, puis au centre des opérations spéciales de guerre. Il parlait un français passable et avait inscrit ses enfants dans des écoles françaises ; ils en étaient rentrés chaque soir déconfits, mais au bout de deux semaines, ils commençaient à s'y faire. Sa femme, elle, ne s'était pas encore acclimatée, mais ils avaient trouvé un ravissant appartement dans le quatrième arrondissement, non loin de Notre-Dame.

Sawyer avait découvert ce qu'il considérait comme l'un des meilleurs trajets de jogging : de son appartement à la Seine puis, le long des quais de la rive droite, vers l'aval. Il pouvait courir le long du fleuve aussi longtemps qu'il le souhaitait, tantôt le long des étals des bouquinistes, tantôt sur les quais d'en bas, où les chalands s'amarraient et où il n'y avait pas de croisements.

Il courait de plus en plus tôt et commençait maintenant au petit matin, lorsqu'il faisait juste assez clair pour ne pas trébucher. Ce matin-là, il décida d'emprunter les quais en contrebas jusqu'à la tour Eiffel.

Les eaux sombres de la Seine lui parurent magnifiques. Il fit abstraction des clochards qui hantaient les arches des ponts, l'un des revers de la médaille. À l'un des ponts, il arriva à hauteur d'un tas de vêtements qui abritaient un SDF, une vieille femme tendant un gobelet, qui quémandait l'aumône d'une voix de sorcière. Elle semblait n'avoir pas de jambes. Il réprima un dégoût instinctif et pressa le pas. Il ne vit pas une jambe d'homme jaillir de sous ce tas et trébucha dessus. Il tendit les bras pour amortir sa chute. Il s'était blessé la joue. Il gémit et tenta de se relever. Le jeune homme qui se cachait sous le tas de vêtements et le masque de vieille femme se précipita sur lui. Il tira un couteau, frappa Sawyer au menton et lui trancha le cou. Le sang jaillit sur les pavés. Le jeune homme roula le corps de Whip Sawyer et le jeta à la Seine.

Woods et Big furent surpris d'entendre toquer énergiquement à la porte de leur cabine ; il était minuit passé. Bark entra et claqua la porte derrière lui. Woods se leva et Big se dressa sur sa couchette.

— Hello, capitaine !

Bark les considéra sans mot dire, puis finalement demanda :

— Je peux m'asseoir ?

— Je vous en prie, Monsieur.

— Bien, maintenant, je veux la véritable histoire.

— Histoire de quoi ? demanda Woods.

— Tu sais très bien de quoi je parle.

— Cette histoire de Syrie ?

— Oui. Raconte-moi.

Woods et Big se regardèrent, ne sachant qui parlerait le premier.

— Que veux-tu qu'on te raconte ?

Bark ne goba pas la question. Il voulait des confidences spontanées et n'avait aucune envie de procéder à un interrogatoire.

— Devinez ce que j'ai fait ?

Le sang de Woods se glaça.

— Quoi ?

— J'ai repassé le film des atterrissages de la journée de l'attaque.

— Pour quoi faire ? demanda Big, d'un ton indifférent.

— Un détail m'a intrigué. Si quelqu'un d'entre nous a participé à cette attaque, ce ne pouvait être que vous, étant donné l'heure que les Syriens nous ont indiquée. Mais je n'arrivais pas à comprendre comment vous étiez revenus avec tous vos missiles. C'est ce que j'ai vérifié.

— Nous avions tous nos missiles.

— Exact.

— Alors, où est le problème ?

— Vous saviez que lorsqu'on tire un Sidewinder, il laisse une traînée de carbone sur le rail ?

Woods se retint d'éviter le regard insistant de Bark.

— Bien sûr.

— Pouvez-vous m'expliquer comment il se fait que chacun de vous portait une trace de carbone quand vous avez atterri ce jour-là ?

Woods se sentit piégé ; il aurait voulu tout raconter à Bark. Le capitaine aurait compris. Mais il aurait fait son devoir. Cela signifiait qu'ils auraient immanquablement fini à Leavenworth.

— Ça ne colle pas, capitaine. On ne peut pas avoir à la fois les missiles et la traînée de leur lancement. Cela doit être une vieille trace.

— C'est ce que je n'arrive pas à comprendre, admit Bark... Alors, je suis venu vous voir, au cas où vous auriez un élément d'explication.

Il respectait ses deux lieutenants, mais il les savait aussi capables de bien des écarts.

— Aucun de vous deux n'a rien à me dire ?

— Pas moi, répondit Woods.

— Les traces de carbone peuvent remonter aux lancements de missiles que nous avions effectués à Roosevelt Roads, dit Big. Nous avions lancé beaucoup de Sidewinder là-bas.

— Tu crois ?

— C'est un fait.

Bark plissa les yeux et concentra son regard sur Big :

— Sauf que les types des Sidewinder que nous avions lancés là-bas étaient différents. Je l'ai vérifié.

— Ah, dit Big, penaud.

Bark se leva et ouvrit la porte.

— Je vous verrai demain matin, dit-il.

Woods écouta son pas s'éloigner.

— On est foutus, dit Big.

— Si nous étions foutus, il l'aurait dit. Mais il n'est sûr de rien.

— Il se peut qu'il soit sûr et qu'il nous ait donné une chance de dire la vérité, objecta Big. Nous n'avons pas été honnêtes avec lui.

— Nous n'avons pas menti.

— Pas menti ? Merde, Sean ! Nous avons trompé notre capitaine d'escadrille.

— As-tu vraiment imaginé que nous irions au Liban, en Syrie ou ailleurs, que nous tuerions des gens et que nous n'aurions pas à mentir ? demanda Woods, fusillant l'autre du regard. Il vaudra mieux t'habituer à cette situation si tu ne veux pas finir à Leavenworth.

— Et toi, tu te sens à l'aise dans tout ça ?

À la vérité, Woods n'avait jamais ressenti pareil malaise ; il avait enfreint des lois et tué des hommes et, maintenant, il se trouvait empêtré dans un système de mensonges.

— Non. Je ne me sens pas bien. Je t'engueule parce que je ne sais pas quoi faire d'autre. Je voudrais retrouver ma vie d'officier de marine comme elle était. Mais nous ne pouvons pas défaire ce que nous avons fait. Si nous avouons, nous finissons à Leavenworth.

— On n'aurait pas dû y aller.

— Bon, maintenant, nous ne ferons plus rien d'illicite.

— Je ne suis pas sûr que ça suffira.

— C'est tout ce que nous pouvons faire.

Secrétaire d'État adjoint pour le Moyen-Orient, Ronald Pope était content de son travail, mais il le trouvait harassant, en dépit des avantages, notamment les voyages. Il aspirait à retourner à ses études, moins contraignantes, et recommencer à écrire. Sa tête débordait de projets de livres et d'articles.

Tout en changeant sa serviette de main pour verrouiller la voiture de l'autre, il réfléchissait donc à ce qu'il voulait exprimer sur le Moyen-Orient, région ô combien complexe. La clef se bloqua, ce qui l'agaça. Il regretta de n'avoir pas opté pour un système de fermeture automatique lorsqu'il avait commandé sa Taurus. Il aurait aussi bien pu bloquer de l'intérieur la portière, mais il craignait toujours de verrouiller les portes avec les clefs dedans.

— Excusez-moi, dit un homme qui apparut soudain près de lui. Êtes-vous Ronald Pope ?

— Oui. Qui êtes-vous ?

Son regard chercha du secours alentour ; les lieux étaient déserts. Pope arrivait toujours avant ses collègues.

— Ça n'a pas d'importance.

L'homme tira de son veston un pistolet muni d'un long silencieux. Pope regarda l'arme. Il n'avait jamais vu de silencieux, mais il sut que c'en était un.

— Mais qu'est-ce que vous...

Le pistolet tressauta quand le coup partit, vers l'estomac. Pope tomba. Le sang coula sur le sol. Le Secrétaire d'État adjoint pour le Moyen-Orient frémit et se tordit. L'homme se pencha sur lui et tira un autre coup dans la poitrine. Pope s'immobilisa. L'homme remit l'arme dans son veston et poussa le cadavre sous la Taurus.

Ce club napolitain servait souvent pour les fêtes d'escadrille, et celle des F-18 l'avait réservé longtemps à l'avance, sachant qu'aux escales, il n'était jamais libre. En effet, un, voire deux porte-avions croisaient toujours en Méditerranée. Ainsi, le *George Washington* se trouvait en Méditerranée orientale et le *Dwight D. Eisenhower* (CVN-69) mouillait devant Naples. Le VFA-136, une escadrille de F/A-18, avait décidé d'y donner un dîner réservé aux officiers, où ils porteraient leurs uniformes blancs et observeraient la tradition gastronomique de la marine, bœuf rôti et porto. C'était là une festivité dont le protocole était strictement traditionnel, et les officiers en rêvaient depuis un mois : elle entretenait la mythologie de la marine. On y évoquait les causes célèbres, cas d'ivrognerie, célébrations douteuses, algarades et autres scandales causés par la faiblesse humaine, et les mêmes récits les perpétuaient depuis des décennies, sinon des siècles. Chacun rêvait aussi, qui sait, d'enrichir ce folklore.

Le commandant Gary Witt, chef de l'escadrille des F-18, devait par définition présider ce mess. Il était requis de faire certaines choses et de se comporter d'une certaine façon. En homme fort avisé, il s'était jusqu'alors fort bien tiré de sa tâche. Ce soir-là, il saisit le signal du lieutenant qui faisait fonction d'officier du mess, comme en attestait son épée au côté, et comprit qu'il était temps de procéder à la Parade du Bœuf.

— Comme vous le savez tous, l'heure est venue d'inaugurer notre banquet en présentant le plat principal à tous les virils Américains assis autour de ces tables. Messieurs, la Parade du Bœuf !

Sur quoi les portes de la salle s'ouvrirent et deux serveurs italiens de haute taille entrèrent, portant un plat énorme sur leurs épaules. Un joueur de cornemuse les suivit, ne tirant pour commencer que des gémissements de son instrument, en attendant que l'outre s'emplît de vent. Puis, selon la tradition, les sons de *Scotland the Brave* jaillirent de l'instrument. Serveurs et joueur de cornemuse firent donc le tour de la salle, afin de permettre à tous les convives d'admirer la magnifique pièce de bœuf, dans un beau vacarme.

Mais soudain, une porte latérale s'ouvrit et un homme encagoulé et drapé de noir apparut. Il tenait à l'épaule un fusil d'assaut. Il aperçut Witt debout à la table principale et le visa. Des officiers crièrent et l'officier du mess mit la main à son épée. Mais tout se passa trop vite, l'intrus tira et Witt tomba, la tête sur le pupitre devant lui. Ayant dégainé son épée, l'officier du mess s'élança vers le meurtrier ; celui-ci l'abattit instantanément de trois balles. Le tireur attendit calmement. Personne ne bougea. Les officiers l'eussent bien chargé, mais ils avaient vu ce qui était déjà advenu.

Le meurtrier recula. Deux complices également armés lui ouvrirent la porte et la refermèrent derrière lui. Des cris d'horreur et de colère éclatèrent. Les trois hommes avaient disparu.

26

— Le Président passera à la télévision dans une heure environ, déclara Jaime Rodriguez, haletant, au vice-amiral
Brown, assis à son bureau.

— À quelle occasion?

— Les assassinats. Il n'a pas préparé de discours. Il est
furieux. Ce sera improvisé.

L'amiral Brown enleva ses lunettes.

— Cela va être intéressant, dit-il. Où en est la rédaction de
ce mémo sur la déclaration de guerre?

— Il est achevé. Nous sommes en train de le peaufiner.

— La conclusion n'a pas changé?

Rodriguez devina où l'amiral voulait en venir.

— Non, Monsieur. Il n'y avait aucune raison à cela.

— Je ne sais pas si nous sommes prêts pour une décision
aussi importante. C'est le genre de question qui exige des mois,
sinon des années d'analyses et de discussions... Mais peut-être
n'avons-nous pas le temps.

Il se leva et fit le tour de son bureau :

— Priez Tim de me préparer tout de suite un tirage, afin
que nous puissions en discuter après l'allocution du Président. Nous possédons peut-être l'argument même dont il a
besoin.

Sean Woods décrocha le téléphone.

— Lieutenant Woods.

— Réunion de tous les officiers tout de suite, dit Sedge, de
service.

Woods imagina le pire : il serait démasqué devant toute l'escadrille. Il essaya de ne pas se comporter comme le criminel qui sait que son heure est venue, mais l'anxiété ne l'en étreignait pas moins.

— À quel sujet ?

— Le Président va s'adresser au pays à propos des assassinats. Le capitaine veut que tous les officiers soient présents en salle de réunion. C'est dans cinq minutes.

La nouvelle de ces meurtres en série avait bouleversé Woods. Pour lui, il n'y avait aucun doute sur leur origine, mais il se sentait coupable. S'il n'avait pas participé à l'attaque avec l'armée de l'air israélienne, rien de tout cela ne se serait produit. S'il n'avait pas insisté pour brancher le radar, afin de descendre un avion syrien de plus, les Syriens n'auraient pas détecté un radar de F-14. Bref, Woods avait peut-être effacé ses traces, mais non ses remords.

Son pas, tandis qu'il se rendait à la salle de réunion, fut plus lent que d'habitude. Il traînait un boulet.

Les officiers arrivèrent en même temps que lui. Dès qu'ils eurent pris place, Bark leur déclara :

— Nous allons écouter le Président. Mais moi, je voudrais vous dire ceci : ce cheikh el-Gabal s'en prend directement aux Américains. Il n'est plus question, comme pour Vialli, de s'être trouvé au mauvais endroit. C'est aux Américains et à nous, officiers, qu'il en a…

L'image du Président des États-Unis apparut sur l'écran ; Bark s'assit. L'expression du Président Garrett était sombre et irritée ; personne ne la lui connaissait.

— Comme vous le savez, trois attaques brutales ont été perpétrées contre des Américains ces dernières vingt-quatre heures, déclara-t-il. La première victime fut notre attaché naval à Paris, la deuxième, le secrétaire d'État adjoint, qui a été tué dans le garage du Département d'État. Je viens d'apprendre les détails, également choquants, sur la troisième attaque. Un commandant d'escadrille de chasseurs du *Dwight D. Eisenhower*, qui assistait à un banquet au quartier général de la VIᵉ Flotte, à Naples, a été abattu par trois tueurs qui ont fait irruption dans la salle et qui ont également tué l'officier du mess. J'adresse ici la profonde compassion de la nation aux familles de ces hommes. Je suis sûr qu'elles se demandent quels monstres ont pu perpétrer de tels crimes. Nous nous le demandons aussi. Nous apprenons, par le journal londonien où est paru le communiqué de cet individu qui se fait appeler le cheikh el-Gabal, que celui-ci revendique les attentats ; il les décrit comme une vengeance contre une tentative d'assassinat menée sur sa personne et prétendument dirigée par Israël et par nous-mêmes.

Le Président observa une pause.

— Ces crimes et ces accusations mensongères sont scandaleux. Cet homme n'est pas seulement rempli de haine, il est également dans l'erreur. Il semble obsédé par l'idée que nous aurions été impliqués dans l'attaque sur le Liban par les forces aériennes d'Israël, il y a deux semaines. Je déclare publiquement et sans équivoque que nous n'avons rien eu à faire avec ce raid. Absolument rien.

Woods évita de regarder Big.

Le Président fit face à la caméra plus longtemps qu'il n'était de coutume durant un discours ; sa fureur était évidente ; il improvisait, ce qui était risqué.

— Je veux, reprit-il, que l'homme responsable de ces attaques, ainsi que ceux qui l'aident ou le protègent, soient punis. Ce pays n'aura de cesse que lui et ses acolytes soient traduits devant la justice pour les meurtres d'Américains innocents. Il a déclaré la guerre sainte aux États-Unis. Nous n'avons rien fait pour le justifier. Je déclare que, personnellement, je n'aurai de cesse que cet homme soit traduit en justice. Et j'en charge les États-Unis avec toute la force dont elle dispose. Nous ne connaîtrons de repos que lorsque justice sera faite. Je m'entretiendrai avec les responsables politiques et militaires sur la meilleure manière de procéder. Mais je veux que le monde sache que nous agirons. Nous veillerons à ce que justice soit faite. Bonne nuit.

Bark se leva et alla au poste de télévision. L'officier des services de renseignements des forces aériennes du navire commenta les propos du Président. Lorsqu'il eut fini, Bark déclara :

— Je n'ai probablement pas besoin de vous dire que je ne fais pas partie des autorités que le Président consultera. Mais si c'était le cas, je lui dirais : ripostez maintenant, ripostez demain, ripostez tous les jours jusqu'à ce que cet homme soit enterré sous 50 pieds de sable. C'est *nous* qu'il accuse d'avoir déclenché cela avec les Israéliens. Mais nous savons que c'est faux. Nous avons fait l'inventaire des missiles. Woods et Big – leurs cœurs firent un bond – nous ont assuré qu'ils n'avaient rien à voir avec cette affaire. Cela signifie que ce type est coupable non seulement des meurtres de Vialli, mais aussi de ceux de l'attaché naval à Paris, d'un politique de haut rang, d'un commandant d'escadrille et d'un officier. J'ignore ce que le Président projette, mais je veux que nous nous tenions prêts pour toute éventualité, parce que je suis persuadé que nous agirons. Je veux être certain que nos systèmes d'armes, nos avions et tous les officiers de l'escadrille sont prêts à cent pour cent à aller au combat, demain s'il le faut.

Et s'adressant à Wink :

— Nous ferons demain après-midi une révision des systèmes d'armes de l'OTAN. Je veux que des questionnaires écrits soient soumis à tous. Je veux qu'on réétudie les armes, leur sélection, le combat aérien. Nous continuerons à le faire jusqu'à ce que cette question soit réglée.

Il scruta l'expression de ses hommes.

— J'espère vraiment que nous aurons l'occasion de faire quelque chose. Je l'espère ardemment.

Les officiers se levèrent et s'apprêtèrent à quitter la salle. Woods alla à Big.

— Tu as entendu en quels termes le Président parlait du cheikh ?

— Ouais.

— Cela signifie que ce type constitue toujours une menace.

— Juste, répondit Big, surpris.

— Donc, conclut Woods en baissant la voix, nous l'avons raté. *Merde.*

La salle de conférence de la Maison Blanche était pleine de monde. Le Président avait décidé en urgence de la consultation annoncée. Quelques heures plus tard, le chef d'état-major des

254

armées, le secrétaire d'État à la Défense, le directeur de la CIA et le conseiller à la Sécurité nationale étaient là, de même que les chefs de la majorité et de la minorité à la Chambre des Représentants et au Sénat, les membres du cabinet, les présidents des commissions des Forces armées à la Chambre et au Sénat, ainsi que le vice-Président. Aucun journaliste n'avait été invité.

Le Président Garrett était un Texan, dont l'accent traînant reparaissait quand il était en colère, et il l'était. Grand et mince, les cheveux poivre et sel, Garrett écrasait tout le monde de sa personnalité. Il parcourut la salle du regard, pour s'assurer que chacun était présent.

— Je vous remercie d'être venus en urgence, et je veux espérer que vous comprenez bien mes intentions. Ce n'est pas une décision politique à laquelle j'entends parvenir avec vous, même s'il y a ici des représentants de toute la nation. Je n'ai qu'un but : éliminer de la surface de la terre cette vermine de cheikh el-Gabal. Il a tué des Américains innocents et il a déclaré une guerre « sainte » à notre pays et à nos concitoyens. J'ai mes idées sur la stratégie à suivre, mais je veux d'abord écouter les vôtres. Je ne veux pas monter une opération secrète. Je veux quelque chose de nouveau. Je veux que nous agissions tous ensemble. Je veux bien admettre que le Congrès ait abdiqué une certaine partie de son autorité dans le passé et que les Présidents aient pris plus d'initiative dans l'usage des forces armées qu'ils n'étaient autorisés à le faire. Mais je ne veux pas non plus que le pendule aille trop loin dans l'autre sens. Travaillons ensemble à établir la riposte qu'il faut et exécutons-la immédiatement. C'est la raison pour laquelle je vous ai tous convoqués ici.

Après un temps de silence, il reprit :

— Carl est ici pour représenter la CIA. Quoi de neuf, Carl ?

Carl Spear, directeur de la CIA, se leva.

— Monsieur le Président, vous avez reçu le rapport de l'un de nos analystes, qui compare ce cheikh à son homonyme du XIᵉ siècle et à quelques autres apparus depuis. Ce que je veux ajouter, parce que nous devons tous le savoir, est que nous ne savons pas où se trouve cet homme. Nous n'avons pour le moment que des pistes.

— C'est le propre des terroristes, admit Garrett. Ils se veulent insaisissables. Mais laissons de côté ce problème pour le moment.

Il croisa les bras.

— Supposons un instant, poursuivit-il, que la plus grande puissance militaire du monde soit capable de le localiser. Je veux alors savoir ce que nous devrions faire. Je veux dépêcher contre lui des forces armées. Je peux le faire. Les Présidents le font depuis longtemps, et je le ferai si nous tombons d'accord. Mais là est la question : comment justifierons-nous la présence de nos forces armées sur un territoire étranger pour atteindre cet homme ?

Le ministre de la Justice prit la parole :

— Nous serions bien avisés d'analyser au préalable les problèmes de droit international qui ne manqueront pas de s'élever. Cela violerait, en effet, la souveraineté du pays où nous interviendrions. Il faudra évidemment prévoir d'autres conséquences internationales...

— Ça m'est égal qu'il y ait des problèmes parce que nous l'attaquons dans un pays étranger. Ce n'est pas cela qui m'intéresse...

— Oui, monsieur le Président. Ce que je voulais dire est qu'il serait prudent d'éviter ces conséquences, si nous le pouvons.

La perplexité semblait générale : on n'avait aucune idée de la façon la plus appropriée pour engager le combat contre le terrorisme. Et comme personne, à ce stade, ne savait de quelle façon le Président projetait de riposter, nul non plus ne voulait rien suggérer, de crainte de paraître ridicule. Le député Lionel Brown, président de la commission des Forces armées au Congrès, prit cependant la parole.

— Je pense avoir une idée, monsieur le Président.

Les visages se tournèrent vers lui. Lorsqu'il parlait d'affaires militaires, en effet, il forçait l'attention, et le Président était assez avisé pour ne pas prétendre lui damer le pion.

— Je vous écoute, dit Garrett.

— C'est une idée qui m'a frappé depuis qu'elle m'a été soumise, il y a quelques semaines. J'ai chargé mon équipe de l'étudier. Ce cheikh el-Gabal a déclaré la guerre aux États-Unis, n'est-ce pas ? Or, j'ai reçu une lettre d'un officier, camarade de chambrée de cet officier de la marine qui a été tué dans l'attaque du bus en Israël. Il proposait que le Congrès déclare la guerre au cheikh. En tant qu'individu. Et qu'il déclare la guerre aux Assassins en tant que groupe armé. Ce lieutenant fait partie de ma circonscription et je crois franchement que nous devrions prendre son idée en considération. Nous déclarons bien la guerre à des pays quand ils nous attaquent, poursuivit Brown. Mais la plupart des attaques terroristes de nos jours sont perpétrées par des individus ou de petits groupes. Pourquoi, alors, ne pas lancer nos forces armées contre eux?

Brown dévisagea les assistants, devinant leurs pensées: une idée folle, inapplicable, que personne ne soutiendra. Cependant, il faisait davantage confiance au Président. Car Garrett avait une expérience de l'armée; il y avait servi deux ans après l'université. Ce n'était pas long, mais il y avait quand même servi. Il déchiffra la surprise sur le visage de Garrett, mais point négative.

— Serait-ce légal?

— Comme je le disais, j'ai confié la suggestion à mon équipe, qui l'a étudiée. Rien n'interdit de prendre cette mesure en considération.

— Cependant, nous n'avons jamais rien fait de tel.

— Monsieur le Président, j'y ai beaucoup réfléchi, répondit Brown. Je puis dire, au nom du Congrès, mais sans son autorisation, que nous avons abdiqué notre autorité de déclarer la guerre. Nous avons envoyé des troupes et parfois des contingents importants en Corée, au Viêt-nam, sur l'île de la Grenade, à Panama, dans l'opération Tempête du Désert, au Kosovo et dans bien d'autres conflits, mais nous n'avons pas déclaré la guerre une seule fois. C'est incohérent. Cela procède d'une méconnaissance de ce qu'est une déclaration de guerre.

— Et vous pensez que nous pourrions le faire dans ce cas-ci? demanda Garrett.

— Je le pense, monsieur le Président. Ce meurtrier nous a déclaré la guerre et il semble décidé à la poursuivre. Il me semble que nous devrions lui rendre la pareille. Je propose que nous lui déclarions la guerre, à lui en tant qu'individu. Et à son groupe armé.

— Comment ?

Brown se leva, incapable de rester assis plus longtemps.

— Lorsque la guerre de Corée a éclaté, notre état d'esprit était encore marqué par la Seconde Guerre mondiale. Seulement, les enjeux étaient plus élevés pour nous : un risque de guerre nucléaire avec l'URSS. Mais, dans notre esprit, la guerre équivalait à l'annihilation totale. Ainsi, nous ne l'avons jamais plus déclarée depuis. Cinq cent mille Américains sont morts au Viêt-nam. Et que disons-nous à leurs familles ? Qu'ils ne sont pas morts à la guerre. Si nous remontons à la période précédant la Seconde Guerre mondiale, quand nous déclarions la guerre à l'Espagne ou à l'Angleterre, ça ne signifiait pas que nous entendions les annihiler, mais simplement viser un but politique qu'on ne pouvait atteindre que par un conflit armé. Le Congrès a alors déclaré la guerre. Le Président était d'accord, mais c'était le Congrès qui avait pris la décision. Le moyen de venir à bout des terroristes aujourd'hui est le même. Pour pouvoir les poursuivre avec toute la puissance de nos forces armées, où qu'ils soient. S'ils sont en Syrie, nous irons en Syrie. Car la règle veut qu'aucun pays n'abrite des belligérants. Nous avons le droit de poursuivre ceux avec lesquels nous sommes en guerre et le pays qui protège nos ennemis le fait à ses risques et périls.

— Êtes-vous sérieux ? demanda le ministre de la Justice. Vous proposez de déclarer la guerre à un seul homme ?

— C'est exactement cela, rétorqua Brown. Pas en nous servant de la CIA, mais de notre groupe Delta, le DEVGROUP. Pas par des actions clandestines, mais ouvertement, en plein soleil. Nous déclarons la guerre, le Président y consent et nous poursuivons ces gens jusqu'en enfer. Nous n'avons plus à nous soucier des subtilités juridiques ni à leur dépêcher le FBI pour les arrêter, les informer de leurs droits et les ramener aux États-Unis pour les juger, ce qui est l'un des concepts les plus ridicules de l'histoire militaire.

Brown sentit soudain qu'il avait parlé trop longtemps. Un silence dans la salle le lui confirma.

— Pardonnez-moi si j'ai été trop long, reprit-il, mais mes convictions sur ce point sont fortes et je crois que c'est l'attitude à adopter. Je pense que nous devrions informer le public de cette idée aussitôt que possible. Je ne verrais aucun mal à ce que nous ouvrions un débat public sur ce point, aujourd'hui, demain, pendant une semaine. Puis que nous déclarions la guerre à cet homme et que nous le pourchassions.

Garrett se retint de sourire.

— Ce serait un précédent de taille. Mais que ferions-nous, dans un cas moins clair ? Quand des gens revendiquent la responsabilité d'actes terroristes dont nous pensons qu'ils n'ont pas été commis par eux ?

— Il y aura d'autres cas, répondit Brown après réflexion, où il nous faudra user de discernement et, de toute façon, nous ne serons pas obligés de procéder à une déclaration de guerre chaque fois que nous aurons affaire à des terroristes.

À l'évidence furieux, le directeur de la CIA posa la question qui lui brûlait les lèvres :

— Mais vous ne voyez donc pas le problème ? Nous risquerions de nous embourber dans des guerres interminables. Comment saurait-on qu'elles sont terminées ?

Brown avait prévu la question :

— Serait-ce pire que d'avoir une guerre non déclarée qui reste interminable, comme celle qui est en cours entre nous et la Corée du Nord, cinquante ans plus tard ? Lorsque nous aurons tué ou capturé cette vermine, pour reprendre le terme du Président, nous pourrons déclarer que la guerre est finie. Et cela n'exclut pas la CIA de l'action : nous pourrions lui concéder l'autorisation d'abattre les combattants ennemis dans le monde entier. Connaissez-vous une riposte plus efficace contre le terrorisme ?

— Elle me paraît ouvrir la porte à beaucoup d'erreurs, observa le ministre de la Justice.

— Erreurs ? répondit Brown en souriant. Il me semble que nous en commettons plus dans l'utilisation de nos services de renseignements et dans nos opérations clandestines que dans toutes nos guerres ensemble.

Son interlocuteur, à l'évidence, n'apprécia pas la critique ; mais Brown n'était pas homme à se laisser intimider.

— Nous, Américains, avons été plus souvent ridiculisés dans notre histoire par des opérations mineures des services secrets que par nos échecs militaires. Si ce sont les erreurs qui vous font peur, je place, moi, tous mes paris sur le militaire.

Quelqu'un dans la salle commença à applaudir, discrètement, mais résolument. Brown, surpris, chercha du regard son partisan, parmi cette audience qu'il avait crue hostile. Soudain, plusieurs autres se mirent à applaudir aussi. Brown éprouva alors le plus grand frisson de sa brève carrière politique. Sa disposition naturelle à prendre des risques dans le domaine militaire et à la Chambre se trouvait donc récompensée.

Le Président se leva.

— Il nous faut réfléchir à tout cela, n'est-ce pas ?

On voyait bien qu'il était pris de court ; Brown se dit qu'il aurait dû mettre le chef d'état-major de Garrett dans le coup ; le Président aurait plus facilement approuvé son idée et, même, il l'aurait revendiquée comme la sienne. C'était probablement la raison pour laquelle il ne l'entérinait pas sur-le-champ. Brown jugea cette réaction un peu minable ; après tout, cette brillante idée n'était même pas la sienne, mais celle d'un obscur officier de la marine.

— Amiral, conclut le Président, j'apprécie que vous ayez pris l'initiative de nous soumettre cette idée. Il y fallait du courage. Je pense que vous nous avez donné à tous ample matière à réflexion, et je pense que certains de mes conseillers sont impatients de me faire part de leurs observations. Alors, pour ne pas prolonger cette réunion outre mesure, à moins que certains d'entre vous n'aient de meilleures suggestions – Garrett regarda autour de lui – je propose que nous regagnions nos bureaux pour y examiner la situation. Car, amiral, je crois votre proposition digne de considération.

27

L'officier de service de l'escadrille fit un clin d'œil à Woods ;
celui-ci ne le comprit pas ; l'officier lui indiqua le fond
de la salle de réunion. Woods se retourna et reconnut l'aumônier.

— Tiens, qu'est-ce qu'il fait là ?

— Mystère et boule de gomme, répondit l'officier de service.

— Hé, quoi de neuf ? demanda Woods à Maloney en se dirigeant vers lui.

— J'ai pensé que vous auriez peut-être envie de parler, dit
Maloney d'une voix fluette.

— De quoi ?

— De tout ce qui vient de se passer.

— Mais quoi ?

— L'attaque au Liban, les accusations, puis la vengeance du
cheikh et le discours du Président. Je crois ce discours annon-
ciateur de bien des répercussions.

— Et que voudriez-vous que j'en dise ? rétorqua Woods, mal
à l'aise.

— On peut trouver un coin où parler ?

Woods chercha dans la salle et remarqua trois officiers qui le
suivaient du regard en feignant l'indifférence.

— Bien sûr, par ici, répondit Woods, indiquant la zone des
briefings. Qu'y a-t-il ? ajouta-t-il sans grand désir d'entendre la
réponse.

— Vous n'avez pas grande opinion de moi...

— Allons, voyons. Vous m'avez beaucoup aidé pour ma
lettre au député.

L'aumônier demanda, pesant soigneusement ses mots :

— Avez-vous accompagné l'armée de l'air israélienne dans ses incursions au Liban et en Syrie?

— Quoi? Où avez-vous été chercher ça?

— Je vous pose la question.

— J'ai déjà répondu au commandant, je ne vais pas me répéter. Si vous ne comprenez pas ce qui s'est passé, je ne peux rien pour vous. Je vous remercie de votre intérêt, mais j'ai du travail. Autre chose?

— Je suis surpris que vous refusiez de répondre à une question aussi simple.

— Quel est le sens de cet interrogatoire? Et même si j'avais accompagné l'armée de l'air israélienne?

— Si vous l'avez fait, c'était probablement illégal. Selon les lois en vigueur sur ce porte-avions et aux États-Unis.

— Et alors?

— Je me rappelle que vous estimiez indispensable que la déclaration de guerre se fasse de façon légale. Vous avez été demander à l'officier JAG de faire des recherches en ce sens sur la Constitution et il a pris sur lui de les effectuer. Je parie que vous avez adressé ses conclusions à votre député, non? Pour ma part, je n'en sais rien car je n'ai pas reçu copie de votre lettre...

— J'allais le faire...

— Et vous m'avez aussi demandé de rédiger un mémoire sur les conditions dans lesquelles ce pourrait être une guerre juste. Ce qui, pour moi, revenait à définir les conditions d'une guerre « légale ». J'ai donc été frappé par le fait que vous avez accepté d'escorter l'aviation israélienne dans l'attaque d'un autre pays. Je me suis dit que cette contradiction risquait de vous poser... des problèmes de conscience. C'est pourquoi je suis venu vous voir.

Woods demeura interdit. Déjà, auparavant, les propos de Big l'avaient troublé, torturant sa cervelle. Il ne s'était jamais considéré comme un menteur, surtout à l'égard de ses supérieurs et de ses collègues. Mais il ne voulait pas finir à Leavenworth. Ça non.

— Écoutez, mon père, lorsque ma conscience me tourmentera et que j'aurai besoin d'en parler à quelqu'un, je ferai peut-être appel à vous. D'accord ? En attendant, j'ai autre chose à faire.

— Je comprends, répondit l'aumônier en se levant. J'espère que vous n'interpréterez pas ma visite comme une indiscrétion. Je me fais du souci à votre sujet. Chaque fois que je vous vois au carré, vous semblez absorbé dans vos pensées et j'ai donc estimé que vous auriez souhaité en parler avec quelqu'un. Je reste à votre disposition.

Woods se dégela un peu et le remercia, puis ils se quittèrent.

Lionel Brown se trouvait dans une situation totalement imprévue. La teneur de la réunion à la Maison Blanche avait transpiré avant même qu'il fût de retour à son bureau. Le chef de la majorité fut jaloux de l'explosion de publicité que l'idée de l'amiral valait brusquement à ce dernier dans tout Washington. Le directeur de la CIA était blême. Le téléphone apportait sans cesse à Brown un flot de déclarations d'enthousiasme et toutes les chaînes de télé le voulaient sur-le-champ. Il était déjà un héros.

Jaime Rodriguez, son assistant parlementaire, était aux anges. Il adorait son patron, qu'il tenait pour l'un des rares politiciens sans fil à la patte, et qui fût capable de réfléchir par lui-même. C'était aussi un patron qui l'écoutait. Rodriguez venait d'assister à l'émission diffusée par CNN sur l'initiative de « l'amiral-député », comme ils l'appelaient. Il sourit : en fait, cette idée émanait d'un lieutenant, et Rodriguez tenait à ce que Sean Woods bénéficiât de sa part de mérite.

— Amiral ! s'écria-t-il lorsque Brown entra dans son bureau. Félicitations !

— Merci, répondit Brown en jetant son imperméable trempé sur le canapé près du bureau.

La presse, dans le hall, attendait qu'il revînt, comme il l'avait promis.

— J'ai une idée sur la façon de remercier votre électeur.

Brown hocha la tête, satisfait.

— Ça turbine toujours dans votre tête, Jaime. J'aime ça.

Sami n'était pas enchanté par la perspective de se rendre à cette réunion de l'Association des hommes d'affaires arabo-américains. Certes, il y rencontrait des gens pour la plupart intéressants et intelligents, mais il n'appréciait pas l'effet de ces réunions sur son père, qui s'y rengorgeait, allant d'un groupe à l'autre et se targuant de ses anciennes fonctions à l'ambassade de Syrie. Cela mettait Sami mal à l'aise.

Il se glissa dans la Mercedes paternelle et claqua la portière.

— Tu es en retard, lui dit son père.

— J'ai du travail. Je ne devrais même pas être ici.

— Il faut que tu m'y accompagnes. Si tu ne te soucies pas des intérêts arabes, qui donc le fera, dans ta génération ?

— Il y a assez de gens qui s'en soucient, répliqua-t-il d'un ton las.

— Tu te fous de ton héritage ?

Sami regarda défiler les avenues de Washington.

— Nous avons cette conversation chaque fois que nous allons à ces réceptions. Si tu le veux bien, sautons-la.

— Je veux que tu traites ton père avec respect, grommela celui-ci en arabe. Tu devrais être content d'aller à cette réception et de faire valoir que tu es mon fils.

— Oui, père.

— Tu ne viens jamais à la mosquée.

— Nous en avons déjà parlé il y a moins de trois semaines ! répondit spontanément Sami.

— Quelle est ta réponse ?

— Je n'aime pas y aller.

— Pourquoi ?

— Je n'ai pas envie d'en parler.

— Et de quoi veux-tu parler ? De ton travail ? À quoi travailles-tu, d'ailleurs ? À aider les États-Unis à aider Israël ?

— Où as-tu trouvé ça ?

— Tu n'as pas vu comment ils ont déclenché les derniers événements ? Je suis sûr que si, puisque tu disposes de tous les renseignements secrets. Tes grands secrets… Tu dois bien te rendre compte des évidences, à moins que tu ne sois devenu aveugle pour ne pas voir ce qui crève les yeux.

— Qu'est-ce qui t'excite tant, ce soir ?

— Les nouvelles. Je ne peux pas m'empêcher de réfléchir à ce qui se passe dans les coulisses, répondit le père de Sami en effectuant un virage abrupt pour entrer dans le parking de l'hôtel Hyatt. Peut-être que toi, tu sais qui tire les ficelles. Franchement, Sami, j'approuve ce cheikh el-Gabal. Lui et ceux qui ont repris ce nom depuis des siècles. Je ne suis pas d'accord avec la façon dont il agit, et je ne suis pas non plus favorable à la secte des ismaélites nazirites dont il est originaire. Je n'approuve pas le meurtre ou la terreur…

— Mais comment peux-tu approuver…

— Laisse-moi finir ! dit son père en garant sa voiture. J'approuve sa position en ce qui concerne les Croisés et les juifs. Leur place n'est pas chez nous.

Père et fils sortirent de la voiture et se regardèrent par-dessus le toit noir et laqué.

— N'oublie jamais ce que Mahomet a dit : « Qu'il n'y ait qu'une religion en Arabie. » Et l'Arabie, c'est tout le monde arabe ! N'oublie jamais ça.

Sami suivit son père, se sentant comme un chien en laisse. Lorsqu'ils entrèrent dans la grande salle décorée de drapeaux de tous les pays arabes, elle était déjà pleine, d'hommes en costumes, surtout. Son père se dirigea vers un groupe d'individus de sa connaissance.

Les conversations portèrent d'emblée sur le cheikh. Tout le monde avait entendu parler des Haschischins, quelques-uns en connaissaient l'histoire et la plupart tournaient en dérision l'idée de déclarer la guerre à un individu. Certains déclarèrent qu'évidemment, seul un Arabe pouvait mériter tant d'honneurs, sans précédent dans l'Histoire et, surtout, révélateurs du sentiment anti-arabe aux États-Unis.

Sami ne disait mot ; il attendait le moment de s'éclipser. Un invité lui adressa la parole :

— Alors, Sami, vous travaillez toujours pour la CIA ?

— Plus ou moins, répondit Sami, qui exécrait cette question.

— Nous avons besoin d'hommes tels que vous à tous les échelons du gouvernement américain, dit l'homme avec un sourire.

Pour toute réponse, Sami se contenta de boire une longue gorgée d'eau.

— Parvenez-vous à vos fins ? reprit l'homme.

— Lesquelles ?

— Protéger les intérêts arabes, quoi d'autre ?

— Je protège les intérêts de tous les Américains.

Un nuage passa sur le visage de son interlocuteur. Après un coup d'œil au père de Sami, il demanda :

— Vous ne pensez pas que les intérêts des Arabes sont différents ? Pourquoi croyez-vous que nous soyons ici ?

— Ils sont certainement différents à certains égards. Mais pas dans mon travail.

— Ne trouvez-vous pas qu'il y a un certain sentiment de mépris à l'égard des Arabes ? De l'islam ? Est-ce courant, à la CIA ?

— Vous savez, je ne suis pas autorisé à parler de mon travail, répondit Sami.

— Et ce cheikh ? insista l'homme. Quelqu'un s'est-il soucié d'expliquer ses origines ? Son histoire ? Le sens de son personnage dans notre monde ?

— Je vous l'ai déjà dit, je…

— Oui, oui ! s'écria l'homme en riant. Ça n'a pas d'importance : c'est top secret, je le comprends ! Mais laissez-moi vous poser une question, demanda-t-il en se penchant vers Sami, tandis que le reste du petit groupe écoutait attentivement : pouvons-nous compter sur votre objectivité à l'égard de la cause arabe ? De ce que nous défendons ?

— Je suis objectif à l'égard de toutes les causes.

— Alors, cela ne devrait pas vous poser problème que de vous engager devant tous les hommes ici présents, membres de l'Association des hommes d'affaires arabo-américains, à être loyal à la cause arabe dans votre travail. D'accord ?

— Bien sûr.

— Alors dites-le, que vous serez objectif à l'égard de la cause arabe.

— Je serai objectif.

— À l'égard de la cause arabe.

Sami s'avisa que son père, à gauche, le fixait du regard.

— À l'égard de la cause arabe, répéta-t-il.

La proposition de Brown était connue de tout Washington. Les seuls qui la critiquaient étaient ceux qui estimaient qu'elle dégradait la déclaration de guerre au point de la rendre insignifiante. Mais ses partisans, après deux jours de débats publics véhéments, notamment en direct à la télé, avec la participation de professeurs de droit et de politiciens soumis à un harcèlement intense par les journalistes, avaient emporté la partie. Brown était devenu le héros public et ce mystérieux lieutenant, le héros inconnu. Brown avait fait connaître son existence, mais avait refusé de le nommer, en dépit des pressions des médias. Il savait combien il était facile de retrouver quelqu'un et ne voulait pas que Woods ou personne de sa famille tombât sous les balles des Assassins.

Le Président avait demandé à Brown de présenter la résolution pour une déclaration de guerre devant une assemblée plénière du Congrès. Et Garrett avait assuré qu'il la signerait dès qu'elle serait acceptée. À cet instant, Brown observait les bancs de la Chambre des Représentants, tous au complet.

Il attendit que les conversations fussent épuisées, puis il prit la parole :

— Ce pays a déclaré la guerre six fois, déclara-t-il après les préliminaires habituels, mais bien plus souvent, il a envoyé ses forces armées dans des conflits qu'il ne qualifiait pas de « guerres ». Nous avons causé un grand tort à notre institution militaire en la priant d'accomplir la tâche des politiciens, alors que ceux-ci répugnaient à reconnaître les faits. Nous avons demandé à des hommes et des femmes de ce pays de risquer leurs vies alors que nous nous refusions à risquer nos seules existences politiques. Le résultat en est que la nation est étrangère à nos guerres. Les Pères fondateurs ont stipulé au paragraphe huit de l'article premier de la Constitution que le Congrès a le pouvoir de déclarer la guerre. Le Congrès, pas le Président. Il a jadis exercé ce droit, mais il ne l'a plus fait depuis la Seconde Guerre mondiale. Depuis lors, le Congrès a pris peur. Nous nous sommes battus partout dans le monde et nous avons envoyé nos forces armées à la mort, pour défendre les intérêts américains, mais nous n'avons pas déclaré la guerre une seule fois.

— Les raisons en sont évidentes, poursuivit Brown. Nous ne voulions pas déclarer la guerre à un petit pays et laisser celui-ci croire que nous voulions l'annihiler. Nous ne voulions pas non plus déclarer la guerre, chaude ou froide, à un grand pays et déclencher ainsi une troisième guerre mondiale nucléaire. Ces craintes sont compréhensibles. On peut discuter du bien-fondé de faire la guerre sans la déclarer, mais à partir de maintenant, il faut agir différemment. La guerre doit être déclarée par le Congrès, c'est-à-dire par les représentants du peuple américain. Sans la participation du Congrès, ce pouvoir n'est qu'une flèche de plus dans le carquois de l'exécutif. Le pouvoir de déclarer la guerre est sans doute le pouvoir suprême d'un gouvernement. Le déléguer à l'exécutif et au Président serait un grand pas vers la monarchie. Cela serait non seulement intolérable, mais également impensable. Et pourtant, c'est ce que nous avons fait. Mais cela peut être défait. Le Congrès doit rétablir l'usage des pouvoirs qui lui ont été conférés par les Pères fondateurs. Je soumets donc une requête à la Chambre en ce sens. Je requiers que les États-Unis déclarent la guerre au cheikh el-Gabal et à son groupe d'assassins qui ont tué des Américains, à ceux qui ont participé à ces forfaits et à leurs complices. Le temps est venu de la guerre limitée. Non plus basée sur la géographie, mais sur l'identité. Il ne s'agit pas de conquérir un territoire, mais de peur et de terreur. Nous sommes prêts pour cette guerre et nous la gagnerons. Nous mettrons en jeu toutes les forces des États-Unis, et nous n'aurons de cesse que nous remportions la victoire.

Dans la salle affectée à son groupe spécial, Sami éteignit la télévision.

— Il a vraiment l'air sérieux, dit-il. Je trouve qu'il a raison.

Cunningham était moins enthousiaste.

— Il semble qu'il y ait pourtant des foules d'implications juridiques auxquelles on n'a pas pensé. Comment peut-on déclarer la guerre à un individu ? Le concept de guerre met en jeu ceux de souveraineté et de pays.

— Mais que faire si les gens qui vous font la guerre ne résident pas dans un pays en particulier ?

— Je ne sais pas, mais en tout cas, cette idée ne me paraît pas valide.

Kinkaid interrompit ces considérations.

— Vous savez ce qu'il nous reste à faire, à nous ?

— Le trouver, répondirent Cunningham et les autres.

— Précisément. Lorsque nous aurons localisé notre cible, la guerre commencera pour de bon. Mais si nous ne la trouvons pas, ça va traîner et nous aurons l'air vraiment stupides. Et vous savez ce qui arrive à ceux qui ridiculisent le Président ?

Sami leva la main et interrompit la diatribe de Kinkaid.

— Qu'y a-t-il ? demanda celui-ci, contrarié.

— Vous rappelez-vous que j'avais émis l'hypothèse qu'il pourrait se terrer dans l'antre même de ses prédécesseurs ? Eh bien, j'y ai réfléchi encore, et je me demande si cela n'est pas possible.

— Alors ?

— Alors, nous devrions essayer de nous procurer des photos de reconnaissance.

— De quels lieux ?

— L'un d'eux est Alamout. C'est le seul dont je sois certain. C'est une forteresse dans la montagne, parfaitement inexpugnable.

— Et où se trouve-t-elle ?

— Dans l'ouest de l'Iran.

Kinkaid ne parut pas apprécier l'information.

— Vous vous rendez compte de ce que ça signifie, si ces types sont en Iran ?

— Cela ne va pas nous faciliter la tâche.

— Vous connaissez l'emplacement exact ?

— Je vous le donnerai cet après-midi.

Le cheikh était enchanté : tout avait marché mieux que prévu. Et pas une seule perte en vies humaines. Ils avaient causé une panique mondiale et répandu l'anxiété chez les Américains dans le monde entier. Il s'assit dans l'une des chambres ténébreuses de sa forteresse, entouré de ceux dont il avait asservi les volontés depuis leur enfance. Cinq ou six hommes d'à peu près son âge, quarante-cinq ans, et qu'il supposait doués d'assez de savoir-faire pour diriger leurs propres subordonnés.

Ils étaient là, autour de lui, savourant leur succès et leur gloire toute neuve. Le cheikh rompit le silence :

— Allah nous a témoigné une grande bonté. Nous avons réussi tout ce que nous avons entrepris. Mais nous ne faisons que commencer. Les États-Unis nous ont déclaré la guerre, ce qui est normal, puisque nous leur avons déclaré le *jihâd*. Ce faisant, ils nous ont conféré plus de reconnaissance et de pouvoir que nous n'en pouvions espérer. Aucun pays n'a jamais déclaré la guerre à un seul homme en Occident depuis longtemps. Ils me reconnaissent donc comme une menace assez grande pour que leur gouvernement même me déclare la guerre. Car nous sommes une plus grande menace que la Corée, le Viêt-nam et l'Irak. C'est là un grand honneur et la preuve qu'ils ont peur. Ils ne nous comprennent pas. Ils ne savent pas qui nous sommes ni ce que nous voulons réaliser, ils ignorent que nous avons déjà atteint une grande partie de nos objectifs. Nous devons achever notre plan et entraîner la Palestine dans l'enfer que nous créerons pour chasser les juifs, ces marionnettes de l'Amérique. L'OLP a molli, il n'a obtenu que cette pitoyable bande de Gaza et une partie de la rive occidentale du Jourdain. Ce sont nos frères, oui, mais ils ont échoué. Les Américains, reprit-il, sont tombés tout droit dans notre piège. Ils sont maintenant obligés de venir dans nos filets.

Le plus jeune de l'assemblée avait écouté attentivement son chef ; il semblait soucieux.

— Ils nous trouveront. Ils ont presque réussi à te tuer, à Dar el Ahmar.

— J'ai fait une erreur. J'ai enfreint mes propres règles, pour être agréable à un membre de ma grande famille. Cela ne se reproduira pas. Nos cercles sont soudés. Nos renseignements sont bons. Nous avons des hommes aux postes qu'il faut pour nous informer de ce que nous devons savoir. Nos locaux n'ont pas été découverts. Mais nous devons maintenant passer à l'exécution de notre plan. Si je ne me trompe, les Américains ne vont pas tarder à attaquer, et ils vont commencer par frapper nos protecteurs.

Il tendit la main vers une tasse de café et déclara :

— C'est alors que l'enfer se déchaînera.

Woods, Wink et Pritch examinaient des cartes du Moyen-Orient épinglées sur un tableau de liège au CIC. D'autres pilotes scrutaient les mêmes cartes, vérifiant les dernières données des services de renseignements : sites de lancement de missiles SAM, points de navigation et autres. Woods s'adressa à Pritch :

— Ce serait beaucoup plus commode si nous savions au moins où aller.

— Nous travaillons à cela, Monsieur.

— Qui, nous ?

— Tout le service de renseignements, Monsieur.

— Les mêmes qui, il y a un mois, ignoraient jusqu'à l'existence de ce type, observa Wink sans aménité.

— Oui, Monsieur. Nous le trouverons.

— On ne peut rien programmer de notre côté, marmonna Woods, le nez sur la carte. Aucun itinéraire.

— Considérez cela comme un défi, Monsieur...

— Cessez de me dire « Monsieur » tous les trois mots.

— Oui, Monsieur. À ce point-ci, tout ce que nous pouvons faire est de nous familiariser avec la région.

Elle mit les poings sur les hanches.

— Je pense qu'il est déjà utile de savoir où se trouvent les batteries de SAM. Je suis en train de mettre à jour les données sur la Syrie, le Liban et particulièrement la vallée de la Bekaa.

— Vous croyez que la Bekaa est notre cible ? demanda Woods, surpris.

— Je ne sais pas. Mais il y a des tas de choses qui semblent se passer là-bas. Comme vous vous le rappelez, Dar el Ahmar se trouve au sud-est de cette vallée.

Elle regarda autour d'elle, pour voir si quelqu'un écoutait leur discussion. Comme si cela faisait une différence, pensa Woods.

— Le FBI et la CIA, reprit-elle, essaient en ce moment d'établir l'endroit où ce type a son argent, l'identité de ses agents, ses complicités aux États-Unis... Ils suivent toutes les pistes, même les plus ténues. Je ne les ai jamais vus aussi acharnés.

— Eh bien, tant mieux !

— Je parie que nous le localiserons assez rapidement. Il est plus facile de trouver quelqu'un dans le noir avec une torche électrique que d'échapper à cette torche quand elle vous cherche.

— S'il se trouve dans la Bekaa, dit Woods, il est donc placé sous la protection des batteries de SAM aux deux extrémités de cette vallée. Mais que fabriquerait-il à Dar el Ahmar ?

Big entra dans la salle. Il vit Woods et Pritch devant les cartes.

— Salut. Qu'est-ce que vous faites ?

— Nous essayons d'établir l'itinéraire à suivre, répondit Woods.

Big se pencha à son tour sur les cartes et s'écria :

— Mais ça grouille de batteries de SAM !

— C'est un problème que nous nous efforçons de régler, Monsieur...

— Et merde ! Nous avons déclaré la guerre et vous m'annoncez que nous n'avons même pas de cible ? Nous allons de nouveau avoir l'air de crétins. Pour une fois que les politiciens montrent un certain cran, les services secrets ne sont même pas capables de localiser notre cible ?

— Nous y travaillons, Monsieur.

— Mais moi, s'obstina Big, je ne vais pas travailler sur des attaques imaginaires. J'attendrai que nous ayons une véritable cible.

Le commandant Randy Dennison, officier des renseignements des forces aériennes, leur cria depuis l'autre bout de la salle :

— Vous avez entendu, les gars ?

— Nous avons entendu quoi ? demanda Woods.

— Les Syriens annoncent qu'ils ont trouvé le carénage d'un missile provenant de leur grande bataille avec les Israéliens. Ils prétendent que c'est un missile américain.

Woods dissimula de son mieux la panique qui l'envahissait ; il demanda :

— Que veulent-ils dire ?

— Ils prétendent qu'il est différent des restes de missiles israéliens : il ne porte pas les mêmes inscriptions.

— C'est une vieille rengaine, déclara Big. Ils essaient de nous compromettre. Ils s'obstinent. Je me demande ce qu'ils ont bien pu faire pour donner à ce carénage un air américain. Ils ont probablement inscrit dessus : « Ceci est un missile américain tiré sans autorisation par un chasseur américain contre un chasseur syrien. »

Dennison vint vers eux.

— Mais si le missile est vraiment différent, ce sera intéressant, non ?

— Intéressant, oui, dit Woods, s'efforçant de maîtriser son anxiété, parce que cela nous montrerait combien ces Syriens sont rusés. Nous n'étions pas sur les lieux, commandant. Et si nous n'y étions pas, il n'y avait pas non plus d'autre porte-avions ni d'autres avions américains dans les parages.

— Si le missile porte un numéro, on peut en retracer l'origine, insista Dennison, souriant.

Pritch se pencha de nouveau sur les cartes ; elle ne voulait rien savoir ; elle n'était pas prête à voir son univers s'écrouler. Car cet univers s'écroulerait si les restes du missile portaient vraiment un numéro américain. Elle était sûre qu'on la mettrait sur la sellette à un moment ou l'autre. Elle commençait, en effet, à penser que, même si elle n'avait pas été au courant de la participation américaine à l'attaque, elle n'était pas entièrement hors de cause. Et pourtant, elle n'avait pas révélé à Bark ce qu'elle savait sur Woods ; cela eût torpillé Woods, alors qu'elle commençait à s'attacher beaucoup à lui – davantage qu'elle eût voulu se l'avouer.

— Quels sont exactement les projets ? demanda-t-elle à Woods et Big.

— Le groupe d'attaque de l'*Eisenhower* est en route. Ils devraient être ici demain, venant de Naples. Là où le commandant du VFA-136 a été abattu.

— Ils ont abattu un officier sur chacun des deux navires, ce qui aiguise notre vengeance comme la leur.

— Mais qu'avons-nous donc fait à ce type ?

— Nous sommes les Croisés du Moyen Âge, mais nous sommes venus conquérir l'Orient d'une autre façon, répondit Big en retroussant ses manches. Ils se servaient de soldats et de

chevaux, et nous, nous nous servons d'Israël et de la diploma-
tie. Ces gens fabriquent des théories absurdes, et puis ils tuent
des gens en s'en réclamant. Tout cela est si étrange qu'on finit
par se demander s'il n'y a pas un autre élément en jeu.

— Prévoyez-vous une réunion pour définir les tâches de
chacun ? questionna Pritch.

— Nous tiendrons une conférence conjointe des forces d'attaque quand l'*Eisenhower* sera arrivé à portée d'hélicoptère. Big
et moi y participerons. Mais je ne sais pas si la conférence se
tiendra sur ce navire ou sur l'*Eisenhower*.

— Vous pensez que je pourrais y assister ? demanda Pritch.

— J'en doute. Mais pourquoi voudriez-vous y assister ?

— Parce que j'ai besoin de savoir ce qui se passe.

— On verra.

28

Sami entra dans le bureau de Kinkaid, l'air anxieux. Kinkaid leva les yeux d'une pile de documents qu'il examinait.

— Quoi de neuf?

— J'ai fouillé dans toutes les bibliothèques possibles. Je crois que j'ai trouvé quelque chose.

Sami étala sur la table une carte opérationnelle de navigation du Moyen-Orient. Puis il posa dans un angle une feuille portant des références manuscrites.

— Regardez ça, dit-il à Kinkaid en lui tendant la reproduction d'une photographie.

— Qu'est-ce que c'est?

— Alamout. La forteresse dont je vous ai parlé. Le repaire du Vieil Homme de la Montagne et de ses Assassins. L'endroit que mentionne Marco Polo. Voilà son aspect aujourd'hui. Il me semble qu'on l'a sensiblement restaurée. Il est donc bien possible que le cheikh occupe l'antre de son prédécesseur.

— Quand cette photo a-t-elle été prise? demanda Kinkaid, intrigué.

— Elle ne porte pas de date, mais je crois qu'elle remonte aux années 1930.

— Rien de plus récent?

— Je n'ai rien trouvé.

— Il nous faut des documents neufs, dit Kinkaid. Où est cet endroit?

Sami se pencha sur la carte et indiqua le nord-ouest de l'Iran, avant de consulter sa feuille de référence pour la longitude et la latitude.

— Voilà, dit-il, en mettant le doigt sur une tache brunâtre qui représentait l'une des plus hautes montagnes du pays.

— Alors, c'est inaccessible. Nous ne pourrons jamais infiltrer quelqu'un là-bas. Et pis que ça, c'est en Iran. Nous avons déclaré la guerre à ce type, mais pas à l'Iran. Depuis que la déclaration de guerre a été proclamée, ces gars-là se sont mis à beugler qu'ils prendront des mesures extrêmes si nous mettons le pied sur leur pays ou faisons quoi que ce soit de contraire à leur souveraineté…

— Nous pouvons en tout cas obtenir des documents frais. Et si le cheikh se tapit là, nous finirons par le savoir. Sinon, nous le chercherons ailleurs.

— Ailleurs?

— Oui, il existe d'autres repaires possibles, plus difficiles à localiser. Selon les informations que j'ai recueillies, ce type et ses prédécesseurs se sont répandus partout en Orient, en Égypte, en Inde, au Pakistan, en Syrie, au Liban et même à Jérusalem. C'est toujours un petit groupe que les musulmans eux-mêmes considèrent comme politique. Ce cheikh pourrait s'être réfugié dans plusieurs autres forteresses de montagne datant des Croisades. En effet, les Assassins étaient parfois attaqués par d'autres musulmans. J'ai trouvé deux autres endroits.

Kinkaid était satisfait; ce n'étaient pas là des pistes certaines, mais elles constituaient une amorce à soumettre à la sagacité des services de renseignements.

— Localisons ces endroits. Qu'en savons-nous?

— L'un d'eux n'est pas loin du village où Ricketts a été tué.

— Dar el Ahmar?

— Oui, répondit Sami, se rappelant soudain le laser qui dansait sur ses yeux.

— Ce garçon a sacrifié sa vie pour son pays et personne ne le saura jamais… observa Kinkaid, comme s'il se parlait à lui-même. Nous aurions dû être informés de cette attaque israélienne. Nous aurions coordonné nos efforts pour enlever le cheikh avant qu'il fasse davantage de dégâts. Mais nous ne savions rien, nous avons pris des risques et nous avons perdu l'un de nos meilleurs hommes. Et ce ne sont pas les Assassins qui ont tué Ricketts. Ce sont les Israéliens.

— Le premier repaire est à 85 nautiques au nord-ouest de Dar el Ahmar, enchaîna Sami, indiquant un point sur la carte. Il est moins haut qu'Alamout et, au lieu de se trouver au sommet d'une montagne, il est creusé dans son flanc. Il semble difficile à localiser. L'autre se situe dans le sud-est de la Syrie, toujours dans les montagnes. Plusieurs documents ismaélites y font référence.

— Je vais demander immédiatement qu'on obtienne les meilleures images possibles de ces trois positions, annonça Kinkaid. Les deux groupes de combat des porte-avions se rencontrent aujourd'hui. Nous devons leur adresser ces documents le plus vite possible. Le Président n'a qu'une crainte : c'est que nous ayons déclaré la guerre à un type introuvable.

— Il vaut mieux déclarer la guerre à un pays, dit Sami, ramassant ses documents. Au moins, on sait où il se trouve.

— Cette guerre peut déborder, et nous risquons alors d'avoir une vraie guerre avec de vrais pays, conclut Kinkaid.

Bark, en blouson de vol, attendait dans la salle de réunion. Woods, assis, fouillait dans le grand tiroir de métal sous sa chaise, écartant des manuels, de vieux exemplaires d'*Approach* et de *Naval Aviation News* et autres documents ; il cherchait un bloc-notes. Il en trouva finalement un, écorné, et tenta d'en lisser le coin.

— Trey, tu es prêt ?

— Oui, Monsieur. Je cherchais du papier.

— Tu as les cartes de Pritch avec les sites de SAM ?

— C'est Big qui devait les apporter.

— Où est-il ?

— Il est passé prendre son portable dans la cabine.

— Nous sommes attendus à l'hélicoptère dans cinq minutes.

Woods consulta sa montre, alla au bureau du quartier-maître, saisit le téléphone et composa le numéro de sa cabine.

— Big, tu viens ?

— J'arrive. Je regardais quelque chose.

— Quoi ?

— La photo du carénage de missile dont les Syriens disent qu'il a abattu l'un de leurs jets.

— Apporte-la, dit Woods, qui s'impatientait.

— OK.

— Nous sommes cuits ?

— Pas sûr.

— Bon, dans une minute ici.

Woods raccrocha et le quartier-maître demanda :

— Tu as dit que vous alliez être cuits ? De quoi tu parles ?

— Il craint que nous ne soyons pas nommés dans le groupe d'attaque. Il pense que la sélection se fera à partir du grade de commandant et au-dessus.

Woods griffonna quelques notes sur son bloc. Il exécrait ce sentiment d'être traqué. Big entra, portant son ordinateur et un bloc-notes.

— Allons-y, dit Bark.

Ils montèrent vers l'héliport au milieu de la plage avant, coiffèrent leurs casques et enfilèrent leurs vestes de flottaison, puis se dirigèrent vers le SH-60, dont le rotor tournait. Ils s'assirent, attachèrent leurs ceintures et immédiatement cherchèrent du regard les issues, au cas où l'hélicoptère s'écraserait dans l'eau. Tous les pilotes de jet se disaient que, lorsqu'ils montaient dans un hélicoptère, le risque de mourir augmentait. Ils auraient préféré y aller à pied ou à la nage plutôt qu'en hélicoptère. Cette phobie s'était gravée dans leur inconscient lors de cette année funeste où il y eut plus de pilotes tués dans des accidents d'hélicoptère qu'aux commandes de leurs avions.

Le rotor accéléra et l'hélico quitta le *Washington* pour se diriger vers l'*Eisenhower*, à 60 nautiques de là. Au cours de la Seconde Guerre mondiale, les porte-avions naviguaient toujours à vue l'un de l'autre, au cas où ils auraient eu besoin d'assistance ; mais, depuis, ils ne se rapprochaient plus que pour les photos-souvenirs.

Ce serait la première fois depuis l'opération Tempête du Désert que deux porte-avions agiraient de concert. Les aviateurs étaient excités : ils auraient l'occasion de se livrer à leurs deux activités favorites, aller vite et faire sauter des cibles. Ils nourrissaient l'espoir secret que l'un des pays en jeu s'énerverait et leur dépêcherait ses forces aériennes. Si cela advenait, ils pourraient enfin réaliser leur rêve : abattre un chasseur.

Le ciel au-dessus de la Méditerranée orientale était plutôt nuageux et la visibilité restreinte à 6 ou 7 nautiques. L'hélico-ptère atteignit l'*Eisenhower* en trente minutes. Woods faisait de son mieux pour contrôler sa respiration. Il ne pensait qu'à la photo dans le blouson de Big, mais il ne pouvait ni la consulter, ni évoquer le sujet, ni demander à Big comment il avait mis la main sur ce document. Que dirait-il si l'on retrouvait dessus le numéro de l'un de ses missiles ? Cette photo pouvait constituer un document irréfutable. Et, dans ce cas, elle démontrerait que non seulement lui, Big, Wink et Sedge avaient menti sur leur participation au raid israélien, mais encore qu'ils l'avaient fait avec plusieurs complicités pour cacher les faits. Pritch serait compromise, de même que Tiger, Gunner et l'officier d'ordon-nance responsable des armements ; Gunner, en effet, n'aurait pu falsifier tout seul l'inventaire des missiles ; cet inventaire existait à la fois en tirage papier et dans l'ordinateur. Gunner avait donc dû demander un grand service à l'officier d'ordon-nance. Celui-ci aussi avait donc la corde au cou, et Woods ne le connaissait même pas. La menace d'un séjour à Leavenworth avait paru un risque justifié pour la noble cause de venger Vialli ; maintenant, elle le faisait frémir.

Il ne put s'empêcher de songer à toute sa carrière dans la marine. Il avait eu l'habitude de se demander s'il prendrait sa retraite après vingt ans de carrière, avec le titre de capitaine, ou trente ans, avec le titre d'amiral. Maintenant, le dénouement de sa carrière n'était peut-être plus qu'une question d'heures, voire de minutes.

Il évoqua la discussion qui l'attendait. Il sourit presque en songeant au discours du député demandant une déclaration de guerre : exactement ce que lui, Woods, avait estimé juste. Et si la décision avait été prise plus tôt, peut-être ne serait-il pas allé au Liban avec l'armée de l'air israélienne. Peut-être cet homme du département d'État, cet attaché naval, ce commandant d'es-cadrille et cet Officier du mess seraient-ils encore en vie. Et peut-être aussi que le cheikh serait déjà mort.

Aucun des passagers de l'hélicoptère n'avait déjà mis pied sur l'*Eisenhower*, mais ils connaissaient leur chemin : le navire était identique au *Washington*, et tous deux appartenaient à la classe *Nimitz*. Ils descendirent les échelles qui menaient au carré sur le deuxième pont ; la salle avait été équipée d'un projecteur, d'un projecteur d'ordinateur, de cartes et d'un pupitre avec microphone. Woods et Big se dirigèrent vers l'arrière et s'assirent en compagnie d'aspirants officiers, suivis de Wink et de Sedge. Bark, lui, alla prendre place à la table des officiers supérieurs de l'escadrille.

Des conversations animées emplissaient l'air d'un brouhaha : c'étaient celles des aviateurs sélectionnés pour les attaques, les plus alertes, les plus expérimentés, presque tous d'anciens élèves de Topgun ou de la Strike University, dans le désert du Nevada, où des instructeurs de la marine enseignaient l'attaque et le combat aériens.

Les aviateurs étaient impatients de partir pour l'action ; mais ils voulaient savoir quelles étaient leurs cibles. Ils jugeaient tous que la déclaration de guerre à un seul homme constituait l'une des idées les plus brillantes des politiciens. Plus d'opérations clandestines : on se servirait désormais d'armes adéquates et efficaces.

Des buffets avaient été disposés au carré et les officiers allèrent se servir.

— Hé Trey ! s'écria un officier tandis que Woods, Big, Wink et Sedge faisaient la queue.

Woods reconnut Terrell Bond, un collègue d'entraînement, maintenant pilote de F-18 sur l'*Eisenhower*. Il tendit la main.

— Tear ! Quoi de neuf ?

— Comment t'es-tu retrouvé dans cette galère ? demanda Bond.

— Galère ? Mais c'est moi qui ai supplié d'en être, répondit Woods, présentant ses camarades. C'est l'occasion ou jamais de faire la chasse à ce cheikh.

Bond était un grand beau gosse dont la peau noire luisait comme un bois exotique poli.

— Trey et moi étions à Meridian ensemble, expliqua-t-il.

Meridian était une base d'entraînement de la marine dans le Mississippi.

— Vous avez donc eu la chance de ne pas être dans la même escadrille, répliqua Big. Moi, je ne sais pas comment je vais me débarrasser de lui.

Trey rit et se tourna vers Woods :

— Ouais, ça sera bien de descendre ce cheikh, dit-il. Mais dis donc, tu en as déjà eu l'occasion, non ?

Woods se rembrunit sur-le-champ.

— Quoi ?

— Tu ne participais pas à ce raid au Liban dont tout le monde parle ?

— Où as-tu dégotté cette idée ? demanda Woods, glacé.

— Mais toute la marine en parle. Je crois même qu'un ou deux de nos gars sont en correspondance avec ta fiancée sur le Net.

— Attends, je rêve !

— Et alors ? On va accrocher ta photo au mur, à Topgun, pour les quatre avions que tu as abattus ?

— Je ne sais pas de quoi tu parles.

— Bon, d'accord. Tu me raconteras, hein ?

— Je serais ravi de te raconter quelque chose si j'avais quelque chose à raconter.

— J'ai compris. Mangeons un peu avant que cette bataille commence.

Ils se servirent, saluèrent des collègues çà et là et allèrent s'asseoir. Chemin faisant vers les tables, Big chuchota à Woods :

— Merde alors, Trey ! Mais tout le monde est au courant !

— Ferme-la, Big. Un mot de travers et on est cuits.

— Ils savent ! répéta Big.

— Du calme. La panique, ça pue.

Ils s'installèrent à une table proche de celle où Bond avait pris place avec quatre officiers de son escadrille. Bond annonça à ses collègues :

— Les gars, c'est Sean Woods, avec qui j'étais à Meridian, et ses copains, Big McMack, Sedge, Wink.

Les pilotes se saluèrent et Bond présenta ses amis : Dale Hoffer, surnommé Dull, Stilt Wilkins et Ted Lautter. Ils se dévisagèrent, lorgnant les grades, puis discutèrent d'autres amis dans la marine. Woods vit un capitaine qu'il ne connaissait pas s'approcher de l'estrade.

— Qui est-ce ?

— Notre commandant. Bill Redmond, qu'on surnomme Red Man.

— J'en ai entendu parler. C'est bien lui qui a descendu un Mig-29 en Yougoslavie ?

— Lui-même. Le capitaine type, qui s'intéresse plus à son futur titre d'amiral qu'à nous. Un peu con. Il était connu dans son escadrille comme un gueulard.

Les lumières baissèrent. Le capitaine Redmond contempla l'assistance, attendant que le silence fût parfait. Il avait été désigné pour commander l'organisation des attaques, selon les critères de la marine, dont l'ancienneté, et personne n'y trouvait rien à redire. Et, de toute façon, l'amiral Sweat, qui était le véritable chef des opérations, voulait se rendre sur l'*Eisenhower,* parce que le capitaine du navire était son ancien chef d'état-major.

Red Man était un homme de très haute taille, presque osseux, avec une grosse tête et des cheveux blonds virant au gris. Il mit ses notes en ordre et déclara :

— Bonjour, je suis Bill Redmond, le commandant de la 7e force aérienne. Je veux souhaiter la bienvenue à l'équipe du *Washington* et à la 17e Force. Nous allons nous assurer que nos violons sont bien accordés. Les risques d'erreur sont déjà assez grands, je ne voudrais pas qu'ils soient aggravés par une mauvaise communication.

Il appuya sur une touche de l'ordinateur placé sur le pupitre et une grande carte de la Méditerranée apparut à l'écran derrière lui.

— Nous programmerons, annonça-t-il, une série d'attaques dont j'espère qu'elles seront lancées dans les prochaines vingt-quatre heures. J'ai bien dit : j'espère. Comme vous le savez, les États-Unis ont déclaré la guerre pour la première fois depuis décembre 1941. Certains estiment que cette déclaration est aussi disproportionnée que de frapper une mouche avec un marteau – quelques ricanements accueillirent cette déclaration – mais je ne vois pas ce qu'il y a là de mal, si l'on s'est donné pour objectif de tuer cette mouche. Personnellement, je suis d'avis qu'il y a des mouches qu'il faut tuer avec des marteaux. Donc, ne vous souciez pas de cette critique. Le véritable problème, reprit-il, après avoir désigné la localisation du porte-avions, est de savoir où nous allons frapper. Notre cible n'est ni la Syrie, ni le Liban, l'Iran ou l'Irak en tant que pays, mais elle peut se trouver dans l'un de ces pays. Ce qui rend notre mission doublement délicate et susceptible d'entraîner des répercussions politiques immenses. Surtout si notre objectif décide de se cacher dans une ville. Nous ne pouvons pas contrôler l'impact politique de nos actions, mais nous pouvons faire en sorte que les dommages infligés à d'autres que le cheikh el-Gabal soient réduits au minimum.

— Les voilà bien, murmura Woods à Tear. D'abord, ils nous disent que nous sommes un formidable marteau, ensuite, qu'il ne faut pas frapper trop fort. C'est typique.

Le commandant appuya à nouveau sur une touche, et ce fut une carte du Moyen-Orient qui cette fois apparut.

— Nous allons, cet après-midi, procéder à des briefings approfondis sur chacun des pays de cette région, leurs réactions à la déclaration de guerre et les hypothèses les plus plausibles sur leur comportement si nous touchions une cible située dans leur territoire. C'est en fin de journée que se place le quitte ou double : on nous dira si nous attaquons ou pas. Et, quels que soient les risques de contrarier tel ou tel pays, nous attaquerons. Ces pays auraient dû réfléchir à l'inconvénient d'offrir asile au cheikh. Mais avant que nous n'abordions leur situation, j'ai prié le commandant Glenn Healy de vous faire un résumé des derniers renseignements obtenus.

Healy, officier chargé des renseignements de la 7e force aérienne, monta sur l'estrade.

— Par définition, cette guerre n'est pas géographique, déclara-t-il. Nous ne viserons donc pas des batteries de SAM, des ports, des villes, des bases militaires ou des voies de communication. D'une certaine manière, elle sera donc plus facile, parce que nous n'aurons pas besoin de détruire un pays pour atteindre notre objectif.

Il appuya sur une touche de l'ordinateur ; une carte détaillée de la Syrie et du Liban apparut sur l'écran.

— Selon les informations reçues de la CIA voici une heure, il y a trois cibles préférentielles, reprit Healy. Deux d'entre elles se trouvent sur cette carte, la troisième est en Iran. L'identification de ces cibles repose sur des spéculations et la CIA ne voulait d'abord pas que je vous communique ces informations, mais j'ai insisté. La localisation est basée sur les recherches d'un analyste qui pense avoir compris le fonctionnement des Assassins. Selon lui, ils reproduisent un modèle historique pour perpétuer la mystique de leur groupe, et ils pourraient s'être installés dans les forteresses mêmes de leurs prédécesseurs. Le premier site, poursuivit-il, s'appelle Alamout et il se trouve dans le nord-ouest de l'Iran. Ce pourrait être une cible pour un B-2 et c'est un peu loin de la Méditerranée pour nous.

Healy projeta une carte encore plus détaillée, comportant des cercles de différents diamètres, en l'occurrence la portée des batteries de SAM dans la région.

— Les deux autres sites, dit-il, sont moins connus, mais non moins intéressants. Le premier est au sud-est de la vallée de la Bekaa, sous le parapluie des batteries de SAM. Il pourrait se révéler périlleux à attaquer, si ceux qui contrôlent ces batteries décident de tirer contre des avions américains, et je pense que nous devrions nous y attendre. Le nom du site est Terouim ; ce que je trouve intrigant est qu'il est proche de Dar el Ahmar, le village où le cheikh était censé se trouver le jour où les Israéliens ont attaqué. Comme tout le monde le sait, cette attaque a été menée par Israël, et un membre de l'escadrille de F-14 du *Washington* y a participé.

Healy adressa un sourire à Woods et Big, qui portaient les insignes des Jolly Rogers sur leurs épaules. Tous les regards convergèrent vers les deux hommes. Woods ne parvint pas à croire qu'il était ainsi dénoncé publiquement. La peur et la stupeur le figèrent. Il ne pensa qu'à la photo dans la poche de Big. Le commandant en détenait probablement un exemplaire.

— N'est-ce pas, lieutenant ? demanda Healy à Woods.

Celui-ci se ressaisit et répondit d'une voix suffisamment sonore pour que tout le monde l'entendît :

— C'était une mission formidable. Nous étions donc là…

Des éclats de rire l'interrompirent. Tout le monde avait compris au ton de Woods et à la formule « Nous étions donc là » qu'il allait débiter un récit bidon. Ils cessèrent d'écouter, comme il l'avait escompté. Ils reportèrent leur attention sur Healy, qui projetait maintenant la même photo que celle qui était dans la poche de Big. Celui-ci sursauta et hoqueta. C'était la photo du carénage d'un missile.

— Ceci est la photo diffusée à la presse mondiale par la Syrie, dit Healy. Elle montre le missile américain qui a abattu un Mig syrien. Elle a été présentée comme la preuve que nos amis du VF-103 ont dirigé le raid sur le Liban et abattu l'un de leurs avions avec un AIM-7M Sparrow. Ils ont raison, c'est bien le carénage d'un missile Sparrow.

Healy attendit que les officiers eussent bien vu la photo : un bout de cylindre blanc de quelque 15 centimètres de diamètre. Woods distingua parfaitement des caractères anglais et une fraction de numéro. L'officier de renseignements parcourut l'assemblée du regard.

— Les officiers d'ordonnance du service des munitions sont-ils ici présents ? demanda-t-il. J'espérais que l'un d'eux me dirait de quel missile du VF-103 il s'agit. Je suis sûr que nous pouvons lire assez de chiffres pour établir sa provenance. N'est-ce pas, lieutenant ? demanda-t-il à Woods avec un nouveau sourire.

— Oui, Monsieur, répondit Woods, luttant contre la suffocation. Je demanderai à l'un de nos officiers d'ordonnance lequel de nos missiles a pu atterrir au Liban.

Mais Healy fit une singulière volte-face :

— Il me semble que les Syriens ont oublié que les missiles AIM-7 dont nous nous servons sont les mêmes que ceux qui équipent les Israéliens. Qu'espéraient-ils donc trouver ? Un missile avec des caractères hébreux ?

Il se tourna vers l'écran.

— Laissez-moi vous indiquer la troisième cible virtuelle. Elle est au Sud Liban, à l'est de la Syrie, et dans les montagnes, également. Nous n'en avons pas de photo parce qu'il n'en existe pas. Selon la CIA, cette forteresse serait située ici.

L'image suivante fut une carte détaillée de la Syrie, recouverte de cercles montrant la portée des missiles SAM. Il indiqua le site en question.

— Si nous visons cette cible et que la Syrie réplique par des tirs, la situation sera aussi difficile qu'au sud-est de la Bekaa. Il nous faudra donc procéder à la suppression des batteries de SAM. Gardez en mémoire que, si nous entrons dans son espace aérien, la Syrie pourrait considérer que c'est un acte de guerre. Elle pourrait donc riposter de façon militaire et non seulement diplomatique. On en est évidemment conscient à Washington, mais je voulais que vous soyez informés de cet aspect de la situation.

Red Man ne put s'empêcher d'intervenir :

— Le Président a averti la Syrie de se tenir à l'écart du conflit.

— C'est exact, Monsieur, mais nous devons envisager toutes les éventualités…

— Dites-leur simplement de ne pas risquer même le petit doigt pour la défense de cet homme. Il faut que nous soyons conscients de l'existence des sites de SAM, même si nous ne pouvons pas les détruire – à moins, bien sûr, qu'ils ne tirent sur nous.

Une rumeur de colère s'éleva parmi les aviateurs.

— Je comprends votre sentiment, déclara Healy, faisant face aux deux groupes, puisque c'est le mien. Cependant, comme c'est souvent le cas, les considérations politiques l'emportent sur la sécurité. C'est comme ça. Notre mission est d'effectuer des frappes précises pour en finir avec cette affaire. Je veux donc qu'on établisse des itinéraires de vol potentiels qui réduisent nos risques au minimum. Comprenez-moi bien : je vais quand même demander l'autorisation de frapper les défenses anti-aériennes, mais je ne compte tout simplement pas l'obtenir.

— Je vous remercie, commandant, conclut Red Man. À la fin de la matinée, le commandant Healy établira l'ordre des combats pour la Syrie, la Jordanie, l'Irak, l'Iran, Israël, bref toute la région. Vous devez garder leurs capacités présentes à l'esprit, pour le cas où ces pays y auraient recours. Comme je vous l'ai dit, je souhaite que nous travaillions ensemble. Nous nous rendrons au CIC et nous diviserons en trois groupes, comme je l'ai indiqué. Je suis sûr que vous avez apporté vos cartes avec vous et que vous avez déjà commencé à y réfléchir. Les deux programmes de combat utilisés d'habitude sur les porte-avions, le PFPS et le TAMPS, sont à jour, et nous disposerons d'ordinateurs spécialement programmés pour que plusieurs d'entre vous puissent travailler en même temps. Je veux que vous ayez établi plusieurs itinéraires potentiels pour chacune des cibles potentielles avant demain 16 heures. Des questions ?

Dans les premiers rangs, un lieutenant leva la main.

— Commandant, avez-vous une idée de l'heure à laquelle nous attaquerions ?

— Cela pourrait être dans huit heures aussi bien que dans une semaine. Cela dépend de la rapidité avec laquelle nos renseignements localiseront cet homme. Une fois que nous le saurons ou que nous disposerons d'hypothèses raisonnables, nous attaquerons. Ce sera presque certainement de nuit. D'autres questions ?

Il n'y en eut pas ; ils étaient tous pressés d'établir des plans et des itinéraires, de calculer les consommations de carburant pour tel ou tel chargement d'armes. Ils voulaient passer à l'action : tout sauf rester assis à se demander où se cachait le cheikh.

— Et l'armée de l'air, Monsieur ? demanda Bond.

— Bonne question. Elle va évidemment essayer de présenter les frappes comme des opérations de son cru. Comme d'habitude, dès qu'il y a de l'action, elle propose de positionner des forces sur les théâtres d'opérations, et puis elle maintient le reste en l'air à l'aide d'avions citernes. Mais pour autant que je sache, ceci est une intervention de la marine. Le Président voit à mon avis juste quand il déclare que ce sera une guerre courte et limitée. Nous n'avons pas besoin de l'armée de l'air pour détruire un seul homme.

— Hourra ! cria quelqu'un à l'arrière.

Red Man sourit.

— Nous sommes lancés contre un individu odieux et nous le tuerons si j'ai voix au chapitre. Nous lancerons autant d'attaques qu'il faudra. Mais nous l'aurons.

29

Kinkaid ponctuait comme d'habitude son discours par des gestes. La veille, lors de la réunion, ils reflétaient son émotion ; à nouveau, Sami les observait.

Kinkaid dirigea son pointeur laser miniature sur les documents récents à l'écran.

— Regardez ici… et là… ce sont des constructions récentes. Le sentier semble fréquemment emprunté.

Il projeta deux documents ensemble.

— Nous avons comparé plusieurs images infrarouges récentes : vous voyez que le sentier est « chaud » comparé à la terre alentour… Ça, c'est donc la forteresse du Liban. Le deuxième ensemble de documents se rapporte à la forteresse de Syrie.

Il tourna la tête vers Sami.

— Selon notre historien maison, c'est probablement le repaire du cheikh. Jusqu'ici, Sami a toujours fait mouche. Il doit avoir des sources d'information secrètes.

L'insinuation agaça Sami. Puis, Kinkaid le surprit :

— Pour ceux qui l'ignorent, Sami est parvenu à ces conclusions au terme d'une analyse qui passera dans l'histoire de l'Agence comme l'une des plus astucieuses jamais faites, surtout si elle s'avère exacte.

Kinkaid projeta ensuite une photo de la forteresse syrienne.

— Cette forteresse semble elle aussi avoir été utilisée récemment. La qualité du document n'est pas aussi bonne, mais elle suffit à juger de la fréquentation de ce repaire, tout aussi notable… On note ici aussi les preuves d'une présence récente.

— Présence de qui ? demanda quelqu'un. Si nous allons bombarder ce site simplement parce qu'il est fréquenté, je vais me faire des cheveux blancs. Nous n'avons vraiment pas besoin, pour notre image, de bombarder une vieille forteresse dans laquelle se seraient installés des sans-abri...

— Pas de panique, objecta Kinkaid avec assurance.

Il projeta l'image suivante.

— Ceci est Alamout, que certains supposent être le QG du cheikh, en Iran. Le site est salement difficile à attaquer, d'autant plus qu'une offensive déclencherait une crise d'hystérie chez nos pires adversaires. Or, vous voyez bien que cette forteresse est dans un état remarquable après tant de siècles. À l'évidence, elle a été restaurée par un particulier, parce qu'il n'y a pas d'administraïn qui s'occupe des monuments historiques en Iran. Regardez bien et vous distinguerez le labyrinthe par lequel on y accède. Il se trouve au bas d'une crevasse si étroite que nous n'avons pas pu l'analyser aux infrarouges.

Il ralluma les plafonniers.

— C'étaient donc nos fameuses forteresses. Elles paraissent assez fréquentées et ce seront probablement nos cibles.

— Mais...

— Je vous entends : comment pouvons-nous en être sûrs ?

Kinkaid tira une feuille d'un dossier devant lui.

— Ceux qui ne me connaissent pas bien ignorent quelle carrière j'ai faite. J'étais autrefois membre de la direction des opérations. Là où travaillait Ricketts jusque tout récemment. J'ai opéré dans plusieurs pays, dont l'Allemagne. C'était il y a trente ans. Au moment des Jeux olympiques de Munich.

Le visage de Kinkaid s'assombrit.

— Dans ce métier, vous établissez et maintenez des relations, les unes durables, les autres non. J'ai gardé un lien avec un homme que vous m'avez entendu citer une fois. Son nom est Éphraïm. Nous avons travaillé ensemble à Munich. Il me dit ce que j'ai besoin de savoir, et c'est réciproque. C'est toujours officieux. Et c'est parfois utile. Dans le cas qui nous occupe, ça l'est. Je l'ai eu au bout du fil ce matin et je lui ai demandé s'il partageait nos idées sur ces forteresses.

— Était-il au courant de l'existence du cheikh avant Gaza ? demanda Cunningham.

— Oui.

— Pourquoi ne nous l'a-t-il pas dit?

— Parce qu'il ne pensait pas que le cheikh deviendrait un personnage d'intérêt international. Les Israéliens supposaient que sa cible principale serait Israël. Et ils ne partagent pas toutes leurs informations avec nous, à moins qu'elles ne nous concernent.

— Nous aurions pu intervenir... insista Cunningham.

— Laissez-moi finir. Dans leurs efforts pour l'abattre, ils ont repéré ce qu'ils croient être son QG, Alamout. Le cheikh a un sauf-conduit des Iraniens et il circule à son aise. Les Iraniens sont enchantés de ses complots et ils sont même disposés à ignorer ses liens avec la secte des ismaélites. La deuxième base d'opérations la plus souvent utilisée est celle que Sami a identifiée au Liban oriental, Terouim. Ça colle, étant donné que c'est le poste le plus proche du village où les Israéliens ont tenté d'abattre le cheikh. Selon leurs informations, le cheikh y possède un QG. Le troisième site se trouve exactement là où Sami l'avait prédit : dans le sud-est de la Syrie.

Kinkaid dressa une grande carte du Moyen-Orient.

— Maintenant que vous en savez autant que moi, dit-il, estimez-vous que ces informations sont assez bonnes pour désigner ces sites à la marine comme des cibles ? Parce que, si elles ne le sont pas, vous savez qui paiera les pots cassés.

Nul ne dit mot. Le défi était redoutable. Sami demanda :

— Avez-vous parlé de nos hypothèses à vos amis israéliens avant qu'ils ne vous informent de ce que eux ont fait?

— Bonne question. Ne seraient-ils pas en train de nous refiler les informations mêmes que nous leur avons passées ? Vieille astuce des services de renseignements ! Mais non. Je n'ai pas soufflé mot à Éphraïm des trois forteresses que vous avez identifiées. Autres questions?

Personne n'en formula. Tout cela était sans doute encore trop confus dans les esprits.

— Alors? Ce sont de bonnes cibles?

Pas de réponse. Sami considérait ses mains.

— S'il n'y a pas d'objections, je vais donc désigner ces sites comme cibles.

Il n'y eut pas davantage de réaction.

— Adjugé, dit Kinkaid.

— Nous sommes les chasseurs ou les ennemis? demanda Woods à Wink.

— Les ennemis. Nous sommes censés prendre la radiale 2-9-0 à 60 nautiques.

Woods jeta un coup d'œil à l'aiguille du système d'aide tactique à la navigation, le TACAN, qui indiquait la position du porte-avions sur un cadran.

— Va sur 3-2-3, lui dit Wink, avant qu'il eût fait le calcul.

— Roger, espèce de premier de la classe.

— Tu crois qu'on va finir par aller attaquer ces types? demanda Wink. On a bien déclaré la guerre, mais va-t-on effectivement faire quelque chose?

— Je pense qu'ils s'inquiètent de mettre l'Iran ou la Syrie en pétard. Ces gens-là ont l'épiderme sensible.

— Bon, mais que va-t-on faire, alors?

— On partira peut-être plus tôt que tu ne le crois.

— Moi, je suis prêt. Ils devraient viser les endroits où ce type se trouve maintenant.

— L'armée de l'air a envoyé des tas d'avions de toutes sortes en Sicile, en Italie, en Angleterre, partout.

— Typique de l'armée de l'air, observa Wink avec un gloussement. Le plus proche qu'ils soient de l'action, c'est 5 000 nautiques. Excepté pour Tempête du Désert, quand l'Arabie Séoudite les a invités et installés dans des hôtels cinq étoiles.

— *Victory Deux-Zéro-Sept, tournez sur 1-1-0 comme l'ennemi.*

— *Roger,* répondit Wink.

Woods effectua un virage et, dès qu'il eut atteint la radiale indiquée, ils commencèrent la première interception de la nuit, jouant le rôle de l'ennemi.

— Et qui fera partie du premier groupe d'attaque, si jamais il voit le jour? demanda Wink.

— Je crois que tu vas te féliciter pour une fois de voler avec l'officier adjoint aux opérations. Le mec qui établit le programme des vols. Moi. Mais tu ne le mérites vraiment pas. La première mission d'attaque visera la forteresse au Liban. Il semble que nous en fassions partie. On emportera des bonbons de 1 000 kilos.

— Tu veux dire que c'est décidé ?

— Ouais.

— Et merde ! Comment se fait-il que tu n'aies informé personne ?

— Je viens de l'apprendre. Bark est dans tous ses états. Je pense que nous pourrions faire partie de son équipe et peut-être même que nous dirigerions l'attaque.

— Nous ? s'écria Wink, soudain alarmé.

— *Victory Deux-Zéro-Sept, contactez Deux-Neuf-Zéro pour 33. C'est votre ennemi.*

— *Roger.*

— Ça me paraît parti, dit Woods, corrigeant la position de l'appareil pour qu'il cessât de pointer le nez en bas.

— Quand part-on ?

— Ce soir.

— Mais il faut que je me prépare !

— Tu disais que tu étais prêt ?

— Je veux être *réellement* prêt.

Passant devant le cubicule de Sami et le voyant plongé dans ses réflexions face à l'écran d'ordinateur, Cunningham tambourina sur le chambranle d'aluminium.

— Tu es réveillé ?

— Ouais. Hé ! dit Sami, se radossant, l'air troublé.

— Que se passe-t-il ?

— Je ne sais pas, répondit Sami, avec une nuance d'hésitation. Depuis que Kinkaid nous a parlé de son contact israélien, j'ai comme un malaise. Ça ne colle pas.

Cunningham se laissa pesamment choir sur le siège en face de Sami.

— Pas de parano.

— Regarde ça, dit Sami, le doigt sur son écran. Les Syriens racontent qu'ils ont trouvé un carénage de missile et l'ont montré à tout le monde. Tu es au courant ? Ce bout de missile avec un fragment de numéro de série ?

— Je me rappelle.

— Tout le monde voulait avoir une explication. Et ce porte-parole de Raytheon a donné une conférence de presse…

— En direct. Nous l'avons tous regardée.

— Ce type de Raytheon a déclaré que tous les missiles de la série en question avaient été expédiés en Israël.

— Exact. Ce qui confirme nos déclarations.

— Mais regarde, reprit Sami, voici la vraie liste des expéditions de Raytheon. Tous les missiles n'ont pas été vendus à Israël, c'est faux. Quatre-vingt-cinq pour cent sont allés à la marine américaine, huit pour cent à l'armée de l'air et sept autres pour cent à Israël.

— Tu es sûr ? demanda Cunningham, se penchant sur l'écran. Bon, cela signifie que celui que les Syriens ont trouvé provenait du lot vendu à Israël.

— Peut-être. Mais le porte-parole de Raytheon a assuré que *toute* la série avait été vendue à Israël.

— Peut-être Raytheon veut-il que les spéculations cessent. La Syrie pourrait aussi avoir falsifié le numéro. Elle se serait procuré la liste que tu as devant les yeux et elle aurait choisi la série en question parce que c'est celle qui compte le moins de missiles vendus à Israël… donnant ainsi à penser que la marine était mêlée à tout ça.

— Et comment diable se serait-elle procuré cette liste ?

— Peut-être un analyste de la CIA, d'origine syrienne, la leur a-t-il envoyée…

— Que veux-tu dire ? C'est exaspérant ! Si tu as quelque chose contre moi…

— Holà, dit Cunningham en souriant. Tu ne vois pas que je te fais marcher ?

— C'est malin ! Tu crois que c'est facile d'être un Arabe dans cette maison ? Tout le monde pense que je suis un terroriste. Je n'ai pas besoin que tu en rajoutes…

— Pardonne-moi. Écoute. Ce que racontent les Syriens est un tissu de mensonges. Il n'y a que la taille de leurs mensonges qui varie. Tout ce qu'ils disent passe par leur gouvernement et tout est destiné à tromper, dans un but ou l'autre. Donc, je ne sais pas la vérité sur ce numéro de série, mais ça ne me trouble pas.

Agacé par les généralisations de son interlocuteur, Sami posa le doigt sur l'écran :

— C'est nous, cette fois-ci, qui passons pour des menteurs.

— Si j'étais toi, je ne me ferais pas de bile. Nous avons déjà un gros problème sur les bras, qui est de localiser ce cheikh.

— Kinkaid compte sur les Israéliens pour nous fournir des renseignements secrets. Et je n'ai pas confiance en eux. Cette histoire de missile ne colle pas.

— Tu es libre de ne pas avoir confiance dans les Israéliens. Mais ce n'est pas notre boulot que de nous occuper de protestations des Syriens à propos des missiles. Qu'est-ce que tu crois ? Que l'un de nos avions est allé au Liban comme un tireur fou et qu'il a abattu des avions syriens ?

— Peut-être.

— Allons ! Tu crois peut-être aussi aux ovnis ?

— Mais pourquoi ne veux-tu pas admettre mon hypothèse ?

— J'aurais bien voulu que ce soit vrai ! Si c'était le cas, nous devrions agir comme ça plus souvent. Je serais content que les terroristes soient sans cesse terrorisés. Je suis fou de joie qu'on ait déclaré la guerre à ce cheikh. Et je me fous que l'un de nos pilotes ait été au Liban de façon clandestine. Ils ont assassiné l'un des officiers de la marine…

— Il n'était pas censé être là.

— Ils lui ont tiré dans le dos ! protesta Cunningham.

— Je pense quand même…

— Garde l'œil sur l'objectif, Sami. Nous avons déjà beaucoup de problèmes.

— J'ai le sentiment qu'il y a beaucoup de choses que nous ne savons pas.

— Il y en a toujours, Sami, dit Cunningham en se levant.

Le téléphone sonna ; Cunningham s'esquiva et Sami décrocha. C'était son père.

— Navré de t'interrompre dans ton travail, je sais que tu n'aimes pas ça.

— Pas de problème. Qu'y a-t-il ?

— Tu te rappelles l'homme qui te parlait l'autre jour, au début de la réception ?

— Bien sûr.

— J'aurais dû te présenter. Il s'appelle Hussein Gamal. Il m'a téléphoné ce matin. C'est l'un des hommes qui ont le plus d'influence aux États-Unis. Il est d'origine libanaise et dirige une grande entreprise de travaux publics. Il m'a dit qu'il avait été impressionné par toi.

Sami savait quel prix son père attachait aux opinions des gens riches.

— Fameux.

— Il m'a prié de te demander si tu voudrais quitter ton poste au gouvernement et travailler pour lui. Dans son équipe personnelle. Tu peux croire ça ? Il a dit qu'il ne demandait pas une réponse immédiate, mais qu'il voulait t'informer que ton salaire serait au moins le double de celui que tu touches. Au moins. Que dois-je lui répondre ?

Sami médita un moment la proposition. Ce serait agréable de pouvoir s'acheter une nouvelle voiture et peut-être de déménager dans un quartier élégant de Washington.

— C'est bien aimable à lui, mais il ne me connaît pas.

— Il en a assez vu pour être impressionné.

— Dis-lui que je le remercie et que j'y songerai.

— Parfait. Je le lui dirai. Je suis fier de toi, fiston.

Le dîner sur le *Washington* se déroula sans incident, mais les pilotes devenaient impatients. Bark annonça une réunion à 19 heures. Pour la première fois de mémoire de pilote, tout le monde fut à l'heure. L'expression de Bark en disait long. À 19 heures pile, Bark se leva de son siège et se tourna vers l'arrière.

— Quartier-maître Griffin, voulez-vous accrocher la pancarte sur la porte du fond ?

Griffin se leva et alla accrocher à l'extérieur la pancarte « NE PAS DÉRANGER – RÉUNION EN COURS ». Woods remarqua que Bark portait la combinaison de vol qu'il considérait comme un porte-bonheur. Elle datait de ses années d'élève-pilote à Pensacola et il l'avait portée dans tous les avions et toutes les escadrilles où il avait volé. Elle était certes fatiguée, mais pour Bark, ça n'avait pas d'importance.

— On y va, annonça-t-il. On a les cibles.

L'excitation se peignit sur les visages des Jolly Rogers.

— Les gars des opérations de frappe sont en train de décider des formations. J'ai défendu le choix de notre escadrille. Je veux que nous soyons le fer de lance et que nous nous servions des F-18 comme de camions bourrés d'explosifs. On va voir. Je pense que nous serons de la première vague, mais ce n'est pas encore décidé. L'essentiel est que nous partirons cette nuit. L'amiral nous fait savoir que des forces d'appoint venues du monde entier se dirigent vers cette région. Le commandement envoie d'Italie une division aéroportée et l'armée de l'air expédie plusieurs escadrilles de chasseurs et d'attaque à Aviano ; mais nous ne savons pas encore si l'Italie souscrira au départ d'attaques depuis son territoire. Ce n'est pas une opération de l'OTAN et j'ai donc mes doutes. Cependant, l'Italie ne nous a pas encore dit ce que nous étions autorisés à faire avec nos porte-avions, ajouta Bark dans un sourire. Le premier stade de cette guerre consistera en attaques de la marine, c'est donc pour nous. Nous allons attaquer la forteresse au Liban.

— S'attend-on à une résistance ? demanda le commandant Paulson.

— On ne peut pas savoir, répondit Bark en secouant la tête. Mais lorsque Israël est allé au Liban à la poursuite de ce type, qui donc est venu en défense ? L'armée de l'air syrienne... C'est pourquoi les premières frappes, à 22 heures, seront faites par des missiles Tomahawk. Les avions décolleront immédiatement après. Les Tomahawk sont destinés à certaines structures et à des sites de SAM...

— Nous allons attaquer des sites de SAM syriens et libanais ? coupa Big. Mais ils ne sont pas en cause, non ?

— C'est l'un des problèmes. Il semble raisonnable de supposer que tout site de lancement de SAM dans la région visera nos appareils. Ce serait de la folie que de survoler un site de SAM et de se dire tout simplement qu'ils ne vont pas tirer sur nous.

— Mais la Syrie et le Liban ne vont-ils pas protester, prétendre que nous les avons attaqués, eux, en tant qu'États, si nous nous en prenons à leurs sites de missiles ?

— C'est la décision qui a été prise. Elle m'a surpris, mais elle me convient. Je craignais que nous survolions ces sites avec le simple espoir qu'ils ne tirent pas sur nous. Maintenant, je sais qu'ils tireront quand même, mais sans beaucoup de capacités. La frappe initiale des Tomahawk est dirigée contre le centre de commandement et de contrôle aérien et quelques rampes fixes de lancement. Cependant, des tas de choses peuvent aller de travers. J'ai demandé à Pritch de nous fournir les dernières données photo sur les cibles.

Celle-ci se leva et se dirigea vers l'avant de la salle. On appréciait ses briefings et on les écoutait respectueusement. Il était évident pour tous qu'elle prenait son travail très au sérieux. Elle passait ses heures libres à faire des recherches sur les sujets qu'elle ne maîtrisait pas. Et cela rendait ses exposés encore plus fiables.

Elle fit un signe au quartier-maître Griffin, qui baissa les lumières.

— Nous allons, dit-elle, nous familiariser avec la cible. Il n'y en a qu'une, en effet. Pour toute la force aérienne.

30

Sami occupait un rang supérieur à celui de l'archiviste, mais celle-ci détenait ce qu'il voulait obtenir ; elle ne le lui concéderait que si elle était certaine qu'il fût autorisé à le lui demander.

— C'est un vieux dossier, plaida-t-il.

— Cela n'y change rien. Il est classifié et vous ne figurez pas sur la liste d'accès.

Sami avait besoin de ce dossier. S'il avait pu le voler, il aurait risqué la prison pour cela ; mais c'était de toute façon impossible.

— Quel est le nom de code du programme ? demanda-t-il.

— Monsieur, répondit-elle du ton pointu d'une maîtresse d'école, vous savez bien que je ne peux pas vous le dire.

Il eut soudain une idée.

— Vous êtes au fait de la mission de Gaza ?

— Oui, Monsieur, bien sûr.

— J'en fais partie.

— Bien.

— Vous avez vu la circulaire ?

— Oui, Monsieur, je l'ai devant moi.

— Lisez-la.

— Je l'ai déjà lue.

— Alors vous savez qu'elle donne à tous les membres de la mission de Gaza l'autorisation générale de recherches dans tous les dossiers du Moyen-Orient, sauf exceptions précises. Exact ?

— Oui, dit-elle, ne voyant pas où il voulait en venir.

— Eh bien ce dossier traite du Moyen-Orient et il ne figure pas dans les exceptions.

— Mais rien ne me dit qu'il traite du Moyen-Orient…

— Alors, regardez-le donc ! s'écria-t-il, excédé.

Espérant que le dossier traitait bien du Moyen-Orient, il tourna le dos, conformément au règlement, attendant qu'elle examinât la première page du dossier.

— Vous avez raison, Monsieur, dit-elle, et elle le glissa sur le comptoir. Veuillez signer ici, ajouta-t-elle, lui tendant la fiche des consultations.

Il s'exécuta ; elle vérifia la signature et lui souhaita bonne journée.

Il s'éloigna, fourrant le dossier sous son chandail, dévoré par une envie furieuse de le lire dès que possible. De retour dans son cubicule, il considéra la couverture, libellée : « ENQUÊTE MEGA — TOP SECRET ».

Woods poussa les poids devant lui, sur le banc de la salle de gymnastique, s'efforçant de battre son propre record. Il se rendait au moins cinq fois par semaine à la salle du niveau 3. La dernière visite qu'il y avait faite remontait à trois jours, et il brûlait de rattraper son retard. Il préférait les environs de minuit, quand la salle était peu fréquentée. Sacrifier des heures de sommeil à l'entraînement n'était pas recommandé, surtout avant de prendre l'air, mais l'exercice physique réduisait sa tension nerveuse.

La mission d'attaque avait été programmée dans le moindre détail. Pourtant, Woods éprouvait le besoin de ces trois quarts d'heure d'efforts avant le briefing : ils l'aidaient à penser à autre chose qu'aux pépins éventuels. Ce soir-là, ils semblaient s'être donné le mot ; la salle des poids et haltères était pleine de gens suant d'effort, dont deux femmes pilotes de S-3. Il dut donc, à sa contrariété, patienter devant les postes d'entraînement.

Il venait de finir sa quinzième poussée au banc ; il abaissa lentement les poids. La sueur ruisselait sur son visage congestionné. Il l'épongea et alla attendre devant le poste suivant que la femme pilote du S-3 eût fini de fortifier les muscles de ses jambes.

— Lieutenant Woods ?

Il n'avait pas vu l'homme arriver, mais il reconnut sa voix. Il n'était vraiment pas d'humeur à supporter ce type-là. Il ne se retourna pas et plaça les pieds sur les plaques de métal pour commencer son premier exercice. Puis, il daigna tourner son torse d'un quart de tour, aux limites de la muflerie, pour affronter l'aumônier.

— Navré de vous déranger, dit Maloney, imperturbable.

Woods saisit les deux poignées de part et d'autre de son siège et entama sa poussée en retenant sa respiration.

— Votre compagnon de chambrée, Big McMack, m'a dit que je vous trouverais ici.

— Que se passe-t-il encore ?

L'air embarrassé, l'aumônier demanda :

— Puis-je vous parler ?

— Je vais continuer mes exercices, si cela ne vous dérange pas, mais vous pouvez parler.

— J'ai repensé à notre dernière conversation. Il y a quelques questions que j'aimerais discuter avec vous.

Woods relâcha sa pression et les poids revinrent à leur point de départ, avec un claquement pareil à un coup de fusil. L'aumônier sursauta.

— Quoi ?

Maloney fit le tour du banc, pour se placer en face de Woods, et lui demanda :

— Vous vous rappelez le sujet de notre conversation ?

— Écoutez, mon père, si vous avez quelque chose à dire, allez-y.

— Oui, je regrette de vous déranger. Je pensais à ce qui s'est passé. Je voulais vous poser une question.

— Quoi ?

— Je m'inquiète de ce que nous faisons.

— Qui, nous ?

— Les États-Unis. Je m'inquiète de la façon dont nous nous sommes engagés dans cette guerre.

— Pourquoi ?

— Si quelqu'un de ce navire pénétrait au Liban à l'insu de ce pays et que cela entraînât une déclaration de guerre, ce pourrait ne pas être une guerre juste. Ce ne serait pas équitable. Ce serait une tromperie.

Woods s'épongea le visage.

— Je ne vous suis pas.

— Quand vous avez envoyé mon résumé au Congrès, nous précisions pourquoi ce serait une guerre juste. Cependant, la raison invoquée par le Congrès pour déclarer la guerre n'a pas été l'attaque contre le lieutenant Vialli, mais les attentats contre les autres victimes. Or, ces attentats étaient une réaction au fait que vous ou un autre avez accompagné les Israéliens dans leur raid sur le Liban. Cela ne rend-il pas cette guerre injuste ? Et la déclaration de guerre du Congrès n'est-elle pas basée sur une tromperie ?

— Vous êtes à côté de la plaque, mon père.

— Pourquoi ?

— Parce que le cheikh a fait assassiner Vialli.

— Comment le savez-vous ?

— Parce que le cheikh l'a dit lui-même !

— Et si la vérité était différente ? Et si Vialli et sa compagne étaient là-bas pour d'autres raisons ? Après tout, le cheikh n'a pas fait assassiner les enfants.

— Ouais. Tony, désarmé, a attaqué une bande d'innocents terroristes qui voulaient simplement monter dans le bus. C'est ça ?

Woods en avait assez entendu ; il perdait patience. Ces ratiocinations visaient à colorer l'initiative américaine d'une ambiguïté morale qu'il estimait, lui, hors de propos.

— Maintenant je comprends, dit-il, essayant de ne pas en dire trop. Vous avez bâti un scénario pour justifier l'inaction. Eh bien, moi, je vous le dis, je vais agir. Vous pourrez observer l'action et vous torturer l'esprit. Vous pourrez déplorer que tout ne se soit pas passé idéalement. Mais peu d'actions sont idéales dans l'histoire humaine. Nous faisons ce qu'il faut faire et nous allons poursuivre ce type et nous le poursuivrons jusqu'au bout. Et si la Troisième Guerre mondiale éclate à cause de ça, nous saurons au moins qui sont nos ennemis. Finissons-en.

Il s'empara de sa serviette et quitta la salle de gymnastique sans se retourner.

Sami fut surpris de trouver Kinkaid à la cafétéria. Il ne l'y avait jamais vu. Son chef semblait s'offrir une récréation, alors qu'il faisait rarement quelque chose pour le plaisir. Il ne mangeait que pour s'alimenter et la caféine n'était pour lui que l'excitant permettant de travailler jusqu'à des heures indues. Sami prit place dans la queue derrière Kinkaid, lequel finit par s'aviser de sa présence.

— Hé, vous voilà ici de bien bonne heure ?

— J'aime prendre un espresso ici. Le barman connaît son métier.

— Ouais. Vous avez une minute ?

— Certainement, dit Sami, qui paya son café et suivit son chef à une petite table ronde au fond de la salle.

— J'essaie de comprendre les gens, dit Kinkaid après avoir bu une gorgée de son café. Parfois je me trompe, parfois j'ai raison. J'ai l'impression qu'il y a quelque chose qui vous chiffonne dans notre équipe. Il se passe quelque chose là-dedans, ajouta-t-il en indiquant la tête de Sami.

— J'espère bien qu'il y a quelque chose qui se passe, répondit Sami d'un ton dégagé.

Il n'était pas disposé à parler de ce qui le contrariait, quoiqu'il le fût réellement.

— Alors, qu'est-ce qui ne va pas ?

— Rien, vraiment.

— Foutaises ! déclara Kinkaid avec une véhémence qui déconcerta Sami. Ne me prenez pas pour un crétin. Qu'est-ce que vous avez ?

— Vous voulez vraiment savoir ?

— Oui. Vraiment.

— Je ne fais pas confiance aux Israéliens.

— Qu'ont-ils à voir dans tout ça ? demanda Kinkaid, surpris.

— Toute cette affaire…

— Quelle affaire ?

— Ce bordel. Tout ça aurait pu être monté pour entraîner les États-Unis dans le conflit. Pour qu'ils fassent le sale boulot à leur place.

— Mais de quoi parlez-vous donc ?

— Récapitulons : un charmant officier de la marine rencontre une jolie fille qui se trouve être israélienne. Elle l'attire en Israël où il est aussitôt assassiné…

302

— Mais elle aussi...

— Laissez-moi finir, dit Sami, plus sèchement qu'il n'aurait voulu. Il est assassiné, puis une opération est menée au Liban, à laquelle un avion de la marine aurait sans doute participé. Je ne sais pas ce qui s'est passé, mais je suppose que l'un de nos pilotes est allé se venger, de sa propre initiative, mais évidemment avec l'accord des Israéliens et presque certainement sur leur incitation. Ça ne fait pas de doute. Le cheikh s'est senti outragé parce que les États-Unis avaient participé à cette opération, comme les Syriens l'ont d'ailleurs établi. Ses tueurs se sont donc mis à attaquer les Américains partout où ils pouvaient. Et voilà que nous lui déclarons la guerre et que nous décidons de l'exterminer. Exactement ce que voulaient les Israéliens.

— Et vous croyez qu'ils ne pouvaient pas le faire tout seuls? Vous croyez qu'ils ont peur de ce toqué?

— Il n'est pas toqué, objecta Sami en secouant la tête. Croyez-moi. Il est peut-être dans l'erreur et c'est certainement un salaud, mais il n'est pas toqué.

— Et alors, qui donc a attaqué ce bus et tué le lieutenant et sa compagne?

— Vous avez lu les rapports. Des hommes en uniformes israéliens.

— Les Israéliens eux-mêmes auraient attaqué le bus et tué des compatriotes? s'écria Kinkaid. Mais c'est vous qui êtes toqué! Ne commencez pas à dérailler, je ne veux pas vous perdre.

— Je ne suis pas toqué. Je pense à des interprétations auxquelles vous n'avez peut-être pas songé, Joe.

— Le cheikh se serait mis de la partie et il aurait revendiqué la responsabilité de l'attaque? Mais où avez-vous été chercher tout ça?

— Si les ordres viennent d'assez haut, le Mossad ferait n'importe quoi.

— Je vous verrai tout à l'heure à la réunion, dit Kinkaid, pour mettre fin à la conversation.

Il se leva et quitta la cafétéria. Sami n'avait pas touché à son café. Il avait tenu un discours stupide, comme ces gens qui voient partout des conspirations. Il s'était comporté de manière irréfléchie. Et pourtant, sa théorie était plausible.

Le *Washington* fonçait vers le nord, à 200 nautiques de la côte du Liban. Woods et Wink avaient failli griller d'impatience jusqu'à l'ordre de départ. Ils avaient tremblé qu'à un moment ou l'autre quelqu'un annulât leur vol. Au moment où il fallait appuyer sur la détente, en effet, les politiciens et les amiraux voulaient que tout fût parfait, alors que rien n'est jamais parfait. Woods et Wink avaient donc rongé leur frein jusqu'à la dernière minute.

Ils escaladèrent la petite échelle qui menait de la passerelle au pont supérieur et se dirigèrent vers leur Tomcat, à l'arrière de la piste d'envol. Avançant dans la lumière rougeâtre qui baignait le pont, Woods leva les yeux vers le ciel. Une nuit claire et pure, parfaite pour voler.

Wink commença l'inspection de l'appareil dans le sens contraire aux aiguilles d'une montre et Woods, dans l'autre sens. Woods cherchait des fuites éventuelles du fluide hydraulique, comme un médecin urgentiste chercherait des traces de sang. Les deux fluides étaient rouges et une fuite signifierait la mort si elle n'était pas décelée. Seulement, c'était dans l'obscurité que Woods cherchait des traces de ce liquide, à l'intérieur de ce corps de titane et d'alliage plus important pour lui que celui des hommes.

Il était si plein de vindicte à l'égard de ceux qui avaient tué Vialli qu'il sentait presque le goût du sang dans sa bouche. La mission consisterait à lâcher des bombes à guidage laser sur la forteresse où le cheikh se trouvait probablement. Woods aurait presque voulu chevaucher cette bombe, comme Slim Pickens dans *Docteur Folamour*.

Il rampa sous l'avion et reconnut les ombres des GBU-10 accrochés au ventre de l'appareil. Les officiers d'ordonnance avaient déjà fixé les cônes laser aux projectiles de 1 000 kilos pièce.

— Tu sais ce que j'aime dans ces bombes ? dit-il à Wink. Elles éliminent la merde. Après, c'est nickel.

— On aurait quand même mieux fait d'emporter des GBU-24, dit Wink.

— Ouais, les briseurs de bunkers. Peut-être à la prochaine mission.

Woods alluma sa lampe de poche Maglite et passa les doigts sur le ventre du Tomcat, toujours à la recherche d'une fuite. Il alla jusqu'à l'empennage, tendu au-dessus du bord extrême du pont, à 25 mètres au-dessus de l'eau. Il examina soigneusement la peau de métal à la lumière de la lampe. Puis, il revint vers l'avant et se retrouva sous l'entrée d'air. Il devenait fiévreux. Quelqu'un pouvait encore annuler la mission.

Il se glissait dans le cockpit avant quand Benson accourut et gravit l'échelle pour l'aider à enfiler les harnais et à les fixer. Puis, Benson brancha la combinaison anti-G du pilote au système environnemental de l'avion ; cela fait, le système était prêt à injecter de l'air dans la combinaison en proportion des forces gravifiques endurées.

— Tout est OK, Monsieur ? demanda Benson.

— Oui. Merci. Souhaitez-nous bonne chance.

— Bonne chance, Monsieur.

— Roger, dit Wink, vérifiant les manettes et ajustant l'élastique d'un bloc-notes de bord sur sa cuisse droite.

Wink regarda Benson redescendre l'échelle et la replier dans le flanc du Tomcat. Puis il jeta un coup d'œil aux deux côtés de l'avion et leva la tête vers la verrière, dressée dans le ciel à 45 degrés.

— Prêt ! cria-t-il.

— Prêt, répondit Woods.

Wink abaissa la poignée de la verrière ; elle descendit et se verrouilla.

Les moteurs tournaient parfaitement ; les cadrans indiquaient une puissance moyenne. Woods fit signe à Benson, qui détacha le tuyau de soufflerie et le câble électrique. Wink passa les contrôles en revue, cependant que Woods touchait instinctivement les manettes et les boutons jusqu'à ce que tous les systèmes eussent été vérifiés. Il savait qu'il risquait, surtout ce soir, de n'effectuer que machinalement cette révision, sans y penser, ce qui était périlleux. Mais ce n'étaient pas les manettes du cockpit qui le préoccupaient ; c'étaient les SAM et l'armée de l'air syrienne, qui serait ravie d'en découdre avec lui et de lui poser éventuellement quelques questions.

Il posa les pieds sur les pédales du gouvernail, pour tenir les freins pendant que Benson détachait les chaînes et retirait les cales. Benson fit un salut solennel aux deux pilotes. Woods lui rendit son salut et s'aperçut qu'une chemise jaune le guidait vers la catapulte.

— Chaud, dit Woods.

Un coup d'œil à la pendulette lui révéla qu'il était en avance de dix minutes sur l'heure du décollage et de cinq sur le lancement des Tomahawk. Personne ne savait comment se comporterait la Syrie. Le seul indice dont on disposait était un avertissement de l'ambassadeur de Syrie aux Nations unies : lors d'une conférence de presse, il avait déclaré en termes formels que toute incursion sur le sol syrien serait tenue pour un acte de guerre contre la Syrie. Si ce discours avait tempéré les ardeurs des politiciens, il n'en avait pas été de même au carré des VF-103 :

— Hardi les gars ! On vous attend.

Woods plissa les yeux. Une lueur aveuglante illumina l'horizon à sa gauche. Puis une boule de feu monta dans le ciel, et soudain une autre, et une autre encore. Elles provenaient toutes des lanceurs des destroyers qui escortaient le porte-avions. Cinq autres missiles s'élancèrent sur les traces des premiers.

— Bon Dieu, marmonna Wink, c'est pour de vrai, là !

— Il semble bien, oui... T'es prêt ? répondit Woods, le cœur battant.

Les lancements des missiles l'avaient pris de court, comme d'immenses points d'exclamation belliqueux.

— Prêt.

— Lumières.

Woods abaissa de la main gauche la manette près des gaz et les feux du F-14 s'allumèrent. Tout le monde sur le pont sut qu'ils étaient parés. Tiré par la catapulte, l'appareil bondit et fut lancé à 135 nœuds à l'heure.

— Nous volons, dit Wink, l'œil rivé sur l'altimètre et les indicateurs de vitesse, pour être sûr d'avoir le temps de s'éjecter si l'appareil perdait de la hauteur – il n'avait que trois secondes pour prendre la décision, si le lancement tournait mal.

— Train d'atterrissage rétracté, volets relevés, dit Woods.

D'autres Tomahawk, les derniers, jaillirent d'un destroyer éloigné. Ils arriveraient à destination bien avant les avions dont ils étaient chargés d'aplanir la mission.

Woods entendit Fungo, alias le commandant Lyle Tourneaux, OIR de Bark, annoncer qu'ils étaient en l'air. Bark, en effet, pilotait le deuxième Tomcat, 3 nautiques plus loin dans la nuit. Wink brancha tous ses capteurs. Le radar balaya le ciel. L'immense puissance du radar AWG-9 lui permettait de détecter une cible à 30 kilomètres et de calculer les formules de lancement sur vingt-quatre cibles à la fois. Et il annonçait le tout sur un écran parfaitement lisible, dans le poste arrière du Tomcat. Wink dirigea le radar à tribord, tandis que Woods effectuait un tour complet, dans l'attente des autres avions de la force d'attaque. Le radar balaya la Syrie. Allez! songea Wink. Vous en voulez, du radar de F-14? Comme ça, vous pourrez en causer! Il guetta anxieusement des silhouettes de chasseurs syriens qui viendraient à leur rencontre. Mais il ne vit que des tracés d'avions de ligne.

Woods jeta un coup d'œil aux images du radar de Wink, qui lui étaient communiquées sur son propre visualiseur de données.

— Tu cherches les Syriens? demanda-t-il.

— L'espoir ne coûte rien.

— Le jour où ils enverront des chasseurs de nuit contre des Américains, j'aurai une crise cardiaque.

— Tu penses qu'ils ne viendront pas?

— Tu as lu comme moi les rapports des renseignements. Je pense qu'ils ne volent même pas la nuit, alors tu penses, se battre de nuit! Quand nous aurons démoli leurs SAM et pulvérisé leur cheikh, ils auront suffisamment de quoi se plaindre. Ils ne vont pas par-dessus le marché envoyer des avions se faire descendre; ils auraient l'air vraiment tarte.

— Bon, on n'a alors que les SAM à craindre.

Des éclairs simultanés illuminèrent l'horizon.

— Il semble que les SAM essaient de descendre les Tomahawk. Bonne chance!

— J'adore ça! s'écria Wink. Un con de missile qui essaie de descendre un autre con de missile!

Woods aperçut à gauche Bark qui le rejoignait. Ils avaient tous deux éteint leurs feux anti-collision, mais se repéraient grâce à leurs feux de formation verts. Bark se glissa à la droite de Woods à la vitesse d'approche exacte.

— Bark nous a rejoints, annonça Woods à Wink, le nez dans ses cartes et instructions.

— Roger. Nous devons être au-dessus des terres dans dix minutes.

— Roger. Quelles sont tes données?

— L'EA-6B est à 10 nautiques devant. Les deux lanceurs F-18 HARM l'escortent.

L'EA-6B était chargé de brouiller tous les radars le long de l'itinéraire d'aller et retour. Les F-18 contrôlaient les radars de batteries, missiles aériens ou AAA, qui se déclencheraient sur leur passage.

— Il semble que les copains de l'*Eisenhower* soient en position. Tout le monde est prêt à aller en Syrie.

Le ciel se stria de balles traçantes et de traînées de missiles.

— Vérifie ça, dit Woods.

Wink leva les yeux de son radar et scruta l'horizon.

— Ça vient de là où nous allons. Liste de combat, ordonna-t-il.

— Bon, dit Woods, qui commença à réciter la liste de mémoire.

Wink savait que Woods connaissait le protocole par cœur, mais il se référait pour sa part à la liste écrite sur le bloc-notes fixé à son genou ; il ne faisait confiance à personne quand le combat approchait, encore moins à lui-même.

Woods poussa les gaz à la puissance militaire et entama la montée du F-14 à l'altitude d'entrée en territoire syrien, soit 40 000 pieds, au-delà de la portée de la plupart des SAM. La nacelle du LANTIRN[1] sous son aile droite était la clef de l'opération : lorsque les instruments de vision nocturne avaient atteint leurs limites, le LANTIRN prenait leur relais et permettait de voler très vite et de lâcher des bombes avec une précision redoutable.

---

1. *Low Altitude Navigation and Targeting for Night*, système d'aide à la navigation de nuit à basse altitude. (*N.d.T.*)

À 40 000 pieds, Woods redressa l'appareil. Bark avait pris une position d'escorteur.

— Dix secondes, annonça Wink.

— Roger.

Wink observa sur le tableau devant lui l'ensemble des données et le symbole qui les représentait se positionner exactement à l'heure dite.

— Trois, deux, un. Prends la direction 0-8-3, dit-il.

Woods s'exécuta.

— Passe à 550 nœuds.

Woods poussa les manettes des gaz à fond, à la limite de la post-combustion. Toujours sur l'écran radar, Wink suivit l'EA-6B et les F-18 HARM à 15 nautiques devant. Ils étaient à 30 000 pieds, traquant les radars des SAM. Ils se préparaient à descendre le corridor de la Bekaa ; ils escomptaient que la Syrie, le Liban, le Hezbollah ou toute autre autorité qui commandait les batteries de SAM protégeant cette vallée ne résistât plus à l'envie de brancher ses radars pour voir ce qui arrivait vers eux. Dès qu'ils l'auraient fait, le radar de l'EA-6B se bloquerait sur eux et l'EA-6B ou les F-18 lanceraient leurs missiles HARM. Même si les radars étaient ensuite éteints, les missiles se rappelleraient, eux, leurs signaux de provenance. C'étaient de féroces limiers.

Les radios étaient silencieuses. Le Tomcat atteignit les 550 nœuds et l'air siffla sur les bombes accrochées sous lui. Woods éprouva un sentiment d'étrangeté à voler avec son propre commandant dans la position d'ailier. Cela s'expliquait par le fait que Wink, premier OIR de l'escadrille, était sans aucun doute le plus qualifié pour mener une attaque à l'aide du système LANTIRN et envoyer une bombe exactement sur l'objectif. Chacun, y compris Bark, en était convenu. C'était donc Wink qui menait l'attaque et qui montrait aux autres ce qu'il fallait faire.

— On a les pieds au sec, dit Wink lorsqu'ils eurent franchi les rivages du Liban.

— Tu vois des avions ?

— Négatif.

— Vérifie dans dix minutes.

— Je suis content que le Liban soit un petit pays.

La voix de Wink monta vers l'aigu :

— Nous avons un site de SAM à neuf heures qui nous a repérés. Radar de contrôle de tir.

Woods inclina sur la gauche pour voir s'il y avait eu un lancement de SAM. Rien que le noir.

— Tu vois quelque chose ?

— Rien. Ils nous asticotent.

— L'EA-6B a dû le capter. Les contrôles de bombes sont prêts ?

— Ouais. Nous sommes parés. Le LANTIRN fonctionne bien.

— Tous les autres sont en position ?

Wink vérifia le tableau.

— Oui. Nous sommes en place...

Soudain un sifflement distinct leur perça les oreilles.

— SAM lancé, SAM lancé ! cria Wink.

— Où ? demanda Woods, scrutant le ciel.

— Deux heures !

Woods s'inclina sur l'aile droite pour regarder au-dessous de l'avion. Il vit une boule rouge qui montait du sol vers eux. C'était le moteur du missile sol-air qui poussait sa charge vers le Tomcat.

— Leurres ! cria Wink.

Woods appuya du pouce sur le bouton blanc du manche et lâcha une série de leurres. De petits cylindres bourrés de feuilles métalliques s'échappèrent du ventre de l'appareil et explosèrent, lâchant des nuées de fragments métalliques destinés à détourner l'attention du radar du missile. Mais les radars perfectionnés cherchaient non seulement l'énergie réfléchie sur du métal, mais encore de l'énergie réfléchie et mobile. Si le radar du missile appartenait à la nouvelle génération, il retrouverait l'avion à travers les nuées de leurres ; il n'aurait rien d'autre en tête qu'une collision avec l'avion de Woods et Wink.

Dès que le missile eut atteint un angle de 90 degrés, Woods effectua un tonneau et dirigea l'appareil vers le sol. Il piqua sur un angle plus aigu afin de désorienter au maximum le missile. Mais quand le Tomcat plongea, le missile partit tout de même à sa poursuite. Woods remonta avec une accélération de 7 G. Néanmoins, le missile se rapprochait toujours d'eux.

— Il est toujours bloqué sur nous ! cria Woods.

Une lueur aveuglante éclaira l'horizon devant eux. Woods détacha ses yeux du missile pour vérifier qu'un avion ne venait pas de tirer sur eux. Un missile avait bien été lancé, mais c'était l'EA-6B qui l'avait fait. Il s'agissait d'un HARM, absorbant de tous ses pores l'énergie qui guidait le SAM vers Woods. Il se précipita vers lui, guidé par son émetteur radar et prêt à le faire exploser. L'opérateur du site de lancement disposait maintenant de deux options : ou bien laisser le radar branché et exploser sur le HARM, ou bien éteindre le radar et prolonger la vie de son missile.

Wink observa la ligne sur l'écran du radar ALR-67, indiquant le site dont le SAM avait été lancé. Woods monta, puis descendit, toujours poursuivi par le missile. Soudain, le SAM parut perdre son intérêt pour eux et Woods le regarda poursuivre sa course tout droit.

— Parti, dit Wink.

— Il a vu le HARM arriver, dit Woods, reprenant sa trajectoire originelle.

Bark les rejoignit et ils accélérèrent vers leur cible.

— 15 nautiques à la cible, annonça Wink. Tout a l'air d'aller.

— SAM ! SAM ! SAM ! cria quelqu'un à la radio.

Encore secoués par les émotions de leur échappée, Woods et Wink cherchèrent tous deux le nouveau missile. Mais Wink consulta son écran et ne vit rien.

— Tribord toute à 0-7-0, dit-il à Woods. On commence le trajet final.

Il contrôla les manettes, pour s'assurer qu'il n'avait pas confondu celle du lancement de missile avec celle du lâcher de bombe.

— Comment va le LANTIRN ? demanda Woods, inquiet que les pressions G eussent pu endommager la nacelle.

— Parfait. J'ai une excellente image, dit-il en regardant l'infrarouge. Du cristal. La voici, la forteresse, Trey. Elle est foutrement grande. Un instant, dit-il, observant le décompte du temps prévu pour le lâcher, qui s'effectuait sous ses yeux.

Woods vérifia ses manettes, se préparant à lâcher.

— Trois, deux, un ! dit Wink.

Woods appuya sur le bouton et deux bombes à guidage laser quittèrent le Tomcat pour s'élancer vers la terre. Woods reprit de l'altitude après avoir vérifié que l'indicateur laser restait braqué sur la cible.

— Joli coup ! dit Wink.

Il regarda la mire à l'endroit exact qu'il avait choisi pour l'impact des bombes : à la base de la forteresse, juste là où il fallait pour causer le maximum de dommages.

— Cinq secondes à l'impact, ajouta-t-il.

Il regarda l'image, attendant anxieusement l'explosion. Soudain, l'écran s'illumina en même temps que le ciel, à 5 nautiques de distance. Les deux bombes avaient pulvérisé l'antique forteresse.

— La guerre a commencé, dit Woods, reprenant la direction de la Méditerranée.

— Retour à la base, dit Wink, 2-6-3 pour 230.

— Roger. Foutons le camp d'ici !

31

Affalé sur un siège de la zone des briefings, Sean Woods faisait un effort pour rester éveillé. Il carburait à l'adrénaline depuis si longtemps qu'une fois passée la fièvre du combat, il était encore plus à plat que jamais. Sur pied depuis vingt heures, il avait dirigé la première attaque sur le Liban et devait bientôt mener la dernière de la nuit. Le briefing de la prochaine attaque serait à 2 h 30 et l'attaque même à 4 h 30.

Les sorties qui avaient suivi la sienne s'étaient heurtées à plus de résistance que prévu, en dépit des efforts de neutralisation des batteries de SAM. Celles-ci avaient été durement pilonnées, mais pas assez pour calmer les anxiétés des pilotes qui se préparaient à les survoler.

Les yeux lui brûlaient. Il ne pensait qu'à leur rendre un peu d'humidité et fermait de temps à autre les paupières. Nous aurions dû lancer plus de Tomahawk, se dit-il. Puis, il se rappela qu'ils coûtaient 1 million de dollars pièce, alors que les bombes à guidage laser ne coûtaient que 50 000 dollars l'unité. Tout ça, évidemment, en supposant que le F-14, à 40 millions de dollars l'unité, ne se ferait pas lui-même descendre.

Wink vint s'asseoir près de Woods. Ils n'avaient pas besoin de parler. Ils se connaissaient mieux que des frères. Ils savaient quels symptômes il fallait interpréter chez l'autre, révélateurs d'un problème et donc d'un risque en vol.

Big et Sedge aussi vinrent s'asseoir, juste au moment où l'officier des renseignements de la force aérienne apparaissait sur l'écran de télévision.

— 'soir, commença-t-il, apparemment aussi fatigué que les équipages. La mission suivante sera la dernière attaque de nuit contre notre cible. Parlons d'abord de ce que vous voulez tous savoir, c'est-à-dire de la bataille contre les SAM que nous avons poursuivie cette nuit. Elle est réussie, mais le problème avec les unités de lancement mobiles reste qu'elles sont mobiles, justement. Celles qui ont été importées de Syrie ont été utilisées plus fréquemment et elles étaient plus efficaces que nous ne le prévoyions. Les Syriens ont apparemment expédié un certain nombre de leurs SA-6 et SA-13 dans la région. Nous avons donc recommandé que ceux d'entre vous qui vont pénétrer sur le territoire reportent leur itinéraire plus haut vers le nord et fassent leur attaque finale d'est en ouest…

— On a encore le temps de changer l'itinéraire ? demanda Woods à Wink.

— C'est déjà fait.

— Quand ?

— Pendant que tu ronflais sur ton siège comme une tondeuse à gazon.

Woods comprit pourquoi il avait la gorge aussi sèche.

— Je m'oxygénais, répondit-il. Ça clarifie les idées.

Wink lui lança un regard de travers. Woods regarda l'écran. L'officier des renseignements poursuivait son laïus, ignorant la distraction éventuelle de ses auditeurs.

— Je vais vous montrer quelles batteries de SAM sont encore en fonctionnement.

Il se tourna vers une carte garnie des cercles rouges révélateurs.

— Les nouveaux couloirs d'entrée sont dégagés. Nous ne nous attendons pas à une activité des SAM jusqu'à ce que vous soyez parvenus à proximité de votre cible.

Il enchaîna sur une description des missions spécifiques de chaque avion.

— En ce qui concerne les dommages infligés à la forteresse, nous n'avons pas encore pu les évaluer, parce qu'il faisait nuit. Mais ce que je peux dire est que nous l'avons atteinte en plein dans le mille, et fort.

Dès que ce briefing fut achevé, Woods se rendit à l'arrière de la salle pour récapituler devant les gars celui de leur mission spécifique. Il déclara :

— Je suis fatigué. Vous l'êtes probablement aussi. Il ne faut pas que cela nous perturbe. Cette nuit, l'adrénaline doit nous propulser autant que le JP-5.

Le JP-5 était le carburant du Tomcat. Woods examina une grande carte du Liban, mise à jour avec un luxe extrême de détails. Un cartouche blanc, en bas à droite, portait la mention suivante : « Mis à jour à 2 h 17 ».

— Félicitations à Pritch, commenta Wink.

— Si les sites de SAM se trouvent bien là où on les indique, expliqua Woods, ce ne sera pas trop dur. Plusieurs de leurs unités de lancement sont mobiles, mais je ne crois pas que ces types vont beaucoup déplacer leurs rampes en pleine nuit. Nous avons de bonnes chances de les éviter. Nos chargements sont les mêmes : deux GBU-10, deux Sparrow et deux Sidewinder. Nous porterons des nacelles de LANTIRN sur les deux avions. Wink et moi mènerons. Nous ne nous attendons pas à une offensive de chasseurs. Mais, parfois, on se heurte à ce que l'on n'attendait pas. Les Israéliens ont affronté une forte opposition de chasseurs quand ils sont allés au Liban, il y a quelques semaines, dans une région pas très éloignée de celle où nous allons. C'est ce qu'on nous a dit. Nous verrons. Ne prenez donc rien pour acquis. Toutefois, je ne crois pas qu'ils nous poursuivront, parce qu'il fait nuit. Allons-y.

Skate Wilson était mécontent des mesures prises autour de l'ambassade américaine à Rabat. Depuis l'arrivée de l'équipe « *Snapshot* » (« Instantané »), il avait passé son temps à rechercher le meilleur poste d'observation pour son travail nocturne ; aucun endroit ne le satisfaisait. Ils étaient tous trop proches d'autres bâtiments et s'offraient trop commodément à un tireur ou un terroriste embusqué. Ou même à un tir de mortier, selon une technique adoptée par les terroristes depuis l'attaque de l'IRA sur le 10, Downing Street, avec un engin de ce type, installé dans une camionnette bâchée garée à proximité – astucieux, mais en l'occurrence, inefficace.

Après avoir fait plusieurs fois le tour du bâtiment à la manière d'un chat de gouttière, Wilson avait choisi le moins mauvais poste pour les membres de son groupe et leur équipement. Il venait de camper un lourd trépied ; il sortit d'une valise l'énorme lentille d'une lunette nocturne, qu'il était en train de visser à son support, quand la porte s'ouvrit derrière lui. C'était l'ambassadeur des États-Unis au Maroc en personne.

— Bonjour, dit ce dernier d'un ton affable. Je suppose que c'est vous qui dirigez cette affaire de surveillance ?

— Oui, Monsieur.

— Qu'est-ce que vous cherchez ?

— Tout ce qui sort de l'ordinaire.

— Et ne croyez-vous pas que ces gens se doutent que nous allons les rechercher ?

Wilson ajusta la lunette et vérifia son équilibre sur le trépied ; parfait. La lunette tournait sans effort.

— Probablement, répondit-il.

— Vous croyez que c'est utile, de faire tout ça ?

— Pour moi, oui.

— Pourquoi a-t-on choisi cette ambassade en particulier ?

— Vous voulez dire : pourquoi notre équipe est-elle ici ?

— C'est cela.

— On a envoyé des équipes dans plusieurs ambassades. Mais ici...

Wilson ferma la valise et la rangea pour dégager le passage

— ... c'est probablement à cause des photos.

— Vous voulez parler de celles que les marines ont prises ?

— Celles-là mêmes.

— Il ne me semble pas qu'elles montraient grand-chose.

Wilson n'était pas d'humeur à convaincre son interlocuteur.

— C'est sans doute vrai. Elles ne montraient pas grand-chose.

— Bon, alors tout ça, c'est un exercice, non ?

— En effet, Monsieur.

— Combien de temps croyez-vous qu'il faudra pour mettre la main sur ce cheikh ?

Comme tous les politiciens, l'ambassadeur commençait à taper sur les nerfs de Wilson. Il ne répondit donc pas, estimant que c'était là une attitude assez discourtoise pour décourager le dialogue. Mais l'ambassadeur ne l'interpréta pas ainsi.

— Je crois qu'ils ont focalisé leurs recherches et qu'ils lui lâcheront bientôt quelques grosses bombes sur la tête, si ce n'est déjà fait.

— Ça réglera le problème.

Wilson songea à Ricketts. Aux bombes à guidage laser. Ouais. Une mission facile. Pas de problème, ça serait réglé demain, hein ? Il tira un autre trépied d'un sac de nylon et entreprit d'en écarter les pieds.

— Vous aviez déjà entendu parler de cet homme ? demanda-t-il.

— Non, pas avant qu'il ne commence à tuer des gens, répondit l'ambassadeur.

— Le Vieil Homme de la Montagne existait il y a neuf cents ans. Il y a toujours quelqu'un qui relève son nom.

Il ajusta des jumelles à vision nocturne et regarda l'ambassadeur, qui soudain ressembla à un zombie, avec des pupilles dilatées ; puis, il dirigea son regard vers les voilages de la fenêtre. Les ruelles transversales étaient bien visibles.

— Oui, c'est bien vrai, dit l'ambassadeur après quelques secondes.

Wilson aperçut un homme qui allait vers une porte cochère dans une ruelle près de l'ambassade ; il se défit de ses jumelles, saisit la lunette de nuit et la braqua sur l'homme ; celui-ci avait le visage voilé. Wilson brancha le micro HF, digitalisé et codé, devant sa bouche :

— Suspect à 26/33, case 6. Appelle les policiers locaux.

Un double déclic fit office de réponse. Wilson reprit son observation ; l'homme semblait attendre quelqu'un. Deux officiers de police arrivèrent. Ils marchèrent vers la porte cochère en rasant les murs.

— Combien de temps croyez-vous qu'il… commença à dire l'ambassadeur.

— Un instant, je vous prie, coupa Wilson.

Il observa les policiers s'approcher de la porte, cependant que des klaxons retentissaient en continu, bien qu'il n'y eût pas d'embouteillage dans les parages. Fusils-mitrailleurs en main, les policiers chargèrent la porte cochère. Ils pointèrent leurs armes vers l'homme. Wilson, horrifié, les vit projetés en arrière quand l'homme tira sur eux avec un pistolet automatique à silencieux. Ils tombèrent. Il entendit le choc de leurs armes sur la chaussée. Puis, l'homme s'éloigna tranquillement dans la ruelle.

— Race, tu es là ? transmit aussitôt Wilson.

— *Présent*.

— Prends le téléphone satellite et dis-leur que nous avons un contact et que nos amis savent que nous les cherchons. Dis-leur d'envoyer autant d'équipes Snapshot qu'ils le peuvent. On est passé à une vitesse supérieure.

L'aube se leva, cueillant des pilotes bien fatigués, qui se posaient tous la même question : la guerre venait-elle de commencer ou bien était-elle finie ? La Syrie avait débuté la journée par une crise de fureur causée par l'attaque américaine. Violation de la souveraineté nationale. Mépris des lois internationales. Acte de guerre contre un pays innocent. L'outrage devait cesser.

L'officier des renseignements offrait un briefing imprévu sur le circuit de télévision fermé, montrant les images des dommages causés par les attaques, obtenues de jour par satellite et avions de reconnaissance.

Par intervalles de 90 minutes tout au long de la nuit, des avions avaient décollé de l'*Eisenhower* et du *Washington* pour attaquer au Liban et en Syrie des sites de SAM et d'AAA. Les photos montraient plusieurs batteries de lancement transférées vers les régions des cibles ; elles seraient probablement opérationnelles dans les douze heures.

— Comme vous pouvez le voir, les bombes ont bien atteint les forteresses et les dommages sont évidents, ici… là… et là, et ici encore, sur le côté. Mais il est impossible d'évaluer les dommages internes. Ces collines rocheuses sont très résistantes et les bombes n'ont pas pénétré profondément. Si cet homme se cache dans des souterrains, nous ne l'avons sûrement pas atteint.

Suivit une vidéo : des marines débarquaient d'hélicoptères et déboulaient dans les champs.

— Ceci est la vidéo fournie aux médias aux États-Unis, pour évoquer la suite probable des opérations, selon toutes les sources. Le Président estime que la seule manière de capturer le cheikh est de lancer des troupes sur le terrain et d'aller à sa poursuite. C'est pourquoi les marines s'apprêtent à partir à l'assaut des forteresses dans les prochaines quarante-huit heures. Par ailleurs, l'armée a expédié la 82e division aéroportée à Sigonella, en Sicile, avec ordre de se préparer à un débarquement en Syrie.

Les Jolly Rogers n'en croyaient pas leurs oreilles. Si la Syrie était déjà furibarde à cause du bombardement d'une vieille forteresse dans la montagne, un débarquement la jetterait dans un état d'éruption volcanique. Elle riposterait à coup sûr. Comment, en effet, tolérerait-elle la présence de troupes américaines sur son territoire ?

— Nous continuerons à pilonner les forteresses, mais l'opinion des milieux du renseignement est qu'en fin de compte il sera nécessaire de faire intervenir des troupes terrestres. Comment saurons-nous que nous avons eu raison du cheikh si nous n'allons pas voir sur place ?

— Avons-nous des indications sur ce que le Liban ou la Syrie comptent faire ? demanda une voix.

— Ils nous ont fait savoir sans ambiguïté qu'ils estiment que tout ce que nous faisons viole leur souveraineté et leur intégrité territoriale. L'idée que CNN diffuse des images de marines débarquant chez eux pour courir vers leurs cibles est de nature à les faire réagir sans tarder. Mais je crois que les États-Unis sont fondés à demander à n'importe quel pays s'il a vraiment l'intention de prendre parti pour le cheikh. La question à cent balles est évidemment : où se trouve-t-il ? D'après nos renseignements, il semble que nous ne le sachions pas vraiment. Ses repaires sont vraisemblablement ceux que nous avons retenus, plus celui qui se trouve en Iran et que nous n'avons pas encore attaqué.

Kinkaid, dans son bureau, étudiait les dommages infligés aux forteresses que la marine avait pilonnées toute la nuit. Il n'entendit pas le téléphone STU-III qui sonnait sans cesse. L'un de ses collaborateurs entra vérifier qu'il ne s'était pas assoupi. Tout à coup, Kinkaid s'avisa de sa présence et de la sonnerie. Il décrocha le combiné.

Kinkaid reconnut immédiatement l'accent étranger de son correspondant.

— Éphraïm ! Que me vaut l'honneur…

— Je voulais te parler des événements de la nuit dernière.

Kinkaid s'adossa à son fauteuil, avant de se ressaisir, sachant qu'il aurait besoin de toutes ses facultés pour cette conversation. Il se leva donc, tenant toujours le combiné à l'oreille.

— Toi et moi, nous n'avons jamais raté un lapin, n'est-ce pas ? dit son interlocuteur.

— Une fois seulement. Cypress.

— Je l'avais oublié, celui-là. A-t-il refait surface ?

— Jamais. Je crois qu'ils l'ont tué pour nous laisser croire qu'il était encore vivant.

— C'est aussi bien. À part ça, nous avons eu du succès.

— Oui, c'est bien d'avoir des amis sur lesquels on peut compter, Joseph.

— Le problème avec l'amitié, dans le métier que nous faisons, répondit Kinkaid, est que plus la confiance est grande, plus les risques de trahison le sont.

Éphraïm observa une pause, réfléchissant aux paroles de Kinkaid : c'étaient autant de blocs de glace dans une conversation qu'il avait espérée chaleureuse. Il hésita :

— Y aurait-il quelque chose que tu veuilles me dire ?

— Ça m'est venu à l'esprit de manière insolite. J'aimerais savoir ce qu'il en est. Je voudrais en savoir plus sur cette femme, Irit. Qu'est-ce qu'elle faisait avec ce lieutenant de la marine ?

— Pourquoi ?

— C'est le point de départ de toute l'affaire.

— Point de départ ? Comment ? demanda Éphraïm, intrigué.

— Ce fut le premier attentat du cheikh.

— Non. Il y a d'abord eu Gaza.

— Bon, admettons que c'était le deuxième attentat. Mais ça faisait partie du même plan. Bref, qui était-elle ?

— Une Israélienne.

— Nous le savons. Pour qui travaillait-elle ?

— Je ne suis pas autorisé à te le dire.

— Pourquoi ? Elle devait donc travailler avec le Mossad, ou bien tu me le dirais. Cela prend un autre poids, maintenant. Il ne s'agit plus de conversations entre gens des renseignements. Nous avons déclaré la guerre à cet homme et nous avons attaqué ses places-fortes dans deux pays souverains. Une partie de notre décision repose sur ce que vous nous avez indiqué et, maintenant, tu refuses de me préciser quel a été le point de départ ? Ça me paraît bizarre.

Éphraïm ne répondit pas.

— Que faisait-elle en Italie ?

— Elle était en vacances.

— Vraiment ? demanda Kinkaid d'un ton sceptique.

Il tendit l'oreille pour bien saisir la réponse d'Éphraïm, teintée d'une imperceptible hésitation.

— C'est ce que je crois savoir.

— Je vais être clair, déclara Kinkaid : tentait-elle de séduire un officier de la marine américaine pour obtenir des informations ?

— Bien sûr que non, Joseph. C'est ridicule. Tu vas trop au cinéma.

— Tiens donc. Reparlons un peu de Jonathan Pollard[1].

— Un incident malheureux. Nous n'avions rien à voir avec ça. Je ne l'ai appris que lorsque c'était trop tard. Nous ne faisons pas d'espionnage en Amérique.

— Bien sûr. Alors, comment a-t-elle rencontré ce lieutenant américain ?

— Je ne sais pas grand-chose de cette rencontre.

— Cela se passait dans un train, et c'était soi-disant fortuit. Moi, je ne crois pas aux coïncidences, dit Kinkaid. Et toi ?

— Moi, si. Le refus de croire aux coïncidences est le début de la paranoïa.

— Et ensuite, elle lui a menti sur son identité.

— Bien sûr, puisqu'elle n'était pas libre de révéler ses activités. Et toi ? Est-ce que, lorsque tu vas à un cocktail et qu'on te demande ce que tu fais, tu réponds : « Je suis directeur de la lutte antiterroriste à la CIA » ? Ne sois pas ridicule.

— Tu reconnais donc qu'elle faisait partie des services secrets et que c'est la raison pour laquelle elle ne lui a pas dit la vérité ?

---

1. Allusion à une affaire réelle d'espionnage par un fonctionnaire de la CIA au profit d'Israël, en 1999. *(N.d.T.)*

— Je n'ai rien dit de tel.

— Éphraïm, elle a prétendu qu'elle était italienne !

— Ça faisait partie du jeu. Elle flirtait.

— Le résultat de tout ça est que j'ai un employé de mon service qui est en train de devenir paranoïaque. Sa théorie est qu'elle a été envoyée en Italie, à Naples, qui n'est pas une destination touristique anodine, pour se lier avec un officier de la marine américaine. L'objectif était d'entraîner encore plus les États-Unis dans les péripéties du Moyen-Orient. Il a même une théorie extravagante. Tu veux l'entendre ?

— Bien sûr, répondit Éphraïm, soudain sur ses gardes.

— Elle aurait été envoyée pour séduire Tony Vialli ou un autre comme lui et l'entraîner en Israël. Une fois là, il aurait été assassiné.

— Par qui ?

— Par Israël. L'attaque contre le bus aurait été organisée de telle sorte qu'elle ait l'apparence d'un attentat organisé par le cheikh. Un tel acte de terrorisme ne devait évidemment pas manquer d'exaspérer les États-Unis. Vous espériez donc, selon cette théorie, que nous nous lancerions dans la chasse au cheikh, ce que vous étiez incapables de faire ou que vous vous refusiez à faire. Vous saviez, en effet, que nous devrions effectuer des incursions en territoire étranger, ce qui ne vous était pas possible. Bref, vous nous avez envoyés faire la sale besogne.

— Nous avions peut-être peur ? rétorqua Éphraïm avec un petit rire sec. Permets-moi de te rappeler que jusqu'ici, nous n'avons eu peur d'aller nulle part, Joseph. Nous avons bombardé le réacteur nucléaire de l'Irak, envers et contre l'opinion internationale. Nous avons bombardé les camps de l'OLP en Tunisie en ravitaillant nos F-15 en vol. Nous avons retrouvé le numéro deux de l'OLP et nous l'avons tué à son domicile en Tunisie. Nous avons couru à Entebbe pour libérer un avion plein d'otages juifs. Alors, la théorie que tu viens de m'exposer est ridicule.

— Donc, tu la rejettes ? demanda Kinkaid, gêné d'insister alors qu'il refusait lui-même cette explication.

— Elle est non seulement ridicule, mais encore offensante. Et de plus, impossible.

— Pourquoi?

— Parce que nous ne tuons pas nos propres citoyens. Et parce que le cheikh lui-même a revendiqué l'attaque.

— Je m'attendais à cette réponse. En fait, c'était la question même que je me posais.

— Et quelle est ta propre explication, Joseph?

— Je n'en ai pas. Je ne crois pas que vous puissiez assassiner vos compatriotes, c'est vrai, mais il y a encore des tas de choses dans le monde qui me surprennent. Quant au cheikh, beaucoup de groupes revendiquent des attentats, et l'on peut fabriquer n'importe quel type de document. S'il n'avait pas revendiqué la responsabilité de cet attentat, nous aurions peut-être reçu de votre part des informations réservées nous disant que vous aviez remonté sa piste et qu'il était le responsable. Ce dont je t'aurais évidemment été reconnaissant, sans doute aucun.

— Non seulement nous serions pervers et nous assassinerions des concitoyens innocents, mais nous serions également stupides? Nous porterions nos propres uniformes afin que personne ne pense que nous sommes coupables? Et quand le stratagème échouerait, nous vous mentirions?

— Non, vous porteriez vos propres uniformes pour pouvoir rétorquer: quoi, vous nous croyez stupides?

— Soit. Bon, je crois que nous avons atteint les limites de l'absurdité. Tout cela est simplement faux et c'est offensant. Je ne peux pas croire que toi, parmi tous, aies pu perdre une seule minute de ton temps à considérer un tel ramassis de sottises. Faut-il que j'invoque nos trente années d'amitié?

— Tu rejettes donc cette thèse?

— Intégralement. La rencontre de cette femme avec le lieutenant fut une coïncidence. Je te l'assure. Je ne peux pas expliquer pourquoi elle a prétendu qu'elle était italienne. Peut-être s'est-elle dit que, si elle lui disait qu'elle était juive, elle ne l'intéresserait pas. Qui connaît les voies de l'amour? Mais je t'assure aussi que cela n'a rien à voir avec nous. Son travail ne comportait absolument pas le recrutement d'un Américain pour quelque raison que ce fût. Elle avait une spécialité: elle connaissait l'arabe.

— Et pourquoi allaient-ils donc à Tel Aviv ?

— Elle postulait à un emploi à El Al, comme elle l'avait dit au lieutenant.

— Elle lâchait tout ?

— Elle en avait assez. Depuis l'accident.

— Peut-être ne te dit-on pas la vérité à toi-même.

— Ce n'est pas possible.

Kinkaid posa le combiné sur son épaule et jeta un coup d'œil à son gobelet de plastique plein de café, maintenant froid.

— Vous êtes au courant, pour le missile ? demanda-t-il.

— Celui qu'ont récupéré les Syriens ? Oui. C'était l'un de vos missiles.

— Exactement. La version diffusée par Raytheon était fausse. Ou du moins, partiellement fausse. Ils n'ont pas tout dit. Vous avez entendu les rumeurs ?

— Selon lesquelles les Syriens ont raison ? Bien sûr.

— Si un appareil américain a participé à ce combat, c'était avec votre consentement.

— Ce fut une folie, dit Éphraïm, sans conviction.

— Pas si votre objectif était de nous impliquer dans tout cela. Mon employé paranoïaque pense que c'est exactement ce qui s'est passé. C'était bien le but recherché.

Éphraïm perdait patience.

— Joseph, Joseph, mais tu délires ! Nous n'avons pas besoin de vous pour faire nos sales besognes ! Tout ce dont nous avons besoin est de votre argent et de vos armes. Nous nous battons avec nos poings.

— On ne fait pas complètement confiance au Mossad dans cette ville.

— Ni à la CIA dans celle-ci.

— Quand même, toute cette histoire pourrait bien passer pour un coup monté. Un Américain a été tué chez vous ; vous avez convaincu son camarade de chambrée de participer secrètement à un raid sur le Liban. Vous gagniez sur tous les tableaux. S'il était fait prisonnier, cela démontrait que les États-Unis étaient déjà impliqués dans l'affaire. Et s'il ne l'était pas, vous attiriez les États-Unis plus avant dans votre piège.

— Je crois, Joseph, que nous devrions nous occuper davantage de notre objectif commun, qui est de capturer le cheikh. C'est un défi que nous connaissons bien et sur lequel nous pouvons nous entendre, non ?

— Oui.

— J'ai des informations fraîches, c'est pourquoi je t'ai téléphoné. Je peux, peut-être, te convaincre que notre amitié ne sera pas sabordée par un jeune paranoïaque minant vos services.

— Quelles informations ?

— L'endroit où se trouve le cheikh.

Kinkaid fit la grimace ; il avait été trop agressif avec Éphraïm, et voilà que celui-ci téléphonait pour lui donner l'information la plus précieuse entre toutes. Mais pouvait-il lui faire confiance ?

— Vous la connaissez ? demanda Kinkaid.

— Je pourrai te le dire un peu plus tard dans la journée, si tout se passe comme je le souhaite.

— J'en serais très heureux. Pardonne-moi si je t'ai offensé.

— Il faut parfois se dire la vérité, même entre amis. Cela évite bien des rancœurs. *Shalom.*

32

— Joseph, j'ai l'information, si tu en veux toujours. Je crois qu'elle est fiable.

— Tu connais l'endroit où se trouve le cheikh ?

— Oui, mais je ne peux pas te dire comment j'ai...

— Oh que si, et tu vas le faire. Si tu veux que je la communique à mes collègues et en fin de compte au Président, il faut que tu me dises d'où vient cette information et à quel point elle est fiable.

Éphraïm inspira profondément.

— Tout à l'heure, quand j'ai raccroché, j'étais profondément blessé. Non seulement à l'idée que tu avais pu croire à cette théorie sur les prétendus agissements d'Israël, mais aussi à l'idée que tu semblais te faire de moi. Nous aurions comploté pour contraindre les États-Unis à se battre à nos côtés ? Et pas seulement comploté, mais également assassiné nos concitoyens !

— Nous avons le bras plus long et plus fort que vous, et quand nous nous mettons en colère, nous atteignons nos objectifs, et cela, vous le savez. Mais avant que nous abordions le sujet du cheikh, parle-moi d'Irit.

— J'ai fait interroger tous ceux qui l'ont connue. Leurs récits concordent. Elle était en vacances, en congé personnel. Elle n'avait aucune mission de recrutement d'un Américain, je te l'ai confirmé. J'ai lu par ailleurs tous les rapports sur l'attentat. Il n'y a jamais eu d'Israéliens se faisant passer pour des Assassins en uniformes israéliens pour tromper tout le monde.

Kinkaid aurait bien voulu, à ce moment-là, voir le visage d'Éphraïm. Il avait assez d'expérience pour savoir avec quel talent les gens des renseignements peuvent vous mentir en regardant leurs interlocuteurs dans les yeux.

— Merci d'avoir vérifié, dit-il.

— Ce fut très difficile. Certains voulaient savoir le motif de mes démarches et quand je le leur ai dit, bien sûr, ils furent stupéfaits. Ils ne savaient s'ils devaient en rire ou se mettre en colère. Ils voulaient aussi que je t'interroge sur ton ami paranoïaque. Ne serait-il pas par hasard favorable au cheikh ou à la cause arabe?

Kinkaid éprouva un choc à l'estomac.

— Pourquoi leur serait-il favorable?

— Quel est son nom?

— Je ne peux pas révéler les noms des gens de mon équipe.

— Je suis disposé à te livrer des informations si délicates qu'elles peuvent mettre la vie d'un homme en péril et tu refuses de me dire un nom?

— Je me contenterai de te dire que ton observation a été enregistrée.

— C'est-à-dire?

— Il est arabe.

— D'où vient sa famille?

— De Syrie.

Éphraïm resta silencieux un long moment.

— Sois très prudent, Joseph. Les gens qui te sont proches peuvent être les plus dangereux.

— Je serai prudent.

— Je dois te demander de manière formelle de ne pas lui révéler la source de l'information sur le cheikh que je vais te donner. Tu dois me donner ta parole qu'il ne sera pas au courant.

— Il fait partie de l'équipe spéciale.

— Écarte-le. Ou bien crée un nouveau département. Avec un nouveau mot de code. Et assure-toi qu'il ne figure pas sur la liste d'accès. Tu dois faire ça pour moi.

— Ça pourrait susciter des problèmes pour moi.

Éphraïm observa une pause.

— Dans notre dernière conversation, tu as mentionné Pollard. C'est toi qui y as pensé ou bien c'est lui qui te l'a rappelé?

— Nous deux. Mais dis-moi ce que tu sais.

— Vous avez désigné trois cibles. Vous n'en avez attaqué que deux. Pourquoi pas la troisième ?

— Trop éloignée, trop difficile.

— Vous l'avez raté.

— Il est à Alamout ? demanda Kinkaid, déconcerté.

— Oui.

— Vous êtes sûrs ?

— Tout à fait sûrs.

— Mais sur quelles bases ?

— Il faut d'abord que tu me dises si tu comptes te servir de mon information. Je n'aimerais pas te la donner pour rien. J'ai trop souvent fourni des renseignements précieux que des politiciens ont dilapidés pour leurs propres carrières. Ton pays est-il bien décidé à aller poursuivre le cheikh en Iran ? Sinon, je réserverai cette information pour les miens.

Kinkaid hésita. Une telle information pouvait propulser sa carrière au sommet. Il pourrait un jour partir en retraite en pleine gloire, avec la certitude d'avoir offert à son pays l'information la plus précieuse de la décennie : la localisation exacte de l'homme que recherchait le gouvernement américain. Mais comment pourrait-il garantir que les politiciens et les militaires s'en serviraient à bon escient ?

— Oui, répondit-il. Ils ont le cran qu'il faut. J'en suis certain.

— Pourtant, ils connaissent déjà l'existence d'Alamout et ils n'y sont pas allés. Ils ont peur d'aller en Iran.

— Pas du tout. Je t'ai déjà expliqué pourquoi nous avons commencé par les deux autres.

— Permets-moi de te rappeler que l'un de vos présidents est resté quatre cents jours assis sur son cul pendant que vos diplomates étaient retenus en otages en Iran. Vous aviez peur de l'Iran ?

— Jimmy Carter, répondit Kinkaid avec un petit rire, avait une autre manière de traiter ces problèmes que notre actuel Président. Garrett agira.

— Très bien. Nous avons un homme sur les lieux, à portée de vue d'Alamout. Le cheikh est arrivé hier matin dans la forteresse.

— Nous n'avons relevé aucune trace d'activité humaine depuis lors autour de la forteresse.

— Et vous n'en relèverez pas. Ils connaissent les heures de transit de votre satellite. Ils sont passés maîtres en camouflage.

— Comment connaissent-ils les horaires de passage de notre satellite ?

— La plupart des itinéraires de vos satellites sont sur Internet. Les latitudes et les longitudes en sont indiquées, et même les horaires des satellites visibles.

— Pas tous...

— Oui, mais il y a des gens qui essaient d'en établir aussi les orbites, parce qu'ils estiment que cette surveillance est illicite. Tu sais déjà tout ça. Ton collègue paranoïaque connaît sans doute lui-même les horaires de passage de ces satellites, n'est-ce pas ?

Kinkaid réfléchit : oui, Sami les connaissait. Il avait demandé à les connaître.

— Probablement, répondit-il. Savez-vous dans quelle partie de la forteresse se trouve le cheikh ? Connaissez-vous le plan d'Alamout ?

— Oui. Nous avons un homme là-bas. L'approche de la citadelle est impossible à pied. Dis à ton administration de ne pas envoyer de marines. Ils ne pourraient jamais entrer, parce que l'accès est si étroit qu'on ne peut même pas y faire passer un mulet. De plus, le chemin est surveillé d'en haut par des gardes. Personne n'en sortirait vivant.

— Nous allons donc bombarder.

— Pas si facile. Les bombes ne pourraient causer que des dommages secondaires. C'est la raison pour laquelle nous n'envoyons pas notre aviation.

— Vous disposez des mêmes bombes que nous... Tu veux dire que l'endroit est impossible à bombarder ?

— Exactement. Le repaire du cheikh est une grande chambre ronde dans les profondeurs de la forteresse. À l'intérieur de la montagne. Nous l'estimons à une trentaine de mètres au-dessous de la surface.

— Et comment allons-nous attaquer un repaire encore plus profond que le QG de notre commandement stratégique dans les montagnes du Wyoming ? Nous n'allons quand même pas lancer une bombe atomique sur un seul homme !

— Évidemment.

— Quelle est ton idée ?

— Je n'en ai pas.

— Bien, je laisserai ce problème aux experts, dit Kinkaid. J'aurai fait mon boulot et c'est tout.

— C'est bien ce que j'ai fait moi-même. Mais n'oublie pas ce que je t'ai dit concernant la diffusion de cette information.

— Je t'ai entendu, répondit Kinkaid d'un ton sec. Mais quand je pense que vous avez tué l'un de nos hommes !

— Nous ? Où ça ? demanda Éphraïm stupéfait.

— À Dar el Ahmar. Lorsque vous avez lâché vos bombes sur ce concessionnaire de deux-roues, vous avez tué l'un de nos agents spéciaux au lieu du cheikh.

— Je l'ignorais, dit Éphraïm, interdit. Pourquoi ne m'avais-tu pas dit que vous aviez là-bas un homme à vous ? Nous aurions pu collaborer sur cette mission.

— J'aurais dû le faire, en effet.

— Je suis content de cette conversation, conclut Éphraïm. Nous devrions nous parler davantage. Notre but commun est d'éliminer le cheikh. Je regrette ce qui s'est passé au Liban. Nous n'étions pas au courant.

Après un silence, Éphraïm reprit :

— L'un de vos avions a escorté notre force aérienne durant cette attaque qui a tué votre homme…

Kinkaid se trouva à court de mots.

— Ainsi, c'est vrai ? dit-il dans un souffle.

— C'est vrai, Joseph. Absolument vrai.

— Je ne veux pas le savoir, dit Kinkaid, fermant les yeux.

— Ils l'ont trouvé ? demanda Woods avec enthousiasme.

— La CIA, répondit Bark en hochant la tête, l'œil malin.

— La CIA ? Mais elle ne pourrait pas trouver son propre cul avec les deux mains ! ricana Woods.

— Peut-être qu'on lui a filé un tuyau.

— Bon, et où se trouve-t-il ?

— La forteresse en Iran. Nord-ouest de l'Iran.

— Ils sont sûrs ?

— Ils doivent l'être, parce qu'ils ont annulé l'attaque en Syrie, répondit Bark en lui montrant le message qu'il venait de recevoir et que nul dans l'escadrille n'avait encore vu.

— C'est à quelle distance ?

— Loin. Et nous sommes les seuls qui puissent y aller et en revenir.

Woods lança un regard à Wink ; il lut dans ses yeux la réponse qu'il attendait.

— Nous irons, annonça-t-il précipitamment.

— Tu as beaucoup volé ces temps-ci, dit Bark.

— Nous pouvons y aller. Tu le sais. On ne ratera pas notre coup.

— Façon de parler, dit Bark, en tendant le message à Woods. Le type se tapit à 30 mètres sous terre. On pourrait lui lâcher des bombes toute la journée, ça ne lui ferait pas plus d'effet que ça. Je suis certain qu'on n'enverra pas une mission pour faire beaucoup de bruit et rien d'autre.

— La solution est simple, dit Wink.

Les regards se tournèrent vers lui.

— Un lever de soleil de plus au calendrier, dit-il.

— Une bombe thermonucléaire, expliqua Woods.

— Ça réglerait le problème, insista Wink.

— On trouvera bien un moyen, dit Woods. Commençons toujours par faire le planning, calculer la distance et la quantité de carburant…

— Je n'ai pas encore dit que vous étiez retenus pour cette mission, prévint Bark.

Mais Woods et Wink étaient déjà sur le seuil. Ils s'élancèrent au pas gymnastique vers le bureau du service de renseignements et pénétrèrent immédiatement dans la grande salle centrale. Plusieurs officiers des renseignements examinaient des cartes et consultaient leurs ordinateurs. Pritch y était aussi, étudiant une carte sur le mur.

— Savez-vous qu'ils ont localisé le cheikh ? lança-t-il en lui tendant le message qu'il tenait de Bark.

— Où avez-vous eu ça ? demanda-t-elle après l'avoir lu.

— C'est arrivé il y a quelques minutes.

Elle releva la longitude et la latitude et les chercha sur la carte.

— C'est ici, dit-elle en posant l'index sur une crête montagneuse. En Iran, dans le nord-ouest. C'est la forteresse que nous avions déjà localisée.

Woods et Wink l'encadrèrent, cherchant l'un et l'autre la même chose : la distance qui séparait la forteresse d'Alamout d'un point vraisemblable de lancement. Se servant de son crayon à bille comme d'une mini-règle, Wink la calcula approximativement :

— 450 nautiques, dit-il, évaluant mentalement les profils de vol et les quantités de carburant nécessaires.

— Aller simple, dit Woods.

— Vous savez ce que ça veut dire, intervint Pritch, indiquant le dernier paragraphe du message. Je ne vois pas comment nous pourrions accomplir ça. Le cheikh se cache à 20 ou 30 mètres sous la montagne.

— Nous trouverons bien un moyen, dit Wink.

— Nous n'enverrons jamais de troupes sur le terrain, observa Woods. Jamais.

— Je n'en suis pas si sûr.

— Sommes-nous donc exclus de la mission ? demanda Pritch, déçue.

— Et qu'est-ce qu'on ferait ? On enfoncerait un tuyau dans un trou pour noyer le cheikh ?

— Vous n'êtes pas très encourageants.

— Je vais essayer d'imaginer un moyen, dit Woods.

33

Tous ceux qui étaient présents dans la salle des renseignements tournèrent les yeux vers l'écran de télévision, branché sur CNN. L'ambassadeur de Syrie aux Nations unies se préparait à lire une déclaration.

— Hier, la nuit tombait sur le peuple pacifique de Syrie quand les États-Unis ont lancé une attaque gratuite sur les territoires des États souverains du Liban et de Syrie. Ils ont tué des civils innocents, des femmes et des enfants. La Syrie a riposté avec des missiles sol-air et des AAA et elle a abattu trois appareils américains…

— Ces gens-là sont incapables d'ouvrir le bec sans laisser échapper une connerie ! s'écria Wink.

— De telles attaques ne peuvent continuer, poursuivait l'ambassadeur. Les États-Unis n'ont pas le droit d'attaquer un pays qui n'est pas en guerre. Ils doivent s'attendre à une riposte. Nous ne tolérerons pas l'agression américaine, nous ne tolérerons pas que nos citoyens soient tués de sang-froid. Nous attendons des États-Unis des excuses, des réparations et la promesse de ne plus faire d'intrusion dans notre espace aérien ou sur notre territoire. Les Américains deviennent les brutes du Moyen-Orient, une région où ils n'ont que faire. Ils n'ont été invités par personne, se sont comportés de façon criminelle, ont tué des innocents. Maintenant, nous connaissons leur vrai visage.

Il fit face à la caméra.

— Avant même cette attaque, les Américains ont révélé leur mépris à l'égard de la Syrie et des lois internationales en attaquant les positions syriennes et libanaises, en abattant des avions syriens et en bombardant un village libanais conjointement avec l'armée de l'air israélienne. Et cela parce qu'un officier de la marine américaine se trouvait avec une femme agent des services secrets israéliens quand elle a été tuée. Les Américains le savent. Désormais, le monde entier le sait aussi. L'officier américain se trouvait en Israël pour préparer avec l'agent secret un plan d'attaque de la Syrie et du Liban par la marine américaine. Et c'est bien ce qui s'est produit. Il se peut, d'ailleurs, que les États-Unis coopèrent avec Israël et délèguent des avions dans leurs attaques depuis longtemps. Nous ne nous en doutions pas. Mais il va falloir que nous révisions les rapports des pilotes syriens, afin de vérifier qu'ils n'avaient pas déjà repéré des appareils américains. Nous savons, nous, évidemment, que les Israéliens utilisent du matériel militaire américain. On dit que les Israéliens achètent leurs armements, mais les Américains donnent chaque année trois milliards de dollars à Israël, et c'est bien assez pour acheter tous les armements dont ils ont besoin. Aux États-Unis, évidemment. L'Amérique vend ou donne donc ses armements à Israël, puis elle conspire avec les services secrets israéliens et fait décoller ses avions des porte-avions américains pour aller attaquer les peuples de Syrie et du Liban. Mais quand on la met au pied du mur et qu'on lui demande des explications, elle prétend qu'elle n'y était pas et recommence ses agressions.

Certains journalistes semblaient impatients de poser des questions. Mais l'ambassadeur était lancé ; il entendait bien vider son sac. Et il paraissait convaincu de ce qu'il disait.

— Aujourd'hui, les Américains prétendent qu'un certain cheikh el-Gabal opère à partir de la Syrie. Ils n'en fournissent évidemment pas la moindre preuve. Puis ils prétendent, sans plus de preuves, que ce serait à partir du Liban qu'il agirait. Et sans provocation, ils se servent de ces prétextes pour attaquer les capacités de défense de la Syrie et du Liban. Nous commençons à comprendre : c'est l'occasion que les Américains attendaient depuis si longtemps pour s'imposer en force au Moyen-Orient. Et CNN a montré les marines qui s'apprêtent à débarquer. En fin de compte, il semble que le cheikh ait raison. Les Américains sont les nouveaux Croisés. Je veux ici préciser la position de la Syrie le plus clairement du monde : si un seul Américain met le pied sur le sol de la Syrie ou du Liban, nous riposterons avec force. Si les Américains croient que la guerre a commencé, ils n'ont encore rien vu.

Les journalistes se pressaient pour interroger le diplomate.

— C'est tout, conclut l'ambassadeur. Je ne répondrai à aucune question. Qu'on les pose aux Américains. Qu'on leur demande pourquoi ils attaquent des innocents et quand cela prendra fin.

Il quitta rapidement la tribune et la salle.

— On peut me poser des questions à moi, répondit Woods avec passion. Nous ne nous arrêterons que lorsque le cheikh sera mort. En tout cas, moi, je ne m'arrêterai pas avant.

Le pont principal du *Washington* était comparable à la grand-rue d'un village. On y trouvait le bureau de poste, un barbier, le magasin général, une cafétéria, le mess des chefs de service, les bureaux de l'administration, un bureau d'avocat, la questure – où l'on recevait sa paie –, bref, tout ce dont on pouvait avoir besoin. Woods se rendit au mess des chefs de service. Il se retrouva au milieu d'une foule d'hommes en tenues kaki, âgés pour la plupart de trente à quarante ans. Il appela le chef de l'arsenal, Gunner. Celui-ci se leva comme à regret et le rejoignit à la porte, visiblement mécontent d'avoir été dérangé.

— J'ai besoin de vous parler.

— Oui, Monsieur, dit Gunner, les mains sur les hanches.

Les chefs de service observaient l'entretien avec un intérêt modéré ; ils connaissaient les bonnes dispositions de Woods qui, de leur point de vue, n'était jamais trop autoritaire avec eux ; Woods était de ceux qui laissaient les chefs de service faire leur boulot.

— On va à votre atelier, dit Woods, sur un ton de commandement.

Gunner comprit que quelque chose couvait. Il lança un regard à ses compagnons pour signifier qu'il s'absentait et se dirigea à tribord. Woods et lui montèrent de deux étages, jusqu'au niveau 2. La porte était peinte en jaune et noir aux couleurs de l'escadrille, et agrémentée d'un joli dessin en rouge : une bombe qui semblait tomber sur la porte, une bombe à guidage laser, si l'on détaillait le dessin, assez réaliste, avec les ailettes et le cône de guidage laser.

Deux quartiers-maîtres en chemises rouges défraîchies, coiffés de casques et d'oreillettes, se trouvaient là, l'air fatigué. Ils avaient travaillé toute la nuit à charger les Tomcat pour les attaques. Ils étaient contents des F-14 du VF-103 : les bombes s'étaient détachées de leurs supports sans problèmes et avaient toutes atteint leurs cibles.

Gunner s'assit à son bureau ; en tant qu'adjudant de la division d'ordonnance, il était responsable de toutes les munitions des Jolly Rogers, cartouches de 20 millimètres des mitrailleuses Gatling dans le nez des Tomcat, missiles Sparrow, Sidewinder et Phoenix des combats aériens, et toutes les bombes chargées dans les soutes. Il leva vers Woods un regard chargé de scepticisme.

Woods s'assit en face de lui, sur une chaise de vinyle, alors que les quartiers-maîtres grignotaient des barres de chocolat en étudiant les ordres de chargement pour les lancements de nuit. Le commandant avait, en effet, décidé que tous les lancements se feraient de nuit, afin qu'un idiot armé d'un AK-47 n'aille pas tirer sur les avions.

— On n'arrive pas à avoir ces types, dit Woods.

— Ceux du cheikh ?

— Oui.

— Les bombes ne font pas le travail ? demanda Gunner.

— Même pas de près...

— Ça ne m'étonne pas. Il vous faut une cible plus précise. On peut probablement faire sauter sa forteresse, mais pas toute la montagne où il s'est enterré. J'aurais bien voulu savoir où se trouve son QG.

— Nous le savons.

Les quartiers-maîtres avaient entendu ; ils tournèrent la tête vers Woods, intéressés.

— J'ai reçu le message ce matin. On sait où il se terre : dans cette forteresse en Iran.

— Bon.

— Vous avez vu les photos des dommages, non ? Des bombes de 1 000 kilos ne peuvent que changer de gros rochers en petits cailloux. Nous ne pénétrons pas au-delà de 3 ou 6 mètres, c'est tout.

Gunner haussa les épaules.

— Je me demande ce qu'on espérait. Ces bombes ne peuvent évidemment pas pénétrer le granit. Même pas la terre. En tout cas, pas très profondément.

— Oui. Mais c'est encore pire : il se cache à 20 ou 30 mètres de profondeur dans cette forteresse en Iran, Alamout...

— On ne peut donc pas l'atteindre avec ce que nous avons, répondit Gunner, dont la bouche s'étira dans un pli pessimiste.

— C'est pour ça que je suis venu vous voir.

— Mais je viens de vous dire que...

— Je crois que j'ai une solution, dit Woods, dont les yeux brillaient dans la lumière diffuse. Il nous faut une paire de GBU-28.

Gunner s'adossa et regarda au plafond, se remémorant la bombe en question.

— Elle a été conçue pour un autre de nos potes, Saddam Hussein. Elle est fabriquée avec un canon d'obusier de 203 millimètres rempli d'une vraie merveille d'explosif. Je n'en ai jamais vu, mais j'aimerais bien.

— C'est ce qu'il nous faut.

Gunner sourit, découvrant ses dents inégales.

— Oui, ça devrait aller. Mais qui les transportera ?

— Moi.

Gunner flaira une autre embrouille.

— Et comment ? Le F-14 n'a jamais été certifié pour ce type d'armes.

— Ne pourrions-nous pas obtenir un certificat ? demanda Woods en se penchant vers le chef des armements.

— L'armée de l'air a acheté cent cinquante de ces bombes en 1995 ou 1996. Je crois que deux F-111 en avaient déjà lâché une paire lors de l'opération Tempête du Désert et qu'ils ont réduit les bunkers de Saddam en poussière – mais il ne s'y trouvait pas. Après quoi l'armée de l'air a convaincu quelqu'un qu'elle avait besoin d'un plein hangar de bombes comme celles-là. Ouais, on pourrait sans doute en obtenir une paire.

— Où se trouvent-elles ?

— À Eglin, je crois. Je vais vérifier. Mais personne ne nous autorisera à les lâcher si les tests n'ont pas été faits.

— Ils ont été faits. Lorsque j'étais instructeur à Topgun, il a été procédé à des essais en vol au-dessus de la rivière Pax. Je volais comme observateur avec le gars qui les a faits.

Mais Gunner ne se laissait pas impressionner.

— Elles ne figurent pas dans le supplément confidentiel.

C'était le gros manuel jaune qui contenait les informations sur les armements du F-14, la bible des divers systèmes d'armes du F-14.

— L'armée de l'air avait annoncé que ce serait l'une de ses armes. Ils ne voulaient même pas que nous fassions les essais en vol. Ils racontaient que la marine n'avait pas besoin de s'encombrer du GBU-28. Mais il a passé les tests. Croyez-moi, dit Woods, guettant la réaction de Gunner.

Celui-ci pesait le pour et le contre. Woods ne supposait pas une seconde que Gunner pouvait douter de sa parole. Ni que lui, Woods, n'avait pu perdre de sa crédibilité à cause de son obstination à vouloir démolir le cheikh.

— Je connais le gars qui dirige le magasin d'armements à Eglin, dit Gunner. Vous savez ce que ça veut dire ?

— Quoi ?

— Les gens de l'armée de l'air, déjà, sont vexés. Ils ont le sentiment qu'on les a tenus à l'écart de l'action. Une guerre aérienne est en cours et ils n'en sont pas les vedettes. Ils ne l'acceptent pas. Ils paient plus de chargés de relations publiques que nous n'avons de marins. Et s'il y a de l'action, ils veulent être sous les feux de la rampe, vous ne l'ignorez pas...

— Exact.

— Bon, si j'appelle ce type pour lui dire que nous avons besoin d'une paire de 28 pour expédition immédiate au porte-avions, ce qu'ils vont en déduire est que la marine prépare une frappe chirurgicale. Ils savent que nous sommes aux trousses du cheikh et ils vont également en déduire que nous l'avons localisé, ce qu'ils savent peut-être déjà. Ils vont alors charger un, deux ou cinquante GBU-28 sur un B-2 et l'expédier aux antipodes grâce à cinquante ravitaillements en vol, tout en prétendant que ce n'est qu'une mission de routine de l'armée de l'air. C'est comme ça que ça va se passer !

— Et comment fait-on, alors ?

Gunner coiffa la casquette des Jolly Rogers et se l'enfonça jusqu'aux sourcils pour se donner un air déterminé.

— On programme la mission, on l'exécute, et s'il y a un pépin, eh bien tant pis ! se moqua-t-il.

— Vous allez m'aider ?

Gunner jeta un coup d'œil aux deux quartiers-maîtres et dit à haute voix :

— Vous nous laissez causer une minute, les gars ?

Ils posèrent leurs papiers sur le comptoir, sortirent et refermèrent la porte derrière eux. Gunner, Bailey de son vrai nom, fixa Woods du regard.

— Vous m'avez déjà demandé de vous aider une fois et j'ai fait quelque chose que je n'aurais jamais dû faire. J'ai falsifié des papiers de missiles. Ce qui n'était pas commode. Les dossiers sont tenus par l'officier d'ordonnance. Il n'était pas content. Surtout quand le commandant a senti le vent du boulet parce que nous affrontions le foutu plus grand incident international qu'aucun de nous n'ait jamais vu…

— Écoutez, Gunner, laissez-moi…

— Vous, laissez-moi finir. J'ai fait ça parce que je pensais que le lieutenant Vialli avait connu une fin ignoble. J'étais prêt à vous aider. Mais je n'aime pas ce coup-ci. J'aime la marine. C'est ma vie. C'est plus que ma famille. Et je ne veux pas que quelqu'un bousille ma carrière pour ses raisons personnelles. Je vous ai aidé une fois. Mais je ne vais pas me foutre dans un autre merdier. Si c'est encore l'une de vos combines, je n'en suis pas.

Woods était stupéfait.

— Gunner, je sais ce que vous avez fait et je vous en remercie. C'était risqué et nous nous en sommes tirés. Mais ceci n'est pas une combine. C'est totalement licite. Si nous pouvons obtenir quelques-unes de ces bombes, nous enverrons une requête d'urgence. Et tout ça, de la façon la plus officielle, avec l'approbation du commandant.

Gunner fouilla le regard de Woods, guettant le moindre signe d'insincérité.

— Je vais voir ce que je peux faire. Je vais faire immédiatement des recherches sur le Web.

Le ton de sa voix avait changé.

— Il faut que vous montiez au créneau et que vous teniez l'armée de l'air hors de tout ça. C'est *notre* combat. Si vous avez de l'influence, servez-vous-en maintenant.

Woods pensa immédiatement à Jaime Rodriguez.

Devant les caméras, le Président Garrett montrait un visage au moins aussi grave que celui de l'ambassadeur de Syrie aux Nations unies un peu plus tôt.

— Je n'ai pas l'habitude de faire des commentaires sur les propos de diplomates étrangers, mais je ne peux pas laisser passer ceux de l'ambassadeur de Syrie aux Nations unies. Celui-ci nous a accusés de conspiration et d'intentions ténébreuses. Je ne le laisserai pas calomnier notre pays. Nous sommes en guerre contre un homme et ses acolytes, ces Assassins bien nommés, qui se sont donné pour mission de tuer des Américains. Plus déterminant encore, cet homme a déclaré la guerre aux États-Unis. À la différence de ce que nous avons fait dans le passé, nous avons décidé de relever ce défi. C'était une décision sage et nous nous y tiendrons jusqu'au bout. S'il fallait en croire l'ambassadeur syrien aux Nations unies, nous ne devions pas riposter au terrorisme par une déclaration de guerre et, de plus, son pays aurait le droit de protéger les terroristes et de rester impuni. Même si leur chef nous a déclaré la guerre. Or, l'ambassadeur commet une grave erreur et, en dépit de la protection syrienne, nous poursuivrons le cheikh el-Gabal partout dans le monde et avec tous les moyens dont nous disposons. L'ambassadeur prétend ignorer que le cheikh el-Gabal opérait depuis son pays. L'allégation est d'une extrême insincérité, car ce cheikh est le chef actuel de la secte des ismaélites, active en Syrie depuis des siècles. Affirmer aujourd'hui que le groupe des Assassins est inconnu en Syrie est ridicule. L'ambassadeur sait également que le gouvernement syrien n'a rien fait pour empêcher le cheikh el-Gabal d'opérer depuis son territoire. Par ailleurs, il est scandaleux de prétendre qu'un officier de la marine américaine aurait comploté avec un agent des services secrets israéliens pour organiser une opération conjointe. Le lieutenant Tony Vialli avait simplement été séduit par une jolie femme et il était allé lui rendre visite en Israël. Cela est établi et le lieutenant aurait sans doute été aussi surpris que moi d'apprendre que cette femme était un agent secret. Comme en témoignent d'autres officiers du navire, elle lui avait assuré qu'elle était institutrice et qu'elle se rendait à Tel Aviv pour postuler à un emploi à la compagnie aérienne El Al. Cette compagnie l'a confirmé. La Syrie prétend toujours que des chasseurs du porte-avions *George Washington* de la marine américaine auraient escorté l'armée de l'air israélienne dans une incursion au Liban. C'est faux. Et le missile que les Syriens en donnent pour preuve a été vendu à Israël il y a plusieurs années. Les Syriens le savent aussi.

Garrett s'interrompit et fixa la caméra d'un regard brûlant.

— Ce qui compte ici est que des terroristes basés en Syrie continueront à assassiner des Américains si nous ne faisons rien. Le cheikh el-Gabal a établi les enjeux en attaquant. Nous relevons le défi. Si cela implique que nous devions envoyer des troupes en Syrie, au Liban ou ailleurs, nous le ferons. Si des pays s'inquiètent de voir des troupes américaines débarquer chez eux, ils n'ont qu'à expulser le cheikh el-Gabal. C'est aussi simple que ça.

Et Garrett conclut d'un ton glacé :

— Si la Syrie est mécontente, tant pis. L'objet de cette guerre n'est pas de lui faire plaisir : il est de rétablir la justice.

Woods se trouvait à court de temps. Pis, il ne savait comment exécuter son projet. Il lui fallait convaincre son commandant d'escadrille, puis le commandant de la force aérienne, puis l'amiral, puis encore le chef des opérations navales à la conférence des chefs d'état-major que ce serait un F-14 du *Washington* qui devrait porter le coup fatal au cheikh. Et il lui fallait d'abord savoir si c'était possible. Il n'était pas sûr que Gunner obtiendrait sa bombe. Dans le cas où il l'aurait, il faudrait en plus se montrer à la hauteur de la tâche. Et atteindre la cible exactement au cœur.

Outre la difficulté de pénétrer en Iran et de parvenir jusqu'à Alamout, il en était une autre qui obsédait Woods : comment désigner préalablement la cible au laser ? Il savait que Wink allait se montrer efficace et qu'à eux deux, ils pulvériseraient l'objectif que le laser indiquerait. Encore fallait-il savoir où se trouvait exactement la cible. Or, le message que Bark lui avait communiqué impliquait certains faits ; en particulier, si l'on avait pu établir que le cheikh se trouvait à Alamout, ce ne pouvait être que d'une seule manière : grâce à un agent sur les lieux. Au sol.

Woods se rendit au centre de renseignements et trouva Pritch, de nouveau absorbée dans l'examen de ses cartes.

— Comment savons-nous qu'il est là-bas ? demanda-t-il tout à trac.

Elle lui répondit par un sourire.

— Bonjour, lieutenant, je me porte bien, merci.

— Comment le savons-nous ?

— Je ne peux pas vous le dire.

— Pourquoi ?

— C'est classifié.

— J'ai l'autorisation.

— Non, vous ne l'avez pas.

— J'ai l'autorisation depuis que je me suis engagé dans la marine.

— Comme tous les autres officiers, Monsieur.

— J'avais l'autorisation supérieure à Topgun.

— Ça ne sert à rien, Trey. Ici, il faut le mot de code SCI.

SCI pour *Special Compartmentalized Information* : les autorisations ordinaires ne suffisaient pas ; il fallait encore prouver qu'on avait besoin d'obtenir cette information spécifique, et ce n'était que lorsqu'on avait été approuvé qu'on obtenait le mot de code.

— Nous avons quelqu'un sur le terrain ? Un charmeur de serpents ? demanda-t-il d'une voix plus basse.

— Même si c'était le cas, je ne pourrais pas vous le dire.

La frustration stimula Woods.

— Comment diable irai-je en mission en Iran si on me refuse la source de nos informations ? Comment pourrai-je leur faire confiance ?

— Vous êtes censé me faire confiance à moi. Et pourquoi le fait d'ignorer la source de l'information mettrait-il votre vie en danger ?

— Parce que je vais poursuivre le cheikh, seul ou avec une petite équipe. Si je ne connais pas la valeur de votre information, je pourrais prendre des risques inutiles. Peut-être qu'il n'est pas là-bas ?

— Il y est, répondit-elle, consciente de l'exaspération de son interlocuteur.

— Et pourquoi me refuser la source de l'information ?

— Parce qu'elle pourrait vous coûter la vie, en cas de capture.

Woods hésita. Lui et tous les aviateurs de la marine avaient suivi les cours d'entraînement SERE, acronyme de *Survival, Evasion, Resistance and Escape*; on y enseignait comment se comporter en tant que prisonnier de guerre et résister à l'extorsion d'informations, sans jamais oublier que, lorsqu'on affrontait des tortionnaires expérimentés, ils finissaient toujours par obtenir l'information.

— Il faut quand même que je sache. C'est indispensable pour ma mission.

— Pourquoi ?

Une catapulte au-dessus d'eux propulsa un avion et tout le navire vibra, mais ils n'y firent pas attention.

— La meilleure manière d'atteindre cette cible serait d'avoir quelqu'un au sol l'indiquant avec un laser manuel. Autrement, nos risques d'erreur seront très élevés. En infrarouge, la cible ne sera qu'un point parmi bien d'autres.

Il scruta le visage de Pritch, guettant une réponse.

— Vous voulez quelqu'un au sol pour diriger le laser sur la cible ?

— Exactement.

— Je vais demander.

— À qui ?

— À ceux auxquels je dois le demander.

— Parlez clair, bon sang ! Est-ce que c'est faisable ?

— Je ne sais pas. Je vais le demander.

— Comment ?

— Par un message sur canal réservé.

— Un de ces messages « top secret » que je n'ai pas le droit de voir...

Il était découragé par la résistance qu'elle lui opposait à chaque pas.

— Je vais voir, Trey, dit-elle. Faites-moi confiance, pour une fois.

34

Kinkaid guettait la sonnerie de son téléphone STU-III. Il attendait la réponse d'Éphraïm à son appel. Les autres membres
de son équipe travaillaient furieusement. Les derniers attentats
avaient fouetté leur ardeur, déjà frénétique. Le sentiment de se
battre pour la bonne cause décuplait leur énergie. Mais leurs
recherches n'avançaient guère. L'équipe Snapshot n'avait relevé
aucune autre activité douteuse près des ambassades. Kinkaid n'en
était d'ailleurs pas surpris ; les risques d'attaque directe d'une
ambassade étaient faibles et les individus aperçus près de celle de
Rabat espionnaient plutôt les diplomates pour les identifier.

La sonnerie retentit exactement à l'heure dite. Kinkaid lança
un coup d'œil aux membres de l'équipe, tous à l'écoute du
haut-parleur qu'il avait fait brancher sur son poste ; en effet, il
voulait qu'ils entendent cette conversation cruciale.

— Bonjour, Éphraïm. Comment se présente la situation ?

— Nous sommes contents que les États-Unis attaquent notre
ennemi commun. Vous avez déjà éprouvé cette satisfaction
quand Israël attaquait vos propres ennemis.

L'expression de Sami refléta sa désapprobation ; tout en parlant, Kinkaid garda le regard rivé sur lui.

— Parfois, cependant, ce n'étaient pas nos ennemis directs.

— Oh si. Vous ignorez à quel point nos intérêts sont liés.

— J'ai autre chose à discuter avec toi aujourd'hui. Tu as le
temps ?

— J'ai toujours le temps pour toi, mon ami.

— Votre homme sur le terrain.

— Je ne sais pas de quoi tu parles.

— À Alamout.

Éphraïm hésita.

— C'est un sujet très délicat. Je regrette de l'avoir abordé auparavant.

— Je t'ai dit que nous allions agir. Tu ne m'as pas cru.

— Vous allez vraiment attaquer ? demanda Éphraïm sur un ton de surprise.

— Oui.

— Quel est votre plan ?

— On m'a prié de te poser une question.

— Cette discussion devrait s'effectuer à un échelon plus élevé, il me semble.

— Les échelons plus élevés m'ont prié de te poser la question à toi directement.

— Bien, quelle est-elle ?

— La personne en question a-t-elle la possibilité de désigner la cible avec un laser ?

— Vous en demandez trop. Si je vous comprends bien, nous travaillerions donc pour vous ! Pour votre guerre.

— Exactement. Tu m'as prié de ne pas te poser de questions sur des pilotes américains qui ont agi pour votre compte. Il est peut-être temps de nous retourner cette faveur.

— Si cela s'est bien produit… c'était peut-être bien une faveur que de les laisser se joindre à nous. Nous n'avions pas besoin de l'aide des États-Unis, ni de celle d'un lieutenant pressé de venger un collègue qui faisait la cour à une femme. Ne nous insultez pas.

Kinkaid n'avait pas prévu la repartie d'Éphraïm. Il se trouva sans argument et ne répliqua donc pas. La ligne bourdonnait. Les membres de l'équipe de Kinkaid regardaient le haut-parleur devant eux. À la fin, Éphraïm reprit la conversation :

— C'est peut-être faisable.

— Vous vous en chargeriez ?

— Ah. Je crains que la réponse ne dépasse mon domaine. Il me faut poser la question à d'autres. De toute façon, cela ne pourrait se faire qu'une seule fois, à supposer que ce soit possible.

— Je pensais qu'il était bien caché.

— Nul n'est impossible à découvrir.

— Éphraïm, j'ai besoin d'une réponse immédiate. Nos avions peuvent effectuer cette mission tout seuls, mais la précision requise se trouverait considérablement améliorée par la présence de quelqu'un au sol. Si vous ne pouvez pas le faire, dis-le-moi. Nous parachuterons quelqu'un.

— Je vous le déconseille de la façon la plus pressante. Cela pourrait compromettre votre mission et la nôtre.

— La marine peut être présente sur le terrain en vingt-quatre heures...

— Oui. Votre DEVGROUP, je suppose. Ne faites pas ça.

Kinkaid adressa un sourire à ses collaborateurs.

— Alors, fais en sorte que nous n'y soyons pas contraints.

— Nous verrons.

— J'ai besoin d'avoir ta réponse dans moins d'une heure. Si vous n'êtes pas disposés à nous aider, nous enverrons nos hommes immédiatement, bien que cela ne soit pas la solution idéale. Ils ne savent pas ce qu'il y a à l'intérieur de cette montagne. Maintenant, si tu veux bien nous en donner le diagramme...

— Je te communiquerai notre réponse dès que possible.

— Merci, Éphraïm.

— Je n'ai pas dit que j'allais t'aider. Tu commences à me faire regretter ce que je t'ai dit.

— Mais ensuite, tu ne le regretteras plus.

— Je te rappellerai. Et assure-toi que ton jeune paranoïaque ne sait rien de tout cela. Cela pourrait finir entre de mauvaises mains.

Kinkaid lança un regard à Sami, qui écoutait d'un air soucieux.

— J'attends que tu me rappelles.

La ligne devint muette. Kinkaid raccrocha et regarda les agents regroupés dans la pièce. Cunningham prit la parole :

— Ils ont une dette envers nous : Ricketts.

— Ils se la rappelleront plus tard, répondit Kinkaid, hochant la tête.

— N'empêche que nous faisons toujours leur sale boulot, dit Sami.

— Comment ? demanda Kinkaid, exaspéré.

— Peut-être que leur souhait est que nous allions, nous, chasser le cheikh en Iran parce qu'ils ne le peuvent pas. Ils étaient au courant de son existence, et peut-être depuis des années. Ils n'ont pas réussi à l'attraper, en dépit de leur envie. Ils ont tenté de le faire au Liban et ils ont de nouveau raté leur coup. Et au lieu d'aller l'attaquer dans ses forteresses, ils nous ont jeté le bébé dans les bras.

Sami tripota le bloc-notes devant lui.

— Et leur répugnance à nous laisser utiliser leur agent au sol pour indiquer la cible au laser, je n'y crois pas. Ils le feront. Garanti. C'était leur projet depuis le début. Si nous les appelions à l'aide, ils seraient là pour le grand final. Je crois que leur agent au sol n'est là-bas que dans cette perspective. Vous verrez, conclut Sami.

Il se leva, s'adossa au mur et mit les mains dans les poches. Tout le monde l'écoutait.

— Ils savaient qu'ils ne pourraient pas atteindre la caverne de ce type, reprit-il. Ils n'ont pas de GBU-28. Mais nous, nous les avons.

— Les quoi?

— GBU-28.

Ils se regardèrent les uns les autres, interloqués.

— Qu'est-ce que c'est? demanda Cunningham.

— Une bombe qui pénètre jusqu'à 30 mètres. On l'a conçue contre Saddam Hussein. Nous en avons lâché deux durant la première guerre du Golfe.

— Comment savez-vous ça?

— Je lis le *Jane's Defence Weekly*, ce que vous devriez faire.

— Et ils ne pouvaient pas demander une paire de ces bombes? rispota Cunningham d'un ton sarcastique. À nous, qui leur donnons trois misérables milliards de dollars par an?

— Ils auraient pu les demander. Et nous les leur aurions vendus. Mais ils auraient alors dû aller en Iran. Cependant, ils voulaient que ce soit nous qui y allions, parce que nous, nous pouvions tenir l'Iran en respect s'il y avait du grabuge. Alors qu'eux ne le pouvaient pas. Tout ça colle parfaitement avec leur stratégie.

Le silence régna dans la salle. Kinkaid voyait bien, à l'expression de ses auditeurs, que Sami gagnait des adeptes.

— Je crois que vous lisez trop de romans, dit-il d'un ton badin.

— Si vous croyez qu'Israël se gênerait pour se servir de nous ou de n'importe qui, vous êtes dans l'erreur, répondit

Sami. N'oubliez pas l'incident du *Liberty*. Non seulement ils se servent de nous, mais ils nous tueraient aussi bien s'ils le jugeaient nécessaire.

— L'affaire du *Liberty* était un accident, déclara Kinkaid.

Cunningham et les autres éclatèrent de rire. Kinkaid fut confondu.

— C'est la thèse officielle de notre gouvernement, dit-il.

Sami n'en croyait pas ses oreilles.

— Pourquoi faut-il toujours leur offrir le bénéfice du doute? demanda-t-il, irrité, balayant du regard le reste de l'équipe. Pourquoi devons-nous les croire, eux, et tout ce que dit Éphraïm, et pas l'ambassadeur de Syrie aux Nations unies?

— Par expérience.

— Expérience? Israël nous a poignardés dans le dos plusieurs fois. Il nous a espionnés et dupés, nous a menti, s'est servi de nous. Merde! Et ce type du Mossad, j'ai oublié son nom, qui prétendait avoir un agent en Syrie et qui nous a fait payer ce type imaginaire pendant vingt ans. Puis il a raconté que la Syrie allait déclarer la guerre à Israël et, lorsqu'on a vérifié ses dires, on s'est aperçu que tout était inventé. C'était un employé du Mossad.

— Ils ont été nos alliés au Moyen-Orient… rétorqua Kinkaid.

— Vous êtes trop lié à Éphraïm, rétorqua Sami. Vous n'êtes plus objectif.

Les autres membres de l'équipe étaient stupéfaits.

— Prenez garde, dit Kinkaid. Nous sommes tous fatigués et nous nous laissons aller à dire des choses que…

— Fatigués? Je ne suis pas fatigué, objecta Sami, en tout pas assez fatigué pour ne plus voir clair dans le jeu d'Israël. Ils ne travaillent que pour eux et n'ont jamais fait que ça. Si nous les gênons, ils ne mettront pas de gants.

Kinkaid se rappela les avertissements d'Éphraïm à propos de Sami.

— Peut-être avez-vous un préjugé…

— C'est l'objection classique, non? Je porte un nom arabe, donc j'ai un préjugé. Et direz-vous alors que tous les juifs de la CIA ont un préjugé en faveur d'Israël?

— C'est ridicule…

— Et pourtant vous m'accusez.

— Je vous accuse à cause de ce que vous dites et de votre comportement. Vous devenez irrationnel.

— Jonathan Pollard, un juif américain, est en prison parce qu'il a fait de l'espionnage en Amérique pour le compte d'Israël, non?

— Oui, mais...

— Je ne l'ai pas inventé. Il a été payé par Israël pour voler des secrets de ce pays.

— Ils ont exprimé des regrets.

— Parce qu'ils avaient été découverts!

— C'était un cas exceptionnel. Je pense que ce contentieux a été réglé.

L'attitude de Sami exprima le découragement.

— Non, ils évoquent son nom chaque fois qu'ils en ont l'occasion. C'est leur héros. Et il n'est pas le seul, ajouta-t-il en se dirigeant vers la porte.

Il attendit une réaction de Kinkaid; ce fut à peine une ébauche de grimace.

— Et vous le savez, conclut-il.

— Trop de romans, répéta Kinkaid.

— Non, je ne lis pas de romans, répliqua Sami d'une voix tendue. Mais j'ai lu les rapports sur l'espionnage du Mossad aux États-Unis. J'ai lu ce qu'on a écrit sur leur pénétration dans les plus hautes sphères du gouvernement américain par l'entremise de Mega.

Il s'interrompit quand il vit l'expression d'horreur sur le visage de Kinkaid.

— Vous êtes au courant de Mega? souffla Kinkaid dans le silence quasiment palpable de la salle. Comment?

— En lisant des livres que j'ai achetés chez Barnes & Noble[1]. Y a-t-il un fonds de vérité?

— Il y a eu des rumeurs.

— C'est une litote! Il existe un gros dossier sur l'enquête menée conjointement par le FBI et notre agence pour identifier

---

1. Célèbre chaîne de librairies américaine. *(N.d.T.)*

Mega. Mais l'enquête a été menée par des idiots. Les traductions de nombreux documents hébreux sont erronées...

— Voici donc que vous parlez l'hébreu ? dit Kinkaid avec un petit sourire.

— Bien sûr, l'hébreu ancien et moderne. J'ai étudié tous les langages sémitiques. Si vous aviez lu mon CV, vous le sauriez.

L'obstination hargneuse de Sami énerva Kinkaid. L'équipe risquait d'être démoralisée.

— Ce n'est plus qu'une vieille histoire. On n'a jamais trouvé Mega. On n'est même pas sûr qu'il ait existé.

— L'enquête a été suspendue ! s'écria Sami, se dirigeant vers Kinkaid d'un air agressif. Parce que juste au moment où l'on approchait d'une conclusion, on a diffusé des informations sur les rendez-vous d'un certain Président avec une certaine stagiaire de la Maison Blanche. Et l'on a appris que le Mossad possédait des enregistrements de leurs entretiens. Soudain, l'ordre a été donné d'interrompre l'enquête sur Mega.

— Mais c'est idiot ! Où avez-vous été chercher ça ?

— Vous n'avez donc pas lu le rapport Starr ? Monica Lewinsky a témoigné que le Président Clinton lui avait confié qu'une « ambassade étrangère » enregistrait leurs conversations téléphoniques. Merde alors, Joe ! À qui croyez-vous donc qu'elle faisait allusion ?

— Qu'est-ce que vous êtes en train de suggérer ?

— Qu'il y a quelqu'un aux plus hauts échelons du gouvernement américain qui place les intérêts d'Israël au-dessus des nôtres. Dois-je vous réciter la liste des juifs qui ont occupé de hautes fonctions au gouvernement depuis huit ans ?

Un froid tomba dans l'assistance. Sami avait franchi la ligne jaune et tout le monde en était conscient.

— Nous y voilà, dit Kinkaid.

— Non, je ne suis pas antisémite. Mais si vous cherchiez quelqu'un qui porte de la sympathie à Israël, ne croyez-vous pas que ce serait parmi les juifs que vous le trouveriez le plus sûrement ? Vous n'avez jamais entendu parler de leur réseau international Sayan ? Ce sont des juifs citoyens de divers pays qui ne refusent jamais un « coup de main » au Mossad quand il le leur demande. Et à propos, qui est ce « jeune

351

paranoïaque » dont parlait Éphraïm? On m'aurait refusé des informations, à moi qui fais partie de cette équipe, parce que je suis arabe?

— Il s'inquiétait...

— Et vous avez fait ce qu'il a demandé, vous avez soupçonné l'un de vos propres équipiers? cria Sami.

— J'ai diffusé notre conversation sur haut-parleur et je lui ai dit ce que vous avez tous entendu, riposta Kinkaid, essayant de maîtriser sa colère.

Il savait qu'il avait laissé Sami outrepasser les bornes dans les circonstances les moins indiquées. Il avait géré la situation de façon épouvantable et, maintenant, elle devenait mortifère.

— Je ne vous ai rien dissimulé. Vous déraillez et vous voyez des problèmes là où il n'y en a pas. Je veux que leur agent au sol indique la cible au laser pour nos pilotes. Et ce, en vous disant exactement ce que je fais, à vous et à tous ceux qui sont ici. Vous feriez donc bien de vous occuper de ce que vous faites et de remiser ces histoires de complots et d'espionnage. Nous avons du travail, compris?

— Compris. Mais Mega est toujours au gouvernement. Et toute cette affaire pourrait bien avoir été organisée par Israël.

— Et nous y revoilà ! Ils auraient donc assassiné leurs propres concitoyens pour nous tendre un piège?

— Quelles sources vous indiquent qui étaient vraiment les autres personnes dans ce bus, Joe? On ne peut même pas voir le visage de la femme sur les photos prises à l'intérieur. Ni sa main. Vous avez remarqué ça? Nous n'avons aucune idée de sa véritable identité.

Kinkaid respira un bon coup. Plusieurs de ses employés le considéraient d'un œil entièrement différent. Sami avait écorné son image.

— Assez de spéculations. Nous savons avec certitude l'endroit où se trouve le cheikh. Nous avons besoin de la marine pour l'atteindre. Tout le monde est d'accord sur ce point?

Ils hochèrent la tête.

— Alors, laissez tomber ces hypothèses subversives fondées sur des théories ridicules, ordonna-t-il, dardant un regard noir vers Sami. Si quelqu'un a un problème avec moi ou la façon dont nous faisons notre travail, qu'il vienne s'en expliquer en tête à tête.

Et il quitta la pièce. Ses collaborateurs se regardèrent sans mot dire.

— C'est vrai, cette histoire de Mega? demanda Cunningham.

Sami hocha la tête.

— Et qui pensez-vous que c'est?

Sami ne savait comment répondre. Son regard dériva vers la porte que Kinkaid venait de claquer et il murmura :

— Rien ne nous dit que Mega ne se trouve pas à l'intérieur même de cette agence.

Bark fit irruption dans la salle de réunion. Les cadets qui s'y trouvaient prièrent le ciel qu'il ne fût pas à leur recherche.

— Trey! cria-t-il, cherchant Woods du regard.

Celui-ci, à l'autre bout de la salle, rédigeait le programme des vols du lendemain. Bark alla vers lui d'un pas martial, scandé par les fers de ses bottes, sans attendre d'être devant lui pour lui lancer :

— Qu'est-ce que tu fabriques?

Woods, interloqué, se demanda quelle bourde il avait bien pu commettre.

— Tu as demandé à Gunner de soumettre une commande d'armes en urgence?

— Non, Monsieur, il s'est proposé pour se mettre en rapport avec Eglin. Il a dit qu'il connaissait le gars chargé de l'ordonnance de l'armée de l'air.

— Et merde, Trey! Tu dois soumettre tes requêtes par les canaux officiels! T'as fait ça après m'en avoir parlé. Tu continues à me faire passer pour un crétin devant le commandant! Je finirai par m'attirer un rapport dans le genre : « Modérément compétent. Incapable de contrôler les lunatiques de son escadrille »! J'apprends cette histoire de bombe de la bouche du commandant! Tu imagines l'effet que ça peut me faire?

— Eh bien…

— J'ai l'air d'un petit con qui passe son temps à prier qu'on veuille bien l'excuser. Et je n'aime pas ça, Trey! Je ne veux plus qu'il se produise quoi que ce soit qui me contraigne à demander pardon ! Depuis quelque temps, il semble que je ne fasse que ça, à cause de toi. Tu veux bien m'expliquer tout ça avant que je ne te foute au trou ?

Woods se sentit las d'être houspillé parce qu'il essayait de faire son travail.

— Nous butons contre un mur, capitaine. Tu as vu les photos des dommages. Nous ne faisons rien que pulvériser des rochers...

— C'est ce que nous allons continuer à faire jusqu'à ce qu'on nous donne l'ordre d'arrêter...

— Oui, capitaine, mais j'avais une idée.

— La 28 ?

— Oui, capitaine. Pourquoi pas ? Elle a été conçue pour ce genre de boulot.

— Peut-être. Mais pour qui te prends-tu, bon Dieu, lorsque tu contactes l'armée de l'air ? Qu'est-ce que tu as dans la tête ?

— Gunner devait se mettre en rapport avec un ami à Eglin. De manière officieuse. Par le Web. Il devait d'abord vérifier que ces bombes étaient disponibles et qu'on pouvait les expédier ici.

Woods commençait à respirer de façon plus calme, mais la présence d'un Bark debout devant lui, les mains sur les hanches, ne le rassurait pas.

— Si j'étais allé te le proposer, la première chose que tu aurais faite, ç'aurait été de t'assurer que c'était faisable et combien de temps il faudrait pour expédier les bombes ici. Je voulais voir d'abord si l'idée était viable, pour ne pas t'importuner inutilement. Je n'avais pas du tout l'intention de...

— Ce ne sont pas tes idées de « génie » qui me mettent dans la panade, c'est ton peu de considération pour la voie hiérarchique. Tu considères les officiers supérieurs comme des poids morts. Tu...

— Non, Monsieur...

— Laisse-moi parler ! Tu tiens les officiers supérieurs pour des fonctionnaires. Ils font leur travail, mais ils ne sont pas courageux ou malins comme toi. Tu ne te sers de la voie hiérarchique que lorsque tu demandes une faveur, mais tu l'évites pour que tes supérieurs ne filtrent pas tes brillantes idées et ne te disent qu'elles ne valent pas un clou. Parce qu'il y en a aussi qui ne valent pas un clou. Nous avons tous des idées plus ou moins idiotes, Trey. Alors, cesse de te comporter comme si tu étais le Grand Manitou. C'est à cause de ça que tu n'as pas de promotion. Tu comprends ce que je dis?

— Oui.

Woods n'ajouta pas « capitaine »; c'était sa façon de protester.

— Tu veux que je dise à Gunner de laisser tomber? demanda-t-il.

Bark s'assit près de Woods. Il répugnait à admettre que la nouvelle idée de son subordonné pouvait avoir du mérite, alors qu'il le savait; ça l'aurait contrarié à mort et, par-dessus le marché, il aurait dû se la faire expliquer. Il n'avait cependant pas le choix.

— Quelle est la situation?

— Gunner est censé obtenir une réponse dans une heure. Par le Web. Il réussira son coup.

— Et qui pensais-tu qui transporterait cette foutue bombe?

— Moi. Nous.

— Nous ne sommes pas certifiés.

— Les tests ont été faits par Ted Stenner. J'ai vu les résultats. Tu connais Stenner? Il est maintenant au RAG[1].

— Bien sûr, il est diplômé de TPS[2].

— Il dit que la bombe est lourde et exige un maniement particulier, mais que pour l'avion, la traînée, la consommation de carburant et les performances sont les mêmes qu'avec les bombes de 1 000 kilos. Je lui ai adressé un e-mail ce matin pour être sûr que je ne me faisais pas d'idées. Il avait conservé les spécifications sur son ordinateur et il me les a adressées par retour du courrier.

Woods ouvrit lentement son tiroir.

— Tu veux les voir?

Il tendit le rapport à Bark, qui le parcourut et le lui rendit.

---

1. Le *Replacement Air Group*, où l'on apprend aux pilotes et aux OIR à piloter des Tomcat. *(N.d.T.)*
2. La *Test Pilot School*, l'une des institutions les plus respectées de la marine. *(N.d.T.)*

— Quand les tests ont-ils eu lieu ?

— Il y a cinq ans.

— Rien depuis ?

— Non, les tests n'étaient même pas subventionnés.

— Des tests ont-ils été menés avec des F-18 ?

— Non. Jamais.

— Donc, si quelqu'un y va, ce sera nous.

— Oui, Monsieur. Et j'ai établi le plan de vol.

— Merde, Trey, tu remets ça… !

— Non, c'est juste pour voir si c'est faisable. Pour voir si nous pouvons arriver là-bas.

— Arriver où ?

— À Alamout. 450 nautiques aller.

— Et puis quoi ? La lâcher sur une montagne ?

— Non, la lâcher exactement là où elle doit aller.

— Et comment ?

— Notre LANTIRN pourrait nous y aider. Mais la meilleure façon, c'est d'avoir quelqu'un sur le terrain.

— Je parie que tu as un plan.

Woods baissa la voix.

— Je pense qu'il y a déjà quelqu'un sur le terrain.

— Où as-tu trouvé ça ?

— En lisant entre les lignes du message que nous avons reçu et en épiant les réactions de Pritch quand je l'interrogeais…

— Bon…

— La seule manière de savoir que le cheikh est bel et bien là est de l'y apercevoir en chair et en os. Ce n'est pas un satellite qui pourrait nous le dire.

Woods se rapprocha de Bark.

— Il y a quelqu'un qui le surveille. Ou bien c'est l'un des nôtres, ou bien c'est un agent d'un pays ami. De toute façon, cette personne a probablement la possibilité de nous indiquer la cible avec un laser.

— Oserais-je te prier de me dire, déclara Bark d'un ton suprêmement agacé, ce que ta caboche a mijoté ?

— J'ai demandé à Pritch de poser la question à ses supérieurs, pour vérifier ce que je pense.

— Nom de nom, Trey ! On ne traite pas comme ça avec les services secrets. Ils n'aimeront pas même le simple fait qu'on leur pose la question de savoir s'ils ont un homme sur le terrain. Ils ne veulent pas que cela se sache.

— C'est ce qu'elle a répondu ; mais j'ai pensé que ce serait l'occasion rêvée de savoir si les services secrets servent à quelque chose.

— Et demain, on rase gratis.

Woods hocha la tête ; il devinait que son capitaine commençait à mollir ; il se rangeait de nouveau à ses côtés. Un officier les interrompit :

— Capitaine, le commandant Chase vous demande au téléphone.

Chase était l'officier chargé des opérations d'attaque, du choix des cibles et des attaques finales, ainsi que de l'ATO, le bureau qui décidait où et quand les avions devaient partir. Bark se leva et se tourna vers Woods :

— Y aurait-il autre chose dont je doive être informé ?

— J'ai été voir Chase pour l'interroger sur la faisabilité d'une mission d'attaque de deux avions dans les plans de vol de la nuit de demain.

— Demain ? demanda Bark, stupéfait.

Il s'arrêta et commanda à Woods :

— Ne fais rien, ne parle à personne de tout ça avant de m'en parler à moi.

Il parut réfléchir à quelque chose, puis reprit :

— Je veux que toi et Big, vous vous prépariez à y aller. Et si le projet prend forme, je veux voir le planning final en premier. Et je veux que ce soit Wink qui établisse le planning. Lui au moins, il ne truquera pas les chiffres de consommation de carburant.

Woods le regarda s'éloigner. Bark était passé de la colère à l'approbation ; il venait de confier à Woods la mission la plus importante que l'escadrille se soit vu confier. Sans aucune explication. Mais Woods accepta le cadeau sans rechigner.

35

Des ordinateurs portables à côté de chandelles : l'image était paradoxale, mais familière aux Assassins. Ils savaient depuis belle lurette que pour leur chef, celui qui se faisait appeler le Vieux de la Montagne, l'avenir de l'islam résidait dans l'alliance de la tradition historique et de la technologie moderne. Ils avaient appris à vivre comme des Bédouins dans le désert et comme des Arabes cosmopolites dans les villes. Et à prendre ailleurs les apparences les plus anonymes. Ils étaient capables d'emprunter les formes les plus diverses, et c'était ce qui les rendait redoutables.

Le cheikh était assis dans son siège préféré, à sa table de travail, à la lumière des chandelles qui dansait sur la pierre grossière des parois. Il parcourut du regard ses lieutenants assemblés devant lui ; il s'apprêtait à s'adresser à eux collectivement, circonstance rare et solennelle. Il se leva et arpenta le tapis usé derrière son siège, se caressa la barbe.

— Les Américains, commença-t-il, continuent à bombarder la Syrie et le Liban. Ils ne savent pas ce qu'ils font.

Farouk, son lieutenant émérite, considéré comme son dauphin, usa du privilège qu'il avait de pouvoir poser des questions :

— Crois-tu qu'ils sachent que nous sommes ici ?

— Ils essaient de photographier la montagne avec leurs satellites, mais les satellites ne peuvent pas distinguer un burnous noir d'un autre. Ils savent que quelques-uns d'entre nous sont ou étaient ici quand la dernière photo a été prise, mais ils ne savent pas que je suis ici. Parce que c'est après moi qu'ils en ont. Et nous sommes en Iran, un pays qui protège jalousement l'islam. Les Iraniens ne partagent pas nos idées et ils préféreraient que nous nous tenions tranquilles. Mais s'il le faut, ils nous défendront, et les Américains l'apprendront à leurs dépens s'ils se risquent ici.

En dépit de l'intention évidente du cheikh de parler sans être interrompu, Farouk le coupa :

— Il est inévitable qu'ils viennent. Ils passeraient pour timorés s'ils ne nous attaquaient pas, sachant que nous sommes ici. Ils nous ont déclaré la guerre…

— C'est possible. Mais leurs bombes seront aussi inefficaces qu'en Syrie et au Liban. Allah a créé des forteresses capables de résister à toutes les bombes. Ces montagnes sont solides.

Farouk connaissait déjà la réponse à sa question suivante, mais elle lui brûlait les lèvres :

— Veux-tu que nous poursuivions notre plan ?

— Oui, il est temps de passer à la phase suivante. Le monde sait maintenant qui nous sommes et ce que nous voulons. Nous avons contraint le pays le plus puissant à déclarer la guerre à un seul homme. Ils tremblent pour la vie de leurs fonctionnaires. Nous avons réussi au-delà de toute espérance, et aucun des nôtres n'a même été blessé.

Ses lieutenants étaient satisfaits ; oui, ils voulaient aller de l'avant. Ils avaient craint que leur chef reculât devant l'intervention américaine, mais ils comprenaient que tout s'était déroulé selon son plan. Ils étaient enivrés par la stature désormais internationale de leur secte.

— Il faut évidemment nous attendre à ce que des troupes américaines débarquent sur le terrain, reprit le cheikh.

Deux lieutenants échangèrent des regards ; ils avaient prévu ce débarquement dans leur plan initial, mais le cheikh en avait rejeté l'éventualité, et même avec mépris.

— Leur armée de terre ? Des paras ? demanda l'un d'eux.

— Possible, mais douteux. Plutôt des forces spéciales. Demeurez vigilants.

— On les attend.

— Ne sous-estimez pas l'ennemi. On méprise les Américains parce qu'ils sourient tout le temps et que leur culture est corrompue, mais il ne faut pas prendre leur puissance militaire à la légère.

— Allah nous protégera, dit Farouk.

— Allah est toujours avec nous. Pourtant, cela ne nous concède pas l'immortalité sur terre. Il n'a pas dit que nous ne serions pas tués. Nous devons donc être prêts en permanence à aller au Paradis.

— Ce serait un honneur que de mourir pour notre cause, déclara Farouk avec gravité.

— Ce n'est pas un honneur qu'il faut rechercher, mais accepter avec gratitude quand sonne l'heure.

Le cheikh se tourna vers un autre homme :

— Salim, la radio est prête ?

— Je viens de le vérifier il y a une heure.

Le cheikh hocha la tête. Ses hommes avaient mis la main sur un téléphone haute technologie dont les conversations étaient pratiquement impossibles à détecter ; inventé par un Palestinien et mis à l'étude en Israël, l'appareil fonctionnait sur l'énergie d'un laser, ce qui permettait d'en varier l'amplitude à l'infini ; le cheikh en possédait quatre exemplaires. Salim et lui gravirent l'escalier en colimaçon, frôlant de leurs manteaux noirs les parois de roche. Ils parvinrent enfin dans le haut de la forteresse. La lumière filtrant par les meurtrières éclairait leurs pas. Ils montèrent encore plus haut, au sommet d'Alamout. Cinq ou six Assassins veillaient près du téléphone.

— Les satellites ? demanda le cheikh.

— Nous avons une fenêtre d'une heure.

Le cheikh décrocha le combiné : sauf si l'on interceptait le rayon laser même, il serait impossible de capter la communication, et encore faudrait-il posséder le logarithme exact pour la déchiffrer. L'un des hommes dirigea le rayon laser vers un relais à quinze kilomètres de là, lequel le retransmit vers un autre relais, et ainsi de suite. Lorsque le signal atteignit sa destination finale, il fut renvoyé au frère du cheikh selon le même code qu'à son émission. Seuls trois hommes connaissaient le code, Salim, et les deux frères du cheikh. Sitôt après la conversation, l'un des frères se rendrait en ville pour s'entretenir plus en détail avec le correspondant.

Le cheikh commença à parler, par phrases courtes et rapides.

Six aviateurs en combinaisons vertes de Nomex ininflammable, bien droits dans leurs bottes de vol noires, se tenaient autour d'une table carrée au centre de renseignements du *Washington*, tout à la fois concentrés et excités. Ils examinaient une carte d'un mètre de côté représentant la région qui allait de la mer Noire à l'Iran occidental et aux frontières de l'Iran avec la Syrie et la Turquie. Pritch se tenait derrière les six Jolly Rogers. D'autres aviateurs vinrent se joindre à eux, détaillant les dernières informations sur les batteries de SAM et les missions à venir. Bark dirigeait la séance.

— Si nous allons en Iran, dit-il, le plan doit être nickel.

Il considéra les batteries de SAM, représentées par des cercles rouges, et les batteries d'AAA, représentées par de gros points de même couleur.

— Woods et Wink ont établi le plan de vol, reprit-il. Je le crois bon. Ce sont les meilleurs concepteurs de l'escadrille. Je veux que vous essayiez de le mettre à l'épreuve. Posez toutes les questions qui vous passent par la tête, pour l'améliorer.

— Aurons-nous les 28 à temps ? demanda Blankenship, dit « la Machine ».

— Ils sont en route dans des C-18, répondit Wink. Gunner s'est vraiment bien démerdé. On croirait que quelqu'un à Washington leur a secoué les puces. À moins que Gunner ne possède des documents compromettants sur l'armée de l'air ! Ils se sont dépêchés de nous en envoyer deux. On les attend vers 22 heures.

— Gunner nous a également appris qu'Eglin envoie cinq autres bombes à la base de B-2 de l'armée de l'air, ajouta Bark. Si nous ne transformons pas ce cheikh en fumée, les états-majors vont charger leurs Supermen de larguer les bombes. Les as de l'armée de l'air régleront vraiment le problème quand les petits rigolos de la marine auront fini de faire joujou, dit-il d'un ton sarcastique. Mais cependant, jusqu'ici, il doit réellement y avoir quelqu'un à Washington qui leur a donné l'ordre de nous laisser agir les premiers.

Il darda son regard sur Woods.

— Tu as envoyé d'autres e-mails aujourd'hui ? À Washington, peut-être ?

Woods prit une expression de benêt, comme s'il ne savait rien.

— Parce que l'armée de l'air, poursuivit Bark, ne nous laisse jamais agir les premiers, sauf contrainte et forcée.

— Au fait, observa Wink, c'est pourtant bien eux qui ont expédié une bombe à guidage laser sur l'ambassade de Chine à Belgrade… Et toute une flopée de spécialistes avait organisé la frappe.

— Trey, dit Bark, expose le plan.

— Oui, capitaine. L'un des points cruciaux de la mission est de prendre l'Iran par surprise. Nous suggérons donc de lancer une attaque qui fasse diversion. Mais sur l'une de ces sorties, deux Tomcat prendront la tangente et fileront vers l'est.

Il indiqua le point où les Tomcat se détacheraient.

— De cette façon, nous éviterons les SAM à la sortie et au retour. Là, nous lâcherons les deux bombes et nous sortirons par le nord et l'est, conclut-il en suivant de l'index le tracé au crayon des itinéraires.

— Et les charges ? demanda l'officier de la maintenance.

— Chaque Tomcat emportera une GBU-28. Environ 2,5 tonnes. Nous limiterons l'armement à deux Sidewinder, soit encore 200 kilos. Nous emporterons des réservoirs supplémentaires. À l'aller, nous referons le plein aussi loin à l'est que possible et répéterons l'opération lors du retour. Nous aurons juste le temps de lâcher les bombes et de repartir à basse altitude. La marge d'erreur est limitée.

L'officier de la maintenance se gratta la tête.

— Ça ne vous laisse donc aucune possibilité de voler en post-combustion ?

— Exact.

— Votre escorte ?

— Nous voulons réduire au minimum la signature radar. Quatre ou cinq avions courent un beaucoup plus grand risque d'être repérés.

— Il faut quand même prévoir le risque de rencontrer des pilotes de bon niveau.

— Vous croyez que nous allons rencontrer des Iraniens ? demanda Woods, sur un ton qui sous-entendait une réponse négative. Il faudrait alors qu'ils soient informés de notre irruption, ou qu'ils soient bien rapides à décoller. Leur base de chasseurs la plus proche est à Ispahan, et c'est à 300 nautiques. Ils devraient ensuite nous retrouver, puis nous intercepter pendant que nous volerons à 200 pieds au-dessus du désert. Et tout ça, de nuit. Je préfère prendre ces risques-là plutôt que de partir à quatre.

— Je comprends. Nous allons y réfléchir.

— De plus, il y a l'itinéraire. Nous prendrons de l'altitude pour le lâcher final, à environ un demi-nautique l'un de l'autre. Si tout va bien, nous aurons quelqu'un au sol pour nous indiquer la cible au laser.

Il se tourna vers Pritch.

— On a des nouvelles à ce sujet ?

Elle secoua la tête ; elle se sentait extrêmement mal à l'aise, et même mécontente que Woods eût mentionné cela.

— Quelqu'un trouve-t-il d'autres points faibles ? demanda Bark à la ronde.

— Le carburant, dit Blankenship. Comment pouvez-vous partir pour une mission telle que celle-ci sans possibilité de passer en post-combustion ? C'est trop serré.

— Il faut que nous entrions et sortions sans être détectés.

— La seule alternative serait de leur envoyer un avion-citerne à mi-chemin, suggéra quelqu'un.

— Pas question, répliqua Bark. On les descendrait comme des canards.

— Exactement, dit Woods. C'est pour ça que nous avons abouti à ce plan. Il s'imposait de lui-même.

— D'autres questions ?

— Qui sera au sol ?

— Nous ne parlerons pas de ça, coupa Pritch.

— Dites-moi au moins si vous avez confiance dans ce contact au sol.

— Nous n'en savons absolument rien, Monsieur.

— Ça ne me rend pas fou d'enthousiasme. Voler sur un million de nautiques dans la nuit avec des appareils de vision nocturne dans l'espoir que quelqu'un finira le travail pour nous ? Dans quelle mesure ce plan est-il basé sur ce contact au sol ? Parce que si je devais, moi, risquer ma peau sur sa présence, j'y réfléchirais à deux fois.

— Et même si ce contact n'était pas là, intervint Bark, le génie de la LANTIRN – il indiqua Wink – ne suffirait-il pas à faire avaler la bombe à ce cheikh?

Les regards se portèrent sur Wink, le seul à pouvoir répondre à la question avec autorité ; il réfléchit un long moment, sachant que la mission dépendrait de sa réponse.

— Nous atteindrons notre cible, finit-il par déclarer. Je peux vous le garantir. Le problème est de savoir où se trouve la salle de réunion du cheikh. Sans cela, nos chances de succès sont réduites.

Les attitudes se raidirent imperceptiblement : le commandant de la force aérienne venait d'entrer dans la salle.

— Bonjour, commandant, dit Bark.

— Alors? dit le commandant, dont le regard alla des pilotes à la carte.

— Nous programmons l'attaque, répondit Bark, sur la défensive. D'urgence.

— Je vois, dit le commandant, fixant Woods des yeux.

Woods chercha quelque chose d'intelligent à ajouter, mais il retint sa langue. Le commandant n'attendait d'ailleurs pas de commentaire.

— Je suis étonné, reprit le gradé, que Washington ait souscrit si vite à ce plan. Ils nous expédient des GBU-28 sur un préavis d'un jour pour les faire lâcher par des équipages qui n'en ont aucune expérience? C'est incroyable. Qui connaissez-vous donc à Washington? demanda-t-il, reportant de nouveau son regard sur Woods. Ce n'est vraiment pas une mauvaise idée, reprit-il, à l'adresse de Bark cette fois, considérant la carte. C'est ce qui différencie l'aviation de marine de toutes les autres, n'est-ce pas? Flexibilité, adaptabilité. Mieux que l'armée de l'air. Nous, quand la situation évolue, nous changeons nos plans, déclara-t-il, revendiquant le projet avec l'espoir évident qu'il réussirait. C'est risqué. Mais dans la vie, il faut savoir prendre des risques.

— Je ne saurais mieux dire, dit Woods avec un sourire. Que pensez-vous de l'itinéraire?

— Quelle distance? s'enquit le commandant en examinant le tracé au crayon.

— 450 nautiques aller.

— À basse altitude?

— Pour la plus grande partie. Dès la fin de l'attaque de diversion.

— Attaque de diversion ?

— Oui, Monsieur, une attaque régulière sur la forteresse en Syrie. Nous nous en séparerons pour filer vers l'est.

— Lunettes de vision nocturne ?

— Oui, Monsieur. Une fois que nous serons descendus à basse altitude, nous les porterons tout le temps.

— Ce sera fichtrement long.

— Oui, Monsieur.

— Combien de temps au maximum les avez-vous portées, jusqu'ici ?

— Deux heures d'affilée.

Le commandant n'avait aucune envie de participer à la mission.

— Ces fichues lunettes me donnent la migraine. C'est comme si on regardait à travers une paille. Ça réduit beaucoup trop le champ de vision. Gardez le planning. Bark, je veux que vous m'en montriez la version finale. Personne ne part sans ma signature.

— Oui, Monsieur, répondit Bark, tandis que le commandant quittait la salle.

— Sami, dans mon bureau !

Sami sursauta dans son cubicule. Il était conscient d'en avoir trop dit, alors que ce n'était même pas la moitié de ce qu'il avait sur le cœur. De toute façon, si Kinkaid le licenciait, il s'en fichait, parce qu'il ne voulait pas jouer dans cette mascarade où l'Amérique était le pantin des militaires israéliens. Il entra dans le bureau de Kinkaid et claqua la porte si fort qu'ils sursautèrent tous les deux.

— Monsieur…

— Taisez-vous, dit Kinkaid. Vous avez dépassé les bornes.

— Je n'ai dit que ce que je pense.

— Et vous croyez que c'est une raison ?

— C'est mon devoir de fonctionnaire.

— Votre devoir est de faire ce qu'on vous dit ! Qu'avez-vous à fouiller dans de vieux dossiers pour bâtir des théories de complots ? Pour qui vous prenez-vous ?

— Je ne bâtis rien, je dégage la logique des faits.

— Vous ne savez même pas de quoi vous parlez ! J'étais déjà dans ce métier avant votre naissance. Et vous, vous allez haranguer une équipe que j'ai constituée, vous insultez l'Agence, vous m'insultez, vous laissez entendre qu'il y a des espions dans la maison, et je suis censé supporter tout ça parce que vous l'avez inventé ?

— Je ne présenterais pas les choses comme ça…

— J'imagine ! Je devrais mettre fin à votre présence ici à cause de ce numéro. Et vous n'auriez aucun avenir à Washington, comptez sur moi.

Kinkaid scruta le visage figé de Sami et demanda :

— Pourquoi êtes-vous si soupçonneux à l'égard des Israéliens ?

— On ne peut pas leur faire confiance.

— Sami, ils font des choses que vous n'imagineriez pas. L'arbre vous cache la forêt. Pendant la guerre du Golfe, ils ont envoyé des hommes seuls dans le désert pour repérer des sites de Scud pour notre compte. Ces gars ont bouffé du lézard pendant des jours pour savoir d'où provenaient les lancements.

— Pour notre compte ? releva Sami avec un sourire. Ces Scud étaient lancés sur Jérusalem ! Ils feignent de croire qu'ils nous ont fait une grande faveur en nous laissant mener cette guerre pour leur compte. Nous les avons suppliés de rester tranquilles pendant que nous nous battions, et notre gouvernement leur a adressé des félicitations parce qu'ils n'avaient rien fait. Foutaises !

— Ils nous fournissent des renseignements dont vous n'avez aucune idée.

— Lesquels ?

— Vous n'avez pas l'autorisation…

— Bien sûr. Dites-moi alors quelles sont ces fameuses informations qu'ils nous ont données et que je suis autorisé à connaître.

— Ils nous ont remis des systèmes entiers de SAM qu'ils avaient capturés. Ce qui nous a valu un grand avantage. De toute façon, déclara Kinkaid en agitant les mains, je n'ai pas besoin de les défendre. Ils nous ont aidés, croyez-moi.

— À l'occasion de l'un de ces échanges officieux entre cet Éphraïm et vous ?

— Parfois. Et parfois par des canaux plus officiels.

— Et Pollard ?

— Cessez de mentionner Pollard à tout bout de champ, Sami, j'en ai marre.

— Savez-vous combien de documents il a volés pour Israël ?

— Bien sûr. Je n'ai pas le chiffre exact en tête. C'était il y a un certain temps.

— Cinq cent mille pages de documents secrets. Et vous savez comment il a découvert que les Israéliens s'intéressaient à lui ? Au cours d'une soirée à New York. Une grande soirée en l'honneur des pilotes qui avaient bombardé la centrale nucléaire irakienne. Et voilà Pollard qui établit des contacts et qui commence à filer aux Israéliens des documents « secret » et même « top secret ». Savez-vous ce qu'ils en ont fait ?

— Ils les ont lus.

— Ensuite, ils ont voulu se rendre agréables à l'Union soviétique, pour qu'elle laisse plus de juifs émigrer en Israël. Ils ont donc donné les documents au KGB.

— Cela n'a jamais été prouvé...

— Et vous appelez ça des amis ?

— Les renseignements sont souvent un sale boulot.

— Comme l'incident du *Liberty*...

— Sami !

— Ah oui, c'est vrai. Il ne faut pas se référer à l'histoire. Ça n'a pas d'importance, Joe. Nous allons attaquer une vieille forteresse en nous basant sur mon analyse historique d'événements qui remontent à neuf siècles, dit Sami, accompagnant ses mots d'un sourire ironique. Et vous ne voulez pas prendre en considération des événements qui remontent à trente ans ?

Kinkaid jeta un coup d'œil à son téléphone, comme s'il attendait un appel.

— L'affaire du *Liberty* était une erreur. Nous en avons déjà discuté.

— Et leur programme nucléaire ? Comment Israël a-t-il obtenu de l'uranium ?

Kinkaid ne répondit pas. Sami fit peser sur lui un regard insistant.

— Alors, vous savez. Un riche citoyen juif de Pennsylvanie a prétendu que cent kilos d'uranium avaient été « perdus » dans son usine après la visite d'Israéliens. Ce même citoyen avait donné à Israël des millions de dollars. Et ils ont démenti cela, pouvez-vous le croire ?

— Où voulez-vous en venir ?

— Lorsque leurs intérêts sont en jeu, ils nous trahissent avant même que vous n'ayez le temps de vous retourner.

— Mais pourquoi est-ce si important pour vous ?

Sami s'adossa à la porte et, après un temps de silence, il demanda :

— On y revient, hein ? Le « jeune paranoïaque » ?

— Votre nom est Haddad. Vous êtes apparenté à Ali Haddad ? Le chef du groupe le plus radical de l'OLP ?

— C'est quoi, cette question ? C'est incroyable que vous me la posiez ! J'ai passé toute ma vie ici à étudier le terrorisme arabe. Et maintenant, vous m'accusez d'y appartenir ?

— Je ne vous accuse de rien du tout. Je vous montre combien votre raisonnement peut dérailler alors que vous vous croyez logique. Cela remonte à Henry Kissinger.

— Quel rapport ?

Kinkaid soupira et ferma les yeux.

— L'Amérique a fait un pacte avec le Diable. Le Prince Rouge. Le plus dangereux terroriste de l'OLP.

— Ali Hassan Salama, précisa Sami. Également connu sous le nom d'Abou Hassan. Il avait épousé la Miss Monde libanaise, Georgina Rizk.

— Informations précises, félicitations. Il voulait attaquer les États-Unis. Sur les instructions d'Henry Kissinger, nous avons pris contact avec lui.

— Nous, nous avons pris contact avec lui ? répéta Sami, stupéfait. Mais c'était lui qui avait organisé l'attentat contre les Jeux olympiques de 1972 !

— N'importe. Nous avons conclu un accord. Nous avons promis de ne pas le poursuivre s'il ne s'attaquait pas aux citoyens et aux biens américains. Il a accepté et non seulement cela, mais encore il est devenu l'une de nos meilleures sources de renseignements. Pas sur l'OLP, mais sur tout le reste.

Sami en avait le vertige.

— Nous savions souvent où il se trouvait, reprit Kinkaid, mais nous ne l'avons jamais dit au Mossad. Il était pourtant le numéro un sur leur liste des hommes à abattre. Cela a duré jusqu'en 1976, date à laquelle ils l'ont eu, mais sans notre aide.

Sami tentait de rassembler ses esprits. Sa tête bouillonnait.

— Et c'est à Munich que vous avez rencontré Éphraïm, lorsqu'il chassait le Prince Rouge ?

— Oui, dit Kinkaid, devinant les pensées de Sami. Pendant ce temps, Salama venait dans ces bâtiments mêmes. Il empruntait l'ascenseur comme vous et allait prendre le café chez le directeur.

— Impossible ! Et c'était pendant qu'Éphraïm lui faisait la chasse et essayait de le tuer ?

— Ouais.

— Et vous ne le lui avez jamais dit ?

— Non. Mais maintenant, il le sait. Henry Kissinger l'a révélé dans ses mémoires.

— Et peut-être que maintenant, il est temps de payer votre dette.

— Je ne crois pas, répondit Kinkaid. Je voulais simplement que vous sachiez que je sais ce que je fais. J'en sais autant que vous sur Israël, et même bien plus. Et j'en sais plus que vous sur ce que nous avons fait et ce que nous n'avons pas fait.

Sami se détendit.

— Vraiment un sale boulot que celui des renseignements.

— Pas toujours. Parfois c'est merveilleux. Parfois c'est moche.

— Je ne veux pas que nos pilotes tombent dans un piège.

— Moi non plus. Vous devez savoir que je prends tout ça en ligne de compte. C'est une affaire de jugement. Votre travail est maintenant de savoir si le cheikh a un autre repaire où il pourrait se réfugier avant notre attaque. Il nous faut prévoir le coup suivant.

— Certainement, dit Sami. Je ne crois pas qu'il ait un autre repaire, mais j'y penserai.

Il allait prendre congé, puis s'arrêta.

— Je vous ai peut-être mal jugé ; je le regrette.

— Il y a autre chose que vous devez savoir. Pollard n'a pas été recruté par le Mossad.

— Correct. C'était par le LAKAS ou quelque chose comme ça.

— LAKAM, corrigea Kinkaid. *Lichka le Kishrei Mada*, du nom hébreu du bureau de liaison des Affaires scientifiques du ministère israélien de la Défense.

— Et vous croyez vraiment que le Mossad n'y était pour rien ?

— En fait, non. Mais vous rappelez-vous que, lorsque nous les avons interrogés sur Pollard, ils ont protesté que le Mossad ne faisait pas d'espionnage aux États-Unis ?

— Ouais.

— Ils en font.

— Eux ?

— Oui. Plus précisément, *Al*, le mot hébreu pour « En haut ». C'est un groupe secret au sein du Mossad même, inconnu de la grande majorité des gens qui y travaillent. Ils opèrent partout. Ils sont très actifs.

— Vous plaisantez ?

— Non.

— Pourquoi me dites-vous cela ?

— Parce que vous avez raison. On ne peut pas les croire. Et notre objectif n'est pas de les croire, mais de faire en sorte que leurs intérêts coïncident avec les nôtres. De la sorte, quand ils agissent dans leur intérêt, ils le font aussi dans le nôtre. Alors, laissez-moi faire et cessez de vous croire plus malin que moi.

Sami succomba sous les coups.

— Je n'avais aucune idée de tout ça…

— Je m'en doute. Mais j'aime votre ténacité. Votre recherche de la vérité. Toutefois, donnez à vos collaborateurs le bénéfice du doute jusqu'à preuve du contraire. C'est le seul moyen de survivre dans ce métier.

36

En pantalons kaki, chemise d'ordonnance rouge à l'emblème des Jolly Rogers et veste de flottaison également rouge, Gunner se tenait sur le pont d'envol, avec ses grosses lunettes et le casque sanglé sous le menton. C'était pour lui une affaire importante que de se tenir sur le pont : il y avait vu mourir trop de gens, des amis qui s'étaient heurtés à des appareils tournants, avaient été aspirés par des entrées d'air de jets, coupés en deux par un filin de freinage ou simplement projetés par-dessus bord par le souffle d'une tuyère. Et c'était presque toujours advenu par une nuit sans lune, comme celle-ci.

Mais il était si excité par le gros pataud d'avion qui roulait devant lui vers son poste de garage qu'il avait un peu baissé sa garde. Il était entouré de ses hommes d'ordonnance, aussi excités que lui : dans leur métier, une nouvelle arme était un peu comme un cadeau de Noël pour un enfant. Toute la division de Ruben Bailey aurait voulu voir l'avion, mais il n'avait autorisé l'accès du pont qu'à un minimum de bras qui assureraient le déchargement. L'appareil, un C-18, s'arrêta directement devant la plage. La femme capitaine de l'appareil s'empressa de glisser les blocs sous les roues et d'ancrer l'avion au pont à l'aide de lourdes chaînes d'acier, puis courut à l'arrière, là où le pilote pouvait la voir : elle leva le pouce, puis porta la main à hauteur de sa gorge tout en indiquant, de l'autre main, le deuxième moteur, faisant signe de l'arrêter. Au terme de quelques soubresauts, le premier turboprop fut réduit au silence. L'autre suivit.

Gunner et ses hommes allèrent vers l'arrière de l'appareil. La rampe s'abaissa et toucha le pont. Ils s'élancèrent dans le ventre de l'avion. Les deux GBU-28 s'offrirent à leurs yeux, telles qu'elles avaient été montées par les services d'ordonnance de la base navale de Sigonella, en Italie. Personne n'avait vu d'aussi grosses bombes. Ni aussi longues. Ni aussi polies. Près de 7 mètres de long, peintes en vert olive, comme des obus de mortier. Elles paraissaient laquées, à la différence des autres bombes, qui étaient rugueuses ; mais c'était de l'acier de haute qualité. L'ordonnance avait monté ses ailettes et le groupe de contrôle informatique sur le nez, pour guider l'engin.

Quatre des hommes de Gunner s'emparèrent des rampes sur lesquelles les bombes étaient montées et les sortirent précautionneusement de l'avion. L'une d'elles fut attachée au pont avec des chaînes et l'autre roula vers le F-14 en attente.

Tous les membres de l'équipe s'accordaient à reconnaître que Kinkaid était fatigué. Il n'avait pas dormi depuis trois jours. Quand il regardait les écrans d'ordinateurs dans la salle, il ne voyait rien. Les enquêtes n'avançaient pas. On n'avait pas trouvé les auteurs des assassinats d'Américains à Washington, Paris, Londres et Naples. Toutes les comparaisons de données avaient été vaines. Kinkaid se sentait frustré.

— Joe, le téléphone.

— Kinkaid, dit-il en décrochant le combiné.

— C'est Éphraïm.

Kinkaid avait immédiatement reconnu cette voix.

— Éphraïm, comment ça va ? Quelle est la réponse ?

— Pas de chichis, hein ? dit Éphraïm, comme désappointé. La réponse à quoi ?

— Tu sais ce que je veux dire.

— J'ai pensé à ce que tu m'as dit, ou plutôt à ce que ton jeune paranoïaque m'a laissé entendre. Je suis perplexe. Et si c'étaient les États-Unis qui faisaient faire leur sale besogne à Israël ?

— Éphraïm, de quoi parles-tu ? Je n'ai vraiment pas le temps pour ce genre d'histoires.

— Peut-être que les États-Unis ne veulent pas risquer les vies de leurs forces spéciales. Peut-être préfèrent-ils qu'Israël risque les siennes. Serait-ce possible ?

— Non, ce n'est pas possible. C'est une idée stupide. Si nous devons le faire tout seuls, nous le ferons. En fait, j'ai un moment pensé que ce serait la meilleure tactique. Et autant que je me souvienne, c'est toi qui m'as déconseillé d'envoyer l'un de nos hommes sur place.

— Oui. Cela me paraissait risqué. Je crains de devenir aussi paranoïaque que toi, mon ami.

Kinkaid attendait qu'Éphraïm eût fini son discours. Il n'allait pas le supplier.

— Bien, nous ferons ce que vous demandez, mais ce sera selon notre agenda, dit à la fin Éphraïm.

— C'est-à-dire ?

— Ce soir.

— Nous allons devoir travailler vite.

— Cela doit avoir lieu à 4 heures, heure locale. Au moment où il n'y a pas de lune.

— Je suppose que l'heure locale est celle de la cible ?

— Oui.

— Et quel fuseau horaire est-ce ?

— Trois heures en avance sur Londres.

— Comment nos pilotes sauront-ils que votre homme pointe le laser sur la cible ?

— Ils le sauront.

— Et s'il n'était pas là ?

— Il y est déjà.

— Merci, Éphraïm, dit Kinkaid.

Mais la gratitude n'effaçait pas en lui l'anxiété. Cette aventure comportait trop d'inconnues.

— Considère cette faveur comme une compensation pour la tragédie qui a frappé votre pilote en Israël. Une occasion de vous offrir la vengeance. Œil pour œil.

— Dis à votre homme de suivre les instructions que je t'ai données, à moins que je t'en communique d'autres. Je peux te joindre à ce numéro le reste de la soirée ?

— Oui, je serai ici toute la nuit.

— Bonne chance.

— Merci, dit Éphraïm en raccrochant.

Kinkaid leva les yeux sur Sami, qui avait attentivement écouté la conversation.

— Peut-être avons-nous gagné notre salaire.

— Si cet homme est bien sur place, répondit Sami en hochant la tête.

Le soleil se couchait sur Alamout, après une journée banale pour les séides du cheikh ; ils ratissaient sur ses ordres la chaîne de montagnes au nord-ouest de l'Iran ; aussi loin que possible, ils cherchaient des traces de leurs ennemis ou des indices de l'arrivée des Américains. Car les Américains viendraient, le cheikh le savait ; tout dépendrait de l'heure et des circonstances.

Farouk et une escouade d'Assassins, vêtus de noir de la tête aux pieds, arpentaient les collines à sept ou huit kilomètres d'Alamout. Ils y avaient gambadé dans leur jeunesse, puis les avaient escaladées à l'âge d'homme ; ils les connaissaient par cœur.

Ce mois de turbulences les avait fatigués. Ils n'aspiraient pas à déclencher une guerre, au départ. Ils essayaient maintenant de surmonter leur fatigue et de maintenir leur concentration durant ces recherches, mais ils savaient qu'il n'y avait personne dans ces parages. Ces terrains rocailleux ne permettaient certes pas à une armée de se cacher. Son AK-47 en bandoulière, Farouk sauta du haut d'un gros roc et regarda autour de lui. Ses compagnons en firent de même. Le dernier homme sauta un peu plus loin et sa botte, effleurant un autre rocher, fit un bruit bizarre. Farouk le remarqua ; les deux hommes échangèrent un regard. Farouk hocha la tête, observant son compagnon détacher le fusil de son épaule et le pointer vers l'étrange objet ; il fit signe aux autres de se disperser. Le jeune Assassin tâta ce qu'il avait pris pour un rocher. C'était du tissu, qui céda sous les doigts.

Farouk tira sur la balle de tissu, où les balles percèrent de petits trous noirs. Il attendit ; rien n'advint. L'un des Assassins alla y regarder de plus près ; il fut projeté en arrière, sous le choc de plusieurs balles de M-16 en pleine face. D'autres balles jaillirent du faux rocher. Les Assassins ripostèrent. Un autre Assassin tomba, hurlant de douleur, la mâchoire fracassée. Les terroristes tiraient toujours. À l'intérieur de la cachette, l'homme ajusta un nouveau chargeur sur son M-16, guettant les pas. Il ne pouvait s'enfuir, mais il ne serait pas capturé vivant.

Farouk donna l'ordre à ses compagnons de tirer tous ensemble. Il abaissa la main. Mais l'homme dans le rocher avait déjà commencé à tirer. Un autre Assassin tomba. Les autres firent frénétiquement feu. Le mystérieux occupant du rocher fut criblé de balles. Son M-16 heurta le sol rocheux. Farouk fit signe d'arrêter la fusillade. Ils attendirent en silence.

Après quelques minutes, Farouk approcha de la coquille lacérée et, avec l'aide d'un compagnon, l'arracha au sol. Un homme gisait, entouré de vivres, d'armes et d'appareils électroniques que les Assassins ne purent identifier. Ils fouillèrent le cadavre ; aucun indice ne permettait de l'identifier.

Farouk était fier d'avoir déjoué le piège, mais il était inquiet. Quelqu'un connaissait donc l'existence d'Alamout. Ses hommes fourrèrent dans un sac tout ce qu'ils trouvèrent sur les lieux. Farouk examina un boîtier qui l'intriguait. Un Assassin chargea le cadavre sur ses épaules avec une grimace de dégoût ; le sang du mort dégoulinait sur lui.

Puis, l'escouade reprit le chemin d'Alamout.

37

Tout le monde sur le porte-avions se trouvait maintenant informé de la mission et connaissait l'existence de la bombe. Les hommes et les femmes qui devaient participer aux autres frappes savaient qu'elles ne seraient que des diversions, mais ils n'en étaient pas moins excités.

Pour Woods, Wink, Big et Sedge, c'était différent : ils représentaient le fer de lance qui transpercerait le roc et le cœur du cheikh el-Gabal.

Les premières missions avaient rapporté des tirs violents de SAM et l'existence de nouveaux sites d'AAA, postés près des cibles. C'était décourageant, étant donné les efforts déployés pour neutraliser la défense aérienne. Néanmoins, l'armée de l'air syrienne n'avait pas décollé.

Le briefing pour la mission de Woods avait été fixé à minuit. Bark avait décidé de s'adresser aux équipages un quart d'heure auparavant et avait donc convoqué tous les officiers.

— Je voulais, déclara-t-il, que nous nous réunissions avant cette mission inédite pour l'aviation de marine. Nous allons assener au cheikh el-Gabal un coup que nous espérons fatal. Cet homme est un assassin qui a tué de sang-froid. Si j'avais l'occasion de l'égorger de mes mains, je n'hésiterais pas. Je ne veux pas paraître sanguinaire, mais je ne vois pas pourquoi cet homme continuerait à vivre. Et c'est à nous que revient la mission de le tuer. En fait, à Trey et Big, ainsi qu'aux génies de la LANTIRN, Wink et Sedge. Je leur dis : nous sommes avec vous. Faites que nous soyons fiers de vous.

Puis il tourna les talons et quitta la salle, laissant ses auditeurs interdits.

Discours bizarre, songea Woods. Bark était un homme carré et déterminé, mais de temps en temps, il se lançait dans des diatribes déconcertantes. Tous les capitaines d'escadrille, d'ailleurs, paraissaient dérailler de temps à autre. Peut-être était-ce à cause de la pression qui pesait sur eux. Mais Woods se demanda aussi s'il n'était pas lui-même responsable des tensions que subissait Bark ; depuis qu'il avait autorisé Vialli à aller en Israël sans en alerter Bark, il avait baissé dans l'estime de son capitaine ; il ne jouissait plus de sa confiance. Mais Bark savait aussi que Woods était le plus indiqué pour cette mission, ne fût-ce qu'en raison de sa témérité.

Woods et Big gagnèrent l'arrière de la salle.

— Il nous reste une minute avant le briefing, dit Woods après avoir regardé autour de lui. Allons faire quelques pas.

Ils écartèrent les rideaux de vinyle noir qui, de nuit, masquaient les lumières du navire, et s'engagèrent sur la passerelle grillagée ; là, ils s'accoudèrent au bastingage, regardant l'écume filer sous leurs pieds.

— Tu n'as jamais pris Bark pour un idiot, n'est-ce pas ? demanda Woods.

— Non.

— Et tu ne l'as jamais vu laisser un boulot inachevé ?

— Jamais, répondit Big en contemplant les étoiles.

— Il sait ce qui s'est passé au Liban.

— Il n'en avait pas l'air trop sûr.

— Il a vu les traces d'échappement des missiles sur nos avions. Il savait qu'elles ne dataient pas des essais à Roosevelt Roads.

— Où veux-tu en venir ?

— Il pourrait nous envoyer à Leavenworth sur un simple coup de téléphone.

— Et pourquoi ne l'a-t-il pas fait ?

— Parce qu'il sait qu'il y a beaucoup de gens autour de lui qui sont mouillés.

— C'est pour ça que nous ne sommes pas à Leavenworth ?

— Pour notre rédemption.

— Notre quoi ?

— Si nous descendons le cheikh et que nous en revenions, nous nous serons rachetés.

— C'est bien tortueux comme raisonnement.

Woods écouta l'eau siffler sur les flancs du navire.

— Autrefois, je croyais que je savais tout. Plus maintenant. Aujourd'hui, j'essaye simplement de faire mon boulot aussi bien que possible.

— Et ce soir, ton boulot c'est d'aller en Iran… Tu crois que Bark nous a piégés ?

— Non. Il nous a juste offert une chance incroyable, avec en même temps assez de corde pour nous pendre.

— Ma femme sera catastrophée si je ne reviens pas ; surtout si elle finit par apprendre toute l'histoire.

— Elle n'est pas au courant, pour le Liban ?

Biga secoua la tête.

— Nous prenons un grand risque cette nuit, dit Woods.

— Le jeu en vaut la chandelle. Je veux la peau de ce cheikh. Et cette fois-ci, c'est légal. Trey, s'il m'arrivait quelque chose, dis à…

— Pas la peine : tu le lui diras toi-même. Allons au briefing.

— Selon ta théorie paranoïaque, si Bark nous a jeté un défi et si nous avons la peau du cheikh, tout ira bien ?

— En théorie, répondit Woods. Mais on ne peut évidemment pas aller lui en demander confirmation.

L'escouade des Assassins entra dans la grande salle de la cave, où une vingtaine d'hommes étaient rassemblés autour du cheikh. Ils déposèrent les cadavres à terre et croisèrent leurs mains ensanglantées sur la poitrine. Celui qui portait le cadavre non identifié ne savait s'il devait en faire autant. À la fin, il le jeta dans un coin, comme un ballot.

— Qu'est-ce qui s'est passé ? demanda le cheikh, se levant brusquement.

— Nous avons trouvé l'un des envahisseurs.

— Et trois de nos hommes sont morts ?

— Nous avons découvert un espion. Très bien caché. Il a tiré sur nous de sa cachette.

Farouk montra au cheikh un morceau de toile et de l'armature d'aluminium.

— Même à un mètre, ça ressemblait à un rocher.

— Ingénieux, dit le cheikh en examinant les débris.

— On ne pouvait le savoir qu'en le touchant.

— Mais vous l'avez trouvé. Vous serez récompensés… Quant à eux, déclara-t-il en indiquant les trois cadavres, ils sont déjà récompensés.

Il se pencha et toucha chaque homme sur le front. Puis, il indiqua l'autre cadavre.

— Apportez-le ici, à la lumière.

Ils tirèrent le cadavre aux pieds du cheikh.

— Vous l'avez fouillé ?

— Rien. Aucun indice.

— C'était donc un espion. Et qu'avez-vous trouvé dans sa cachette ?

— Beaucoup de choses, dit le chef de la section.

Il tira d'abord le fusil du sac, puis vida celui-ci sur la table. Le cheikh examina le fusil :

— Remington 500, dit le cheikh, l'arme préférée des forces spéciales américaines. Bonnes jumelles de vision nocturne, observa-t-il quand on les lui tendit. Très coûteuses.

Il les mit devant ses yeux, les brancha et balaya la chambre du regard.

— Les meilleures que j'aie vues. Quoi d'autre ?

— Beaucoup de munitions, d'armes légères, et ce machin, dit l'homme en tendant le boîtier au cheikh.

Le cheikh examina l'objet sous tous ses angles ; le cartouche d'origine avait été arraché.

— C'est un indicateur laser, dit-il.

Ils savaient tous ce que c'était et ce que ça signifiait.

— Cet homme était ici afin de nous cibler au laser pour le compte d'un avion, ajouta-t-il. C'était un espion au service des forces spéciales américaines. Les Américains sont en route… Nous verrons ce qu'ils pourront faire sans leur espion. Nous les attendons.

Woods attacha les crochets à son casque et retira soigneusement les lunettes de vision nocturne ANVIS-9 de leur étui.

Wink, Big et Sedge firent de même. Il fixa d'une main experte les lunettes aux crochets et les rabattit devant ses yeux.

— Les lumières, dit-il au technicien de service dans la cabine.

Celui-ci abaissa le commutateur et la cabine fut plongée dans l'obscurité absolue. Woods brancha les lunettes et la chambre réapparut à ses yeux dans diverses teintes de vert. Il alla à la boîte de Hoffman et plaça les yeux en face des ouvertures qui s'y trouvaient. Il fit tourner sur leur axe les quatre lentilles des lunettes jusqu'à ce qu'il eût obtenu une vision parfaitement nette de l'intérieur de la boîte. Les autres suivirent son exemple. Le technicien ralluma, ils détachèrent les lunettes de leurs casques et les rangèrent dans leurs étuis.

Woods se dirigea vers le Tomcat. Il aperçut le GBU-28 dessous et s'arrêta. Gunner était là, tout près.

— Joli pétard, dit Woods en tendant son bloc-notes à Benson.

— Oui, Monsieur, répondit Gunner, satisfait d'avoir pu fixer les bombes sous les avions sans incident.

Benson s'empara du casque de Woods, qui procéda à l'inspection de l'avion en compagnie de Wink. Puis ils montèrent dans leur cockpit et se sanglèrent. Le temps s'était dégradé et la mer était plus grosse que les jours précédents. Le premier appareil à décoller serait l'avion-citerne S-3, afin de les ravitailler en route et leur permettre d'aborder la phase critique du vol avec le maximum de carburant. Puis, ce serait leur tour, et enfin, celui des avions chargés d'effectuer la diversion.

Woods desserra le frein et roula lentement, dirigé par un homme en chemise jaune. La barre tomba sur la navette de la catapulte. L'homme en jaune salua, passa le relais à l'officier de la catapulte et Woods atteignit 135 nœuds en deux secondes avec sa bombe sous le ventre. Il était le premier à l'avoir jamais fait. Woods poussa les gaz et effectua avec Wink la revue des instruments. Des flammes jaillirent des tuyères tandis que les moteurs passaient en post-combustion. L'officier de la catapulte salua, Woods alluma ses feux extérieurs et le F-14 bondit, le nez légèrement pointé vers le haut.

— Nous volons, annonça Wink, après avoir consulté l'indicateur de vitesse. Direction 0-7-6.

— Roger.

Woods vira à droite tout en grimpant, tandis que le reste de la force d'attaque les suivait. Il vit les lumières de formation des autres avions se diriger comme lui vers l'est. Ils voulaient être tous ensemble détectés par les radars. Puis Woods et Big fileraient à l'anglaise et seul un opérateur radar rudement futé pourrait distinguer deux appareils qui s'esquivaient.

Radios muettes, les dix appareils atteignirent les côtes. Ils avaient entendu dire que la Syrie leur dépêcherait des chasseurs, mais jusque-là, rien. Les pilotes de la formation d'attaque de diversion étaient dirigés par le chef de la force aérienne, qui s'était laissé convaincre à la dernière minute de l'opportunité de l'opération contre Alamout. Quand il avait appris, en effet, qu'il y aurait quelqu'un au sol pour désigner la cible au laser, que l'armée de l'air avait accepté de se séparer de deux de ses précieux GBU-28 et que le département de la Défense avait consenti à ce que deux équipages de Tomcat aillent porter ces cadeaux en Iran, il avait fait comme tous les grands chefs : il avait décidé de suivre le courant en feignant de le mener.

— Pas de salauds en vue ? demanda Woods.

— Négatif.

Au-dessus du territoire syrien, Woods accéléra à 500 nœuds. Il jeta un coup d'œil au sol : quelques petites villes qui scintillaient dans le noir. La force de diversion donnait à dessein l'impression de se diriger vers l'est pour éviter les SAM. Woods et Big allaient bientôt prendre congé ; il était temps de se ravitailler et Woods fonça vers l'avion-citerne.

— Vitesse d'approche 100 nœuds, commanda Wink.

Woods diminua les gaz.

— 50.

Woods redressa l'aile droite pour ralentir l'approche et effectuer son virage. Il se rangea à la perfection sous l'aile gauche du ravitailleur, sans jamais le quitter des yeux, comme il l'avait fait des centaines de fois. Un coup d'œil à droite l'assura que Big était bien là. Le pilote du S-3 fit un signe et Woods abaissa une manette ; la trompe de ravitaillement darda hors du flanc droit du Tomcat, rigide et bruyante dans le vent violent. Le panier de ravitaillement se balança à l'arrière du S-3. La trompe s'y inséra, juste au centre. Le panier l'enserra. Une lumière verte s'alluma. La tétée commença.

Woods consulta le niveau du carburant : pas de changement. Et pourtant, la lumière verte était allumée.

— Qu'est-ce qui se passe ? demanda-t-il à Wink.

— Je ne sais pas. Je ne vois pas de transfert. Avance un peu pour donner du jeu.

Woods s'exécuta. En vain. Ils n'aspiraient pas le carburant.

— Dis-leur.

— Pas de transfert, transmit Wink. Vérifiez vos commandes.

— Commandes en bon ordre. Retirez-vous et recommencez, répondit l'avion-citerne.

— Bon Dieu ! cria Wink. Si nous n'obtenons pas de carburant, il faut annuler la mission. Nous n'en aurons pas assez pour revenir.

Wink ne répondit pas ; il lui suffisait de consulter le niveau de carburant : ils en avaient déjà moins qu'ils ne l'escomptaient. La bombe devait les freiner davantage qu'ils l'avaient prévu.

Woods recommença la manœuvre. Une fois de plus, il obtint la lumière verte. Puis orange. Puis rouge. Puis verte de nouveau. Et cette fois, l'indicateur de niveau cessa de baisser et commença à monter.

— Bon transfert, dit-il.

Ce fut au tour de Big d'effectuer la manœuvre. Ils se détachèrent enfin du tanker volant et foncèrent vers le reste de la force d'attaque. Les avions commencèrent à se séparer les uns des autres, afin d'approcher la cible de plusieurs directions, ce qui rendait la tâche des défenseurs nettement plus ardue.

Le moment de s'esquiver était venu.

— Mets les lunettes, dit Woods à Wink.

Les ayant chaussées, il distingua tout beaucoup plus clairement, l'horizon, les montagnes, les cumulus à 20 nautiques de là et tous les avions jusqu'à 10 nautiques. Mais tout était vert. Il descendit vers la terre, l'avion se comportant avec lourdeur. Ils volaient entièrement en émissions contrôlées, EMCON : aucun signal électronique n'émanait de leurs avions et il en serait ainsi jusqu'à ce qu'ils aient atteint la cible.

Il réduisit l'angle de descente. Les ravins, les rochers, les buissons étaient clairement visibles. Il redressa à 200 pieds, si bas qu'aucun radar ne pouvait le déceler dans un rayon de 30 nautiques, mais assez haut pour être certain de ne heurter aucun obstacle naturel. Toutes les lignes à haute tension étaient indiquées sur leur carte. Big l'escortait, à un quart de nautique et un peu plus haut.

Le détecteur de radars était muet. Aucun missile sol-air, aucune batterie d'AAA ne les menaça alors qu'ils traversaient la Syrie orientale. De temps à autre, l'air chaud qui montait du désert infligeait une petite secousse au Tomcat. Dans le siège arrière, le génie de la LANTIRN affinait sa réception d'images à l'aide du FLIR, *Forward-Looking Infra-Red*, composant essentiel du système. Tout allait comme sur du velours et Wink était content de ce qu'il voyait, notamment du GPS du LANTIRN, qui lui donnait en permanence sa position par satellite.

— Comment se présentent les choses, Wink?

— Nous approchons du virage. Tu vois ce pont juste devant nous, sur la droite?

— Ouais.

— Ce sera là.

Et lorsqu'ils y furent, Wink lui dit :

— Bâbord sur 0-6-5.

Woods vira au nord-est vers les montagnes d'Iran.

38

Woods suivit le relief d'une colline, se tenant toujours à 200 pieds du sol. Il poussa la vitesse à 550 nœuds. Wink s'était absorbé dans la lecture des données du LANTIRN. Woods consulta le niveau du carburant ; il continuait à descendre plus bas que prévu. Leurs calculs étaient faux ; ils entamaient déjà la réserve nécessaire pour retourner au porte-avions. S'ils n'approchaient pas du but, ils devraient renoncer à leur mission.

— On entre en Irak, annonça Wink.

— Tu vois Big ?

Wink agrippa la poignée devant lui et se retourna pour regarder entre les dérives.

— Oui. Je vois ses feux de formation à un quart de nautique. Temps de vol jusqu'à la cible, 36 minutes.

— Roger.

Les mains de Woods devenaient moites dans ses gants. Le paysage défilait en vert au-dessous. L'air était calme, à part quelques poches de turbulences.

— Nous approchons du point 3.

Il avait choisi une intersection, c'est-à-dire un repère visuel, pour vérifier qu'ils suivaient le bon itinéraire.

— Prépare-toi à virer à bâbord sur 0-4-9. Guette l'intersection.

— Roger, répondit Woods.

Il n'avait pas vu de route depuis une demi-heure. Le désert avait sa façon à lui de rejeter les routes, à moins qu'elles ne fussent entretenues, et Woods se demanda si celle-ci l'était. Il parcourut l'horizon du regard, à la recherche d'indices suspects. Mais il n'y avait aucun signe de vie.

— Bâbord 0-4-9 maintenant, dit Wink.

Woods vira à gauche en gardant l'œil sur l'altimètre radar, le seul émetteur qui pût être détecté par l'ennemi. C'était un petit faisceau radar dirigé vers le sol, d'une précision étonnante, et dont les données changeaient d'un instant à l'autre en fonction des accidents de terrain. Woods ne parvenait pas à croire qu'il avait traversé la Syrie et l'Irak en si peu de temps et qu'il était maintenant en Iran. Il commença à s'émerveiller de son plan, en dépit des possibilités de catastrophes qui l'émaillaient. La pire était l'hypothèse de chasseurs expédiés par l'Iran, car il n'avait pas assez de carburant pour une seule manœuvre superflue.

L'air s'emplit de turbulences alors qu'il s'engageait dans une vallée. Les cahots furent tels qu'il se demanda s'il parviendrait à maintenir à la fois son altitude et son cap sans heurter un obstacle. Sa respiration devint haletante.

— Ça va ? demanda Wink.

— Ouais.

— Nous sommes en Iran, annonça calmement Wink.

Woods scruta le paysage et aperçut un campement devant lui ; il songea à prendre de l'altitude pour l'éviter, mais il était contraint de rester au-dessous de portée des radars. Il passa donc directement au-dessus, imaginant la réaction des Bédouins réveillés au milieu de la nuit par le vacarme d'un jet. Les animaux avaient dû faire des crises cardiaques.

— Nous approchons, Trey. 30 nautiques. On commence à grimper à 10. Et un peu plus tard : 20 nautiques... Et merde ! J'ai une indication de SAM. Un SA-6 !

— Ils nous attendent. Il faut rester bas et faire un lancement en parabole courte.

— Nous ne pouvons pas ! Nous leur avons dit que nous ferions un lancement à moyenne altitude ! Notre type au laser nous attend.

— Pas question. Pas au milieu d'une nuée de SAM. J'espère que ce type a son laser sur la cible, sans quoi, tout ça n'aura servi à rien !

Le stress mettait beaucoup de tension dans leurs voix ; ils avaient trop de paramètres à gérer en même temps.

Ils sortirent de la longue vallée et trouvèrent une petite montagne devant eux. Woods en suivit le relief et vérifia le niveau de carburant : 2 000 litres au-dessous des prévisions. La situation devenait critique. Les deux Tomcat s'engagèrent dans une autre vallée, en direction d'Alamout.

— Le SA-6 nous suit à neuf heures, dit Wink. De l'autre côté de cette colline.

— Fais-moi savoir quand il nous aura capturés.

Woods épousa le relief de la colline, pendant que Wink sollicitait le LANTIRN et le GPS pour localiser exactement la forteresse. Le système infrarouge se bloqua soudain sur elle, à 10 nautiques devant.

— Nom de Dieu ! s'écria Wink. La voilà !

Il dirigea la mire vers l'endroit où il attendait que le laser au sol indiquât la cible. La pendulette de bord et sa montre anti-G indiquaient toutes deux exactement la même heure : 3 h 58.

— Le laser devrait apparaître dans un instant, dit-il. Une minute pour lâcher la bombe. Systèmes d'armes en ordre. GBU-28 sélectionné.

Il contempla l'image infrarouge d'Alamout, dressé au sommet de la montagne. Puis il remit la mire sur la cible. Pas de laser.

— Trente secondes ! cria-t-il.

Big et Sedge avaient la même image qu'eux et ils attendaient le signal de 1,06 micron du laser au sol. Mais eux non plus ne voyaient rien. Quelqu'un avait failli à sa promesse.

— Nous allons allumer ce type par nos propres moyens, dit Wink, s'efforçant de résister à la panique.

L'indicateur du SA-6 gazouillait dans ses oreilles. Le radar cibleur du SAM les avait captés.

— Leurres ! cria Wink. Je vais activer notre propre laser !

Ses mains volèrent sur les manettes. Woods regarda l'indicateur de vitesse baisser de façon alarmante : 500 nœuds puis 400, puis 350 tandis qu'il montait à 5 000 pieds... Il devait atteindre 15 000 pieds. Il poussa jusqu'à la post-combustion, tout en sachant qu'il ne pouvait pas se le permettre.

— Non ! cria Wink. Un SAM infrarouge peut nous détecter !

— Pas le choix.

D'un instant à l'autre, ils s'apprêtaient à lâcher la bombe pendant qu'ils montaient, afin qu'elle prît l'angle nécessaire et gagnât de l'énergie. Sur sa descente, ses ailettes maintiendraient sa trajectoire exactement jusqu'à la cible.

— Pas de laser. Je vais lâcher ! cria Wink.

Toute la mission avait dépendu d'un homme au sol et il n'était pas là.

— Trois, deux, un… Banco !

Une secousse leur annonça que l'avion s'était allégé. L'ordinateur avait calculé exactement la trajectoire et garantissait que la bombe frapperait au point choisi par Wink.

— Taillons-nous ! cria celui-ci.

Woods vira à gauche, raide, redescendant vers les basses altitudes et la sécurité, pour éviter le SAM qui continuait à les pister. Ils passèrent 5 000 pieds et Wink guetta l'impact de la bombe sur ses tableaux. Mais un bruit nouveau lui fit détacher les yeux des écrans du FLIR pour les porter vers ceux du radar.

— Un AAA nous a captés !

Les réflexes de Woods furent plus rapides que la bouche de Wink ; il appuya sur le bouton blanc à gauche du manche et lâcha les leurres. De petites boîtes de métal furent éjectées à l'arrière du Tomcat pour égarer le radar du missile. Dès qu'ils furent dispersés, les fragments formèrent un petit nuage réfléchissant, de la taille d'un avion, pour attirer le missile.

Mais la batterie mobile ZSU-23-4 au-dessous du F-14 n'était pas de nature à se laisser duper par des leurres. C'était un véhicule équipé de son propre radar et de quatre mitrailleuses au sol : l'arme terrestre anti-aérienne la plus redoutée au monde. Les Iraniens disposaient même d'une amélioration conçue par les Russes : un détecteur de décélération brusque qui s'appliquait aux leurres, ne s'en laissant pas conter. Les projectiles de 23 millimètres entrèrent dans la danse et criblèrent depuis la terre le F-14 de Woods. Les balles traçantes rouges atteignirent la nacelle du LANTIRN, puis le ventre du F-14.

Woods descendit encore et vira à gauche. Une autre rafale déchiqueta l'empennage et son moteur gauche explosa. L'aile gauche se plia vers le haut et la dérive gauche fut arrachée.

— Éjecte ! Éjecte ! cria-t-il, saisissant la poignée entre ses jambes.

Wink saisit sa poignée d'éjection au même moment et les deux hommes tirèrent simultanément. La verrière s'ouvrit et se détacha de l'avion. Le siège de Wink glissa sur son rail tandis que l'avion se désintégrait et piquait vers la colline. Le siège de Woods jaillit une seconde plus tard. Le Tomcat se disloqua, alors que Woods quittait la carcasse en feu. Les balles de 23 millimètres continuèrent de cribler l'avion, qui tomba comme un grand oiseau mort.

Avant que Woods eût pris conscience de ce qui se passait, il ressentit un choc au pubis. Le déclencheur balistique du parachute déploya la grande ombrelle de soie et happa l'air pour ralentir la descente. Woods, d'abord, se balança de droite et de gauche, puis il se stabilisa et put regarder autour de lui. Un F-14 passa soudain à moins de 500 pieds. Il fit clignoter ses feux pour manifester sa présence. Il avait lâché sa bombe. Les lunettes de vision nocturne de Woods étaient parties dans le vent, lors de l'éjection. Il aperçut Alamout, à 3 nautiques de distance. Il entendit une profonde explosion, puis une autre, mais ne vit ni feu ni flammes. Il s'agita, comme s'il voulait enfoncer la bombe plus profondément dans le repaire de l'homme qui avait tué son meilleur ami.

Il scruta le ciel à la recherche de Wink, non sans inquiétude : il n'était pas fou de joie d'être parachuté dans la vallée des Assassins après avoir fait sauter leur repaire. Il lui fallut un temps interminable pour s'approcher du sol, mais bientôt, il put détacher son masque à oxygène, respirant l'air froid de la nuit. Brusquement, il heurta le sol caillouteux, roula cul par-dessus tête et entama une glissade. Puis le parachute se gonfla de nouveau et le tira plus loin. Il se débattit pour se défaire du harnais, mais ne parvint pas à glisser ses doigts gantés en dessous. Enfin, il se libéra tandis que le parachute, happé par le vent, dérivait encore.

Woods savait qu'il devait se cacher, mais il ne parvenait pas à bouger. Un écrasant sentiment d'échec l'envahit. Il devinait comment tout cela finirait. Il n'avait réussi qu'à exciter la colère du cheikh, qui viendrait s'emparer de lui, le torturerait et le tuerait. Il chercha Wink du regard ; personne. Il contempla, stupéfait, l'endroit où le Tomcat était tombé : juste entre Alamout et lui, les débris de l'avion se consumaient dans la nuit. La montagne sur laquelle la forteresse se dressait était étrangement calme. Les bombes n'avaient causé aucun dommage visible.

— Trey !

Le cœur de Woods fit un bond dans sa poitrine.

— Wink !

— T'es entier ?

— Je crois, dit Woods, se levant pour la première fois.

Il tira de sa veste de survie son Beretta 9 millimètres.

— Range ça ! cria Wink.

— Il faut se tirer d'ici. La zone grouille probablement d'hommes à notre recherche. Il faut monter sur une colline et demander du secours par radio.

— Je ne peux pas.

— Pourquoi pas ?

— J'ai essayé de me servir de la radio pendant que nous descendions. Je l'ai laissée tomber.

— Elle n'était pas attachée ?

— Non.

— Beau travail.

— Et la tienne, elle marche ?

— J'espère.

Il tira la fermeture Éclair de la grande poche de sa veste de survie et tâta sa Motorola PRC-112. Il fut rassuré.

— Grouillons-nous. Ils nous ont probablement vus descendre.

Il remarqua que Wink boitait.

— Ça va ?

— Je me suis tordu le genou en atterrissant, ça fait mal, mais je peux quand même marcher.

Soudain, les détonations d'une mitrailleuse de gros calibre retentirent.

— Saloperie ! grogna Wink, alors qu'ils s'accroupissaient derrière un rocher. C'est la mitrailleuse qui nous a descendus. Elle est de l'autre côté de la colline.

Woods tira sa radio, la mit sur la fréquence SAR, *Search And Rescue*, et la brancha sur son casque, pour pouvoir l'entendre sans faire le moindre bruit. Il appuya sur le bouton de transmission.

— Big, tu es là-haut ?

Il attendit une réponse ; rien ; il répéta sa question.

— *Ouais, je fais la chasse aux serpents. Ça va ?*

— Ça va. Nous sommes tous les deux au sol, sains et saufs pour l'instant.

— *Nous filons hors d'ici. Restez à couvert. On va envoyer quelqu'un pour vous récupérer.*

— Quand ? demanda Woods, qui regretta aussitôt cette question stupide.

Un silence suivit. Big cherchait un moyen d'indiquer une heure approximative à Woods, sans qu'une oreille indiscrète pût les comprendre.

— *Reste sur cette fréquence. Je quitte.*

— Roger, je quitte.

— Qu'est-ce qu'il a dit ? demanda Wink.

— Il va bien. Il rentre. Il enverra quelqu'un nous chercher.

— Sur quoi ? Un H-60 ? Il n'a pas le rayon d'action.

— Je ne sais pas, dit Woods, remettant la radio dans sa poche. Viens, il faut qu'on se tire.

Big ne parvenait pas à y croire. Il volait droit, prenant aussi peu de virages que possible, évitant de penser à ce qui se passerait s'il virait à gauche avec le bout de l'aile de son Tomcat coupé net. Qu'avait-il pu se passer ? Il était furieux contre lui-même, contre la marine, contre les services de renseignements, contre le cheikh, contre tout et tous. Il essayait de maîtriser sa rage tandis qu'il filait loin du danger. Les dernières images transmises la veille par satellite ne montraient aucune batterie d'AAA, aucune défense anti-aérienne, aucune batterie de SAM. Rien n'indiquait qu'on les attendait. En réalité, la zone était lourdement protégée par des systèmes anti-aériens bien dirigés. Incroyable.

Il sortit d'Irak et passa en Syrie du Nord. Il ne pouvait plus voler aussi haut qu'il le voulait. Le Tomcat était difficile à maîtriser : Big était mécontent du mètre qui manquait à son aile gauche ; il tendait à faire des tonneaux à gauche et à cisailler. Il avait pu voler jusque-là grâce à des corrections constantes, mais il ne pourrait pas retourner au porte-avions et atterrir dans ces conditions. Il monta à 3 000 pieds et réduisit sa vitesse à 300 nœuds, ce qui le rendait visible pour n'importe quel opérateur radar à 100 nautiques. Lui et Sedge avaient besoin de protection et de secours ; ils prirent donc le risque d'être entendus et localisés par les Syriens. Sedge appela donc la base.

— *Blue Door Trois-Deux, ici Watchmaker Zéro-Neuf.*

— *Zéro-Neuf, Blue Door, parlez.*

— *Passez en code, dit Sedge.*

— *Roger, codé.*

Sedge regarda à gauche et tourna le bouton de sa boîte de cryptage UHF.

— *Trois-Deux, vous écoutez ?*

— *Trois-Deux écoute. Allez-y, Zéro-Neuf.*

— *Ils nous attendaient. Ils ont abattu notre ailier. Il est tombé sur le site de la cible, juste au sud-est de la montagne. Il s'est parachuté dans la vallée, presque au pied de la montagne. Alertez la personne en charge du SAR.*

— *Roger, Zéro-Neuf. Quelle est votre position ?*

Sedge consulta ses instruments.

— *Nous sommes 0-8-3 de 230 pour retour à la base.*

— *Roger. Vous êtes sur la direction du retour ?*

— *Affirmatif, mais nous avons été touchés. Il se peut que nous n'y arrivions pas.*

— *Vous avez besoin d'assistance, Zéro-Neuf ?*

— *Tenez un hélicoptère SAR près de la côte, dans le cas où nous ne pourrions pas atteindre le navire. Il manque un mètre à notre aile gauche.*

— *Enregistré. Vous avez vu des parachutes près de la cible ?*

— *Affirmatif. Deux parachutes. Nous avons établi un contact radio positif avec le sol.*

— *Roger. Nous allons voir quels moyens SAR sont disponibles.*

— *Roger, Zéro-Neuf quitte.*

Wink se frotta le genou.

— Nous ne pouvons pas rester sur cette colline avec le ZSU de l'autre côté, dit-il. Dès qu'ils auront trouvé nos parachutes, c'est ici qu'ils viendront nous chercher en premier lieu. Nous devons gagner les collines au nord, qui sont probablement à un nautique. C'est notre seule chance.

Woods frémit à l'idée de longer une vallée sans arbres ni rochers, alors qu'un nombre indéterminé d'hommes étaient lancés à leur poursuite. Mais Wink avait raison ; s'ils restaient là, ils seraient de toute façon capturés. Le sentiment d'échec qu'éprouvait Woods s'était évaporé. Les souvenirs de l'entraînement SERE lui revinrent à l'esprit : avec une quarantaine d'autres recrues, il avait été lâché dans le désert de Warner Springs, en Californie du Nord, sans nourriture, sans abri, sans espoir de secours. Ils avaient appris à manger des figues de Barbarie et à boire dans les ruisseaux, à ne se déplacer que la nuit et à se cacher le jour. Et à résister à la torture, aussi. Il espéra qu'il n'aurait pas à se servir de cette partie-là de l'entraînement.

— Mais n'est-ce pas de ce côté-ci que les parachutes ont dérivé ? demanda-t-il à mi-voix.

— Justement : ils se diront que ce n'est pas dans cette direction que nous sommes partis.

Ils marchèrent aussi vite que possible, dans l'espoir d'atteindre la zone de relief, où ils espéraient être plus tranquilles jusqu'à l'arrivée des secours. Wink grimaçait de douleur à chaque pas.

Ils arrivèrent au pied d'une colline. Woods s'arrêta pour l'explorer du regard ; pas un signe de vie.

— Tu crois que le ZSU était installé là depuis le début ? demanda-t-il. Et que les renseignements l'ont loupé ?

— Il n'était pas sur les photos de satellite, nous les avons examinées nous-mêmes.

— Il aurait été camouflé ?

— Peu probable, dit Wink.

— Donc, on l'a amené la nuit dernière.

Woods fourra la calotte de son casque dans sa veste de survie.

— Ce qui signifie qu'ils savaient que nous arrivions, reprit-il.

— Et comment l'auraient-ils su ?

— C'est ce que j'aimerais savoir.

— Et la SA-6 ? demanda Wink.

— Nous n'avons jamais vu de SA-6. Nous n'avons vu qu'un radar.

— Un radar et pas de SAM ? Qu'est-ce que ça signifie ?

— C'est meilleur marché. Et le piège est plus efficace. Tu vois un radar de SAM, tu voles bas pour passer dessous. Ainsi, tu te mets à portée des balles de ZSU.

Wink n'y avait pas pensé.

— Allez, on monte.

La colline était plus escarpée qu'il n'avait paru. L'escalade, de nuit, serait périlleuse. Wink haletait ; son genou enflait. Woods se glissa entre deux rochers et les deux hommes se retournèrent pour regarder Alamout, qui se détachait sur le ciel nocturne.

— Elle a l'air intacte, dit Woods, démoralisé.

Son regard dériva vers l'endroit où ils se trouvaient tout à l'heure ; il aperçut des points lumineux : des torches électriques. Plissant les yeux, il distingua plusieurs hommes qui examinaient le sol.

— Ils nous cherchent. Il faut trouver une cachette tout de suite.

Il n'y avait autour d'eux que des rochers, mais pas un seul buisson.

— Allons par là, dit-il.

Ils le savaient tous deux : s'ils ne trouvaient pas une cachette dans les minutes qui venaient, leur mort serait certaine.

39

Big posa son casque sur la table de la salle de réunion et chercha Bark du regard. Bark, qui téléphonait, l'aperçut et posa la main sur le combiné.

— Big! cria-t-il. Que s'est-il passé?

— Nous avons été accueillis par un ZSU.

— E-2 dit que Trey et Wink se sont éjectés.

— Ouais. Deux bons parachutages. Je leur ai parlé, ils sont au sol.

— L'amiral veut te voir. Sedge aussi.

Sedge posa son casque près de celui de Big. Les deux hommes ruisselaient de sueur. Ils sortaient de la pire expérience de leurs vies. Bark raccrocha et les conduisit à tribord, vers le territoire dallé de bleu de l'amiral.

Bark frappa fort sur la porte blindée du SUPPLOT, le centre de commandement secondaire d'où l'amiral suivait les opérations. Un quartier-maître leur ouvrit et les trois Jolly Rogers se retrouvèrent devant l'amiral Sweat. En compagnie du chef de la force aérienne, il observait trois grands écrans sur lesquels étaient projetées des cartes de l'ensemble du Moyen-Orient: tous les avions, navires et sous-marins de la région y étaient représentés.

L'amiral avait les yeux cernés; il avait aussi peu dormi que le reste du navire depuis trois jours. C'était lui qui portait le poids de l'intervention et ses conséquences. L'opération, qui avait paru simple, avait mal tourné; elle risquait de poser l'un des pires problèmes de prisonniers de guerre. Il fit pivoter son fauteuil et considéra les trois hommes.

— Que s'est-il passé?

— L'approche à basse altitude n'a pas posé de problèmes, répondit Big. Pas de résistance, pas d'AAA, pas de SAM. Les avions marchaient bien, en dépit de la forte traînée des GBU-28…

— Parlez-moi de l'avion abattu.

— Oui, Monsieur. Tout allait bien à l'instant où nous avons passé la frontière iranienne. Mais au fur et à mesure que nous nous rapprochions de la cible, nous avons été traqués par un radar de SA-6…

— Je ne pensais pas que l'Iran avait des SA-6.

— Nous non plus. Woods était en tête et il a fait ce que j'aurais fait. Nous devions entamer une montée pour effectuer un lancement à haute altitude, hors de portée de la défense anti-aérienne. Cependant, nous nous serions alors trouvés dans l'enveloppe du SA-6. Nous nous sommes donc maintenus à basse altitude et avons pris de l'altitude au dernier moment. Nous guettions le signal laser. Il n'y en a pas eu ! Nous avons donc tout fait par nous-mêmes.

Sedge intervint :

— Nous nous sommes servis de nos propres lasers.

— Le radar de SA-6 était bloqué sur nous, mais il n'y avait pas de missile. Après avoir lâché nos bombes, nous redescendions et nous nous préparions à quitter l'enveloppe du radar SAM. Tout à coup, nous avons été capturés par un radar de ZSU. Ils ont mitraillé Trey. Son aile s'est tordue et sa dérive est partie. Wink et Woods se sont éjectés. Puis, les Iraniens s'en sont pris à nous et nous ont coupé un mètre d'aile gauche ; toutefois, nous avons réussi à fuir. Nous avons eu en ligne Trey et Wink, au sol. Ils sont sains et saufs, amiral.

— Comment se fait-il que nous n'ayons pas été avisés de la présence de ZSU protégeant la forteresse ? demanda l'amiral, sans s'adresser à quelqu'un en particulier. Les images satellite ne montraient rien ?

— Non, Monsieur, s'empressa de répondre Big. Nous avons examiné toutes les photos avant le décollage. Il n'y avait aucune trace de ZSU. Ils savaient que nous arrivions. Ils ont déplacé des défenses aériennes autour de la forteresse au pire moment pour nous.

L'amiral réfléchit à ce qu'impliquait ce compte rendu.

— Nous ferons sortir ces gens de leur tanière, dit-il.

— J'aimerais participer au sauvetage SAR, Monsieur, ajouta Big. Je le leur dois.

— Rassurez-vous. Nous sommes en rapport avec le commandement des opérations spéciales de l'armée de l'air, à Aviano. Ils sont prêts à partir.

— Quand?

— C'est ce que je voulais vous demander. Vous croyez qu'ils peuvent tenir jusqu'à la nuit prochaine?

— Ils n'ont pas le choix. Ils trouveront un endroit où se cacher. Mais je vois mal comment on peut aller récupérer deux gars à proximité d'un ZSU, alors que ces canailles s'attendent évidemment à une opération de sauvetage.

— C'est le problème de l'armée de l'air.

— Laissez-nous assurer une couverture de chasseurs. Une dizaine de F-14 pour neutraliser les intrus.

— Ce n'est plus à nous d'agir, répondit l'amiral. La question n'est plus entre nos mains. Allez vous reposer, les gars.

— Oui, Monsieur.

Ils s'apprêtaient à sortir quand l'amiral les rappela.

— Pensez-vous que vous puissiez tout de même avoir atteint le cheikh?

— Aucune chance, amiral. Le laser au sol nous a fait défaut. Nous avons dû faire le repérage nous-mêmes et puis filer pour sauver notre peau. Je ne sais même pas si nous avons touché la cible.

La réponse de l'amiral se teinta d'ironie :

— Voilà le problème lorsque l'on déclare la guerre à un homme seul. Vous lâchez une bombe sur lui, mais comment savoir que vous l'avez réellement expédié en enfer?

— Nous devons disparaître de leur champ de vision, dit Woods.

— Mon genou me tue, déclara Wink, assis sur un rocher.

— Qu'est-ce qu'il a?

— Je ne sais pas. J'ai heurté le sol brutalement.

Soudain, Woods remarqua une corniche rocheuse, derrière eux, qui semblait s'incliner et finir sous un gros rocher. Il devait y avoir une anfractuosité à cet endroit. Il grimpa pour l'examiner. Elle était assez grande pour abriter un homme, à peine plus. Il regarda le ciel. Les étoiles pâlissaient. L'aube était proche. Il retourna vers Wink.

— Je crois que nous allons devoir nous faufiler là-dedans. Mais ce sera serré. Nous devrons enlever nos combinaisons de vol.

— On ne peut pas les laisser dehors…

— Non, on les tirera après nous.

Wink se traîna jusqu'à la crevasse et tira sa Maglite de sa poche et la pointa vers la crevasse.

— Tu es fou ? Éteins ça ! Ça se voit à 10 kilomètres !

Wink s'exécuta, penaud.

— Maintenant que tu l'as vue, demanda Woods, tu crois qu'on peut réellement y rentrer ?

— Non.

— Super, dit Woods, déprimé. Essaie quand même. Sans quoi de toute façon, ils vont nous avoir.

Il scruta la vallée, guettant les hommes qui les cherchaient : personne en vue.

— Ils sont au pied de la colline, dit-il à Wink, qui essayait de se faufiler dans le trou, tout en craignant de ne plus pouvoir en ressortir.

Woods suivit ses efforts avec anxiété. Il ne vit pas arriver la main qui se plaqua sur sa bouche. Ses bras battirent l'air. On le tira loin du rocher.

Deux énormes hélicoptères Pave Low MH-53J apparurent à l'horizon. Ils ralentirent à l'approche du *USS Saipan* et se mirent en position de descente verticale. Le *Saipan* était un porte-hélicoptères et porte-avions VTOL[1] qui transportait les hélicos amphibies de la marine et des jets Harrier. Sur le pont, les marins observaient les hélicoptères ; avec leurs gros renflements bulbeux sur les flancs, ces appareils différaient des autres H-53, et ils ne portaient pas les insignes de la marine.

---

1. *Vertical Take-Off and Landing,* avions à décollage vertical. *(N.d.T.)*

L'homme en chemise jaune indiqua au pilote où poser son énorme insecte de métal, dont les rotors comptaient six pales. Le pilote manœuvra comme s'il se posait sur des œufs. L'armée de l'air, en effet, n'était pas à l'aise en mer et la marine n'avait pas grande estime pour sa rivale. Le premier Pave Low se posa enfin ; l'officier de pont fit signe au pilote d'arrêter son moteur gauche. Un marin courut glisser les cales devant et derrière les roues. Puis, le second appareil se posa sans plus de problèmes. Les rampes d'accès arrière s'ouvrirent ; pilotes et équipages descendirent, suivis par un groupe portant de grandes boîtes. Leurs combinaisons sombres ne portaient pas davantage d'insignes que leurs appareils.

Ils n'avaient besoin de rien d'autre que de carburant.

Woods se trouvait plaqué au sol, sur le ventre. Une haleine chaude s'approcha de son visage et ordonna, en anglais :

— Ne fais aucun bruit !

Il cessa de se débattre et écouta. Soudain, il se trouva libéré. L'inconnu était parti. Woods s'assit et regarda autour de lui, dans le petit jour, tirant son Beretta de sa veste. Il se leva pour aller à la recherche de Wink. Mais celui-ci subissait la même expérience que son compagnon. Il paniqua, se débattit, et roula avec l'inconnu au bas du rocher, juste à côté de Woods. L'inconnu saisit Wink par la tête et lui souffla à l'oreille :

— Cesse de te débattre !

Ils le dévisagèrent : jeune, vigoureux, cheveux bouclés sombres, courte barbe, des vêtements vert olive d'apparence militaire.

— Vous devez rester tranquilles, ordonna-t-il.

— Qui êtes-vous ? demanda Woods, essayant d'identifier son accent.

— Rangez votre revolver, dit l'homme, apercevant l'arme dans le poing de Woods. Nous devons aller ailleurs.

— Pourquoi devrions-nous vous suivre ? demanda Wink.

— Vous n'y êtes pas obligés. Mais ils vous trouveront.

— Qui ?

— Les Assassins. Ceux qui viennent à votre recherche.

Cela suffit à Woods. Il rempocha son arme.

— Où allons-nous ?

L'inconnu ne répondit pas. Il détacha le M-16 patiné qu'il portait en bandoulière, avec son gros chargeur, puis il fit signe aux Américains de le suivre. Tandis qu'ils se frayaient péniblement un passage au travers des rochers pour atteindre l'autre flanc de la colline, Woods tira sa radio de sa poche, pour s'assurer qu'elle était branchée sur la fréquence SAR. L'homme se retourna et la lui arracha des mains, lui faisant ainsi perdre l'équilibre, la radio étant attachée à sa veste.

— Mais qu'est-ce qui vous prend ? s'écria Woods.

— N'allumez pas la radio.

— Pourquoi ?

L'homme ne répondit pas, rendant sa radio à Woods.

— Je n'allais pas transmettre, dit Woods en reprenant son chemin, seulement écouter.

— Ils vont vous entendre.

— Elle se branche sur mon casque, répliqua Woods, excédé par les manières de l'inconnu.

Il se tourna vers Wink, qui haussa les épaules. Après un moment de marche, l'homme déclara :

— Nous nous arrêtons ici.

Le soleil n'était pas encore levé, mais la lumière précédant l'aube suffisait à explorer le paysage du regard. Il n'y avait que des montagnes et des rochers.

— Vous allez vous cacher avec moi.

— Alors, c'était vous ? demanda Woods. Que s'est-il donc passé ?

— Je ne comprends pas.

— C'était vous qui deviez éclairer la cible avec un laser.

— Ce n'est pas le moment de parler. Nous devons nous cacher.

— Où ? demanda Woods avec irritation.

Le ciel s'éclaircissait.

— Dépêchons-nous, dit l'homme.

Et il se pencha pour soulever un faux rocher soigneusement camouflé, qui pivota sur sa charnière.

Woods et Wink restèrent muets de stupeur.

— Dedans, ordonna l'homme.

Il y avait assez de place pour trois dans l'abri. L'homme rabattit l'ouverture et s'assit près d'eux. Il posa son M-16 au sol.

— Qu'est-ce qui s'est passé ? murmura Woods à son voisin.

— C'est mon partenaire qui avait le laser.

— Vous êtes du Mossad ? s'écria Woods, stupéfait.

— Je suis israélien, répondit l'autre.

— Que lui est-il arrivé ?

— Les Assassins l'ont découvert hier, par hasard. Ils l'ont tué.

— Pourquoi ne l'avez-vous pas remplacé ?

— Il avait l'équipement. Il était sur une autre colline. Il avait une autre mission… Croyez-vous que vos amis vont venir vous chercher ?

— Cette nuit.

— Les Assassins sont sur la colline, à notre recherche. Ils vont vérifier chaque rocher.

L'homme fouilla dans un sac derrière lui et en tira un fusil-mitrailleur ; il le tendit à Woods ; puis il confia un M-16 à Wink.

— Soyez prêts à les utiliser, chuchota-t-il. S'ils nous trouvent, nous devrons commencer à tirer tout de suite. Puis, nous soulèverons le rocher et nous nous enfuirons.

— Vous êtes sûr ?

— Je ne peux pas être capturé. Si vous voulez vous rendre, allez-y. Si vous voulez rester avec moi, vous devez vous battre.

— Je ne sais pas me servir de ça, dit Woods, anxieux.

L'inconnu regarda le fusil qu'il lui avait donné, le reprit et lui tendit son propre M-16, qu'il avait posé près de lui.

— Et celui-ci, vous savez vous en servir ?

— Oui. Le cran de sûreté est là ?

— Non, ici. Quand la nuit tombera, nous pourrons commencer à nous préparer. Nous pouvons dormir à tour de rôle. Un à la fois. Toi d'abord, dit-il à Wink.

Wink hocha la tête ; la dernière fois qu'il s'était servi d'un M-16 remontait à sept ans ; les officiers de la marine n'étaient pas tenus de s'entraîner avec de telles armes.

Woods remarqua une boîte noire par terre, entourée de mousse de latex noire et garnie de nombreux cadrans et systèmes digitaux.

— Qu'est-ce que c'est ? demanda-t-il.

— On ne parle plus, dit l'homme.

La lumière du jour était devenue plus intense. On pouvait voir à travers le tissu du faux rocher comme à travers une glace sans tain.

40

Big se tenait à l'arrière de la salle du service de renseigne-ments du *Saipan*. Il venait de débarquer de l'hélicoptère qui l'avait conduit ici depuis le *Washington*. En effet, Bark l'avait chargé de participer à la préparation de la mission. L'équipe de sauvetage avait pris possession de la salle ; elle avait installé ses propres ordinateurs dans un coin, et elle s'af-fairait avec les pilotes sur les cartes informatisées et les images satellite qu'ils visualisaient sur les écrans.

Les équipages des Pave Low se reconnaissaient à leurs insignes USAF sur fond noir. Pas de noms, pas de grades ; rien que les ailes de l'armée de l'air. On devinait aux traces de Velcro qu'ils avaient enlevé d'autres insignes. Big reconnut les commandos des forces spéciales, qui devaient aller récupérer ses camarades. Mais il ne savait pas ce qu'il devait faire ; ces gars-là ne paraissaient pas disposés à communiquer.

Le pilote commandant le premier des hélicoptères, qui serait donc le chef de la mission, l'aperçut et alla vers lui :

— Vous êtes sans doute le lieutenant Big McMack ?

— Oui. Quel est votre nom ?

— Ça n'a pas d'importance.

Il tira de sa poche une boîte de tabac à chiquer, y préleva une pincée de tabac et l'inséra entre sa lèvre inférieure et sa gencive, ce qui lui donna une drôle d'allure tout en modifiant sa voix.

— Vous étiez là-bas la nuit dernière, reprit-il. Parlez-m'en.

— Que voulez-vous savoir ?

L'officier cracha un jet de salive brune dans une boîte de V-8 vide. Trois autres officiers de l'armée de l'air les rejoignirent et s'assirent devant une carte de la région accrochée au mur.

— Comment avez-vous été abattus ? Par qui ?

— Un ZSU. Je crois qu'il y en avait deux. Ils nous attendaient.

— J'ai appris que vous aviez été captés par un SA-6.

Il cracha un autre jet dans la boîte.

— Exact.

— Comment savez-vous que ce n'est pas le SA-6 qui a abattu votre collègue ?

— Parce que j'ai vu les balles traçantes cribler son avion et que j'ai été moi-même atteint par ces balles. Vous pouvez aller voir l'aile de mon avion.

— Où étaient les ZSU ?

Big se leva, alla vers la carte et l'examina attentivement

— Voici… Notre cible était ici, dit-il, posant l'index sur le site. « Point Whiskey », selon notre carte. Nous venions de cette direction. Nous avons été capturés par le SA-6 ici et nous avons décidé de faire un lancement en parabole courte au lieu de monter plus haut. Nous pensions éviter ainsi le SA-6.

— Ont-ils tiré un missile sur vous ? demanda l'homme au tabac à chiquer.

— Je n'en ai pas vu.

— Comment savez-vous qu'il y avait là un SA-6 ?

— Parce que nous avons identifié son radar.

— Ce peut être un leurre : les ZSU ont alors un radar de SA-6 qu'ils utilisent pour faire descendre les avions à basse altitude. Ils ne disposent pas du tout de SAM, ils n'en ont que le radar. Ils le dirigent vers les pilotes de telle sorte que, voyant ce radar, ceux-ci descendent et se retrouvent dans l'enveloppe des ZSU. Et dès que vous êtes à leur portée, ils vous captent avec leur propre radar et vous tabassent.

— Vachement vicieux, observa Big en roulant des yeux.

Ils ne dirent mot pendant un moment. Ce fut le capitaine qui rompit le silence.

— À part le radar de SA-6, voyez-vous quelque chose qui vous fasse penser à une vraie batterie de SA-6 ?

— Non.

— Vous avez vu les photos d'aujourd'hui ?

— Non.

L'un des officiers alla prendre plusieurs tirages photo près de l'un des ordinateurs de l'armée de l'air et les tendit au capitaine.

— Vous les avez chargées dans l'ordi?

— Oui, répondit l'officier.

Le capitaine tendit les photos à Big, qui les détailla attentivement.

— Là, il y a la forteresse, Alamout. On la voit. On voit même l'endroit où nos deux bombes sont entrées... Tout ça pour rien. Celui qui était supposé indiquer la cible au laser n'était pas là. Quelle connerie! Nous avons probablement raté le cheikh d'une bonne longueur.

— Où étaient les ZSU?

— Le salaud qui nous a eus était là, au pied de cette petite montagne.

— Et l'autre?

— Je ne l'ai pas bien localisé. Je pense qu'il était plus loin à l'est, par ici.

— Où vos collègues sont-ils tombés?

— La dernière fois que j'ai vu leurs parachutes, c'était... oui, c'était ici. Voilà la tache de l'impact.

— Tout près du ZSU.

— Presque, oui.

Le capitaine reprit les photos et les examina à son tour.

— Je ne vois aucun site de SA-6 ni de SAM. Si nos renseignements sont bons, mais je ne m'y fie pas trop, notre seul problème serait ces ZSU, et peut-être quelques mecs au sol.

— Et qu'est-ce qui vous indique que les ZSU puissent être équipés d'émetteurs SA-6?

— Secret. Mais nous l'avons fait confirmer par les gens qui devaient vous envoyer l'indicateur laser. Ils ne savent pas ce qui est advenu à leur homme; ils craignent le pire.

— Les Assassins l'ont eu?

— Ça en a tout l'air. Ils nous assurent aussi qu'il n'y a pas eu de SAM dans les parages depuis une semaine.

— Je ne leur fais pas confiance, dit Big en se rasseyant. Ils ne nous ont pas dit non plus qu'il y aurait des ZSU.

Il indiqua les trois hommes en combinaisons sombres et demanda à mi-voix au capitaine:

— Qui sont ces hommes ?

— Cela n'a pas d'importance. Sur quelle fréquence avez-vous parlé à votre collègue ?

— SAR régulière. 282.8.

Le capitaine hocha la tête. Big reprit la parole :

— Vous pensez que vous pouvez les récupérer ?

— S'ils sont encore là, oui.

Le soleil s'était couché. Dans une heure, il ferait noir. La toile du faux rocher avait foncé au brun sombre et il était difficile de voir au travers. Woods était au bord de la crise de nerfs. Il n'en pouvait plus d'être assis et de pisser dans une jarre. L'odeur corporelle de l'Israélien qui essayait de leur sauver la vie lui était insupportable. Il caressait le M-16 qu'il tenait sur ses genoux. Ce fusil lui rappelait l'idée qu'il pouvait, d'une minute à l'autre, tomber sous les balles d'une fusillade ; elle rendait ridicule la perspective du sommeil. Et il n'en pouvait plus, de ce silence. Il chuchota, si doucement qu'il s'entendait à peine :

— Comment vous appelez-vous ?

L'Israélien secoua la tête. Woods répéta la question un peu plus fort.

— Taisez-vous ! chuchota l'homme.

Wink consulta sa montre : il était 20 heures.

— Je veux que nous discutions, dit-il tranquillement. Il est temps de faire un plan.

L'Israélien s'assit et regarda sa montre, lui aussi.

— Pas encore. Ils sont toujours dans les parages.

— Quel est votre nom ? demanda encore une fois Woods.

— Zev. Cela suffit.

— Tireur d'élite ?

— Qu'est-ce qui vous fait dire ça ?

Woods indiqua l'étui du fusil à lunette.

— C'est pour le cheikh ?

— Une seule balle. Je ne pouvais pas le rater. Ils ne m'auraient pas raté non plus. C'est comme cela que ça devait se passer.

— Et maintenant ?

Zev écarquilla les yeux :

— Vous n'êtes pas au courant ?

— De quoi ?

— Vous m'avez rendu inutile.

Woods et Wink n'étaient pas sûrs d'avoir bien compris.

— Comment ?

— Vos bombes sont tombées pile.

— Nous l'avons eu ? demanda Wink.

— Je l'ai entendue.

— Qu'est-ce que vous avez entendu ?

— La bombe qui a frappé le quartier général du cheikh.

— Que voulez-vous dire par « entendue » ?

— Nous avions un émetteur dans les appartements du cheikh. Très sophistiqué. À longue portée. Avec une antenne à l'extérieur de la montagne. Le cheikh est mort.

— Vous êtes sûr ?

— Tout à fait.

Woods ferma les yeux et rejeta la tête en arrière. Ils y étaient arrivés. Ils avaient tué le cheikh. Wink se souriait à lui-même ; il tendit la main et ils se donnèrent une claque discrète sur les paumes. Woods inspira profondément et réfléchit à ce qu'avait dit Zev.

— Comment avez-vous pu introduire un émetteur à Alamout ?

— Ce fut très difficile… répondit Zev. Quand vos amis vont-ils arriver ?

— Lorsqu'il fera tout à fait nuit. Je ne sais pas vraiment quand. Pourquoi ne venez-vous pas avec nous ?

— Les Assassins qui ont survécu n'ont plus de chef. Ils vont réagir en faisant ce qu'il aurait voulu qu'ils fassent : ils vont traquer ceux qui l'ont eu, vous. Il vaut mieux partir. Je peux m'enfuir par mes propres moyens, mais ce sera assez long. Alors, oui, je viendrai avec vous. S'il y a de la place.

« Batman » était un nom bien choisi pour un terrain d'aviation en Turquie occidentale. Les Turcs avaient d'abord refusé aux forces spéciales l'utilisation de leurs bases, vu le déluge de protestations syriennes. Mais les forces spéciales avaient argué qu'elles entendaient simplement traverser l'espace aérien turc, et qu'il ne s'agissait que d'une opération de sauvetage, ce qui faisait toute la différence. D'autre part, les Turcs ne nourrissaient pas une tendresse excessive envers le cheikh ; il créait dans la région une redoutable instabilité et menaçait la paix.

Les C-130 et les Pave Low furent donc autorisés à survoler la Turquie. Ce qui dispensait l'armée de l'air d'un périlleux ravitaillement en vol au-dessus du territoire syrien.

Les quatre C-130 vibraient près de la piste d'envol de Batman ; ils avaient déjà effectué deux vols de routine dans la matinée, destinés à signaler leur présence à qui de droit. Ils étaient peints du même gris sombre tavelé que les Pave Low, avec d'imperceptibles inscriptions.

L'avion-citerne MC-130P Combat Shadow s'avança lentement sur la piste dans le vacarme de ses quatre turbo-propulseurs, montant progressivement en régime. À la vitesse de rotation, le pilote tira sur le manche et l'appareil quitta le sol, suivi par un autre. Ils étaient les premiers à décoller pour la mission de nuit. Ils n'avaient été conçus que dans un but, ravitailler les avions des forces spéciales dans des missions également spéciales, c'est-à-dire à haut risque. Il y fallait des pilotes confirmés, capables de manier un MC-130P à 500 pieds d'altitude, soit 160 petits mètres, pour ravitailler un hélicoptère invisible dans la nuit.

Avec ses bulbes et ses renflements, l'AC-130-U, troisième avion à décoller, n'était pas vraiment un modèle d'aérodynamisme. Ceux qui n'en étaient pas familiers l'auraient pris pour l'un de ces laboratoires volants destinés à brouiller les radars ennemis. Mais son surnom était Spooky, « La Terreur », et il était le digne héritier de son prédécesseur, « Le Spectre » : les renflements en question cachaient la plus forte concentration au monde de puissance de feu embarquée. Trois canons pointaient leurs nez hors du flanc gauche de l'appareil ; le plus gros, à l'arrière, était celui d'un mortier de 105 millimètres ; devant lui venait un canon de 40 millimètres et à l'avant, la mitrailleuse Gatling de 25 millimètres. Le Spooky valait à lui seul un bataillon de fantassins.

La visée et les solutions de tir étaient calculées en temps réel par un ordinateur et les données aussitôt fournies à l'officier de contrôle de tir, assis à sa console dans le BMC, *Battle Management Center*. Le Spooky repérait ses cibles grâce à des capteurs à infrarouges, un système de télévision fonctionnant dans toutes les intensités de lumière, de jour ou de nuit, et par un radar, le même que sur le FE-15E. Il pouvait tirer à travers les nuages et brouiller n'importe quel système qui, au sol, essaierait de le capturer. Un monstre de guerre.

Le premier Spooky fila sur la piste et décolla plus rapidement que les avions-citernes. Clignotant de tous ses feux, le second le suivit. Nul à Batman ne savait où il allait. Il monta et rejoignit les trois autres points dans le ciel ; ils avaient rendez-vous quelque part au-dessus des montagnes de Turquie.

À bord du *Saipan*, au large de la Syrie et du sud de la Turquie, le commandant de la mission gravit la rampe d'accès de l'hélicoptère et se dirigea vers le cockpit ; il s'assit derrière le pilote et logea l'ordinateur de bord dans sa niche, puis inséra la disquette sur laquelle il avait fait charger toutes les données photo satellite les plus récentes.

Les six énormes pales des rotors des deux Pave Low commencèrent à tourner, sous les yeux des marins installés dans le « nid de vautour » du navire ; beaucoup d'hélicos avaient décollé du *Saipan*, mais l'équipage n'en avait jamais vu de pareils – sans parler des sphinx en combinaisons sombres, sans insignes et munis d'armes de poing, qui y avaient pris place.

Toutefois, les équipages savaient bien qu'un F-14 avait été abattu et il ne fallait pas être grand clerc pour comprendre que l'armée de l'air entamait une mission de sauvetage dans des conditions de combat. Selon la rumeur qui courait les ponts, le F-14 avait été abattu en Iran, ce qui emplissait les cœurs d'épouvante ; être abattu était déjà assez grave, mais l'être en Iran…

Ayant décollé, les deux Pave Low se rejoignirent à 40 pieds au-dessus de la mer, puis se dirigèrent vers le nord-est de la Turquie ; ils ne voleraient pas plus haut, à cause des radars. Les commandos étaient tranquillement assis, cependant que le pilote consultait de temps à autre les écrans de télé infrarouge et la carte informatisée qui lui donnait sa position à 10 mètres près. Le copilote pointa le doigt devant lui : la côte. Ils étaient parfaitement à l'heure.

Les deux appareils s'engagèrent au cœur de la chaîne montagneuse turque, vers l'Iran.

41

Les deux hélicoptères bourdonnaient au-dessus du sol rocailleux, en direction du point de rendez-vous. Le ciel était tout à fait noir, condition parfaite pour les opérations spéciales, décrite en termes techniques comme une « fin de crépuscule nautique » ; cette classification impliquait que nul homme au sol, pas même un gamin avec une fronde, ne pourrait les viser. Seule la détection électronique était possible.

Les capitaines branchèrent leurs radars, enclenchant la fonction de suivi du relief, et les hélicoptères s'engagèrent dans une vallée. Les copilotes vérifièrent le niveau de carburant : conforme aux prévisions.

— Tu les vois ? demanda un copilote.

— Deux points, répondit immédiatement le capitaine.

Il réduisit la vitesse à 100 nœuds, choisit son avion-citerne et monta à 500 pieds. Il s'était maintes fois ravitaillé en vol de nuit, mais pas dans ce décor menaçant. Cependant, la vallée était assez large pour qu'on pût y décrire un grand cercle, et les montagnes les protégeaient des radars.

Le pilote de l'avion-citerne repéra l'hélicoptère et alluma ses feux de formation. Un accident atroce revint à la mémoire du capitaine : la dernière fois que les États-Unis avaient tenté de récupérer des otages en Iran, sur l'ordre de Jimmy Carter, un hélicoptère H-53 était entré en collision avec un avion-citerne. Une humiliante catastrophe. Le capitaine expédia le tuyau à l'extérieur. Une turbulence fit onduler celui-ci et le capitaine s'efforça de stabiliser son appareil pour que le tuyau ne se rompît pas. Sans carburant, la mission serait annulée.

À l'intérieur, les commandos avaient des fourmis dans les jambes ; ils avaient tout vérifié, trois fois plutôt qu'une ; ils devenaient impatients. Le second Pave Low acheva son ravitaillement en quelques minutes. Tous les hommes savaient maintenant qu'ils allaient tout droit vers les 60 secondes les plus terrifiantes de leur carrière.

Farouk était hors de lui. C'était un désastre. Le cheikh était mort. Et lui, Farouk, était le seul survivant du conseil ; tout reposait maintenant sur ses épaules. Que devait-il faire ? Revêtirait-il le manteau du cheikh ? Reprendrait-il son nom ? Qui le saurait ? Il n'ignorait pas qu'il n'avait pas sa carrure, ni la connaissance profonde de l'enseignement des ismaélites. Ceux qui avaient causé cette tragédie étaient là, tout près. Les Iraniens avaient abattu leur avion et ils étaient au sol. Il devait les capturer. Avec ces otages, il humilierait l'Amérique.

Il avait sous-estimé ses ennemis : les Américains avaient posté non pas un, mais deux espions. Sinon, comment auraient-ils su où frapper avec autant d'exactitude ? La découverte du premier homme l'avait tant satisfait, qu'il avait négligé de fouiller la région à la recherche d'autres faux rochers. Son complice devait être toujours présent.

Il savait aussi que lorsqu'un aviateur américain était abattu, les États-Unis dépêchaient des avions à son secours. Parfait. Qu'ils viennent donc. Les quelques SAM à lancement manuel sur lesquels les Assassins avaient réussi à mettre le grappin étaient toujours disponibles. Ils attendraient donc de pied ferme la mission de secours.

Tandis qu'il escaladait les rochers, Woods faillit perdre pied : le haut-parleur de son casque grésillait. Sa radio avait repris vie, mais il ne comprenait pas ce qu'on lui disait. Le message revint, bien clair cette fois :

— *Watchmaker Zéro-Huit, ici Sidewalk Sept-Un en route pour Point Whiskey, temps d'arrivée estimé 15 minutes. Vous me recevez ? À vous.*

Le Spooky de tête assurait la direction des opérations jusqu'à l'arrivée des Pave Low. Les hélicoptères suivraient donc de

15 minutes les avions de combat, ce qui suffirait à nettoyer le terrain de toute opposition. Il revenait aussi au Spooky de repérer les aviateurs au sol. Woods se tourna vers Wink :

— Ils arrivent. Dans 15 minutes depuis Point Whiskey.

— Comment savez-vous que ce sont des amis ? demanda Zev d'un ton soupçonneux.

— Ils ont utilisé notre mot de code, Watchmaker.

— Qui est-ce ?

— Je ne sais pas. Sidewalk quelque chose. Mais la voix est américaine.

La démarche de Wink retrouva un peu de vivacité.

— Je ne me rappelle personne de la mission qui se soit appelé Sidewalk, observa-t-il. Et toi ?

— Non plus. Mais ça change tous les jours. Il faut monter plus haut sur cette colline pour qu'ils puissent nous entendre.

Zev restait sceptique. Il ajusta son sac à dos, encore assez lourd, bien qu'il eût abandonné la moitié de son équipement sous le faux rocher.

— Comment savez-vous qu'ils sont américains ? demanda-t-il.

Woods n'y avait pas pensé.

— Et comment connaîtraient-ils le nom de Point Whiskey ?

— Qu'est-ce que cela désigne ?

— Alamout.

— Vous aviez une carte de vol ?

— Bien sûr.

— Elle mentionnait Point Whiskey ?

— C'était marqué dessus.

— Où est cette carte, maintenant ?

— Elle a brûlé dans l'avion.

— Vous êtes sûr qu'elle a brûlé ? Les Assassins ont pu fouiller l'épave. Qu'est-ce qui vous dit qu'ils n'ont pas récupéré la carte ?

Woods était las d'imaginer le pire. Il reconnaissait une voix américaine lorsqu'il en entendait une.

— Vous êtes paranoïaque. Je crois que nous devons prendre ce risque.

— Et le nom de code de votre mission ? Vous ne l'avez pas transmis auparavant ?

— Je ne crois pas.

— Et votre ailier ?

— Non plus.

Woods transmit :

— *Sidewalk Sept-Un, Watchmaker Zéro-Huit, je vous reçois bien clair.*

Il regarda Zev :

— Quel est votre prob…

— *Watchmaker, précisez votre position*, coupa la radio.

— Quelle est notre distance d'Alamout et dans quelle direction ? s'enquit Woods.

— Nous sommes à 2-6-5 pour 5 300 mètres. Mais vous ne devez pas transmettre ça à la radio.

— Il faut que je leur donne notre position !

— Croyez-vous que les Iraniens soient incapables de comprendre l'anglais ? Ils sauront où nous sommes.

— Mais ce sont des Américains !

— Et vous imaginez que les Assassins ne connaissent pas votre fréquence de secours ?

Woods demeura perplexe : Zev allait-il l'empêcher de donner sa position à la mission de sauvetage ? Et qui était Zev ? Il s'avisa tout à coup qu'il ne savait rien de lui. Il pouvait être un Assassin chargé d'attirer la mission de sauvetage dans un piège. Il tira le Beretta de sa poche.

— Qu'est-ce que vous faites ?

— Je veux être prêt s'ils arrivent en douce.

— Vous, les Américains ! râla Zev.

— Wink, tu as toujours la table d'identification ?

— Ouais, dans la poche de ma combinaison anti-G.

Il fouilla dans toutes ses poches ; elles étaient vides.

— Je l'ai perdue, dit-il.

— Vous aviez aussi une radio ? demanda Zev.

— Je l'ai aussi perdue, pendant la descente en parachute.

Zev reprit son chemin ; il en avait assez. Il s'adressa à Woods avec irritation :

— Comment savez-vous que les Assassins n'ont pas retrouvé sa radio et ne s'en servent pas pour vous parler ? Ou les Iraniens ? Ils pourraient être à 100 mètres d'ici ! Vous vous comportez comme un boy-scout…

Woods ne savait que répondre. Si c'était bien la mission de sauvetage qu'il avait entendue et s'il ne s'identifiait pas, il perdrait sa seule chance de sortir d'Iran. Et si c'étaient les Assassins qui parlaient sur la radio de Wink, il était mort. Il porta la radio à sa bouche et appuya sur le bouton de transmission.

— *Nous sommes à 2-6-5 pour 5 000 mètres depuis Whiskey.*

— *Roger, enregistré. On est contents de vous entendre. Des blessures ?*

— *Négatif. Une lésion mineure à un genou.*

— *Vous êtes prêts tous les deux ?*

— *Affirmatif. Nous sommes trois.*

— *Roger,* répondit l'opérateur après un moment d'hésitation. *Qui est le troisième ?*

— *On vous le dira sur place.*

— *Vous êtes le premier dans l'ordre alphabétique ?*

— *Négatif. Numéro deux.*

— *Restez à l'écoute.*

Un silence suivit, pendant lequel les trois hommes se faufilaient au travers des rochers.

— *Numéro deux, quel était le nom de votre premier chien ?*

— *BJ,* répondit Woods avec un grand sourire.

— *Roger. Authentifié. Temps d'arrivée estimé à 5 minutes. Déplacez-vous vers une bonne zone d'atterrissage.*

Le soulagement de Woods fut total.

— *Roger. On y va. Rappelez-vous qu'il y a au moins un et peut-être deux ZSU-23 dans les parages.*

— *Roger. Enregistré.*

Woods glissa la radio dans la poche de sa combinaison de vol et tira la fermeture Éclair, laissant seule passer l'antenne.

— Ils ont utilisé l'identification SAR, dit-il. Il faut nous dépêcher.

— Comment vous ont-ils identifié ?

— Le nom de mon premier chien.

— Vous croyez que les Assassins n'auraient pas pu y penser ?

— Non. J'ai dicté cette question il y a longtemps pour qu'elle figure sur la table d'identification qu'ils avaient en main. S'ils avaient posé n'importe quelle autre question, j'aurais tout de suite su que c'était un piège.

— Par ici, dit Zev, gravissant la colline et s'éloignant d'Alamout.

L'anxiété nouait l'estomac du pilote du Spooky : ils approchaient de la cible. Ils disposaient de QUINZE minutes pour supprimer toutes les défenses anti-aériennes de la zone. Un point en particulier l'inquiétait. Il avait lu le rapport mentionnant un radar de SA-6 braqué sur le F-14 avant que celui-ci eût été abattu. L'ailier l'avait confirmé. Bon, mais pas de capture radar, ni de radar de contrôle de feu? Bizarre. Les deux appareils étaient descendus à basse altitude et avaient été aussitôt criblés de balles par un ZSU. Les images satellite ne montraient pas de site SAM, mais cela ne l'étonnait pas : les rampes de SA-6 étaient aussi mobiles que les ZSU ; un bon camouflage pouvait défier une bonne caméra. Et le SA-6 pouvait bien être encore sur place. Il était également possible, assuraient les services de renseignements, que les ZSU fussent équipés de radars d'exploration de SA-6, pour paniquer les avions et les contraindre à descendre à portée des ZSU.

Mais il n'en était pas convaincu. Les services de renseignements pouvaient se tromper. Et si c'était le cas, sa mission pourrait perdre beaucoup de gens compétents et du beau matériel.

Il jeta un coup d'œil à l'écran infrarouge, puis à celui de la caméra de vision nocturne, qui permettait de tout voir comme en plein jour.

— Aucune émission? demanda-t-il à l'officier chargé de la détection électronique, l'EWO.

— Rien. Pour l'instant.

Il s'adressa aux commandos :

— Nous approchons. Tout le monde est prêt?

— Prêts!

Le Spooky survola à 15 000 pieds la petite montagne où se trouvaient les rescapés. Dès qu'il fut de l'autre côté, le ZSU le repéra ; son radar fit immédiatement les calculs nécessaires pour abattre la grosse cible noire au-dessus.

— J'ai un radar de SA-6! cria l'EWO. Et un radar de ZSU! cria-t-il encore plus fort.

Les capteurs à l'arrière du Spooky définirent simultanément les angles des deux radars ; ils provenaient du même endroit. L'opérateur télé zooma dans cette direction ; il obtint une image bien nette des quatre canons du ZSU.

— Bonne image ZSU, annonça-t-il calmement.

À l'arrière, l'officier de contrôle de feu observa l'image télé ; il en avait assez vu. Il sélectionna le mortier de 105 millimètres pour la première salve ; la mitrailleuse et le canon étaient braqués dans la même direction, celle du ZSU. Un obus de 25 kilos fut chargé dans le mortier. L'officier fit feu. L'obus fila vers sa cible à une vitesse supersonique. Puis l'officier déclencha le canon. L'équipage regarda à la télévision l'obus de 105 heurter le sol légèrement au-dessus du ZSU. Les obus de 150 millimètres filèrent vers la même cible. Et les balles traçantes de 23 millimètres du ZSU criblèrent la nuit dans leur direction.

— Tu le brouilles ? demanda le pilote à l'EWO.

— À fond.

— Pas de SAM ?

— Rien que le radar, qui cherche toujours.

— Il est bidon.

— Nous avons un autre radar de ZSU au 1-4-0, annonça l'EWO.

— Cible numéro deux.

Le second Spooky se dirigea vers elle. Les deux Spooky avaient adopté la tactique du manège : ils tourneraient en rond autour des cibles comme des chevaux de bois autour d'un pylône de manège, crachant dessus toute leur puissance de feu. Aucune échappatoire.

— Pas de signe de l'équipage ?

— Rien, répondit l'opérateur d'infrarouges.

Ils avaient fouillé en vain les collines alentour.

— *Watchmaker, vous avez un patch réflecteur ?*

— *Affirmatif.*

— Tu ne l'as toujours pas trouvé ?

— Non, Monsieur. Rien.

Le patch réflecteur, porté sur la combinaison de vol et sous l'insigne de l'escadrille, le rendait visible aux capteurs infrarouges et télé en réfléchissant un faisceau.

— On ne devrait quand même pas tarder à les localiser, dit l'opérateur des capteurs, inquiet.

— Mais qu'est-ce que… s'écria Woods.

Comme ses compagnons, il s'était jeté à plat ventre dès que l'obus eut heurté le sol.

— Un avion de combat, avait expliqué Wink. L'un de ces appareils genre Hercules avec des canons sur le côté.

— Je croyais qu'ils venaient en hélicoptères, dit Woods.

— Ils ont envoyé les videurs d'abord. Venez, dit Wink en se relevant.

La canonnade éclata à leurs pieds et les balles traçantes jaillirent dans le ciel noir, apparemment sans résultat. Mais le bruit de la riposte devenait de plus en plus fort. Le Spooky crachait le feu de toutes ses bouches. Un autre avion passa au-dessus d'eux et un ZSU, au sud-est, illumina le ciel. Ils faillirent ne pas entendre la détonation caractéristique d'un AK-47 frappant le rocher à quelques mètres d'eux.

Le capitaine de l'hélicoptère, au milieu du cockpit, étudiait l'écran : une image digitalisée du terrain alentour, incluant leur position, avec tous les reliefs en trois dimensions. Il sélectionna une vue de la colline où les rescapés avaient probablement cherché refuge ; elle correspondait, en effet, à la portée et à la direction dans laquelle le Spooky avait reçu leur message. Mais il ne parvenait toujours pas à localiser le ZSU. Il poursuivit son itinéraire vers l'objectif, volant si bas que le vent du rotor soulevait au-dessous une tempête de sable. Il consulta l'ordinateur : ils étaient à 7 minutes de leur cible. Il alerta les commandos à l'arrière.

— *Watchmaker, vous avez une luciole ?*

— *Affirmatif*, répondit Woods, tandis que Zev, dans ses lunettes de vision nocturne, cherchait celui qui avait tiré sur eux quelques instants plus tôt.

417

— Allumez-la, nous ne vous trouvons toujours pas.

— *Wilco*, répondit Woods.

Woods fouilla dans sa veste de survie, en tira une pile de 9 volts et une petite boîte noire d'une soixantaine de grammes, puis brancha le tout. À nouveau, une balle siffla à leurs oreilles.

Zev régla soigneusement le tir de sa Remington 500, et il appuya sur la détente.

— Un mort, annonça-t-il froidement. Mais il y en a beaucoup d'autres derrière lui. Peut-être à 500 mètres.

— Je l'ai! s'écria l'opérateur des capteurs.

Il voyait le rayon de la luciole au sommet d'une colline, plus bas que celle qu'ils venaient d'explorer avec tous leurs instruments. Il zooma sur la colline avec le capteur infrarouge, la télé étant bloquée sur le ZSU. Ce dernier se déplaçait; les servants de l'arme avaient probablement compris que leur seule chance de survie était d'échapper à cet avion invisible qui crachait le feu. Ils ne pouvaient sans doute plus viser pendant qu'ils se déplaçaient, mais ils gardaient espoir.

Dans le Spooky de tête, l'officier de contrôle de feu observa ce déménagement d'un air satisfait. Vous pouvez courir, songea-t-il, mais vous allez mourir quand même, et fatigués. À l'arrière, le canonnier fourra un autre obus de 25 kilos dans le mortier. Soudain l'opérateur des capteurs cria :

— Il y a un tas de types qui se rapprochent des aviateurs!

Il avait vu des silhouettes blanchâtres courir sur les flancs vert sombre de la colline, en direction de la silhouette qui tenait la luciole.

— Il faut ouvrir le feu sur eux!

— Arrose-les avec du 25 millimètres! cria le pilote, qui avait identifié lui aussi les poursuivants grâce à ses outils de vision nocturne.

L'officier de contrôle de feu dirigea la Gatling vers les Assassins; elle se mit à cracher 1 800 balles à la minute, sa puissance maximale.

Woods s'aplatit par terre lorsque la pluie de balles tomba sur la colline, fracassant les rochers avec un bruit pareil à celui que feraient tous les bolides du circuit d'Indianapolis s'ils entraient en collision en même temps. Zev observa la scène dans sa lunette :

— Ils en ont tué quelques-uns et stoppé net les autres. Ça les tiendra tranquilles pour un moment.

Il se tourna vers Woods :

— Où sont les hélicoptères ? Il faut nous tailler d'ici !

42

Le premier ZSU-23 capta rapidement le Spooky. Ses canons de 23 millimètres firent jaillir les flammes du fond de la vallée, qui sembla éructer de colère. Mais le ciel riposta : le Spooky, loin au-dessus de la colline, dirigea toutes ses bouches à feu vers la batterie. Et le ciel finit par avoir le dessus. Les brouilleurs de l'avion neutralisèrent les radars du ZSU ; chaque fois qu'il menaçait de capter le monstre volant, les contre-mesures électroniques le déjouaient, et ses balles traçantes s'égaraient.

Cachés derrière un gros rocher, Woods, Wink et Zev écoutaient le duel entre le plus dangereux des canons anti-aériens et la plus féroce batterie volante au monde. Soudain, le mortier fit mouche et un obus toucha la tourelle du ZSU. Le véhicule et ses mitrailleuses flambèrent dans un chapelet d'explosions, créant une tache blanche aveuglante sur les écrans télé et infrarouge.

Le pilote du Spooky de tête appela le second avion :

— *Un ZSU pulvérisé. Et toi ?*

— *Dans quelques secondes. On va l'avoir.*

— *Le tien facteur nul pour l'évacuation, d'accord ?*

— *D'accord.*

— *Roger. Grommett Niner Six attendu. Appelle quand tu es à un nautique.*

Le capitaine du Pave Low de tête avait entendu ce dont il avait besoin ; il dirigea l'hélicoptère vers la colline où attendaient les Américains. La fusillade avait crû en violence. Les Assassins réchappés des rafales de balles de 25 millimètres tombées du ciel avaient trouvé des trous où se cacher avant de reprendre le combat. Ils tiraient leurs AK-47 sur la cadence automatique, sachant que c'était leur dernière chance. Ils voulaient venger le cheikh à tout prix.

À bord du Spooky, l'officier de contrôle de feu distinguait bien les flammes des fusils sur ses deux écrans. Le ZSU étant détruit, il dirigea à la fois son canon, son mortier et sa mitrailleuse sur les forcenés. Il donna la puissance de feu maximale sur la vingtaine de disciples du cheikh qui restaient.

Le vacarme fut assourdissant. Les projectiles faisaient éclater les rochers et des éclats volaient partout sur des centaines de mètres. L'assaut était sans merci.

— Un nautique, annonça le capitaine tandis que l'hélicoptère montait le long de la pente, suivi par le second Pave Low.

Il appela Woods à la radio :

— *Watchmaker, Grommett Niner Six monte sur le flanc de votre colline. Vous êtes armés ?*

— *Affirmatif,* cria Woods dans le fracas.

— *Rengainez vos armes tout de suite,* ordonna le capitaine.

Woods n'en crut pas ses oreilles. Les Assassins n'étaient qu'à 200 mètres.

— *Répétez.*

— *Rengainez toutes vos armes...*

— *Mais ils tirent sur nous !*

— *Roger, Monsieur. Nous allons riposter pour vous.*

Soudain, le rotor du Pave Low hurla à 20 mètres au-dessus des trois hommes. Les deux artilleurs de l'hélicoptère se penchèrent à l'extérieur et commencèrent à arroser les Assassins de balles de 7.62 avec des fusils-mitrailleurs Gatling. Woods rengaina son Beretta et cria à Zev :

— Déposez votre fusil !

Quatre grosses cordes se déroulèrent au-dessus de leurs têtes, que des commandos casqués et équipés de lunettes de vision nocturne dévalèrent aussitôt, mettant le pied au sol. Trois d'entre eux chargèrent les Assassins en faisant feu de leurs armes automatiques, créant ainsi un périmètre de sécurité autour des rescapés. Le chef des commandos alla directement à Zev et le jeta au sol. L'Israélien résista et tenta de se saisir de son fusil. Un autre commando s'empara de l'arme. L'hélicoptère s'éloigna. Woods fut à son tour plaqué au sol, puis ce fut le tour de Wink, qui cria :

— Mon genou !

— Pardon, Monsieur, marmonna le commando.

— Vous êtes le lieutenant Woods ? demanda quelqu'un.

— Pourquoi m'avez-vous plaqué ?

— Il aurait dû y avoir deux personnes seulement. Quand nous en avons trop, nous faisons le tri plus tard.

— Vous n'avez pas besoin de…

— Donnez-moi vos mains, s'il vous plaît, dit le chef des commandos.

Il tira d'une poche des menottes en plastique et attacha adroitement les mains de Woods dans le dos.

— Qui êtes-vous ? demanda Woods.

— Nous sommes ici pour vous évacuer.

Il jeta un coup d'œil à ses hommes, qui venaient de menotter aussi Wink et Zev.

— Je vais trouver un endroit pour que l'hélicoptère revienne. Restez ici.

Woods essaya de s'asseoir, mais il n'y parvint pas. Les balles des derniers Assassins sifflaient au-dessus de leurs têtes. Les commandos ripostaient furieusement. Le chef des commandos revint et parla dans un micro HF.

— On y va !

Deux commandos se saisirent des rescapés et les emmenèrent de l'autre côté de la colline ; d'en haut, on voyait le ZSU qui flambait toujours. Le Pave Low revint, vite et bas ; puis il fit du surplace dans un fracas d'enfer. Les Assassins s'avisèrent brusquement de ce qui se passait et tirèrent sur l'hélicoptère ; leurs balles rebondirent sur le blindage, pendant que les commandos s'élançaient au pas de course avec leurs trois captifs.

Le capitaine fit descendre l'hélico jusqu'à toucher le sol, sans faire peser le poids de l'appareil sur le train d'atterrissage, puis il ouvrit la rampe d'accès. Le chef des commandos franchit les derniers mètres et remit Woods aux hommes qui l'attendaient à l'intérieur ; ils le saisirent par les bras et l'entraînèrent. Zev fut poussé à l'intérieur sans plus de cérémonies. Les commandos hurlèrent à Woods :

— Par terre, Monsieur!

Ils le jetèrent sur le plancher d'acier et étendirent sur lui une couverture de Kevlar. Un commando attacha alors les pieds de Woods avec des lanières de plastique, puis l'arrima au plancher; il fut ainsi immobilisé. Zev subit le même traitement.

— Je suis vraiment content de vous avoir invités! lui cria Woods.

Farouk refusait de s'avouer vaincu et de laisser filer les rescapés. Il devait se montrer courageux. Il se leva et tira sans relâche sur l'hélicoptère. Les commandos qui évacuaient Wink s'étaient montrés plus lents, à cause de son genou. Au moment où ils atteignirent la rampe d'accès, l'homme qui flanquait Wink sur sa gauche fut projeté par terre, sous les coups de plusieurs balles d'AK-17 tirées par Farouk. Il poussa un cri. Le corps de Wink fut secoué par les balles. Les commandos le tirèrent rapidement à l'intérieur et appelèrent le médecin de bord.

L'artilleur dans le Pave Low distingua nettement Farouk dans ses lunettes de vision nocturne. Il braqua sur lui sa Gatling de 7,62 millimètres et appuya sur la détente. Un jet de balles déchiqueta le lieutenant du cheikh. L'artilleur dirigea ensuite son arme vers les derniers Assassins, qu'on ne devinait que par les canons de leurs fusils au-dessus des rochers.

Le commando jeté à terre avait été protégé par son gilet pare-balles; il se redressa et monta dans l'appareil.

— Ça va? lui cria son chef.

Il hocha la tête. Zev releva la sienne et indiqua Wink à Woods. Les infirmiers essayaient d'arrêter l'hémorragie dans son dos.

— Wink! cria Woods. Enlevez-lui ces liens! hurla-t-il à l'adresse des commandos.

L'hélicoptère s'éleva de 10 pieds au-dessus de la colline, les balles crépitant toujours sur son blindage. Wink ne bougeait pas.

— Wink! cria de nouveau Woods, les yeux humides.

— Quoi? répondit faiblement celui-ci.

— Ça va?

— Non... Ces fils de pute m'ont atteint dans le dos. Ça fait un mal de chien.

Le médecin s'adressa à Woods:

— Il a été atteint par des ricochets.

Il trancha les liens de plastique, puis les vêtements de Wink.

— Pas de lésion vitale, dit-il, examinant les blessures. Il devrait s'en sortir.

— Ô mon Dieu, merci... dit Woods, qui cessa de se débattre contre les liens qui lui enserraient les poignets et les chevilles.

Le second Pave Low survola le haut de la colline. Les commandos restés en bas commencèrent à se diriger lentement vers lui, sous le feu de trois ou quatre Assassins survivants. Ils ripostèrent par des tirs beaucoup plus précis, soutenus par l'armement de l'hélicoptère. Puis, ils retournèrent un à un vers l'appareil et s'engouffrèrent dans son ventre.

Lorsque l'hélicoptère s'éleva, l'Assassin qui se trouvait près de Farouk découvrit le SAM portable que ce dernier s'apprêtait à utiliser. Il laissa tomber son AK-47 et se dressa pour tirer le missile. Mais le Pave Low était déjà hors de vue. Le calme régna de nouveau. L'Assassin abaissa le SAM, frustré.

— *Deux dégagé*, transmit le pilote du second Pave Low.

À bord du Spooky, l'officier de contrôle de feu avait suivi toutes les péripéties au sol sur ses écrans. Il avait eu les Assassins dans sa mire, mais s'était retenu de tirer si près des Américains. Son sang se glaça lorsqu'il vit l'Assassin se dresser et braquer un missile portable dans sa direction. Il avait attendu une éternité que le second Pave Low fût hors de la zone ; maintenant, il pouvait y aller. Il se déchaîna, mais l'obus de 105 manqua l'Assassin de plusieurs mètres. L'officier dirigea vers lui ses deux autres bouches à feu et engagea la puissance maximale de tir. Il plut des projectiles ; pas assez vite, cependant, pour empêcher le lancement du SAM.

Le missile s'élança hors de son tube, propulsé par un moteur-fusée chauffé au rouge, tandis que la douille de 40 millimètres déchiquetait le tireur.

— SAM ! SAM ! cria l'opérateur des capteurs sur l'intercom du Spooky.

Le pilote se retourna vers sa gauche et tira une manette à laquelle était attaché un long câble. Puis il appuya sur l'un des boutons et plusieurs leurres jaillirent de l'arrière. L'appareil monta brusquement, vira sec pour capter le SAM dans son faisceau et piqua de façon abrupte.

Le missile derrière eux montait toujours, mais il semblait plus intéressé par les leurres flambants que par l'appareil qui piquait. Il se heurta à l'un d'eux et explosa à 500 mètres sur l'arrière. Le pilote redressa l'appareil.

— Un dégagé, transmit-il.

— Deux dégagé, derrière vous.

Le Pave Low transportant les trois rescapés atteignit la vallée et fila au nord-ouest à sa vitesse maximale. L'un des commandos vint détacher Woods et l'aida à s'asseoir.

— Vous allez bien, Monsieur?

— Ouais.

— Où sont vos papiers?

— Dans mon portefeuille. Poche poitrine gauche.

Le commando tira le portefeuille, examina la carte d'identité dans sa fenêtre de plastique, promena sa torche sur le visage de Woods et lui demanda :

— Quel est votre numéro de Sécurité sociale?

— Cinq six trois, trois trois, cinq sept sept huit.

Le commando s'arma d'un canif et trancha les liens de ses poignets et de ses chevilles, puis défit ses menottes. Woods se frotta les poignets et rampa vers Wink.

— Ça va, vieux?

— Ouais. Ça fait mal, mais ça va. Je veux la Purple Heart[1]. J'y aurais droit, tu crois?

— Il faudra bien.

— Sinon, j'écrirai à ton député.

Woods sourit.

— Dis-moi si tu as besoin de quelque chose.

Il se leva et alla s'asseoir sur la banquette. Le chef de l'équipage l'aida à se sangler. L'appareil était bruyant, mais le vol plus calme qu'il ne s'y était attendu. Le Pave Low filait vers la Turquie et la sécurité. Woods allait s'adosser à la paroi lorsqu'il vit Zev toujours menotté et ligoté au sol comme une bête dangereuse. Il demanda à un commando :

— Vous n'allez pas le libérer?

— Non, Monsieur. Nous ne savons pas qui il est.

---

1. *Purple Heart :* haute décoration militaire américaine pour faits d'arme.

Woods, mécontent, alla vers le chef des commandos :

— Libérez-le, dit-il, indiquant Zev.

— Nous ne savons pas qui c'est, Monsieur.

— Je vais vous dire quel genre d'homme c'est, s'écria Woods, irrité. Il nous a sauvé la vie. Il nous a cachés pendant tout un jour et a risqué sa peau pour nous. C'est lui qui nous a appris que nous avions réussi à faire sauter le cheikh et si nous ne l'avions pas fait, il l'aurait tué lui-même. Libérez-le !

— Très bien, mais je ne vais pas lui délier les mains.

— Si vous voulez, admit Woods.

Un commando s'exécuta. Zev, mains entravées, remercia Woods et alla s'asseoir près de lui sur la banquette. Le chef de l'équipage lança un casque à Woods, qui en coiffa Zev et le sangla. Woods s'adossa à la paroi et, en dépit de sa détermination à rester éveillé, il sombra dans le sommeil.

Il s'éveilla quand ses pieds se trouvèrent soulevés du sol. Il comprit que le Pave Low piquait brusquement du nez. Ses bottes retombèrent lourdement et l'hélicoptère vira brusquement à droite, comme s'il essayait d'éviter quelque chose. Wink dormait, mais pas Zev. Le chef d'équipage examinait quelque chose que Woods ne pouvait voir. Un lieutenant sortit du cockpit et vint se sangler sur la banquette en face de Woods ; il paraissait sombre.

— Que se passe-t-il ? lui cria Woods.

— Un chasseur. On ne l'a pas vu arriver. Il a branché son radar à la dernière minute. Maintenant, il ne nous lâche plus.

— Un chasseur ? Syrien ? demanda Woods, la bouche sèche.

— Pas sûr. L'électronique essaie de l'identifier.

— Et les Spooky ? Ils ne peuvent rien faire ? demanda Zev, qui avait entendu l'échange.

— Non, ils ne servent qu'au combat air-sol. Ils ne peuvent rien contre un avion.

— Qu'est-ce qu'on peut faire ?

— Pas grand-chose. Essayer de lui échapper.

Le chef d'équipage écouta son casque-radio, s'agrippa aux parois pour ne pas tomber et vint dire deux mots à l'oreille du lieutenant, puis retourna à son poste.

— C'est un F-14, annonça le lieutenant à Woods.

— Établissez un contact radio ! s'écria Woods. C'est l'un des nôtres ! Essayez sur 243 ! cria-t-il en s'apprêtant à se lever. C'est probablement quelqu'un de mon esc...

Puis il s'interrompit, se ressaisissant :

— Il est iranien !

— Iranien ? cria le lieutenant.

— C'est le seul autre pays au monde qui en possède, cria Woods.

Le lieutenant s'élança vers le cockpit pour annoncer la nouvelle. Woods courut après lui pour aider le pilote à déjouer le F-14. L'hélicoptère était effroyablement secoué dans ses manœuvres pour échapper à son poursuivant, tantôt essayant de faire du surplace près du sol, tantôt zigzaguant pour éviter le mortel canon Vulcan de 20 millimètres de son ennemi. Woods s'agrippa à une barre de fer pour monter les trois marches menant au cockpit. Woods chercha du regard un casque qui lui permettrait de parler au pilote, lorsqu'un éclair à droite aveugla tout le monde.

— Qu'est-ce que c'est ? hurla le copilote.

— Un impact de missile, expliqua Woods. Quelqu'un l'a eu.

— Mais de qui ?

— Un F-18 du *George Washington*, expliqua le capitaine de l'hélico. Il est parti de Batman. Il était prévu qu'ils nous escorteraient sur le retour. Vous les connaissez ? demanda-t-il à Woods.

Woods sourit en pensant à Terrell Bond. C'était peut-être lui qui avait descendu le F-14.

— Dites-lui, quel qu'il soit, que je lui dois une caisse de scotch.

— Alors, je vous en dois deux.

— Merci, cela devrait suffire.

— Dites-moi où vous les faire porter.

— Comptez sur moi.

— Nous sommes en Turquie ?

— Nous y serons dans deux minutes.

Woods commença à se détendre pour la première fois depuis que la catapulte l'avait lancé du porte-avions. Peut-être achèveraient-ils enfin leur mission. Il alla se rasseoir près de Zev.

— Vous vous appelez vraiment Zev ?

— Non.

— Vous êtes certain que nous avons eu le cheikh ?

— Certain. Ça m'a presque rendu sourd.

— Comment avez-vous introduit cet émetteur dans la forteresse ?

— Ce n'est pas moi.

— Qui, alors ?

— Ça n'a pas d'importance.

Woods n'insista pas. Zev reprit de lui-même :

— Une femme. Elle parlait arabe et farsi. Elle a pris l'apparence d'une fermière qui leur apportait des fruits d'une vallée éloignée. Ils l'ont laissée entrer dans la forteresse pour leur fournir de la nourriture. Plusieurs fois.

— Elle était du Mossad ?

— Je ne peux pas le dire…

— Pourquoi pas ?

— Je parle trop. C'est parce que je suis resté trop longtemps muet dans le désert.

Woods posa de nouveau la même question. Zev mit un long moment à répondre.

— *Kidon*.

— Quoi ?

— *Kidon*. Une unité spéciale chargée des assassinats ciblés.

Woods réfléchit un moment.

— Sa main droite était-elle mutilée ?

Zev fut abasourdi.

— Comment savez-vous… ? ne put-il s'empêcher de dire.

— Irit.

Mille souvenirs pénibles affluèrent à la mémoire de Woods. Zev essayait de deviner comment un lieutenant de la marine américaine pouvait connaître le nom de cette femme.

— Elle préparait un cadeau pour le cheikh. Il a explosé avant qu'elle n'ait fini de le confectionner. Ça a détruit sa main.

— C'était elle qu'ils cherchaient, dans ce bus ?

— Ils l'avaient démasquée.

— Où allait-elle, quand elle a été tuée ?

— Tel Aviv.

— Pour un entretien avec El Al ?

428

Zev scruta le visage de Woods pour savoir s'il plaisantait.

— Non. Elle venait nous aider pour notre prochaine mission. Elle venait me voir. Nous sommes… Nous appartenions à la même unité. Nous étions douze.

— Elle n'allait donc pas à un entretien ?

— Non.

L'histoire ne tenait plus.

— Qu'est-ce qu'elle faisait en Italie ?

— Elle y allait souvent. En vacances.

— C'est là que je l'ai rencontrée.

— Vous avez connu Irit ? demanda Zev, stupéfait.

— Elle était liée à mon voisin de chambrée.

— L'officier de marine américain ?

— Oui.

— Maintenant je comprends…

Zev fronça les sourcils.

— Alors, votre attaque contre le cheikh était personnelle. Pour venger votre ami.

— Comme la vôtre. Pour la venger.

— C'était ma faute. Ils n'auraient jamais dû la retrouver.

— Il faut que je sache une chose, Zev.

— Quoi ?

— Tony Vialli, que faisait-il en Israël ?

— Qui ?

— Tony Vialli. Mon camarade. L'officier de marine.

— Avec Irit ? Je ne connaissais pas son nom. Il venait la voir.

— Quelqu'un d'autre avait-il intérêt à cette visite ?

— Personne. Au contraire. Elle craignait qu'il n'attire trop l'attention sur elle. Je lui avais dit qu'il ne devait pas venir. Que ce serait risqué pour elle d'être vue avec lui.

Zev demeura silencieux un long moment. La tristesse se lisait sur son visage.

— Mais alors, pourquoi y est-il allé ? demanda Woods.

— Parce qu'ils étaient amoureux, répondit Zev en haussant les épaules.

Remerciements

Je voudrais exprimer ici ma gratitude et mon admiration au commandant Sam Richardson, USN, pilote de F-14 et commandant du VF-14, qui a eu l'obligeance de lire mon manuscrit et de m'offrir ses excellents conseils. Je voudrais également remercier le commandant Dave Pine, USN, et les officiers et marins du VF-31, les vétérans des Tomcat et l'escadrille F14-D sur le *USS Abraham Lincoln*, qui m'ont traité comme l'un des leurs durant ma visite, m'ont familiarisé avec le navire et m'ont rappelé ce qu'est la vie à bord d'un porte-avions.

Je suis également l'obligé des femmes et des hommes de la 16e section des opérations spéciales de l'armée de l'air à Hurlburt, Floride, et en particulier, ceux de la 20e escadrille d'opérations spéciales, qui pilotent les hélicoptères MH-53J Pave Low III, et la 4e escadrille d'opérations spéciales qui pilotent l'AC-130-U Spooky. Leurs conseils et leur aide furent pour moi inestimables.

James W. Huston
PLUIE DE FLAMMES

Pilote chevronné, Luke Henry a vu sa carrière brisée à la suite d'une erreur commise au cours d'un vol d'entraînement. Il fonde alors sa propre école de pilotage, à Tonopah, dans le Nevada, où ses élèves apprennent à combattre sur des Mig-29.

Parmi eux, un groupe d'islamistes pakistanais, conduit par le major Riaz Khan. Leur objectif : la préparation d'un attentat sur le sol américain, qui déclencherait une catastrophe nucléaire d'une ampleur inégalée. Luke Henry arrivera-t-il à les stopper avant qu'ils ne mettent leur menace à exécution ?

Écrit quelques mois avant les événements du 11 septembre 2001, un technothriller prémonitoire, où se profile l'ombre d'un certain Oussama Ben Laden…

> *« Tom Clancy et Dale Brown n'ont qu'à bien se tenir. James W. Huston, un concurrent sérieux, fait son entrée au club »*
> Stephen Coonts

Traduit de l'américain par Gerald Messadié

ISBN 2-84187-439-7 / H 50-2711-5 / 374 p. / 20,95 €

Dale Brown
FEU À VOLONTÉ

Juin 2008. La tension monte dans le Pacifique. Après cinq décennies d'une rivalité dans laquelle le Nord, puis le Sud, essayèrent de conquérir ou d'absorber l'autre, les deux Corées se sont réunifiées. Mais la nouvelle entité représente une menace. D'autant que, en dépit des mises en garde, le président Kwon refuse de détruire son arsenal nucléaire et bactériologique.

Pékin craint une attaque et déploie ses troupes vers la frontière. Le Pentagone est en état d'alerte. Malgré les efforts diplomatiques entrepris pour rétablir le calme, c'est l'escalade. Des tirs de missiles enclenchent la riposte de Séoul.

Un seul homme semble capable d'empêcher toute la région — et le monde — de s'embraser : le général de l'US Air Force Patrick McLanahan. Depuis quelque temps, il entraîne sur la base aéronautique de Fallon, dans le Nord du Nevada, une équipe de têtes brûlées. Son objectif : les rendre experts dans le maniement des B-1B « Bone », les bombardiers supersoniques dernier cri. Mais l'escadrille qu'il a sous ses ordres sera-t-elle prête à temps pour éviter le déclenchement d'un conflit international ?

Né en 1956, Dale Brown a servi dans l'US Air Force de 1978 à 1986, accumulant 2 500 heures de vol aux commandes de B-52G et de F-111. Il est, avec Tom Clancy et Michael Dimercurio, l'un des auteurs de technothrillers les plus lus aux États-Unis. Dale Brown vit au Nevada où, lorsqu'il n'écrit pas, il pilote son propre avion, un Piper Aerostar 602P.

« *Rythmé, plein d'action et de missiles, un roman qui vous harponne et refuse de vous lâcher avant l'ultime page.* »

Larry Bond

« *Le meilleur auteur de romans d'aventures militaires.* »

Clive Cussler

Traduit de l'américain par Dominique et Denis Chapuis

ISBN 2-84187-357-9 / H 50-2600-0 / 550 p. / 22,95 €

Tom Clancy
CODE SSN

De notre correspondant financier à New York, Bill Mossette :
« Le porte-parole de la United Fuels Corporation a annoncé aujourd'hui que sa société venait de découvrir un gisement de pétrole estimé à mille milliards de barils au large des îles Spratly, dans la partie méridionale de la mer de Chine. »

Du chef de notre bureau de Pékin, Julie Meyer :
« Après deux jours de combat contre les forces vietnamiennes et philippines présentes dans l'archipel, la Chine a envahi les îles Spratly qu'elle convoitait depuis longtemps. Le territoire paraît aujourd'hui entièrement sous contrôle chinois. Le pétrolier américain *Benthic Adventure* a été arraisonné. »

De notre correspondant à Washington, Michael Flasetti :
« En accord avec les Nations unies, le président des États-Unis a annoncé que l'US Navy envoyait au large des Spratly les porte-avions *Nimitz* et *Independence*, et a décrété l'état d'alerte maximum. »

Éviter une déflagration mondiale : telle est la mission qui incombe au commandant Bartholomew « Mack » Mackey. Pour la mener à bien : des nerfs d'acier, un équipage surentraîné et l'*USS Cheyenne*, sous-marin nucléaire de la dernière génération, fleuron de la flotte américaine.
Le compte à rebours a commencé. Pour Mackey et ses hommes, une seule alternative : se couvrir de gloire... ou sombrer à jamais dans les profondeurs de la mer de Chine.

On ne présente plus Tom Clancy. L'auteur de À la poursuite d'Octobre rouge *et de* Sur ordre *est le maître incontesté du techno-thriller sous-marin.*

Traduit de l'américain par Dominique et Denis Chapuis

ISBN 2-84187-157-6 / H 50-2325-4 / 264 p. / 14,95 €

Michael DiMercurio
MENACE EN HAUTE MER

Après des années de service actif où, plus d'une fois, lui et ses hommes ont vu la mort de près, le commandant Kelly McKee retrouve la terre ferme pour une mission vraiment exceptionnelle : une semaine de repos, avec sa compagne, dans une maison perdue des montagnes du Wyoming.

Au même moment, l'amiral Pacino se voit confronté à une situation tout aussi inédite : accompagner l'état-major de l'US Navy au grand complet dans une croisière au large des Caraïbes.

Mais lorsqu'une mystérieuse organisation, la Da Vinci Consulting, offre deux millions de dollars pour faire sortir de prison l'amiral Alexi Novskoyy, concepteur de l'*Oméga*, le sous-marin le plus performant que la Russie ait connu, il y a fort à parier que les vacances des deux héros de la Navy risquent d'être écourtées...

Spécialiste des technologies de pointe en matière d'armement, diplômé de l'Académie navale d'Annapolis, Michael DiMercurio a servi en tant qu'officier à bord du sous-marin Hammerhead. *En six romans, tous publiés aux éditions de l'Archipel, il s'est imposé comme l'un des maîtres du genre, à l'égal de Tom Clancy.*

Traduit de l'américain par Dominique et Denis Chapuis

ISBN 2-84187-299-8 / H 50-2530-9 / 418 p. / 21,50 €

Michael DiMercurio
PIRANHA, TEMPÊTE EN MER DE CHINE

23 octobre 2007. Depuis des mois, la tension monte entre la Chine communiste et la Chine blanche, soutenue par les États-Unis. Au cours d'une patrouille, six sous-marins japonais équipés de torpilles au plasma disparaissent brusquement. Aucune bouée de détresse n'a été lancée, aucun débris ne remonte à la surface. Accident ?

4 novembre 2007. Le palais présidentiel de Shanghai, capitale de la Chine blanche, est pulvérisé en quelques secondes par une salve de missiles au plasma.

Coïncidence ?

Pour Dick Donchez, ancien commandant de la marine américaine, aucun doute n'est permis : après des mois de négociation stérile en vue d'obtenir la réunification du pays, la Chine rouge a décidé de mettre ses menaces à exécution.

Un seul homme est capable de freiner ses rêves expansionnistes : Michael Pacino, l'officier le plus décoré de l'US Navy. Mais, pour la première fois, la puissance de feu ennemie rivalise avec celle de la flotte américaine. Le courage et le sang-froid du commandant des forces sous-marines suffiront-ils à faire la différence ?

« Brillant et talentueux, DiMercurio vous fait connaître angoisses et émotions dans le petit périmètre de votre salon. »

Encre noire

Traduit de l'américain par Dominique et Denis Chapuis

ISBN 2-84187-117-7 / H 50-2270-2- / 396 p. / 21,50 €

Michael DiMercurio
COULEZ LE BARRACUDA !

Message top secret :
de : B.F. Leach III, directeur de la CIA
à : Président des États-Unis
« Apparemment, aucune arme nucléaire n'est détenue en Grande-Mandchourie. Complément d'enquête en cours. »

Message codé :
de : Agasumo Machile
à : Hosaka Kurita
« Honoré Premier ministre,
Je vous confirme que nos satellites Galaxy ont détecté la présence d'armes nucléaires sur territoire Mandchou. Début de l'opération Vent Divin dans huit heures. »

Message des Nations unies :
« Situation de crise en Extrême-Orient. L'offensive japonaise en Grande-Mandchourie risque de provoquer un conflit nucléaire mondial. Le blocus du Japon a été décrété. »

Cette fois l'amiral Pacino sait qu'aucune erreur n'est permise. Que son sous-marin, le *USS Barracuda*, échoue dans sa mission, et le monde basculera dans le chaos…

« Les admirateurs de l'amiral Pacino retrouveront leur héros dans de nouvelles aventures. Un pied dans la réalité, l'autre dans la fiction, l'auteur, Michael DiMercurio, anticipe pour placer Pacino sur la route de Japonais dont les visées hégémoniques sont d'ordre militaire. Le déclenchement d'un troisième conflit mondial ne tient qu'à un fil… »

Le Républicain lorrain

Traduit de l'américain par Dominique et Denis Chapuis

ISBN 2-84187-117-7 / H 50-2270-2 / 396 p. / 21,50 €

*Cet ouvrage a été composé
par Atlant' Communication
aux Sables-d'Olonne (Vendée)*

Impression réalisée sur CAMERON par

BRODARD & TAUPIN

GROUPE CPI

*La Flèche (Sarthe)
en décembre 2003
pour le compte des Éditions de l'Archipel
département éditorial
de la S.A.R.L. Écriture-Communication*

Imprimé en France
N° d'édition : 649 – N° d'impression : 21993
Dépôt légal : janvier 2004